ein Ullstein Buch

June 1991

Dear Michael,

Your wit, insight, breadth of
knowledge, & rapid-fire
delivery remind me much
of my Uncle Friedrich —
I hope you enjoy his
"voice of critique."

Many thanks for a
stimulating, enjoyable
year —.

- Carrie Luß

ein Ullstein Buch
Nr. 20180
im Verlag Ullstein GmbH,
Frankfurt/M – Berlin – Wien

Ungekürzte Ausgabe

Umschlagentwurf:
Hildegard Morian
Alle Rechte vorbehalten
Taschenbuchausgabe in Vereinbarung
mit dem Autor
© Friedrich Verlag,
Velber bei Hannover
Printed in Germany 1982
Druck und Bindung: Mohndruck
Graphische Betriebe GmbH, Gütersloh
ISBN 3 548 20180 6

Februar 1982

CIP-Kurztitelaufnahme
der Deutschen Bibliothek

Luft, Friedrich:
Stimme der Kritik/Friedrich Luft. – Unge-
kürzte Ausg., Taschenbuchausg. –
Frankfurt/M; Berlin; Wien: Ullstein
Bd. 1. Berliner Theater 1945–1965. – 1982.
  (Ullstein-Buch; Nr. 20180)
  ISBN 3-548-20180-6
NE: GT

Friedrich Luft

Stimme der Kritik

Band I: Berliner Theater
1945–1965

ein Ullstein Buch

INHALT

DIE SPIELZEITEN 1950/51 und 1951/52

DIE SPIELZEITEN 1952/53 und 1953/54

DIE SPIELZEITEN 1954/55, 1955/56 und 1956/57

DIE SPIELZEITEN 1957/58 und 1958/59

DIE SPIELZEITEN 1959/60 und 1960/61

VORWORT

Einst, in den sogenannten großen Jahren Berliner Theaters, war es durchaus angebracht und legitim, wenn Kritiker dieser Stadt jährlich ihre Strecke einbrachten, die Rezensionen einer Spielzeit sammelten und druckten. Das Theater war metropolistisch. Das Theater war bestückt mit neuen, einheimischen Stücken, die die Auseinandersetzung über den Tag hinaus lohnten. Das Theater war von einer kaum mehr verständlichen Wichtigkeit. Es machte, automatisch, auch den wichtig, der sich reflektiv mit der Bühne zu schaffen machte. Kerr konnte die Anhand-Beschäftigung der Kritik als neue, autonome Form der Dichtung proklamieren. Der Zeitgeist bewegte sich sichtbar auf der Szene. Kritik, diese selige Schmarotzerkunst, kann immer nur so wichtig, so belangvoll, so erheblich, kann immer nur so aufregend sein wie das Theater selbst. Die Bühne singt. Wir geben Echo.

Schlechte Zeiten für den Kritiker, heute! Was wir so hingegeben, aufgeregt, liebevoll oder warnend betrachten, ist aus der Mitte der allgemeinen Betrachtung gerutscht. Berlin selbst ist nicht mehr natürlicher Sammelpunkt des deutschen Theaters wie einst. Das Drama in unserer Sprache gibt Pausenzeichen. Uraufführungen, einst tägliches Brot der Rezensenten, sind heute kritische Feiertage wie Weihnacht oder Ostern im Kalender. Schlechte Zeiten für Kritiker! Kein Anlaß, sollte man denken, einen Band wie diesen zu wagen.

Wenn der selbstlose Herausgeber dieser Sammlung von Kritiken ihren skeptischen Verfasser trotz solcher Einsicht zum vorliegenden Buche überreden konnte, so mit zwei Argumenten.

Einmal: Es haben sich in anderthalb Jahrzehnten, seit ich meine erste Rezension zu Papier brachte, bei der Betrachtung des Theaters nicht nur Stückurteile, Schauspielerzeichnungen, Erlebnisreporte, ästhetische Wertungen abgelagert. Hier in Berlin war der Kritiker, ob er wollte oder nicht, immer gezwungen, mehr zu sein als nur analysierender Kunstregistrator im Parkett. Das Theater kam hier seit 1945 nicht in Versuchung, zum l'art pour l'art-Institut zu werden, zum subventionierten Konsolenschmuck gutbürgerlicher Bildungsstuben oder zum abstrakten Tummelplatz abstrakter »Richtungen«.

Wer hier Theater ansah und ansieht, wird es immer auf seine Verwertbarkeit für die Stunde, wird es jeweils auf eine Anwendbarkeit, auf seinen aktuellen Nutzwert untersuchen müssen. Der kann ebenso im »Vergnügen der Einwohner« liegen wie in der Bewußtmachung der Wahrheit in klassischem oder modernem Gewand. Dieser Nutzwert des Schönen muß gesucht, muß gezeigt, muß augenfällig gemacht werden.

Berlin war und ist ein Wundpunkt der Politik. Berlins Theater wurde und ist (wieder ob man will oder nicht) politisches Theater, auch wo es sich völlig unpolitisch zu gerieren scheint. Ein Rückblick auf fünfzehn Bühnenjahre dieser Stadt ist unversehens mehr als nur ein liebevoller oder grollender Rückblick auf die Bühne. Die ganze Zeit ist immer mit ins Blickfeld geraten.

Damit sind vielleicht und ohne Verdienst des Tagesrezensenten seine Tagesrezensionen zeithaltig geworden, aufhebenswert, weil nicht nur Ästhetik in ihnen betrieben wurde. Man hatte fast immer mehr und Sorgenvolleres im Sinn, wenn man wohlgefällig, begeistert, gelangweilt, provoziert oder gar gereizt auf die Szene blickte. Hier galt's immer (Lessing) »zu unterscheiden«. Die kritischen Reflexe mußten mehr beinhalten als nur den künstlerisch-kritischen Reflex. Es hat sich, in Ansehung des Theaters, Zeitgeschichte, Berliner Bewußtsein, vielleicht etwas Berliner Historie abgelagert mit solchen Referaten über die Bühne.

Das der eine Grund, ihre Sammlung zu rechtfertigen.

Der andere ist, offen zugegeben, lokalpatriotischer Natur. In Berlin ist Theater immer noch wichtiger als irgendwo anders. Hier ist es vielfältiger, immer noch, als in jeder anderen deutschen Stadt. Hier noch ein Arsenal von bekannten und neuen Spielern, das seinesgleichen kaum hat.

Hier immer wieder Aufführungen, die Glanz, Größe, Richtigkeit und Herrlichkeit haben. Davon dringt wenig nach außen, seit die Stadt qualvoll abgekapselt existieren muß. Ich hoffe, diese Sammlung von Kritiken kann beitragen, solchen Notstand etwas zu beheben; ich hoffe, sie könne Kenntnis geben davon, wie doppelt ernst das Theater hier genommen werden muß, wie wichtig es – über die eigene Wichtigkeit hinaus – werden mußte, und daß wir, obgleich mit Aufregungen wahrlich versehen, immer noch bereit sind, uns für das Theater, mit dem Theater, und wenn's sein muß, gegen das Theater »uffzereejen«!

Zu danken habe ich Henning Rischbieter. Er hat aus zwei Dutzend Leitzordnern, in denen sich mit den fünfzehn Jahren an die 1500 Kritiken, ungeordnet, angesammelt hatten, die vorliegenden ausgewählt, hat sie für den Buchdruck gerichtet und der Folge Übersichtlichkeit gegeben. Ich hätte es nicht gekonnt. Ich danke ihm dafür sehr.

Berlin, September 1961   Friedrich Luft

Vier Jahre nach dem ersten Erscheinen dieses Kritiken-Bandes schienen einige Veränderungen unausweichlich. Wir haben den alten Titel, »Berliner Theater 1945–1961«, fallengelassen; er traf nicht mehr zu für die erweiterte Sammlung, die nun vorliegt. Wir haben das Buch »Stimme der Kritik« genannt und ihm den ›offenen‹ Untertitel »Berliner Theater seit 1945« gegeben.

Wir haben die kritischen Texte à jour gebracht und in acht neuen Kapiteln 32 Rezensionen aus den Jahren 1961 bis 1965 hinzugefügt. Jetzt umfaßt der Band runde zwanzig Jahre kritischer Aufmerksamkeit vor den Bühnen Berlins. Der Autor, über seinen eigenen Sitzfleiß und die Insistenz, mit dem er das Theater der Stadt so lange so wichtig nahm, selbst verwundert, hofft: der rein dokumentarische Wert dieser Veröffentlichung möge dem Leser, wie bisher, wichtig sein. Zwei runde Dezennien Berliner Theater. Die Aspekte sind, nach wie vor, nicht nur ästhetischer Art.

Freundliche oder auch zurückhaltende Kritiker dieses Kritikenbuches (und so auch gewiß viele seiner Leser) kamen an den naheliegenden Irrtum, hier seien vorwiegend Sprechtexte gedruckt, wie sie der Kritiker, ebenfalls seit nunmehr zwanzig Jahren, allsonntäglich zur Mittagszeit im Sender RIAS-Berlin und dort in seiner »Stimme der Kritik« verlautbart.

Die Neuauflage gibt die Möglichkeit, darauf hinzuweisen: wir haben nur für das Jahr 1946 und 1947 fünf damals gesprochene Kritiken dieser RIAS-Serie in diesen Band aufgenommen. Die journalistische Herkunft aller anderen sei hier noch einmal deutlich vermerkt.

Sie erschienen, für das Jahr 1945, in der »Allgemeinen Zeitung«, die vom Mai 1947 bis zum Januar 1955 in der »Neuen Zeitung«. Seit 1955 bis 1965 sind fast ausschließlich Texte aufgenommen, die in der Zeitung »Die Welt« für den Tag und die Stunde gedruckt waren. Nur in rund einem Dutzend Fällen sind Kritiken ausgewählt, die (in den Jahren 1955 bis 1960) in der »Süddeutschen Zeitung« und (in den beiden letzten kritischen Berichtsjahren) in der Monatsschrift »Theater heute« standen.

Berlin, Mitte Juli 1965   Friedrich Luft

Wir werden an den Sonntagen der kommenden Wochen um diese Stunde wieder zusammentreffen. Wir werden öfter miteinander reden. Wir werden uns aneinander gewöhnen müssen. Vielleicht ist es gut, daß ich mich Ihnen da vorstelle:

Luft ist mein Name. Friedrich Luft. Ich bin 1,86 groß, dunkelblond, wiege 122 Pfund, habe Deutsch, Englisch, Geschichte und Kunst studiert, bin geboren im Jahre 1911, bin theaterbesessen und kinofreudig und beziehe die Lebensmittel der Stufe II. Zu allem trage ich neben dem letzten Anzug, den ich aus dem Krieg gerettet habe, eine Hornbrille auf der Nase. Wozu bin ich da? – Ich soll mich für Sie plagen. Diese Stadt Berlin ist von einer ununterdrückbaren Regsamkeit. Was die Theater, die Kinos zudem betrifft, so kann ein einzelner schon jetzt nicht mehr übersehen, was sich auf den Brettern und den Projektionsflächen unserer Stadt tut. Wer hätte Zeit, die vielen Kunstausstellungen zu besuchen? Wer könnte entscheiden, welcher Opernabend einen Besuch wert ist?

Sehen Sie – da komme ich nun in den Lautsprecher, etwas atemlos vielleicht von dem letzten künstlerischen Erlebnis, etwas ausgekühlt vielleicht in dieser Jahreszeit. Aber das ist meine Aufgabe: für Sie sozusagen der Vorreiter und Kundschafter zu sein. Ich stürze mich von Beruf und Leidenschaft in den Strudel der Künste und Vergnügungen und gebe Ihnen Rapport und Bericht. Jede Woche. Um diese Zeit.

Ich erzähle Ihnen, was ich gesehen habe. Und da Kunst erregbar machen soll und mitteilsam: nehmen Sie es mir nicht übel, wenn ich es auf meine Art tue. Wenn ich mit meinen Augen sehe. – Kein akademischer Vortrag. Das kann ich nicht. Der Himmel behüte! – Kein leidenschaftsloser Bericht – damit wäre niemand geholfen. Sondern: ich komme aus dem Theater, dem Kino, der Ausstellung, der Oper. Und ich berichte meinen Eindruck. Es gibt keine absolut treffsichere Kritik. Aber es gibt auch hier ein sauberes Handwerk und einen Willen zur Redlichkeit und zum Wahren. Das wollen wir treffen.

Gestern hatte ich Gelegenheit, einmal im Wagen durch die ganze Breite dieser Stadt zu fahren. Es war gespenstisch. Man ist an die Trümmer seiner Umwelt, seines Weges zur Arbeit, seines Bezirkes gewöhnt. Aber da wurde mir einmal bewußt, wie wenig von Berlin noch da ist. Ich fragte mich, ob wir uns nicht eigentlich nur etwas vormachen. Ich fuhr an einer Litfaßsäule vorbei, die beklebt war mit unzähligen Ankündigungen von Theatern, Opern, Konzerten. Ich sah nachher im Inseratenteil der Zeitung: an fast 200 Stellen wird Theater gespielt. Tatsächlich. Überall. In allen Bezirken. Täglich finden mindestens ein halbes Dutzend Konzerte statt. In allen Bezirken. Zwei Opernhäuser spielen ständig – welche Stadt der Welt hat das noch? Ob da nicht eine ungesunde Hausse in Kunst ausgebrochen ist – ob es nicht nötiger ist, Handfestes zu tun –, ob der Drang vor die Bühnen und in die Lichtspielhäuser nicht etwas Leichtfertiges und Frivoles an sich hat? Ich habe es mich gefragt. Und ich habe geantwortet: Nein! Wir sind tatsächlich durch ein Tal von Schweiß und Tränen gegangen, und zu Übermut, weiß Gott, ist auch heute kein Anlaß.

Die Nöte stehen dicht an unserer Schulter. Die Arbeit bleibt zu tun.

Aber gesegnet die Stunden, die uns über uns hinausführen. Die Stunden, die wieder Musik in unser Leben bringen und die Töne der großen Meister. Gesegnet die Stunden, die uns nachdenken lassen, die uns Ideen zeigen, die uns die Welt öffnen und uns über unseren kleinen, staubigen Alltag hinausführen in die Welt.

Die Dichter – laßt jetzt endlich hören, was sie uns zu sagen haben! Der Krieg hat uns geschlagen zurückgelassen, in einer geistigen Dürre, voll Hungers nach guten und füllenden Gedanken und voller Neugier in die Welt hinaus, voll Aufhorchens nach dem neuen Ton der Güte, der unerbittlichen Liebe zum Nächsten, nach dem neuen Ton einer Menschlichkeit, die nun endlich laut werden muß, nachdem die Luft verzerrt war von Haßgesängen – zwölf lange Jahre hindurch.

Nein, Kunst ist nicht Sonntagsspaß und Schnörkel am Alltag, kein Nippes auf dem Vertiko. Kunst ist notwendig, gerade jetzt in der Not. Erst der Geist füllt das Leben, und ich will in keiner Welt leben, die ohne Musik ist. Was nutzt es, wenn wir uns nun das neue Haus bauen, und siehe: wir haben den Inhalt vergessen, den Geist, der in ihm wohnen soll. Nein, Kunst ist notwendig. Und kein Gedanke an sie, kein wirkliches Bemühen um sie ist zuviel.

7. 2. 1946

Die Spielzeiten 1945/46, 1946/47 und 1947/48

ZEITTHEATER

Julius Hay »Gerichtstag«
Deutsches Theater

Ein düsterer Himmel hängt über dieser »deutschen Tragödie in drei Akten«. Ein Himmel, gegen den der der ibsenschen Dramatik fast leicht erscheint in seiner privaten Schicksalhaftigkeit. Es ist der deutsche Himmel von 1943, der, an dem die schwelenden Rauchwolken von Stalingrand aufziehen. Und darunter die zusammenbrechende, waffenklirrende Welt des Dritten Reiches. Es bröckelt, es knistert und fällt auseinander, drei lange Akte hindurch. Ein beklemmender Anblick, so nah und so heiß noch in der Rückschau.

Aufgesucht ist der Zusammenbruch im »Ausweichquartier« einer Familie, die in den Bergen Ruhe und Rettung vor den Bomben sucht, die auf ihre Stadt niederfallen, Nacht für Nacht. Aber sie entgeht in der ländlichen Stille dem Schicksal nicht. Auf die Alm ziehen sich die brüchigen Lebensfäden vergangener und neuer Schuld hinauf. Gerichtstag. Der Vater erwürgt seinen Sohn, den korrupten Gruppenführer. Der bestechliche Arbeiterführer wird in den Bergen, als er mit dem kalten Rüstungskapitän zu paktieren sucht und seine Arbeiterschaft verrät, »umgelegt«. Schuld wird aufgerechnet. Der Mann, der einzig sauber und rein durch die Jahre seelischer Verwüstung gegangen ist, bricht zusammen über dem Maß an Gericht, das er auslösen muß. Und nur die Jugend bleibt zurück, tapfer, erkennend und mit neuem Ausblick.

Julius Hay hat geschwiegen, seit sein Sigismund-Drama 1933 auf einer Berliner Bühne von einem braunen Publikum ausgegrölt und von einer behenden Theaterleitung abgesetzt wurde. Er ist der erste, der den Griff in die nächste Vergangenheit wagt und den kaum verblaßten Spuk auf die Bühne stellt. Daß es eine hastige Arbeit ist, merkt man nicht nur streckenweise der Diktion, sondern auch der Handlungsführung an. Wie sich an dem greisen Vater der Gang der Handlung dick und konsequent vorbeizieht, das verzichtet noch auf alle Zwischentöne. Das ist kraß in seiner Deutlichkeit, und in den gedanklichen Konsequenzen, die von den Handelnden gezogen werden, da tönt verdächtig oft noch der Leitartikel auf, nicht das blutige Leben selber. Die Worte, die tröstlichen, in die die Heldin unmittelbar neben der Leiche ihres Onkels ausbrechen muß, klingen leer in den Schluß hinein. Denn der Tod, auch der eines Verbrechers, ist ein unerbittlicher, schweigender Gesprächspartner.

Aber der Anfang ist gemacht. Das Zeitdrama ist versucht. Die politische Tragödie, die neue, ist begonnen. Man wird abwarten müssen, wie sie klingt, wenn wir selbst nicht mehr so brennend nah am Feuer stehen. Wenn die Dichter Zeit gewonnen haben werden, sorgfältiger und subtiler die Handlung zu führen, als es augenscheinlich hier noch der Fall sein konnte.

Intendant von Wangenheim als Spielleiter führte sorgsam und abgestuft die zähflüssigen Dialoge, in die für keinen Augenblick der wärmende Lichtschein einer Heiterkeit oder eines Lächelns einbrechen darf. Er setzte mit viel Glück einen neuen Mann für die schwierige Rolle des Gruppenführers im SA-Dreß an – Heinrich Greif. Der traf den braunen Ton genau. Paul Bildt war ölig, emsig und eilfertig, der verratene Arbeiterführer mit dem korrupten Blick zur großen Industrie, die breit, zynisch und selbstsicher mit Aribert Wäscher auftrat. Der »kultivierte«, kalte, raffgierige Motor neuer Kriege. Ein sauberes Abbild ohne Übertreibung. Eine schöne und subtile Leistung. Max Eckard und Ruth Schilling als die Jugend, die aus dem blutigen Gerichtstag den Urteilsspruch für ihr weiteres Leben in dieser deutschen Welt zu ziehen hat. Eine Fehlbesetzung Walter Richter in dem Part des greisen Vaters. Seiner männlichen und kräftigen Natur ist das Großväterliche nicht zu glauben. Es hätte sich aus dem nicht unbeträchtlichen Schauspielerreservoir des Theaters ohne Zweifel jemand finden lassen, der mehr hellseherische Senilität für diese Rolle mitgebracht hätte, als es der bärenkräftigen Natur Richters möglich war.

Das Publikum war offensichtlich verwirrt von der Nähe und der Zähflüssigkeit des Stückes. Selten nur ging Beifall in die fast noch gegenwärtige Szene hinein. Das politische Stück, das Zeittheater, ist noch zu neu, als daß man ohne Zaudern hätte mitgehen können. Aber zu lernen war an der Aufführung, daß wir es bitter nötig haben – beides: das neue Publikum und den ausgeruhten politischen Dichter.

19. 9. 1945

Hier ist ein Stück, das sein Thema aus der jüngsten Vergangenheit nimmt. Es beginnt auf einer Berliner Straße zur Nacht. Ein Mann schleicht heran. Pfeifend. Schlendernd. Beobachtend. Er lehnt an einer halbzerbombten Litfaßsäule und spricht zu uns, wie nebenher und beiläufig. Und redet doch »Hochverrat«. Er »spannt«, er hält Ausschau, ob die Luft rein ist. Ein illegaler Kämpfer gegen Hitler. Er sondiert dies triste Straßenterrain, ob die Polizei im Wege ist, ob die Gestapo Streife schiebt. Morgen werden 200 Flugblätter an Säulen, Häuserresten, Wänden und Mauern kleben. Aufrufe gegen die braune Diktatur. Rufe zur Freiheit. Vielleicht werden sie von hundert Menschen gelesen werden. Vielleicht von dreien verstanden. Vielleicht von einem beherzigt. Für diesen einen geht er »spannen«, der stille Vorreiter der illegalen Klebekolonne. Ein Pfiff. Die Luft ist rein. Er geht weiter. Und was ihm da als Liebespaar folgt, sind zwei Mitglieder seiner Widerstandsgruppe. Sie spielen Liebespaar. Sie treiben Hochverrat. Sie kleben den Aufruf an die halbzerbombte Litfaßsäule und gehen weiter. Der da vorne pfeift schon wieder. Die Luft ist rein.

Und nun sehen wir zwei Stunden lang den scheinbar so sinnlosen Kampf dieser Gruppe. Sieben Menschen, die in ihrem Haß gegen Hitler und in ihrer Liebe für die Sache der Freiheit sich den Tod als nächsten Nachbarn gewählt haben. Der Hexentanz der letzten Jahre spielt sich vor unseren Augen ab. Sieben Menschen gegen ein System. Sie verbreiten Nachrichten. Sie kleben. Sie drucken insgeheim Weckrufe. Sie betreiben einen Geheimsender und rufen ihren heißen Ingrimm für die Freiheit in den Himmel. Verschworene, wie es zu keiner Zeit ähnliche gab. Denn zu keiner Zeit gab es ähnliche Tyrannei. Zu keiner Zeit diesen unbeschreiblichen Druck. Nie waren Menschen so umstellt von Verrat. Nie so ausgestoßen aus der Welt, in der Arglosigkeit, Liebe und etwas Wärme wohnt. Nie so ummauert von Argwohn. Im nächsten Freunde, der sich zur Hilfe anbot, konnte der Verrat zu Hause sein. Jener Mann, der ihnen vielleicht zufällig folgte, konnte ein Gestapo-Bulle sein. Ein beiläufiges Wort. Eine hingeworfene Bemerkung. Das leiseste Sich-gehen-Lassen – alles konnte verloren sein. Das eigene Leben. Die geheime Sache. Das Leben der Gruppe. Menschen mußten, um das Gute zu vollbringen, das

Handwerk von Verbrechern ergreifen, solange die Verbrecher selbst zu Gericht saßen und das Gewissen täglich auf der Anklagebank. Aufrechte mußten sprechen mit der Stimme des Verrats. Sie mußten ihr glühendes Gesicht verhängen. Sie mußten lügen, um der Wahrheit treu zu bleiben. Sie mußten im Dunkel wohnen, um das Helle zu tun. Die Welt war verkehrt und die Moral aus den Fugen wie nie. Sieben Menschen bringen es nicht mehr über sich, zu schweigen. Sie rotten sich zusammen. Sie bilden eine Gruppe. Sie treten in Aktion.

Das ist der Vorgang dieses Stückes. Der große Partner dieser, aller illegalen Gruppen tritt nicht auf. Oder besser: er ist immer auf der Szene. Unfaßbar, gefährlich, lauernd, ein Netz der Beobachtungen und Verdächtigungen. Er lauert in jedem Klopfen an der Tür. Er ist zu vermuten in jedem Passanten, der ins Fenster hereinsieht. Er ist zu argwöhnen in jedem Schritt, der sich nähert. Nicht faßbar ist der große, braune Gegenspieler dieser Gruppe. Aber spürbar immer. Und immer furchtbar und von äußerster Grausamkeit. Im Lande geht ein Stöhnen aus von dreihundert Konzentrationslagern. Von den Grenzen kommt der triste Donner eines falschen Krieges, eines wahnwitzig angezettelten. Über den Städten liegt der Rauch der Bombennächte. Aber hier gehen sieben Menschen aus, Nadelstiche zu führen gegen die große, gewaltige Bestie eines irrsinnigen Staates. Nadelstiche. Kaum, daß sie es ritzen werden, das große Tier. Aber ihr Gewissen treibt sie, um dieses Stiches willen ihren Kopf täglich und nächtlich in die Schlinge zu legen.

Das ist es, was hier gezeigt wird. Und nun, liebe Hörer, merke ich, wie Sie skeptisch werden. Wie Sie daheim den Kopf schütteln und einen unangenehmen Geschmack im Munde verspüren. Und dann ist das Wort da, nach dem Sie suchen: Tendenz. Und nun glauben Sie, das Stück, von dem ich rede, eingeordnet und damit beiseite gestellt zu haben.

Haben Sie aber keineswegs! Tendenz – schön und gut. Warum soll es einem, der wie Günther Weisenborn all dies aus eigenster Erfahrung gnadenlos erfuhr – warum soll es ihm verwehrt sein, diese Erfahrungen auf die Bühne zu bringen und zu zeigen: So waren die Kämpfer gegen Hitler! So verachteten sie das eigene Leben aus Liebe für die Sache der Menschlichkeit. So sind sie gestorben. Sie wußten wohl: geklebte Zettel, Geheimsendungen, verbreitete Parolen – das tötete die Unmenschlichkeit des Dritten

Reiches noch nicht. Aber sie standen auf und mußten es trotzdem tun. Einzelne. Gruppen. Viele Gruppen. Und immer noch längst nicht genug. Denn das Untier wurde nicht von uns selbst erlegt. Der tödliche Stoß kam von außen.

Tendenz – gewiß, sie ist da, wenn Freiheit eine Tendenz ist, Selbstvergessenheit, heiße Besessenheit für die Wahrheit, tödlichster Haß gegen das System der täglichen Lüge, Verstellung und Unterdrückung.

Keine üble Tendenz, scheint mir. Und ein solches Tendenzstück soll immer mein Auge haben und meine beste Aufmerksamkeit. Es hat aber meine deutliche Begeisterung, wenn es mehr ist. Wenn es Dichtung ist. »Die Illegalen« von Günther Weisenborn sind Dichtung.

Hier ist einer am Werke, der das Gesetz der Bühne im Blute hat. Der rechnet nicht. Der klügelt nicht aus. Der tüftelt nicht. Er sieht beim Schreiben. Sie stehen auf, die Gestalten. Sie sprechen. Zwangsläufig und klar. Das ist nicht gemacht. Das atmet, hat Eigenleben, kommt aus einer unverstellten Natur, ist natürlich, ist Dichtung. Ist tatsächlich Sprache des Menschen, Klage, kleines, echtes Nebengespräch, Aufschrei, ist tastendes Wort der Liebe zur Frau, ist Angst, ist Verzweiflung, ist Lächerlichkeit und Notdurft und Kleinheit des Menschen, ist Angst der Mutterliebe, ist Sehnsucht des Spießers nach etwas Grün, Frieden und Eigenleben. Ist die ganze Jämmerlichkeit des Menschen am Sarge. Ist kläglicher Eigensinn in der plärrenden Stimme einer Zimmervermieterin. Ist das tückisch Freundliche, ist die verhängte Brutalität in der Tonlage der Macht und der Polizei. – Alles das ist in dem Stück. Alle diese Stimmen werden laut und leben. Nicht in der Sprache des Tages, oder doch nur mit ihrem Anflug. Die Stimmen alle sind erhoben auf die höhere Tonlage des Überwirklichen, ohne daß sie ihre Realität verlieren. Sie alle sind nicht Abklatsch des Alltags. Sie haben ihren deutlichen Sinn und jeweiligen Einsatz im Chorwerk des Dramas. Sie sind Ausdruck. Expression. Weisenborn ist Dichter.

Stellen, die nicht ganz sicher verzahnt sind – Passagen, in den Monologen zumeist, die nicht immer ausgeruht durchdacht wurden – zwei, drei Längen – – ich weiß. Oder besser: ich will es nicht wissen. Denn das soll jetzt zurückstehen. Ich finde es ein Glück, daß uns ein wirkliches Drama aus den letzten Jahren in die Hand gegeben ist. Ich weiß, daß es gut ist und von einem Dichter.

Ich kann kein Vergnügen und keinen Sinn darin finden, meinen Scharfsinn im Aufspüren der Fehler, die es wie jedes Stück hat, beweisen zu wollen.

Das Hebbel-Theater hatte die Aufführung seinem »Studio« anvertraut. Hier stellt es Nachwuchs zur Diskussion. Männer, die zum Teil ihren Namen noch nicht bewähren konnten. Franz Reichert hatte die Regie. Ich fand, daß er das Stück mit viel Glück angefaßt hat. Er hat den überhöhten Ton der Dialoge verstanden und ihn in den meisten Fällen richtig angesetzt. Er tat gut daran – für mein Empfinden – wenn er Sentenzen und Monologe, die aus der realen Szene ins Gedankliche abführten, gerade ins Publikum gewendet sprechen ließ. Er nahm den verhaltenen Expressionismus des Textes sicher auf. Und nur zum Anfang hätte man sich ein wenig mehr Licht auf der Szene und etwas mehr Tempo in der Sprache gewünscht. Da schleppt es und kommt nur knirschend in Gang.

Heinrich Kilger baute hier seine ersten Bühnenbilder. Sie trafen genau und gaben den günstigsten Hintergrund. Ein großer Prospekt, an den jeweils nur die Lichtkonturen der weiteren Umwelt, dürftig und bewußt skizziert, aufleuchteten: die Zeichnung angebombter Häuser. Ein bizarrer Blick über Dächer. Eine Straße. Und davor gesetzt jeweils nur die Andeutung des nahen Schauplatzes: eine Kneipe von innen. Mansarde. Straßenecke. Möbliertes Zimmer. Das war sehr glücklich gelöst, gab jeweils die Idee des gezeigten Raumes genau und ließ den Hintergrund und die städtische Umwelt spüren.

Mit den Männern des Hebbel-Theaters könnte man über die Schauspieler, die hier eingesetzt waren, diskutieren. Ich beispielsweise glaube, aus der Rolle des eigentlichen Helden könnte mehr herauszuholen sein an Intensität und Natürlichkeit, als es Wilhelm Borchert gelang. Ob auch Lu Säuberlich alles zutage brachte, was der Text ihr gab – auch darüber bin ich schon mit Freunden in Streit geraten. Ich fand, das Unerlöste der Frau, die Tragik ihrer notwendigen Verhärtung im Politischen und ihr endliches Weichwerden und Frauwerden in den hastigen Stunden einer Liebesnacht hätten deutlicher kommen müssen. Die Rolle ist verteufelt schwer. Ich weiß. Und ich stelle sozusagen nur eine Frage.

Wundervoll war die spaßige, liebenswerte Spießigkeit von Karl Etlinger als Kneipwirt. Kate Kühl machte mit Herz und mit

Schnauze die zitternde Angst der Mutter deutlich. Ganz mühelos und schließlich im Ausbruch vor dem Tode ergreifend war O. E. Hasse. Eigentlich die am besten erfaßte Gestalt. Am Rande Fritz Rasp, Franz Nicklisch, Clemens Hasse, Karin Friedrich, Hans Wiegner und Peter Timm Schaufuß. Man merkte ihnen das Glück an, in Gestalten sich bewegen und sprechen zu dürfen, deren Worte tatsächlich jedesmal einen eigenen Ton und unverwechselbares Leben hatten.

Ich weigere mich, zu kritisieren, weil mir an diesem Abend das geschah, wonach sich der Kritiker sehnt: ich vergaß, daß ich Kritiker bin. Ich war dabei. Ich horchte hin. So leicht wirft mich nichts um. Hier geschah's.

Ich fasse nach diesem Stück mit beiden Händen, weil es gut ist und mit den Worten eines Dichters gemacht. Ich gestehe: ich bin nicht ohne Furcht und ohne Skepsis vorgestern in das Hebbel-Theater gegangen. Das Thema des Stückes ist noch sehr nah. Wie leicht kommt da ein falscher Ton in die Stimme. Er kam nicht.

Und schließlich merkte ich, wie mit der Beschwörung jener Kämpfer gegen Hitler noch ein anderes von der Bühne kam. Eine Nebenwirkung, aber keine unwichtige, gewiß: daß hier einer uns und der Welt zeigt –: auch in Deutschland sind sie aufgestanden gegen das Unrecht. Auch hier gab es Männer, die die Freiheit mehr liebten als das Leben. Ehrfurcht vor ihnen und Dank ihnen.

Günther Weisenborn hat selbst drei Jahre im Zuchthaus gesessen, der Dinge wegen, die er hier zeigt. Er widmet das Stück den Kameraden seiner Gruppe, die an der Schafottfront gegen Hitler fielen. Er darf sprechen. In seiner Stimme ist Berechtigung und Wahrheit. Und ich will hoffen, daß viele gehen, sie zu hören.

23. 3. 1946

Fred Denger »Wir heißen euch hoffen«
Deutsches Theater

Der Titel riecht nach Heilsarmee. Was von der Szene kam, war alles andere. Ich berichte kurz: Haltlose Jugend nach sechs Jahren Krieg. Ihnen ist mehr als nur eine Welt zusammengebrochen. Sie haben nie eine feste, fundierte erlebt. Der Boden unter ihren Füßen ist schwankend von erster Jugend auf. Die falschen Götzen, die man ihnen aufgerichtet hatte, sind zerschlagen. Die höchsten Männer, von denen ihr Dasein Befehl und stramme Richtung bekam, sitzen auf der Anklagebank. Ihre Eltern gestorben, verloren, unter Bomben verschüttet. Die Welt ist im Schwanken. Diese Jugend ist hilflos. Hilflos – aber gerissen worden. Fred Denger zeigt ein Extrem der Verkommenheit. Fünfzehn Jungen und Mädchen haben sich unter Schutt und Trümmern im ausgesparten Keller einer Ruine zusammengetan. Sie wollen dem Leben auf eigene, gewalttätige Faust entreißen, was sie nur können. Sie hehlen, sie schieben, sie stehlen, sind die Herren des Schwarzmarkts. Die Mädchen sind für ein paar Zigaretten so ziemlich zu allem zu haben. Die Rotte gebärdet sich noch halb militärisch unter der knarrenden Befehlsgewalt des jungen Anführers, mit den halb komischen »Lagebesprechungen«, zu denen sie wichtigtuerisch zusammentreten. Es ist eine Welt der baren Verkommenheit. Sie sagen es selbst: Jeder ist sich selbst der Nächste! Das ist die billige Devise ihrer jungen Enttäuschung. Sie schachern den Ramsch des Lebens auf. Sie haben den schwarzgehandelten Schnaps im Spind. Und wie sie mit ihren Mädchen umgehen, ist nicht gerade fein.

Ihre reine Existenz, so wie sie da ist, ist eine Anklage gegen die Zeit und gegen die Vergangenheit. Sie glauben an nichts. Sie hoffen auf nichts. Sie werfen alles in den nackten Egoismus. Und der blanke Nihilismus sieht ihnen bei jedem Worte über die Schulter. Jugend nach diesem Krieg. Im Extrem gezeigt, aber so denkbar. Ein Blick in die Zeitungen gibt dem Verfasser recht. Kein schönes Milieu, weiß Gott. Denger zeichnet es hart und ohne Scheu vor der Kraßheit. Sie treten sozusagen einzeln vor die Rampe und sagen, weshalb sie so werden mußten, wo sie diesen frühen und furchtbaren Zynismus lernten, wie sie den Glauben an die Menschen im Trommelfeuer verloren, junge Burschen von sechzehn Jahren. Wie man alle Fähigkeit zur Güte in ihnen brach mit fünf dreckigen Jahren Kommiß. Wie sie durch das kalte System der Unmenschlichkeit geschleust wurden – Hitlerjugend, Arbeitsdienst, und wieder Kommiß. Und was sie lernten, war –: wie man sich drückt, wie man schließlich jede Rede für eine Phrase hält, wie man nur sich selber noch traut und sieht, daß man vegetiert. Jugend ohne Hoffnung. Nie gab es eine wie diese.

Das macht Denger klar. Und soweit gelingt ihm sein Drama. Aber nun ist er auf den Ausweg bedacht. Jetzt will er eine Tür aufstoßen, daß diese jungen Menschen ins Freie des Lebens finden. Er will ihnen helfen, er heißt sie hoffen. Wodurch?

Mit gedanklich nicht redlichen Mitteln. Der Anführer der jungen Verbrecherrotte fällt in plötzliche Liebe zu einem der Mädchen, die schon durch manche trostlose Erfahrung gegangen ist. Er beginnt sie zu lieben, und da ihn das herzliche Gefühl der Gemeinsamkeit mit einem Menschen erfaßt, fällt es ihm von den Augen wie Schuppen, wie es im Buche steht sozusagen. Er macht einen privaten Blitzkursus zur Anständigkeit durch: Mein Gott, wir sind ja Verbrecher! Und er versucht, seine Kumpels zu überreden: Gebt's auf, Jungs! Versucht es mit Liebe. Der Haß hat uns soweit gebracht. Unsere Rettung – die Liebe! Und natürlich Gelächter im Kreise der skeptischen Bande. Sie verstehen ihn und seine erstaunliche Wandlung nicht. Und der Zuschauer gibt ihnen recht. Das ist so nicht zu glauben. Das geht zu abrupt. Um die Heldin zu wandeln, wird eine aufdringlich wackere U-Bahn-Schaffnerin eingeführt, die so penetrant arbeitsam ist, so rührend zupackend, so voller Aufbau und berlinisch verdeckter Herzlichkeit, daß man die geplante Wirkung spürt und zurückzuckt: So geht's nicht. Das ist eine billige Lösung. Das ist simpel gebaut. Konstruktion. Und nicht Leben. Das ist eine vorschnelle Lösung, kaum daß die tragische Situation dieser Jugend ganz gezeichnet wurde.

Den beiden Gewandelten gelingt es nicht, die alte Clique zu überreden. Polizei kommt und hebt die Höhle aus. Und nun tritt noch ein deus ex machina auf die Szene –: der mit allen Wassern gewaschene Verbrecher, der sich um Einstellung in die Rotte bewarb, der schwere Junge mit den erstaunlichen und bewunderten Kenntnissen im Diebes- und Hehlerhandwerk – siehe, er war gar kein Einbrecher. Er war Kriminalpolizist, und er hilft jetzt, die jungen Verbrecher dingfest zu machen. Und da er wieder ein Mann ist mit Verständnis, und da ein Ausweg aus der trostlosen Welt hier gebraucht wird: so ist es ein Beamter mit goldenem Herzen. Er gibt den Jungens noch eine Chance. Er gibt einige frei und redet ihnen zu, anständig zu werden, gläubig zu werden und den Pfad der Tugend zu wandeln.

Das alles ist schade. Warum muß eine so gewalttätige Lösung gleich von der Bühne kommen? Ist es nicht schon Klärung, wenn der Zustand der Hoffnungslosigkeit gezeichnet wird? Wird sich jeder, der ein solches Schauspiel sieht, nicht tiefere und bohrendere Gedanken machen, läßt man die Frage der Rettung offen?

Denn das ist nicht Rettung: eine Aufbauhymne, schnell gelernt und einstudiert, anzustimmen. All die neuen, großen Worte, die da am Schluß des Stückes gehen, sie klingen nicht voll. Sie heißen nicht hoffen. Es wäre förderlicher gewesen, uns die Situation dieser Jugend nur deutlich und ohne rettende Verbrämung zu zeigen. Eine Frage zu stellen. Eine Not zu zeigen. Und nicht vorschnell zur eilfertigen Lösung zu greifen. Dieser Schluß macht gedanklich nicht satt.

Nun – es war eine Studioaufführung, ein Versuch. Und der Autor ist selbst 25 Jahre alt. Es wird ihm lehrreich sein, nun von der Bühne am eigenen Worte zu lernen. Und dazu sind diese Studioaufführungen da. Fred Denger kann Menschen sehen, zuweilen schreibt er schon Dialoge. Aber meist stehen seine Menschen noch isoliert und allein, haben noch nicht Echo und Resonanz. Auch das lernt sich erst, wenn man's selbst von der Bühne vernimmt. Denger hat hier die Chance. Und es ist zu hoffen, daß seine Bagabung an diesem noch sehr brüchigen Versuch wächst und weiter wird.

Wenn Sie mich fragen, was ich zu diesem Abend sage, so sage ich dieses: Mir war wohler hier, wo soviel falsche Töne noch waren, wo die dramatischen Fugen unsicher verpaßt waren, wo manches hastig und unecht wirkte – hier war mir wohler als an einem halben Dutzend achtbarer Aufführungen, die man letzthin von Stücken veranstaltet hat, die sorgsam aus der Mottenkiste des Dramas gehoben waren. Das rückte an den heutigen Tag. An unsere Haut. An unsere jetzigen Sorgen. Und da – meine ich –, da gehört das Drama des Tages hin.

Die Aufführung war vom Intendanten von Wangenheim geleitet. So langsam war das geführt. So laut ließ er die meisten Wirkungen kommen. Er nahm alles überaus deutlich. Und ließ seine jungen Schauspieler sich etwas sehr ausspielen. Straffung hätte hier viel bedeutet.   6. 4. 1946

Bertolt Brecht »Die Gewehre der Frau Carrar«
und »Der Ja-Sager«
Hebbel-Theater

Das erste Stück geht in den Wirren des spanischen Bürgerkrieges vor sich. Frau Carrar hat den eigenen Mann eingebüßt bei politischen Kämpfen. Noch hat sie zwei Söhne. Beide wollen an die Front gehen gegen den francoschen Aufstand, wollen die Republik verteidigen.

Ihr Bruder kommt von der Front selbst, um die Gewehre zu holen, die Frau Carrar, wie er weiß, in ihrem Hause verbirgt. Ein großer Dialog wird darüber geführt, ob einer kämpfen soll oder nicht. Ob er das Leben seiner Kinder hergeben soll für die richtig erkannte Sache. Frau Carrar sträubt sich. Sie will das, was ihr vom Glück noch geblieben ist. Sie will ihre Söhne behalten. Und nun schiebt Brecht aus dem Munde der anderen Gestalten Argument gegen Argument gegen sie vor. Er kreist sie ein mit Beweisen. Frau Carrar bleibt starr. Die Mutter, der das Leben ihrer Söhne über allem steht. Die sich den Rest privaten Glücks gegen die irre Welt der schießenden Politik retten will. Brecht legt sie herrlich und deutlich unter das Feuer der aufrüttelnden Gegenargumente.

Aber gewandelt wird sie nicht aus dem Gedanken, sondern durch den Zufall. Ihr ältester Sohn wird beim friedlichen Fischen von Francisten erschossen. Ohne Grund. Ohne Gegenwehr. Seine Leiche wird hereingebracht. Und die erst überzeugt Frau Carrar. Sie gibt die Gewehre heraus. Sie nimmt selber eins. Sie zieht mit in die Schlacht für die Sache der spanischen Freiheit.

Das vorangesetzt, daß es ein Genuß war, die hölzern-geniale Sprache Brechts wieder zu hören: mit einigen Drehungen kann sich jeder ein Argument für den Kampf und den Krieg aus diesem Stück machen. Unsere Filmtheater sind voll von Granateinschlägen, von Bildern vom Krieg, von Schlacht und Getön. Das liegt hinter uns. Und ist so und hier eigentlich nicht mehr als eine dramatische Notiz über Vergangenes und Überholtes. Ein Zeitproblem aus der Zeit vor zehn Jahren. Und wie die Zeit veralten kann!

Die Aufführung leitete Peter Elsholz. Das war ein mutiger Versuch vom Bühnenrealismus und Naturalismus weg, der sonst so üppig auf unseren Bühnen wuchert. Er hatte links und rechts eine Art Podium auf die Bühne gestellt. Eckig. Ohne Übergang. Ein

Netz hing vor der Szene. Und nun hatte er Gelegenheit, die Gruppen nach der jeweiligen geistigen Stellung zu gruppieren. Das war gut. Und auch in den Bewegungen lag der Ton des herben Stückes gut. Kein Ausweichen in die Fülle. Sondern Knappheit, Kargheit. Zurückhaltung. Die Menschen mußten von innen spielen. Die Wirkungen kamen ihnen nicht von außen zu.

Lu Säuberlich hatte es schwer mit der Titelrolle. Die störrische Mutterliebe, das Klammern am privaten Glück, oder an dem, was sie dafür hält, ist nicht leicht erkenntlich zu machen. Es spricht für sie, wenn es ihr gelang – eigentlich gegen das Naturell dieser Schauspielerin. Die, der es leichter gefallen wäre und die diese Rolle aus dem Wesen hätte spielen können, saß im Parkett: Anna Dammann. Joachim Brennecke als der jüngste Sohn war etwas fahrig. Konrad Wagner, als der Überredende zu der gerechten Sache, hatte eigentlich am meisten und am glücklichsten Brecht in der Stimme. Der schob seine Argumente vor wie Steine auf dem Schachbrett. Mit einer sonderbaren gefühlsgeladenen Gefühllosigkeit.

Beim zweiten Stück des Abends, beim »Ja-Sager«, war der Erfolg deutlich geteilt: ein paar verstohlene Pfiffe wurden laut. Also – das mögen die Leute zum Teil doch nicht: die klare Beschneidung allen deutlichen Gefühls auf der Bühne. Stilisierung geht vielen unter uns noch nicht ein. Zusammenfassen, künstlerische, bewußte Kargheit wird augenscheinlich für Armut genommen. Wie falsch!

Der »Ja-Sager« ist ein japanischer Knabe, der ausgeht, Medizin von jenseits der Berge für seine kranke Mutter zu holen. Er ermattet auf dem Wege. Er wird die Begleiter aufhalten und selber gefährden. Der Brauch will es, daß er in den Abgrund gestürzt werden muß, damit das Leben der übrigen nicht von seiner hemmenden Existenz gefährdet wird. Und er muß selber ja sagen zu seinem Schicksal. Er muß das Grausame im Sinne des Ganzen und zur Rettung der Freunde auf sich nehmen. Er sagt ja. Er wird in den Abgrund geworfen. Und die Begleiter sind nicht mehr belastet. Sie sind gerettet.

Eine Schuloper. Eigentlich gedacht zur Aufführung unter Laien. Und so auch angelegt. Ein Chor, der die Vorgänge einleitet, kommentiert und schließlich dem Publikum klarmacht. Im Chor selbst steht eine Sonderbühne, auf der das Geschehen, wieder ganz stilisiert, mit eckigen Bewegungen, mit ruckartigen

Schritten vor sich geht. Und alles zu der für unsere Ohren noch oder wieder sehr sonderbaren, aber sehr intensiven, bewußt einfachen Musik von Kurt Weill.

Ich mochte es. Ich glaube, daß es unserer Bühne nur guttun kann, wenn sie sich in jeder Beziehung auf die unmittelbarsten und kargsten Mittel beschränkt. Aus der klaren und durchsichtigen, wenn auch im landläufigen Sinne keineswegs leicht eingängigen Musik kam ein herber und deutlicher Ton, den ich mit einiger Gier aufnahm, nach so vielen Jahren der Enthaltsamkeit an diesen Dingen. Das Publikum war teilweise verblüfft und wußte mit soviel Stilwillen nichts Rechtes anzufangen. Und einige gingen in Protest. Gut. Das ist ihr Recht. Aber in allem war dieser Abend einer der interessantesten der letzten Spielzeit. Hier ging es um die Form. Daß sie wieder erneuert wird und lebendig und diskussionsfähig. Unsere Bühnen gefallen sich sonst seit dem Kriege noch zu sehr in den alten, ausgefahrenen Geleisen.   18. 5. 1946

Konstantin Simonow »Die russische Frage«
Deutsches Theater

Wäre es möglich, über diesen Theaterabend als Theaterabend zu berichten, könnte man sich kurz fassen. Es wäre nur scharf und warnend Klage zu erheben, daß soviel Unzulänglichkeit sich auf den mit immerhin einiger Tradition und Verpflichtung behafteten Brettern des Deutschen Theaters abspielen durfte.

Die Erwartung und Erregung, die durch eine völlig unziemliche Vorpropaganda unverdient ausgelöst worden war, legte sich mit dem ersten Akt sofort, um immer mehr im Laufe des langen Abends einer durch unfreiwillige Komik nur selten unterbrochenen Langeweile Platz zu machen.

Es ist wohl selten in diesem Theater so schülerhaft, so unkünstlerisch, so provozierend dilettantisch und unbeholfen ein Stück in Szene gegangen wie dieses. Der Text – ein glattes Tendenzstück, mit allen rabiaten Mitteln des Schwarzweiß gezeichnet. Dann aber auch – bitte! – Tempo, Tonstärke, daß man über die weiten Strecken blanker Agitationsrhetorik hinübergejagt wird, ehe man sich's szenisch versieht. So versuchte man, »amerikanisch« zu sein. Mit Whiskytrinken, mit allgemeinen Räkeleien, mit dem komischen Unvermögen, eine schlenkrige, legere Atmosphäre zu geben, die auch dem kleinsten Moritz nicht mehr in das Bild des Amerikaners paßt, wurde hier beste Zeit vertan.

Der Hauptdarsteller, ein kompakter Schillerjüngling, war eine radikale Fehlbesetzung. Don Carlos mit dem Kaugummi, der zudem an seiner Partnerin überhaupt keinen Halt hatte. Hans Leibelt war immerhin zu danken, daß er die abgefeimte Schuftigkeit seiner Rolle durch ein gelegentliches Augenzwinkern und den Versuch aufgesetzter Humore in die Nähe einer Glaubhaftigkeit zu bringen versuchte. Wolfgang Lukschy mußte das bei der völligen Lebensfremde seines Parts von vornherein unmöglich bleiben. Zu beklagen sonst noch ein so ausgezeichneter Schauspieler wie Karl Hellmer, der in Whisky sein Gewissen versaufen muß und endlich bei einer aufgelegten Pressesensation buchstäblich in der Luft zerplatzt. Die Aufführung war indiskutabel, war lähmend und bedeutet für dieses Theater eine Beschämung und einen Rückfall in Dilettantismus, der hier am ehesten vermieden werden sollte.

Lag es am Stück? Eine ausführliche und bewußt einseitige Zustandsschilderung über sieben Bilder hin. Keine Veränderung der Welt, die sie angreift. Das Stück löst sich am Schluß nur in einen vom Publikum akklamierten Monolog, in dem das »andere Amerika«, das eines Lincoln und Roosevelt, gegen den ausbeuterischen Sumpf, der bisher beschworen war, aufgerufen wird. Das Stück hat in sich keine Spannkraft. Es vermittelt keinen Elan. Durch seine rabiate Schwarzweißmanier wird es Gläubige wenig bestärken können. Zweifler wird es durch seine starre und kunstlose Einfältigkeit noch tiefer in den Zweifel hineintreiben. Die antikapitalistische Wirkung ist an keiner Stelle mit der zu vergleichen, die uns unlängst aus einem amerikanischen Stück kam: »Die Rechenmaschine« von Elmer Rice. Da war Angriff, dramatische Stoßkraft, Wirkung. Hier ist nichts von dem. Der Abend ging aus wie das Hornberger Schießen.

Er wäre also künstlerisch zu bedauern und schnell zu vergessen, wenn er nicht angetan wäre, Wasser auf unechte Mühlen zu bringen. Ein Angriff auf eine »gelenkte« Presse, sei sie nun von Trustherren geführt oder totalitär staatlich »ausgerichtet«, wird den Beifall jedes Zuschauers haben, dem die Freiheit zur erkannten Wahrheit letztes Gesetz ist. Daß Nachrichtenmonopole und Massenmeinungsfabrikation in Amerika zu Skepsis und Kritik Anlaß geben, steht auch für Amerikaner außer Frage. Der Rest, den für ein deutsches Publikum zu tragen so peinlich bleibt, ist, daß man einen russischen Autor über amerikanische Zustände diskutieren läßt. Wie es ebenso von wenig Takt zeugen würde, wollte man im Deutschen Theater amerikanische Gegner des Sowjetsystems zu Worte kommen lassen.

Ein deutsches Publikum, aus geistiger Absperrung erst mühsam erwachend und kaum in die Diskussion seiner eigenen Fragen und Fragwürdigkeiten eingetreten, wird hier schon wieder apodiktisch mit einem »Schuldigen« konfrontiert, an dem es sich, seine eigenen Fehler kaum erfassend, mit Lust vergeßlich reiben kann. Es fragt sich nicht, ob das Schicksal des ihm gezeigten Journalisten Smith so zutreffend sei bis in die völlige Zermalmung durch den bösen Trustherrn. Es wird kaum daran denken, daß ein Kritiker von der Härte und dem Ausmaß eines Henry Wallace eine eigene Zeitschrift hat, in der er die ihm richtig scheinende Meinung ohne Schaden publizieren kann. Daß er im Rundfunk und auf Vortragsreisen durchaus an sein Publikum herankommt. Das deutsche Publikum wird kaum sehen, wie die leichtfertige Schuld in Simonows Stück vorerst beim Helden selbst liegt, er sozusagen einen Vorschuß für Kartoffeln aufnimmt und dann Kohlrüben dafür liefert. Es wird auch kaum bedenken, daß Simonow von gerade den Gruppen, die er als so verbrecherisch hinstellt, von Verlegerverbänden, freundschaftlichst eingeladen war, amerikanische Presseverhältnisse zu studieren.

In dem Stück wird fast unablässig über Krieg und die neuen Schuldigen an einem neuen Weltbrand gesprochen. Wir sind gewarnt. Ohren genug an deutschen Köpfen, die solches Wort nicht ohne Lust und in der grunddummen Annahme hören, auf einem solchen Feuer könnten sie ihr kleines nationales Gifttöpfchen wieder mit Erfolg zum Kochen bringen. Jene, die von jeder Diskussion zwischen den Alliierten hellhörig und hoffnungsfroh Kenntnis nehmen, werden diese flache Debatte lustvoll einsaugen. Der Nazi im Parkett, die latente Reaktion unter uns wird Dinge heraushören, die sie nur allzugern hören möchte. Deshalb ist, ohne unken zu wollen, das Stück jetzt und heute in Deutschland gefährlich.

Seine Aufführung ist darüber hinaus bedauerlich, weil es die immer neu zu beklagende geistige Elbelinie direkt und mit dem Anspruch einer unstatthaften Notwendigkeit in diese Stadt verlegt. Die verfluchte Kluft, die sich zwischen Menschen guten Willens und gleicher Sprache immer bedrohlicher auftut. Und vor der zu warnen man nicht müde werden soll.

In jeder Hinsicht also war die Intendanz schlecht beraten, uns dieses Tendenzstück vorzustellen. Das Argument, sie müsse, nachdem sie ein amerikanisches Stück gezeigt habe, auch den Osten zeigen, verfängt nicht. 6. 5. 1947

Günther Weisenborn »Babel«
Deutsches Theater

Günther Weisenborn ist die bisher einzige dramatische Äußerung von Gewicht nach dem Kriege zu verdanken. In seinem heißen und anklägerischen Drama von den »Illegalen« hat er bewiesen, daß das Dramatische seine legitime Form und der ihm gemäße Ausdruck ist. Das war in der tapferen Verlorenheit typisch für die Vorgänge, für die es ein Denkmal sein sollte. Es hatte tatsächlich den Atem der Jahre, die es beschwor. Das wird, als Dokument zumindest, bleiben. Jetzt zeigt Weisenborn: »Babel«, ein Dramenkonzept, niedergeschrieben in der Enge einer Gestapozelle vor wenigen Jahren. Ein in sonderbarem Neumythos hochgetriebenes Schauspiel mit der Frage nach dem Recht des Reichtums. Ein fast legendär anmutendes Spiel zwischen den Kapitalhyänen der großen, verlorenen Stadt Babel. Der Niederschlag mit dem Aktienpaket. Der Amoklauf des Kapitals.

Der Verfasser umging bei der Niederschrift aus verständlichen Gründen die Form des direkten Zeitstückes. Er ging in die Verdecktheit des Sinnbildes. Er versuchte in greller Plakathaftigkeit die Umschreibung der Frage, ob es angängig sei, in wenige raffende und skrupellos spielende Hände das Geld und das Schicksal aller zu legen. Das Übermaß der Macht, gewonnen durch rabiat gerafften, vermehrten und verteidigten Besitz, muß tödlich sein für alle. Und es tötet schließlich die Besitzenden selbst.

Das wird in dem in solcher Direktheit simpel anmutenden Kampf zwischen Gamboa, dem Fleischkönig, und Lamont, dem Herrn der Eisenbahn, zu Babel demonstriert. Sie bringen sich Schlag um Schlag Börsenwunden bei. Sie greifen nach allen verdrießlichen Mitteln der Korruption bis zum Mord, so daß am

Ende die Lehre allzu flüssig und direkt erscheint: sich der Bestien der Börsen zu entledigen, wo sie sein mögen. Hierzulande nur noch sehr bedingt anwendbar. Zu einer Veränderung unserer Welt ist mit solcher Vergröberung nicht aufgerufen. Das Publikum zumindest bezog es nicht auf uns und fühlte sich nicht betroffen. Wenn zum Schluß hin sich eine Bewegung des Unmuts im Theater hörbar vermehrte, so lag das nicht zum geringsten wohl auch an der Überhitzung der Weisenbornschen Sprache. Er setzt die Gestalten nicht durch jeweils eigene Diktion voneinander ab, sondern schiebt eine sonderbar überhöhte und mit anfechtbaren Metaphern überfüllte Sprache in schließlich ermüdendem Gleichton durch das Ganze, daß das Gehör die Fülle der sich überladenden Sprachbilder kaum mehr aufnimmt. Wo aber in der Handlung die Hyänen des Kapitals nur noch auf die wechselseitige Auslöschung bedacht sind und mit Ekrasit gegeneinander rasen, verlor der Vorwurf so sehr die Nähe zu jeder Realität, daß der Eindruck des Konstruierten das Interesse von der Szene nahm.

Franz Reichert hatte sich bemüht, dem übersteigerten Symbolismus durch eine Puppenhaftigkeit des Spiels gerecht zu werden. Heinrich Kilger hatte ihm sieben ganz ausgezeichnete, großflächige Bühnenbilder gebaut, auf der er dem Spiel die Weite geben konnte, die es braucht. Walter Franck pumpte dem Börsenraubtier Gamboa seine bewährte Bühnendämonie ein, die aber auch mit dem Bruch der Gestalt auslöschen mußte. Werner Hinz, als sein Gegenspieler, hielt den Gegenton erfrischend, oft zu eindringlicher Stärke anwachsend. Inge Harbot, eine hellsichtige Journalistin, als das reine Gewissen zwischen beiden stehend, konnte zum Ende hin über die Unnatur ihrer Rolle nicht mehr hinwegtäuschen und verlor die klare Lebendigkeit, die sie bis dahin sympathisch machte.

Weisenborns Versuch aber zeigt, das sei nicht übersehen, auch noch im Nichterreichen den seltenen Mut zum großen dramatischen Gespräch und ist vielleicht, gerade in seinen Schwächen, Ansatzpunkt zu einer glücklichen Diskussion von Inhalt und Form für das Theater heute.   18. 11. 1947

Zu bedauern bleibt, daß Bertolt Brecht seine Stücke, deren unser Theater so dringend bedarf, unseren Bühnen noch nicht freigegeben hat. Solange nicht mit einem seiner neuen Dramen hier auch der Maßstab des Modernen gegeben wird, können unsere Theater nur mit halber Stimme mitreden, was das Zeitgenössische in unserer Dramatik betrifft. Das Deutsche Theater half sich aus mit den sieben Szenen von »Furcht und Elend des Dritten Reiches«. Sieben genaue und musterhafte Einakter, Bruchstücke, gebrochen aus dem Thema von der großen Schande. Siebenmal der Griff in das Gewebe der Lüge, der totalen Verdrehung, der Schändung des Menschenbildes. Siebenmal ein kleines, spannendes Drama, an dessen Ende jeweils eine Wahrheit steht.

Das beginnt scheinbar heiter: Im Souterrain eines Herrschaftshauses wird die maskuline Verworfenheit der frühen SA-Rabauken demonstriert im tastenden Gespräch, das ein Arbeitsloser mit dem nationalen Stiefelknecht führt. Das ist grundgescheit, wie Brecht da dem vor sich selbst erstaunten SA-Mann unversehens im schlängelnden Dialoge die falschen Argumente in den Mund manövriert. Das ist grausig und höchst belustigend zugleich, wenn sein Partner aus doppelter Deckung mit doppelten Zungen sprechen muß und schließlich erkennen, wie gegen die Schlagetot-Tricks, die rüde Schlagring-Technik dieser Stiefelmänner nicht anzukommen ist. Wie jede Dialektik der Wahrheit am Ende vor solcher Skrupellosigkeit auf den noch so geschickten Mund geschlagen dasteht. Ein Kurzdrama voll wahren, in der Erinnerung manchmal bitteren Lachens mit einem blutigen Punkt dahinter. Hier war Werner Hinz der vollendete Sprecher des argumentierenden Arbeitslosen. Gerhard Bienert, in etwas zu glatter Feldwebelroutine, sein brauner Gegner.

Eine Groteske: »Rechtsfindung«. Eine Groteske aus der Wahrheit, denn ein unsicherer Kantonist unter den NS-Richtern wird an einer prekären Akte zwischen einer Rotte der SA und einem jüdischen Juwelier in seiner braunen Taktfestigkeit überhört. Aber in Not gerät der verwirrte Richter nur, weil er bewußt im ungewissen gelassen wird, nach welcher Seite er das Unrecht austeilen soll. Wieder liegt das genau hervorgerufene Gelächter über der Szene. Und darunter das Grauen. Hier hatte Wolf Trutz, oft das

Groteske überbetonend, die Hauptrolle. Ein Labsal war Kurt Weitkamp, als der ölige Kriminalinspektor. Der Subalternbeamte mit dem eingelassenen Gummirückgrat.

»Die Stunde des Arbeiters« ist eine Persiflage auf die Beredsamkeit aus der Schablone, auf den »Großdeutschen« Rundfunk, auf seine lügenhafte Färbetechnik. Ein kurzer Spaß mit der Situation. Das schwächste Glied in der Szenenfolge.

»Der Spitzel« ist der Pimpf im Elternhause. Das wieder ein kurz und hell beleuchtetes Kleindrama. Wie der an der Zeit aufbrausende Studienrat sich rein durch die Tatsache, daß sein Pimpf-Steppke das Haus verläßt, schon verraten und am braunen Galgen sieht. Wie das verdatterte Elternpaar nun vor sich selbst das eben Gesagte zum Positiven zu wenden bemüht ist. Ein grausiger Scherz über die fehlende Courage vor sich selber. Werner Hinz, superb in der Lehrerborniertheit. Angelika Hurwicz, erschreckend echt, krötig, schwammig und feige.

»Die jüdische Frau«, diese Szene ging in ihrer wahren Stärke fast über die Kraft. Nur, wie die Frau eines Arztes entsagend ihren Mann verläßt. Wie sie, vor gepacktem Koffer den Abschied monologisierend probiert und dann tatsächlich Abschied nimmt, in einen Abgrund von Einsamkeit sinkend. Hier siegte Ehmi Bessel wunderbar über den sehr prekären Vorwurf. Dergleichen gespielt zu sehen, ist uns fast noch nicht wieder gegeben. Ein heikler Monolog, durch allzu nahe Erinnerungen fast unmöglich gemacht auf der Bühne. Trotzdem: durch solch wahres Spiel wurde er ganz echt und zuinnerst erschütternd. Als ob durch solche klärende Darstellung den realen Opfern jenes Schicksal doch endlich eine Kleinigkeit abgebeten sei.

Zwei Szenen von der großen Gotteslästerung und vom unterdrückten Nein zur Lüge beenden die Folge, die von Wolfgang Langhoff klar inszeniert worden war auf einer endlich einmal jeden Aufwandes baren Bühne, in die Werner Zipser nur Requisitenandeutungen stellte. Die aggressive Art, mit der Kate Kühl die kurzen Zischentexte sang, war für die Dauer zu monoton, um dem Text zu helfen. Erst der Schlußgesang »O Deutschland, bleiche Mutter!« hatte die notwendige Wirkung.

Hier wurde mit der großen Verirrung in einem Nebenwerk des Dichters siebenfach abgerechnet. Hier wurden sieben Wahrheiten über sieben Lebenslügen unserer jüngsten Geschichte zutage gebracht. Gestern. Am 30. Januar. 31. 1. 1948

Von einer vorrückenden, gedanklich fördernden Handlung ist
hier keine Rede. Ein dialogisiertes Klagelied hebt an, ein szenisches Lamento. Einer kehrt heim aus dem Kriege. Er findet ver-
schlossene Türen allenthalben. Das ist der Inhalt des Stücks. Dieser Zustand wird dunkel und inbrünstig bebildert in Szenen, die
jedesmal einen Schritt weiter an die totale Hoffnungslosigkeit
führen. Anklage also, Anklage gegen die Daheimgebliebenen, Anklage gegen die Mitheimkehrenden, gegen frühere Vorgesetzte,
gegen Frauen, Mädchen, Kabarettdirektoren, gegen das Leben
überhaupt, gegen Gott und gegen den feisten Tod. Gleich in zwie-
facher Gestalt tritt er diesmal auf die Bühne.

Wer für den früh verstorbenen Wolfgang Borchert und seine offenbare Begabung ein ehrendes Gedächtnis festigen will, darf dieses klagende Szenarium kaum anrühren. Wenn es schon der Dramatik völlig entbehrt, der junge Verfasser zeigt sich darin noch
unfähig, auch nur einen wirklichen Dialog zu gestalten. Nicht
ohne Bezeichnung ist es, daß in kaum einem der vielen Bilder
mehr als zwei Personen auf der Bühne sind. Und auch sie geraten
nicht in das dramatisch förderliche und treibende Gespräch. Die
jeweilige Gegenfigur zu dem neidbehängten Heimkehrer Beckmann wird nur gestellt, um ihm die Möglichkeit zu geben, sozusagen an einer neuen menschlichen Klagemauer in sein exaltiertes
Lamento über den abstrusen Grad der eigenen Verlassenheit auszubrechen. Nur das Echo der eigenen Stimme wird gesucht und
wieder aufgesogen. Gegenstimmen kommen nicht auf.

Einmal, denkt man, müsse aus dem Monolog endlich eine
zweite Stimme gebrochen werden. Das ist, als Beckmann, der
Heimkehrer, in das Haus seines früheren Obersten kommt und
ihm die Verantwortung, mit der der Vorgesetzte ihn an der Front
beladen hatte, zurückreichen will. Jetzt, hofft man, wird aus dem
Anprall zweier Stimmen ein neuer und klärender Klang kommen.
Er kommt nicht. Borchert bricht an dieser produktiven Stelle sofort in einen unglaubwürdigen Einfall weg: er läßt den in Zivil ge-
puppten Oberst in ein bedrücktes Gelächter ausweichen, das den
verstoßenen Beckmann bis ins letzte entwürdigt und in neue De-
mütigungen treibt. Einen zweiten Anlauf gegen den verholzten
Oberst und dessen Obrigkeitsfimmel wagt er nicht.

Borchert spült seinen negativen Helden durch viele Gossen des Elends. Er läßt ihn nach einem Selbstmordversuch von der symbolisierten Elbe wieder ans Ufer werfen. Der Heimkehrer gerät dem gedankenlosen ehemaligen Kameraden in die Hände, dem »Anderen«, der nicht gestraft ist, denken zu müssen, der sich hinwegsetzt über die Kalamitäten des Rückkehrerdaseins. Er trifft eine Frau. Schon scheint er einen Halt zu haben, als deren ebenfalls aus dem Kriege heimkommender Mann auftaucht. Beckmann sammelt, flüchtend, nur neue Traurigkeit auf sich. Immer wieder versucht er sein Glück vor den Türen, von der Lust zum Tode durch den »Anderen« immer wieder auf den Weg des Lebens gestoßen. Er bietet sich als komische Figur in verzweifelter Bajazzolaune einem Unternehmer in Kleinkunst an. Dessen smarter Geschäftsgeist jagt ihn wieder vor die Tür. Er findet die Tür der elterlichen Etage. Die Eltern findet er nicht. Sie gingen in den Freitod, Bräunlinge und Denunzianten, die sie waren. Beckmann zieht neue Klage daraus. Borchert verdeutlicht die Lehre daraus nicht. Das »rein Menschliche«, die unverbindliche, heimliche Lust an der Ungeheuerlichkeit des eigenen Leidens wird wieder laut. Sonst nichts.

Gott selber tritt auf die fast stetig makaber halbbeleuchtete Szene. Eine schüttere, abgenutzte, mitleiderregende Greisengestalt. Auch sie muß die klagenden Anwürfe des verlassenen Beckmann hören: Gott habe ihn und seinesgleichen verraten und verlassen. Und so bezeichnend wieder: daß der Abfall vom Göttlichen und den Prinzipien der Liebe zuerst von der Seite des dreisten Anklägers und seinesgleichen geschah – in den wenigen Worten des gezausten Gottvaters keine Silbe davon. Der Selbstvorwurf bei dem lustvoll negativen Helden ist bei seiner verbissenen Selbstgerechtigkeit im Leiden kaum zu erwarten. Ein Hiob mit einer Hoffärtigkeit im Ducken vor den Schlägen des Schicksals, daß unser betrachtendes Mitleid schon nach den ersten mit Symbolismen vollgestellten Bildern sehr erschöpft ist. Der Rest ist die Qual, ein neurotisches Lamento bis zum vagen Ende mitanhören zu müssen.

Das alles mag hart erscheinen und steht hier sehr im Gegensatz zu dem fast hektischen Beifall, der sich am Schlusse des Stückes erhob. Die sprachlich oft schönen und zuweilen forttreibenden Visionen seien nicht überhört. Nicht überhört aber auch die banal klingenden Reminiszenzen an jugendbewegte Spielschareffekte, jene unverbindlich pseudopoetischen »Lilofee«-Töne, wie sie Manfred Hausmann in seiner schwächsten Epoche zu einer verfänglichen Schule machte.

Daß Borcherts ichbesessener Versuch tiefehrlich war, daran sei keinen Augenblick Zweifel. Daß diese Form selbstbezogener Besessenheit niemandem forthilft, ist gleichfalls außer Frage. Bleiben kann dergleichen nicht. In einer klugen Besprechung von Wolfgang Staudtes Nachkriegsfilm »Die Mörder sind unter uns« wurde kürzlich von einem Londoner Kritiker bemerkt, daß ein Übermaß von Schicksal dem deutschen Künstler vorerst die klare, gedachte, geformte Aussage unmöglich zu machen scheine. Nur das moderierte Erlebnis könne darauf rechnen, gültig umgesetzt zu werden. Ein künstlerisches Dilemma, unter dem wir noch lange werden zu leiden haben. Dieses Stück beweist es. Es kommt vor lauter Selbstgefühl nicht an die Handlung, vor lustbetontem Leiden nicht an die Aktion.

Das Hebbel-Theater nahm den Abend unter das verschämte Motto einer Studioaufführung. Das wäre nicht nötig gewesen, was die Regie Rudolf Noeltes und die Hauptdarsteller betrifft. Wie Paul Edwin Roth die zwischen Symbolismen und halben Realitäten pendelnde, grausam wehleidige Rolle des negativen Helden möglich machte, war großartig zu verfolgen. Wenn am Ende der Beifall hoch ging, so betraf er diese Leistung. Roth legte eine wohltuende Nüchternheit auf den Part, die der im Buche nicht hat. Er machte ihn im Grunde erst möglich und rettete den Abend immer wieder vor dem Abkippen in die Unleidlichkeit. Wenn einer sich an einem unergiebigen Text schauspielerisch schon so bewährt, bleibt Erfreuliches zu erwarten. Konrad Wagner hatte Schwierigkeiten, die nur punktierten Umrisse des Obersten voll auszuzeichnen. Eduard Wandrey, als der zweigestaltige Tod, einmal als fett rülpsender Beerdigungsunternehmer und dann als Straßenfeger mit Generalslitzen, hatte eine ölige Bedrohlichkeit, soweit er aus dem permanenten Dunkel der Bühne hervordrang. Die übrigen Darsteller, nur wechselnde Echogestalten für den großen Monolog der Hauptfigur, konnten besten Willens wenig Abwechslung in das laute und leidige Elendsthema bringen.

Das Stück war zu spielen. Die Abwehr, die es gedanklich auslösen muß, wird sein bestes Teil sein.   24. 4. 1948

DER NACHHOLKURSUS

Robert Ardrey »Leuchtfeuer«
Hebbel-Theater

Amerikas Dramatiker, ihr hattet es besser! Während sich unsere Bühnenschriftsteller in die Unterhaltung zurückzogen oder in die gefahrlose Historie oder in die politisch noch weniger angreifbare Mythologie, konnten die Dramatiker drüben die Gegenwart anfassen, wie sie sie sahen. Und das ist das Erstaunliche, das uns die leider sehr kurzfristige Aufführung von Wilders »Kleiner Stadt« und nun dieses neue Stück zeigen: zweimal erfolgt vor unseren Augen aus der gegenwärtigsten Gegenwart der beherzte Griff in die Welt des Irrealen. Die Toten stehen auf und diskutieren mit. Bei Wilder saßen sie gespenstisch, einträchtig auf ihren Gräbern. Ardrey läßt sie in der gespannten Imagination seines Helden auferstehen und auf der Bühne leben. Zweimal eine sehr kühne und gelungene Wendung in die Welt jenseits der Todesmauer.

Was geschieht hier? Ein Zeitungsmann, ein doppelsichtiger Reporter, ist nach Jahren, die er am Puls der Zeit, der stöhnenden, gelegen hat, seinem Pessimismus erlegen. Er gibt nichts mehr auf die Verfahrenheit der Zeitumstände von 1939. Er wird zum modernen Troglodyten, zum Einsiedler und Menschenverächter. Nimmt die Stelle eines Leuchtturmwächters an und lebt sein versponnenes Leben allein und verachtend. Er sieht, was kommt. Er hat die Ouvertüre des kriegerischen Wahnsinns in Spanien miterlebt. Er hat nach China hinübergehorcht. Er hört die ersten Takte der großen, mörderischen Schicksalsmusik anklingen. Es sind die Tage vor Kriegsausbruch.

Ihn kümmert es nicht. Er sieht den Wahnsinn kommen und er steht beiseite und schafft sich in dem Leuchtturm eine eigene Welt. Eine gespenstische und sonderbare. Das Leuchtfeuer, das der moderne Einsiedler bewacht, wurde errichtet zur Erinnerung an ein Auswandererschiff, das an dem »Thunder-rock«, dem donnernden Felsen, scheiterte und unterging. Ein Schiff voller Menschen aus dem Jahre 1849, Menschen, die in Hoffnung auf ein freieres und satteres Leben herüberkamen.

Und nun schafft sich der moderne Reporter-Feuerwächter einen gespenstischen Zeitvertreib. Er macht sich die Gestalten lebendig, die hier vor hundert Jahren den Tod fanden. Er lädt sie zu sich ein. Er bannt sie in den kargen Raum seines Turmes. Er lebt mit ihnen: mit dem harten Kapitän des Schiffes, mit dem Arzt, der vor der Verfolgung in Wien wissenschaftliche Freiheit in der neuen Welt sucht, mit dem tuberkulösen Handwerker aus Wales, der an den sozialen Zuständen in seiner Heimat fast zerbrach und hier neuen Reichtum sucht, mit der klug-skeptischen Tochter des Arztes, die den pessimistischen Hochmut des Wien von 1849 mitbringt. Er lebt mit dem gebannten Geist einer harten Frauenrechtlerin, die kapituliert hat an ihren Idealen und zu den Mormonen will. Er spricht mit ihnen, sie essen an seinem Tische, mit der Kraft seiner einsamen Imagination führt er ihr Leben weiter. Er läßt ein Kind zur Welt kommen. Er läßt den Tod über die kleine Gesellschaft fallen. Er horcht die Menschen aus, die gespenstisch-realen, die er sich da geschaffen hat. Und seltsam, was er erfährt.

Er, der vor einer scheinbar ins Nichts rasenden Welt geflohen ist, erfährt den abgrundtiefen Pessimismus dieser versunkenen Menschen. Er nimmt ihre blanke Verzweiflung an der Menschheit wahr, die blutige Kette der Lebensenttäuschungen und ihren Überdruß am Weiterleben. Menschen von 1849. Aber auch sie – Nihilisten im Grunde. Geschlagene, die die Hände sinken lassen vor den Problemen, denen sie sich nicht mehr gewachsen glauben. Desperados am Zeitgeist. Deserteure am Lebensmut. Menschen von 1849.

Und da schießt das Leben wieder unversehens in den Mann von 1939. Er rüttelt sie auf. Er stellt ihnen dar, daß der Lohn ihres Lebenskampfes nahe bevorsteht. Frauenrecht wird erkämpft sein. Soziales Recht wird erscheinen. Der Genius der Menschheit, den sie mit Beethoven totgesagt haben, wird in anderen wieder aufleuchten. Er weiß es. Aber sie glauben ihm nicht. Sie verharren in ihrer Verzweiflung und schelten ihn einen Narren. Aber er ist gewandelt.

Aus den aufrüttelnden Argumenten, die er über die kopfhängerische Geistergesellschaft ausschüttet, wächst ihm selbst die Kraft, weiterzumachen, einzugreifen, sich aus der nihilistischen Lethargie zu lösen und dem Leben seiner Jahre wieder das zu geben, was des Lebens ist: Mut, Glaube, tätige Arbeit am Tage.

Ein mutiger und grandioser Stoff. Wie Ardrey unter allerlei Lächeln und realsten Gesprächen die Geisterwelt auf die Bühne bringt, das ist in Strecken atembeklemmend. Wie er an der Verzweiflung der Verstorbenen sich den Mut des Lebenden entzünden läßt, das ist von einer Überredsamkeit, die gerade an den Zuschauer faßt und ihn nicht entläßt, ohne daß er seinen Teil an Auftrieb empfangen hat. Das zu beobachten, war von einer sehr intensiven und beglückenden Spannung. Mag zu überlegen sein, ob der letzte Akt, in dem der moralische Schluß, wie er am Ende des zweiten schon sichtbar war, nur noch ausgebreitet und sozusagen erklärt wird, nicht fast überflüssig erscheint in seiner eigentlich nur wiederholenden Breite. Mag stören, daß Ardrey zur Bekräftigung seiner lebensmutigen These noch einmal den toten Kameraden des Helden erscheinen läßt. Das alles dahingestellt – das Stück ist von einer deutlich ziehenden und aufrüttelnden Kraft. Das erste moderne in diesem seltsamen Jahr, das uns tatsächlich verwandelt entläßt.

Karl Heinz Martin hat es sehr sorgsam vorbereitet. Er ist mit einem minuziösen Realismus zu Werke gegangen, aus dem die Geisterwelt nur um so einprägsamer herauswächst. Sie bewegt sich in einem bedrohlich naturalistischen Bühnenbild, an dem nichts ausgelassen ist. Die nie aussetzenden Geräusche der nahen See oder des Regens überdecken da zuweilen sogar die Dialoge und lenken ab. Aber sonst erweist es sich als glücklich, das Irreale so auf der flachen Hand des Realen erwachsen zu lassen.

Dazu stand ihm eine kompetente Schar von Spielern zur Verfügung. Was Ernst Busch betrifft, so bekenne ich mich voreingenommen, sobald ich nur den ersten Ton seines unverwechselbar tönenden Organs vernommen habe. Er kann beides: das Tätige, Männliche, Heutige und Hiesige. Und er beherrscht die grübelnde Melancholie des Wissenden. Busch hielt die schwierige Rolle mit der gleichen männlichen Eindringlichkeit durch. Keine schönere Rückkehr auf die deutsche Bühne war ihm zu wünschen. Die Zuschauer ließen ihn ihren Dank merken.

Die Geisterwelt wurde angeführt von Carl Kuhlmann. Ein Bild von einem Kapitän, in dessen Augen das Geisterhafte mehr als einmal bedrohlich aufleuchtete. Hans Leibelt verkörperte behutsam den tiefen Kulturpessimismus des Arztes. Annemarie Steinsiek gab seiner Frau eine rührend wienerisch-versunkene Nuance. Hilde Volk als die Tochter hatte unter einer reizenden Kratzbürstigkeit den liebenden Ton zu dem modernen Helden hin anzuschlagen. Es gelang ihr deutlich. Roma Bahn als die verknöcherte Frauenrechtlerin wurde vom Spielleiter zu oft und zu unvermittelt in den Ausbruch und an den Rand der Übertreibung herangeführt. Weniger wäre wirksamer gewesen. Das gilt auch von Franz Nicklisch, der die moderne Gegenstimme zu Buschs lebendiger Lebensverneinung abzugeben hatte. Nicklisch geriet zuweilen ins polternd Unpräzise und nahm sich so Teile seiner Wirkung. Eine deutliche Zeichnung war Hans Herrmann-Schaufuß' Waliser Handwerker. In ein paar Strichen ein soziales Problem. Walter Werner brachte als Inspektor einen deutlichen Wind von Lebenstüchtigkeit und beamtenhafter Beschränktheit auf die verwunschene Szene.

Der Abend war im Thema grandios und in der Darstellung, besonders was Ernst Buschs Leistung betrifft, weitgehend adäquat. Karl Heinz Martin hatte am Tage zuvor aus der Hand von General J. L. Whitelaw in einer kleinen Feierlichkeit die Theaterlizenz für das Hebbel-Theater erhalten. Die gestrige Aufführung war ein glückliches Anzeichen dafür, wie sich der künstlerische Pegelstand des Berliner Theaters in den letzten Monaten gehoben hat.

7. 11. 1945

Thornton Wilder »Wir sind noch einmal davongekommen«
Hebbel-Theater

Das sonderbarste und erregendste Stück Theater, das seit Kriegsende in Berlin zu sehen war. Thornton Wilder hat es geschrieben. Nach der Aufführung setzte es gestern im Hebbel-Theater von einigen Teilen des Publikums begeisterten Beifall. Andere schüttelten die Köpfe. Theater dieser Art waren sie nicht gewohnt. Das Verständnis hatte nicht Schritt gehalten mit den manchmal wirr anmutenden Vorgängen auf der Bühne. Verwirrend und ungewöhnlich war es von Anfang an. Das Theater wird dunkel. Ein Herr tritt aus dem Zuschauerraum an die Rampe. Er hält eine kleine Conférence. Er erklärt uns, wer Thornton Wilder ist. Was er bisher gemacht habe. Und daß die Direktion uns begrüße. Er gab das Wort weiter an einen andern, eine Art Reporter mit dem Mikrophon vor dem Munde. Der führte uns in die Steinzeit. Der Mensch habe soeben ein kleines Stück seines historischen Weges zurückgelegt. Er wolle uns in das Haus eines solchen Menschen kurz vor der Eiszeit führen. Mister Antropus und Familie. Ein besonderer Mann. Er sei im Begriff, das Alphabet zu erfinden. Er mache sonderbare Versuche. Er gehe daran, die Zahlen bis hundert ausfindig zu machen in seinem rastlosen Verstand. Die Welt stehe vor einer Art Blüte der Erkenntnis. Er macht uns etwas lächelnd mit der Umwelt des Urmenschen bekannt. Und dann geht es los.

Wieder verwirrend und unkonventionell genug: ein ganz modernes, etwas spießiges Zimmer. Ein Dienstmädchen darin Staub wischend. Sie spricht vor sich hin. Sie erklärt uns die Umwelt. Sie gibt die Exposition. Sie stellt sozusagen die Familie vor, in der sie angestellt ist. Mr. Antropus. Mrs. Antropus. Und zwei Kinder. Aber schon wird sichtbar, daß hier nicht eine landläufige Familie gemeint ist. Man rät, daß es sich hier handelt um die Urmenschen. Um die Bilder der ersten Menschen. Um Adam. Um Eva. Um Kain, der seinen Bruder Abel erschlagen hat. Und das kecke Dienstmädchen selber ist Lilith. Die zweite, die Nebenfrau Adams, die ewige Verführung. Und das Stück geht weiter. Oder besser gesagt: es bricht schon wieder ab. Denn Joana Maria Gorvin, die das Dienstmädchen spielt, hat es plötzlich satt. Ein Auftritt klappt nicht. Sie verliert die Nerven und geht an das Parkett, um uns zu sagen, daß sie dies Stück hasse. Sie verstehe es nicht. Ihr sei es zu symbolisch, zu mystisch, zu unklar. Sie will alles hinschmeißen und abbrechen. Der Direktor überredet sie, weiterzumachen.

Dergleichen geschieht nun immer wieder. Plötzlich brechen die Schauspieler aus dem eigentlichen Stück aus, diskutieren es. Äußern Beifall oder Bedenken oder sind in deutlicher Opposition; was sie da sagen müssen, gehe ihnen künstlerisch gegen den Strich. Sie streiten sich zurecht, versöhnen sich, und schon geht es wieder weiter. Das reißt die symbolischen Vorgänge auf der Bühne immer ganz nah an unseren Tag und an unsere Haut. Menschen unserer Art und unserer Zeit dort oben nehmen das Dargebotene sozusagen gleich wieder gedanklich auseinander, machen es deutlich. Und schon geht es weiter. So auch in diesem ersten Falle.

Mrs. Antropus tritt auf, also Eva sozusagen. Sie hält das Dienstmädchen Lilith zur Arbeit an. Das Feuer zu hüten, das sei jetzt die Hauptsache. Denn draußen ist mitten im August eine teuflische Kälte ausgebrochen. Die Tiere drängen ins Haus an das Feuer.

Mammuts und Dinosaurier. Sie kommen auf die Szene und sind wie junge Hunde in der Familie. Der junge Sohn Henry macht der Mutter wieder Sorge. Er jagt einem Tier hinterher. Er will weh tun. Schneiden. Morden. Und es ist offenbar, daß hier wirklich Kain vor uns steht, der seinen Bruder gemordet hat. Das Urübel. Das Böse im Menschen. Die Streitlust. Die Mordgier. In diesem Jungen wird sie sichtbar. Und die Mutter Eva hat Mühe, sein Mal auf der Stirn, das Kainsmal, das er trägt, zu verbergen.

Die Kälte rückt näher. Adam kehrt ins Haus zurück. Überwältigt von einer großen Erfindung. Er hat das Rad erfunden. Das Wagenrad. Man wird fahren können. Man wird einen Sitz zwischen zwei Räder montieren, und schon wird man eine bequeme Fortbewegung haben. Eine der erregendsten Erfindungen der Menschheit. Er hat die Zahlen wieder erweitert inzwischen. Er hat die ersten hundert überschritten in genauer und wagemutiger Gedankenarbeit. Aber nun diese infernalische Kälte. Die Eiszeit rückt näher. Elendsgestalten, vor dem Eis, das sich von Norden über die Erde ergießt, auf der Flucht, dringen ein. Alle wieder dicht mit Symbolen belegt: die Musen, Moses, der Gesetzgeber, Homer, der Urdichter – sie stehen da, ein Elendschor. Sie werden sterben müssen, denn die große, eisige Katastrophe dringt herein. Unausweichlich. Der kalte Tod steht vor der Tür. Und Panik unter den Betroffenen. Mr. Antropus schreit seinem Sohn noch das Einmaleins, seine Entdeckung, ein, daß die wenigstens gerettet werde. Die Katastrophe kommt. Das Eis schwemmt über die Menschheit. Ganz zerstört es alles Leben nicht. Einige werden gerettet. Familie Antropus übersteht dieses Schicksal des Eises. Das Geschlecht lebt weiter. Sie sind gerade noch einmal davongekommen. Wir atmen auf. Pause. Wir gehen eine Zigarette rauchen und denken über das Gesehene nach.

Wenn wir wieder ins Theater kommen, klärt uns der Rundfunkreporter mit seinem Mikrophon darüber auf, daß wieder Zeit vergangen ist. Und wie herrlich weit hat es die Menschheit nicht schon wieder gebracht. Er stellt uns vor: Mr. Antropus, Präsident des Kongresses der Säugetiere und seine reizende Gattin Mrs. Antropus, die Erfinderin des Saumes, der Schürze, der Passe und noch einiger hochwichtiger fraulicher Neuerungen. An der Strandpromenade eines Seebades. Stimmung von »Wie herrlich weit haben wir's gebracht!«. Präsident Antropus gibt die Parole aus: Amüsiert euch, genießt das Leben! Und nun spielt sich eine

Art Gespenstertanz auf einem feuchten Vulkan ab. Denn wir merken schon: die Sintflut steht bevor. Und die Menschheit, die nichts hinzugelernt hat aus der letzten Katastrophe, aus der sie gerade noch davonkam, zieht keine Konsequenzen daraus. Kain ist böse und schießt mit einer Schleuder auf die armen Männer auf der Promenade, die da Stühle herumschieben. Eva ist warm und weiblich, aber etwas dummlich und ohne die Kraft der Verführung: die Mutter, wie eine Henne, wie eine stolze Glucke. Ihr Töchterchen lernt in diesem Hexentanz der sinnlosen Vergnügungslust die ersten Ausflüge ins Verruchte. Und Lilith ist wieder da. Nicht mehr Dienstmädchen wie vor der Eiszeit. Tänzerin in einer Bar, diesmal gesonnen, ihren Adam, Mr. Antropus, wieder einzufangen und ihn zu verführen. Es gelingt. Er will seine Familie verlassen und Eva aufsagen. Da gehen die Sturmzeichen hoch. Die neue Katastrophe tritt ein. Die Sintflut naht. Wer wird sich retten können? Überhaupt noch jemand? Das zweite Mal steht die Menschheit vor dem sicheren Tod. Und hat nichts dazu gelernt. Ist dumm, eitel, vergnügungssüchtig. Die Masse soll in den Fluten untergehen. Die Art soll gerettet werden. Im Angesicht des steigenden Wassers tritt Adam zu Eva zurück und läßt Lilith und ihre Verführung beiseite. Der Sieg des Weibes über das Weibchen. Die Katastrophe kommt. Die Sintflut geht über die Erde. Familie Antropus wird gerettet. Um Haaresbreite wieder einmal. By the skin of our teeth. Wir sind noch einmal davongekommen.

Aber sind sie besser geworden? Haben sie gelernt? Diesmal wenigstens? Es sieht nicht so aus. – Nach der Pause beginnt der dritte Akt damit, daß eine Fliegerbombe kracht. Krieg. Das Haus der Familie Antropus liegt halb in Trümmern. Mrs. Antropus, ihre Tochter und deren Baby kommen aus einem Bombenkeller gekrochen und kehren dorthin zurück, sobald sie Schritte draußen hören. Lilith erscheint in Uniform, verwildert, verkommen, sechs Jahre Krieg auf ihren immer noch schönen Schultern. Sie bringt die fast unfaßbare Nachricht: Frieden! Ende des Krieges! Mrs. Antropus und ihre Tochter verstehen es kaum. Sie überleben. Man kann wieder über die Straße gehen. Kein Fliegeralarm. Es wird Kinos geben. Vielleicht mehr zu essen als nur die heiße Kartoffel, die sie als Friedensmahl in der Tasche trägt. Frieden. Ende des Krieges. Fast unfaßbar. Die Katastrophe hat sie ausgespart. Sie sind wieder einmal davongekommen. Alle. Zuerst kehrt Kain zurück. Er, das Prinzip der Blutgier, des Bösen, er ist aufgestiegen im Krieg, ist Gefreiter, Leutnant, Hauptmann, Major, Oberst und General geworden. Das war seine Zeit. Er stand bis zu den Knien im Blut. Er tritt auf, pompös, mit Orden behängt, den Marschallstab in der Hand. Er lief in den letzten Jahren Amok durch Blut, Angst und Tod. Das Urböse, freigelassen und zu Ehren gebracht. Er will keinen Frieden. Und als Mr. Antropus, als Adam also, sein Vater, hereintritt, erkennt der in ihm den Störer des Fortschritts, den verruchten Hemmenden der Menschheit, die Quellen allen Übels. Er will ihn töten, auslöschen und die Erde von ihm befreien, von Kain, dem Mörder, seinem Sohn, einem Teil seiner selbst. Sie geraten in Kampf. Und wieder bricht Thornton Wilder hier ab. Die Schauspieler brechen vom Stück weg. (Denn fast hätte in der Wucht des Spiels Kurt Meisel seinen Partner O. E. Hasse tatsächlich erwürgt.) Die Schauspieler sprechen darüber. Das Spiel geht weiter. Das Leben geht weiter. Lilith geht wieder ins Kino. Eine neue Welt ist zu bauen. Adam hat schon wieder Pläne nach der Katastrophe. Wieder ein Anfang. Wieder ein Ansatz der Menschheit nach einer radikalen Katastrophe. Sie atmen auf. Sie sind noch gerade davongekommen. Um Haaresbreite.

Dunkel. Wieder Licht. Und nun beginnt das Stück von vorn. Mit den gleichen Worten wie zu Beginn des ersten Aktes. Wird es noch einmal genauso werden? Hat die Menschheit gelernt? Hier die Urfamilie der Menschheit: Adam, Eva, Lilith, Kain? Oder gehen sie gedankenlos und ohne Erschütterung durch den letzten Krieg auf eine neue Katastrophe zu? Der Dichter fragt es uns. Und damit schließt er den Vorhang!

Ich habe Ihnen dieses Stück so ausführlich erzählt, damit Sie sich einen Begriff machen können von dem Ernst, der darin anklingt. Keinen Begriff geben konnte ich Ihnen von der Leichtigkeit, mit der diese Fragen angegangen werden. Die Bühne ist aufgelöst. Das Spiel geht bis in den dritten Rang hinauf. Die Akteure wandern um den Zuschauerraum. Mit der Souffleuse wird gesprochen. Bühnenarbeiter kommen auf die Bühne. Umbauten bei offener Szene. Und immer wieder plötzliches Abbrechen der reinen Handlung und Sprung in die Gegenwart. Verwirrend vielleicht für viele. Aber heilsam auch. Um die Ecke denken zu müssen, ist wohltätig für den Verstand. Mit Thornton Wilder muß er hier über viele Hürden gehen, bis die letzte, ernste, klingende Frage des Stückes steht: Wir sind noch einmal davongekommen.

Was lernen wir daraus? Was ändern wir an unserem Leben? An unserem sozialen Leben und jeder an seinem eigenen?

Wir haben gestern nach dem Theater lange darüber gestritten.

Schon, daß man es kann, finde ich großartig. Wilder ist ein Dichter. Er hat eine konsequente Tiefe und behängt sie mit kleinen Fähnchen des Humors und der Verspieltheit, daß wir nicht irre werden an dem großen Thema von vornherein. Ich liebe dies Stück seit gestern.

Wie war es aufgeführt? Karl Heinz Stroux hatte Regie. Wunderbare Einfälle. Ein großes apokalyptisches Kabarett baute er auf. Ein metaphysisches Tingeltangel sozusagen. Nach Fehlings Inszenierung vom »Grabmal des unbekannten Soldaten« die überzeugendste Regieleistung in Berlin seit Kriegsende.

Joana Maria Gorvin beherrschte die Bühne als Lilith. Das ist eine ganz seltene Schauspielerin. In jeder ihrer großen Szenen eine andere, verwandelt und gleißend-wandlerisch, – eben Lilith, die Meisterin der verlockenden Verstellung. Und doch dann immer wieder durchbrechend: das kleine Mädchen von Schauspielerin, das die Tiefe des Textes noch nicht ganz erfaßt. Wie ihr das gelang, war bewundernswert zu sehen.

O. E. Hasse als Mr. Antropus, als der Adam, hatte eine erstaunliche Breite. Er füllte die Rolle zu jeder Minute. Kurt Meisel war mit dem ersten Auftritt, bedrohlich, verdächtig, gefährdet: Kain, der Mörder. Besser war das nicht zu machen. Gundel Thormann als seine Schwester hielt das Niveau der anderen. Käthe Haack: das Hausfrauliche, das rein Mütterliche in Eva.

Selten hat mich ein Theaterabend so ins Zentrum der Teilnahme getroffen. Ich bin bereit, noch eine Nacht über das Stück zu streiten, auch zwei, wenn's sein muß. Ausreden aber wird mir niemand, daß hier wirklich eine Leistung im Dichterischen erfolgte. Und wenn der Dichter die Aufgabe hat, Ursituationen des Menschlichen jedem sichtbar zu machen, zu erschrecken und dadurch zu bessern: hier gelang es.   6. 7. 1946

Jean Anouilh »Antigone«
Komödie

Dies Stück ist im Frankreich der deutschen Besetzung geschrieben, und im Jahre 44 ist es allenthalben in Frankreich aufgeführt worden. Unter den Augen der Gestapo sozusagen. Dabei werden – verdeckt natürlich – darin Dinge laut, daß man manchmal seinen deutschen Ohren nicht recht traut. Geist ist eine bewegliche Sache. Schwer zu fassen. Eine klare Meinung kann in vielerlei Maske und Kostüm gestellt werden. In Frankreich wurde dies Stück als eine Art verdeckten Bekenntnisses verstanden.

Was sah ich? Erst einmal einen Bühnentrick, der neuerdings in Mode ist. Direkte Ansprache des Publikums durch einen Sprecher. Aber das kennt ja die Antike auch. Der Chor. Er gibt die Einführung und Exposition, Vorgeschichte und herrschende Verhältnisse. Hier sprechen nun nicht die Greise von Theben wie in der antiken »Antigone«. Ein eleganter Herr im Sakko tritt hervor und plaudert eins. Er zeigt uns die Hauptgestalten. Da sitzen sie schon auf der Bühne. Antigone, rothaarig, schmächtig, wie es im Text heißt, der nicht ganz auf die Schauspielerin Gisela Trowe paßt. Antigone, bereit, ihr dramatisches Schicksal anzutreten. Besessen vom Drang, das ihr notwendig Erscheinende zu tun. Und sei es um den Preis des Todes. Ihre Schwester Ismene ist da. Ebenfalls im modernen Kostüm. Leichter, weniger unerbittlich. Sie liebt ihr Äußeres. Sie pflegt ihre Haare. Sie benutzt Parfum. Sie ist vom Schicksal ihrer Familie nicht so besessen wie ihre Schwester. Sie liebt das Leben. Sie ist mehr Mädchen, lebensfreudig, offen, unkompliziert. Ihr Wesen wohnt nicht so gefährlich dicht am Abhang des Schicksals. Kreon sitzt da, beider Onkel, der Herrscher von Theben. Er ist das Gesetz, die herrschende Gewalt. Der, der verdammt ist zu handeln. Der Herrschende steht unter der Diktatur des sich weiterentwickelnden Lebens. Als König im Grund unfreier als die, über die er gesetzt ist, denn er muß eingreifen. Er wird vor Entscheidungen gestellt, in denen sein privates Schicksal und sein eigener Wille uninteressant und nebensächlich werden. Über ihm hängt der Fluch aller, die die Welt verwandeln müssen. Er darf nicht dem intellektuellen Pessimismus, der europäischen Krankheit seit Schopenhauer, anhängen. Er muß ja sagen zum Dasein, wie es da ist. Er muß täglich über seinen eigenen Schatten springen. Er darf dem Gedanken keinen zweifelnden Raum geben in seinem Hirn. Er darf auch nicht die letzte Freiheit des Todes herbeisehnen und mit ihrer Möglichkeit als Ausweg spielen. Er hat fest zu sein, hat zu herrschen und zu bleiben. Er hat die Tragik des Handelnden auszukosten. Er darf keine Sympathie mit dem Tode haben, wie es im »Zauberberg« heißt. Und sonderbar, wie man an die Grundfragen der europäischen Bücher »Tonio Kröger«, »Buddenbrooks«, »Zauberberg« fortwährend erinnert wurde. Ich kann mir denken, daß Thomas Mann dieses Stück besonders innig verstehen wird. Denn auch das ist eins seiner immer wieder abgewandelten Themen: das unkomplizierte Leben dicht neben dem Donner des Schicksals und den Qualen des fragenden Intellekts.

Der elegante Herr, der auf der Bühne als Chorersatz fungiert, zeigt auf drei Männer, Soldaten, Wachmannschaften. Unglaubliches liegt in der Luft. Purstes Schicksal beginnt sich zu ballen. Aber siehe da: sie ahnen es nicht in ihrer tumben Unkompliziertheit. Sie spielen Karten. Sie reden vom Essen, vom Feierabend, von ihrer Karriere, von Weibern. Sie leben und merken es nicht. Weiter ist da Hämon, der Sohn und Verlobte der Antigone. Die alte, pusselige Amme. Die Figuren sind versammelt. Der Sprecher zieht sozusagen nur das dramatische Uhrwerk auf. Jetzt schnurrt es ab. Die Katastrophe nimmt ihren Lauf. Die alten Fragen der Menschheit, die uns heute so besonders innig betreffen: absolute Freiheit des Einzelschicksals? Oder Rücksicht auf die Gemeinschaft? Bin ich frei, mein Leben nach meinen Grundsätzen zu leben? Darf ich bis zum Äußersten gehen und Gesetz und Allgemeinheit im Sinne meines privaten Gewissens verachten? (Das wäre Antigone) Oder (und das wäre Kreon, ihr Gegenspieler) muß ich mit meiner privaten Freiheit an mich halten, die Freiheit der Gemeinschaft, in der ich lebe, im Auge? Schuldig werde ich so oder so. Antigone geht und verletzt Befehl und Gesetz. Sie versucht ihren Bruder zu bestatten, der draußen vor der Stadt erschlagen liegt, der Aufrührer, und dem Kreon das Begräbnis versagt hat. Ein Exempel mußte er statuieren gegen den Aufruhr. Draußen modert die Leiche. Und der Geruch zieht durch die Stadt, eine Abschreckung und eine Gedächtnisstütze für alle, die das Gesetz vergessen sollten. Kreon ist nicht der satte Diktator. Nicht der gedankenlose Beherrscher. Auch in seinem Hirn wohnt der Zweifel. Auch er weiß, daß er handelnd schuldig werden muß. Aber er weiß auch, daß ihm, als dem Herrschenden, dieses

Schicksal auf die Stirn gezeichnet ist. Er muß das Gesetz verkörpern. Antigone, sagt er fast mit Neid, macht es sich leicht. Sie sucht nicht den Ausgleich. Sie hat nicht das Weiterleben des Volkes im Blick. Sie darf privat sein. Sie darf die Freiheit so sehr lieben, daß sie ihr Leben fortzuwerfen bereit ist. Sich zu opfern für das, was sie für richtig erachtet: letzte und beglückendste Freiheit. Das die Welten, die hier gegeneinander stehen.

Im Frankreich des Jahres 1943/44 wird ohne Zweifel alle Sympathie und die gedankliche Konsequenz auf seiten der Antigone gewesen sein. Gegen die organisierte Gewalt. Gegen das bedächtige Auswägen von Interessen der Politik. Die Entscheidung der Franzosen in jenem kaum vergangenen Jahr wird nicht schwankend gewesen sein. Sie werden ihre Sympathien auf die Seite der Antigone geworfen haben. Auf die Seite der kompromißlosen Anarchie als einzigem Weg zur Freiheit. Der lebenserhaltende Kompromiß Kreons mag ihnen falsch geklungen haben in jenen Jahren. Sie werden an ihr eigenes Haus gedacht haben und den falschen Kompromiß, den die Regierung von Vichy mit dem wütigen Tyrannen in Deutschland eingegangen war. Aber heute: wie anders! Auch wir, auch ich hätte unerbittlich die Partei Antigones genommen bis vor weniger als einem Jahr. Aber dies nun ist unsere Situation – und daher ist das Stück für uns von solch vitalem Interesse –: jetzt gilt es zu erhalten. Pflicht ist jetzt Weiterleben. Nicht nur private Aufgabe ist jetzt die Rettung der Gemeinsamkeit, des Volkes, der Nation, wenn man für die Deutschen, oder was nach der großen Selbstzerfleischung davon übrigblieb, solche Namen noch nennen kann. Jetzt heißt es beharren und bewähren. Jetzt muß der Ausgleich gewagt werden. Jetzt ist die Stunde zu Aufruhr und zum Tode mit einem letzten, befreienden Aufschrei. Nicht die Genugtuung des persönlichen Gewissens ist zu suchen. Sondern ein neues Gesetz hat zu siegen. Die Stunde der Anarchie gegen das Tyrannentum ist vorbei. Bei uns und heute hat die klärende Stimme des Kreon Gewicht bekommen. Bis zum Kriegsende wäre ein halber Mensch gewesen, wer nicht seinen Beifall auf die konsequente und bis in den Tod freiheitliche These der Antigone gesetzt hätte. Jetzt hören wir lauter den Ton der Wahrheit in Kreon. Sein Wille zum Beharren, zum Ausgleich, zur Rettung des Ganzen, unbesehen, ob man an den absoluten Idealen seiner Jugend schuldig wird, muß siegen. Er siegt bei Anouilh. Kreon bleibt. Dient weiter, entsagend seiner persönlichen Freiheit. Schuldig geworden. In die Nähe des Blutes geraten. Er kann sich die Genugtuung des Aufschreis nicht leisten. Er schweigt und beharrt, wissend und im tiefsten leidend.

Ein sonderbares Stück, ich sagte es gleich. Nicht leicht eingängig. Diffizil und unerbittlich wie die Probleme, die es anrührt. Aber eine gedankliche Wohltat doch. So kann man diese Dinge sehen. Wer herumhört und liest in unseren Tagen, erkennt von der einen Seite oft genug einen platten und billigen Aufbau-Optimismus, der nicht wahrhaftig ist und denen, die etwas tiefer denken und denen die Dinge etwas näher gehen, einen leichten Ekel macht. Dies Stück ist intellektuell wahrhaftig. Es zeigt beide Seiten der ewigen Frage. Und es gibt nicht die platte Lösung. Die gibt es nicht. Es stellt die Frage. Es bringt die Reibung. Das Schicksal läuft ab. Wer hat recht gehabt? Antigone, die unerbittliche, verliebt in das, was sie Gerechtigkeit nannte, ohne Rücksicht auf die Folgen für das Gefüge der Gemeinschaft? Oder Kreon, der malgré lui beharren muß, streng sein, starr, beharrlich, dessen Hände blutig werden in Schuld? Der das Gesetz halten muß, damit die Welt nicht in den letzten Aufruhr gerate und in die völlige Auflösung? Kreon bleibt am Leben. Antigone geht in den Tod, den sie sich mit ihrer letzten Sehnsucht gewünscht hat. Und wer glücklicher von beiden zu preisen sei – das zu entscheiden überläßt Anouilh dem Zuschauer.

Ich mußte so lange von dem Stück sprechen, denn es betrifft uns. Es geht uns an, wenn es auch in einer höheren Sphäre des Gedanklichen spielt, in die nicht jeder ganz leicht und ohne Vorbereitung wird folgen können. Dazu kommt die Regie uns nicht sehr zu Hilfe. Das Stück ist französisch. Und so hätte es auch gespielt werden müssen. Es wurde schwer gespielt, und das lag vornehmlich an Günther Hadank, der den Kreon machte. Ein herrlicher Sprecher. Aber hier so unbeweglich in der Geste. Man hatte ihn mit hochgeschlossenem, fast klerikalem Gewand ausgestattet. Das war deshalb schlecht, weil es diese Figur von vornherein zuknöpfte und abschloß. Hadank spielte auf Monument hin, statuarisch, abgekühlt, unbeteiligt. Und es hätte doch von vornherein sichtbar werden müssen, daß hier ein Leidender auf der Bühne steht. Ein zuinnerst Beteiligter. Einer, durch dessen Brust der Riß der Zeit geht. Der die wilde, kleine, selbstische Antigone nur zu gut versteht. Und muß sie doch töten lassen. Schade. Schade, daß auch das Tempo so unleicht genommen wurde. Das wird im Französischen anders geklungen haben. Hier tauchten oft genug Ränder des Sentiments auf, die in der Ursprache gewiß nicht gewesen sind. Berta Monnard, die die Amme zu spielen hatte, machte aus der Gestalt eine Figur, die auch in jeder landläufigen Posse ihren rechtmäßigen Platz gehabt hätte. Das war unfranzösisch, war nicht schwebend, nicht überlegen, hatte nichts von der Tiefe des Obenhin, um die sich das Stück als Stück so deutlich bemüht. Gerhard Bienert hätte hier auch gezügelt werden müssen. Er machte einen preußischen Feldwebel, unseligen Angedenkens, einen Rabauken. Und verlagerte damit das Ganze ins Simple, wo es nicht hingehört.

Antigone war Gisela Trowe. Eine verteufelt schwere Rolle, die niemals einen Lichtstrahl von außen bekommt, immer beschäftigt ist mir ihrem eigenen Ernst, mit ihrer gebannten Unerbittlichkeit. Auch in der Andeutung ihrer Liebesszene ist sie noch einsam, daß es uns schaudert. Gisela Trowe kam erstaunlich gut über die schwere Strecke, wenn sie vom Äußerlichen auch nichts hatte, das ihr dabei geholfen hätte. Nur im Ausbruch flatterte sie zuweilen. Aber das ist gewiß noch fortzubekommen. Ismene, die Schwester der Antigone, blieb auch schauspielerisch am Rande. Albert Johannes versuchte als Sprecher und Chorersatz die Leichtigkeit, die die Regie den anderen nicht mitgeteilt hatte.

Ich warne Sie vor dem Stück, denn es ist schwer. Und ich überrede Sie dazu, so gut ich kann, denn es ist heute notwendig. Eine ehrliche Stimme. Eine menschliche. 27. 7. 1946

Jean Giraudoux »Der Trojanische Krieg findet nicht statt«
Hebbel-Theater

Vorgestern ging es im Hebbel-Theater um die Frage, ob Krieg sein soll oder nicht. Der Dichter läßt Hektor heimkehren. Hektor hat es satt. Keiner kann ihm vorwerfen, daß er ein Feigling wäre, daß er dem Kampf ausweicht, weil er ihn fürchtet. Nein – ihm ist im letzten Kriege gewesen, als habe er sich über sein Spiegelbild gebeugt, als er den Gegner niederstach. Er hat den törichten Geschmack billigen Ruhms verloren. Er sieht sich und den Gegner als matte Gepäckträger des gleichen Todes. Skepsis und Wissen hat den alten Kämpfer, hat Hektor beschlichen. Er will nach Jahren des Krieges ausruhen bei seiner Familie, bei Andromache, die seiner wartet. Er will dem Leben dienen. Und nicht mehr nur Zuträger sein des Todes. Das ist leichter gesagt im Stück und überzeugender, ohne den müden Beigeschmack eines fragwürdigen Pazifismus. Es ist im Stück echt und witzig. Obenhin und doch tief. Es ist französisch und glitzernd. Dieser Mann kehrt heim, so verändert, so zum Leben, so zum vollen Dasein entschlossen. Da muß er erfahren, daß schon wieder eine Schweinerei passiert ist, die einen Krieg im Gefolge haben muß, wenn man die alten Begriffe der Ehre anwenden will. Paris, der glatte, hübsche Lümmel, hat Helena geraubt, und das muß Krieg geben. Die schäumenden Griechen sind schon im Anzug. Hektor, kaum, daß er die Waffen, noch klebrig von Blut, fortlegte, wird sie wieder ergreifen müssen. Aber er will nicht. Nach Krieg aber rufen, krächzen, stöhnen die Greise. Die Verwalter der »nationalen Ehre«. Die Staatsdichter, die schon wieder mit berufsmäßigem, leerem Eifer die dürre Phalanx ihrer geschmeidigen Verse aufstellen. Die Alten, die Gestrigen – sie rufen nach dem Kampf. Sie krallen sich fest in die Anlässe zu neuem Töten. Sie schäumen erst über vor Bewunderung an der Schönheit der großen Helena – und dann an dem Vorgeschmack neuer Sensation aus dem neuen Kriege. Es ist – und da liegt eine Wahrheit und da liegt ein tragischer Witz –, es ist nicht die sogenannte wehrtüchtige Jugend, die nach Konflikt, nach Auseinandersetzung, nach Rache verlangt. Es sind die geifernden Alten. Die Reaktion, wenn man so will. Die klappernden Türhüter der nationalen Ehre auf der trojanischen Seite. Und auf der anderen – der griechischen – ist es die gutmütige, betrunkene, unkomplizierte Dummheit, das gemäßigte Rabaukentum des Ajax, des kampfwütigen Stiers. Die Intelligenz aber, die Männer, gerade die, die den Kampf zu führen haben – sie widersetzen sich und reden und handeln für den Frieden. Das ist die Situation. Und so komisch sie ist, so wahr ist sie. Leider.

Das Stück wurde 1937 geschrieben. Damals, sagt man, hätte Paris den Vorschatten von München 1938 schon gespürt. Und das Stück hätte vor dem Hintergrund solcher geschichtlichen, tatsächlichen Entwicklung eine grausige Aktualität erhalten. Heute – ich muß sagen – schauderte mich in den Pausen genießerischer Heiterkeit an dem überlegenen Witz, wenn ich den Schatten der laufenden Friedensverhandlungen unversehens auf die Bühne fallen sah. Man darf nicht zum Skeptiker werden. Aber schwer wird es einem gemacht.

Hört man das Stück, so empfindet man das gleiche Wohlgefallen, das man hat, wenn man in einen klaren Bergbach sieht. Bewegung, Schnelle, Behendigkeit und doch durchsichtig, klar in seiner sanften Bläue. Es ist ein intellektuelles Vergnügen sublimer Art, diese Art Geistigkeit zu verfolgen und zu beobachten – staunend – wie sich Witz und Gehalt, Wahrheit und reines Spiel nicht auszuschalten brauchen.

Hielt die Aufführung dem stand? Gab sie dieselbe heitere Tragik? Nun, ja – oder nun, nein – oder nicht ganz oder nicht immer ... Ich denke es mir teuflisch schwer, mit unseren Mitteln, mit unseren zur Verfügung stehenden Schauspielern, mit unserem noch nicht auf solche grazile Leichtigkeit trainierten Geist derartiges darzustellen und wirklich zu machen. Im Hebbel-Theater hätte Pingpong gespielt werden müssen, sozusagen. Und zuweilen wurde dafür mit Medizinbällen hantiert. Verstehen wir uns? Hier bekamen Dinge Gewicht, die gewichtiger geworden wären, hätte man sie leichter genommen. Man überhob sich zuweilen an der Schwere der Wahrheit, die da verborgen war, und unterschätzte damit den Wert der Leichtigkeit, in die sie verpackt ist. Mit dürren Worten: die Aufführung wurde in Teilen deutlich deutsch. Das Französische blieb vor der Tür. Und wurde da noch gedehnt. Immer, wenn etwas weltanschaulich Bekennerisches vom Munde der Akteure kam, dann wurde eine unsichtbare Standarte aufgepflanzt. Dann kam Pathos in die Stimme, das hier nicht französisch war. Dieses »Hier stehe ich, ich kann nicht anders ...«, das bei uns so leicht in jede Aussage grundlegender Art dringt, hätte fehlen müssen. Aber ich weiß, das Stück ist verteufelt schwer. O. E. Hasse, der Regie führte, hatte Kurt Meisel für den Hektor zur Hand. Das ist ein Schauspieler mit einem schmiegsam eindringlichen Organ, mit einer festen Eleganz der Bewegung – aber doch wohl die ideale Besetzung dieser Rolle nicht. Das Stück hätte mehr an Gegensatz und damit an Tiefe gewonnen, wenn man einen Akteur hätte einsetzen können, der mehr Breite, Schwere, Kriegerisches mitgebracht hätte. Gerade einen Krieger hätte man sehen wollen, einen, dem sozusagen das Blut noch anklebt, das er hat vergießen müssen. Meisel glaubt man nicht, daß er zu irgendeiner Zeit wirklich und mit Passion Krieger war. Der Kontrast in der Gestalt – den bei der Pariser Uraufführung Jouvet unbedingt gehabt haben muß – fehlte hier. Damit verlagerte sich das Schwergewicht des Abends schon von selbst. O. E. Hasse selber hatte sehr witzige und starke Monumente als der diplomatisierende Odysseus. Und für Augenblicke dachte man daran, wie es gewesen wäre, hätte er mit Meisel die Rollen getauscht. Ich meine, das wäre besser gewesen. Großartig war Hans Herrmann-Schaufuß in dem köstlichen Zwischenspiel des verlogenen Staatsrechtlers. Wie er sich windet und dreht und damit das Recht und seine Anschauung selber, auch das war köstlich, und die Gestalt verlor damit keinen Zacken aus der komischen Krone. Das ist kaum besser zu machen. Kaum besser auch, wie Joana Maria Gorvin sich mit dem fast unspielbaren Part der Helena abfand. Eine Dreiviertelstunde wird vorbereitend fast nur von ihrer verzehrenden, betörenden Schönheit und Anmut gesprochen. Dann muß sie beides zeigen. Und sie tut es. Sie hat einen schönen, ziehenden, betörenden Ton in der Rolle. Sie hat eine tänzerische, lässige, ganz sicher überlegene Art, die nach solchem Aufwand der Erwartung nicht enttäuscht. Sie strahlt nicht eine umwerfende körperliche Schönheit aus, obgleich sie es daran nicht fehlen läßt. Sie hat eine intellektuelle Erotik, die sofort glauben läßt, daß Männer bereit sind, um sie Kriege zu führen. Die geschmeidige Langsamkeit, mit der sie vorging, das Ruhen der überlegenen Schönheit in sich selbst. Sicherheit ohne Koketterie. Die wasserklare Intelligenz als Verführung. – Ich weiß nicht, wer diese Rolle sonst bei uns hätte so im wahren Sinne bezaubernd gestalten können.

Es gefiel mir nicht, wie die Greise manchmal auf drastische Komik hin geführt waren. Die Erzählung der beiden Matrosen von der Liebesnacht der Helena und des Paris auf dem Schiffsdeck unter Sternen war viel zu massig und verlor die anmutige Delikatesse, die sie im Text hat. Carl Kuhlmann, der ein sehr intensiver Schauspieler ist, hätte um ein Vielfaches hier gezügelt werden sollen. Er ließ dem Harlekin in sich selbst unzulässigen Spielraum. Damit rutschte das kluge Abgezogensein des Stückes streckenweise plump nach vorn an die Rampe. 20. 4. 1947

Das publizistische Getöse, das sich schon vor den Proben des
Stückes erhoben hatte, stellte sich als müßig heraus. Der landläufige Theatergänger wird, sieht er nur auf das Stück, bis zur Pause
von der Häufung des Selbstekels einer zerbrochenen Welt schok-
kiert, wenn schließlich nicht sogar gelangweilt. Ein Schlußstrich
des Pessimismus, gezogen aus stinkigem Blut, Eiter, Ausfluß von
Schwären, Unrat und letztem Selbstekel.

Er erfährt nach der Pause, aufhorchend in das Gespräch zwischen dem Gott und dem König, daß beide, daß Welt also und
Staat, solcher Opferdünste der menschlichen Selbstverleugnung,
daß sie dieses Wühlens im Kot bedürfen, um die Fiktion ihrer Existenz aus übelriechenden Opferdünsten weiterfristen zu können.
Göttliche Lüge und staatliche Lüge, beide halten die Menschheit
in der Angst und in nutzloser Reue.

Der landläufige Theatergänger sieht schließlich, wie einer, hier
Orest, mutig und in großem Entschluß die letzte Atomisierung der
Welt vollbringt. Die letzte Station des Pessimismus ist erreicht:
nur das Ich als Instanz. Der Bruch mit der Ordnung, die immer
Lüge sein wird, gebe sie sich weltlich oder göttlich. Freiheit liegt
nur in meiner Brust, jenseits der Reue, jenseits der Möglichkeit
der Enttäuschung. Selbst der Gott, als er Orest noch mit kosmi-
schen Taschenspielertricks, dem gestirnten Himmel über ihm und
die Sphärenmusik um ihn, zu kirren versucht, verliert seine Gewalt über die »freien« Menschen, der jetzt jenseits von Gut und
Böse wohnt. Abgesplittert von der Welt, in kein Gefüge mehr passend. Das Produkt eines extremen Pessimismus. Er geht in die
Verbannung der radikalen Einsamkeit. Er zieht in Rattenfänger-
manier die eklen Ausdünstungen der allgemeinen Reue auf sich
im Opfer. Regieren, ordnen kann er den Staat, den er vom Tyrannen befreite, nicht. Denn er kennt keine Gemeinschaft – mit niemandem.

Der landläufige Theatergänger erfährt nicht, wie Orest in solcher hybriden, zutiefst inhumanen Haltung wird weiterleben können. Ein zweites Drama erst brächte die Probe auf das nihilisti-
sche Exempel. Er liest aber im deutschen Vorwort zu den »Fliegen«, daß der Verfasser das Stück schrieb, um 1940 seinen Landsleuten Mutlosigkeit und den Hang zur Selbstverleugnung zu neh-

men. Als geschichtliche Station auch heute noch interessant. Wenn aber so das Leben »Jenseits von Gut und Böse«, wenn extremste Freiheit und Verantwortung nur vor dem zufälligen Selbst hier und jetzt proklamiert werden – warum dann die Sünderbänke von Nürnberg? Warum der ständige, gutwillige Drang, vergangenes Unrecht zu reparieren? Warum dann der anständige Wille von so vielen Seiten – trotz allem! –, der achtbare und integre Wille, zu bessern und mit dem Nachbarn weiterzuleben? Der landläufige Theatergänger im Parkett wird es sich kopfschüttelnd fragen müssen.

Trotzdem! Vor diesem Stück nur zu warnen, wäre unrecht gewesen. Es mußte gezeigt werden. Es wird durch den Widerspruch noch die positiven Positionen der Zeit aus der Negation abklopfen, wecken und lebendig machen. Es ist gut, wenn einer voraus sichtbar in den Abgrund sich stürzt. Man sieht, wo der Abgrund ist, wird er heute auch oft genug durch das Netz einer geschwätzigen Modephilosophie gefällig verdeckt.

In dieser Zeitung war zur Düsseldorfer deutschen Premiere der »Fliegen« zu lesen, bis in welche Konsequenzen dieses rabiate Denkstück vordringt. Es war in der vierstündigen Aufführung im Hebbel-Theater, die keineswegs die sensationelle Wendung nahm, die sich die Schmeißfliegen des Schwarzmarkts, die das Theater umlagerten, wohl erhofft hatten, zu merken, wie solches Theater gedacht ist.

Die Sensation blieb, den spröden, fragwürdigen, besonders zu Beginn sich in philosophischen Expektorationen gefallenden und keineswegs fleischigen Text unter Jürgen Fehlings genialischer Hand aufblühen zu sehen. Diese Wiederkehr eines Regisseurs war wie ein Gewitter für unsere Bühne. Zum ersten Male wieder der volle Atem. Fehling packte klotzig die versackte Welt von Argos an. Wie er auf dem kongenialen und sich steigernden Bühnenbild des hochbegabten Heinrich Kilger die Atmosphäre der übelriechenden Selbstscham böse und gewaltig sichtbar machte! Wie er die in Selbstverleugnung verzerrten Bürger von Argos großartig zu einer schwingenden, schwärigen Masse komponierte! Wie er die »Fliegen«, die surrenden, penetranten Erynnien, wieder zusammenfaßte und einen bösen, klirrenden, schleimigen Diskantton für sie fand! Das macht ihm tatsächlich keiner nach, wie er den Abstraktionen, dem fragwürdigen Denkgerippe Stück für Stück Fleisch ansetzte. Wie er in Sinnlichkeit umsetzte, was im

Buch Spruchband ist aus philosophischen Seminaren. Wie er dem Zuschauer nichts erläßt, ihm mit immer neuem künstlerischen Schock zusetzt, bis am Ende der gerädert, zermürbt und am Rande aufnehmender Erschöpfung das Theater verläßt. Endlich wieder Fehlings kompakter Stil, seine heiße Stärke und seine Präzision noch in der letzten, scheinbaren Nebensächlichkeit. Endlich wieder Theater, wie es jeder Stadt der Welt neidvoll anstehen würde. Endlich wieder Fehlings lang entbehrte Hand, schon mit dem ersten Zugriff Maßstab setzend und erschreckend.

Wie er den Ton des noch in der Verzerrung schönen Hasses aus Joana Maria Gorin lockte. Der laszive Schwung dieser schwarzhaarigen, im Ton des äußeren Bösen herrlich variierenden Elektra. Wie sie dann vor dem Bild des Apoll, mit dem Bruder vor den Fliegen Schutz suchend, ins Mädchenhafte, ins Liebende und endlich in die Verzagung umkippt, das bleibt zu hören, und man weiß (wußte man es nicht), daß diese Begabung in der jüngeren Generation ohne Beispiel ist. Eine verzehrende Leistung, jedesmal Bilder und Töne schaffend, die nicht wieder auszulöschen sind. Vier Stunden lang Furie zu sein und nicht nachzulassen – wo sah man das so sonst?

Neben ihr am erschrecklichsten im Sinne Sartres die fetthängende, grunddumm-böse, pomphafte Gestalt des Aegist. Das war Walther Suessenguth. Das Organ schon brüchig, tückisch und stolpernd über die Lügenhaftigkeit der Gestalt. Sein Dialog mit dem Gott, für den O. E. Hasse eine intensive Nonchalance fand, gehörte zu den Höhepunkten, von denen die Aufführung vollstand. Roma Bahn, ausgelöscht in alter Sündhaftigkeit, in starker, müder Monotonie, gehalten auf einen lästerlichen, haltenden Ton. Kurt Meisel, an dessen Orest Sartre seine Lehre von der Freiheit jenseits der Verzweiflung zu beweisen sucht, konnte als einer der wenigen, gemäß dem Text, seine Rolle entwickeln und wachsen lassen. Jugendliche Arglosigkeit und Bildungsfreiheit zuerst. Dann immer steiler in das allgemeine Unheil stürzend, schließlich die notwendige Tat tuend und Götter und Könige zerbrechend. Er steigerte sich dauernd und kam, will man genau sein, um ein Kleines zu früh an die letzte Aufpeitschung, der seine Stimme nicht mehr ganz standhielt. Aber wie gesammelt wieder, nachdem einmal die Götter versucht sind und die Freiheiten gewonnen. An diesem Schauspieler hat Fehling formende Wunder getan.

Hier waren keine Nebensächlichkeiten. Robert Müller als der

verholzte Oberpriester, grausig und in bigotter Dummheit verhärtet. Die Wachen Robert Sinns und Hans Hesslings, ein shakespearisches Licht mit leichter Tontönung aus dem Mecklenburgischen. Die einzige Stelle, an der Fehling den Zuschauer von der Kandare ließ und ein Lächeln gestattete. Ursula Krieg, erregend, schmierig und von klebrig lockender Fliegenstimme. Josef Almas als der den Oberst begleitende Pädagoge, ein etwas schwächlicher, ironischer Kontrapunkt seines Schülers, der ihn schon längst überwuchs.

Ein Stück, das am Ende wenige Hände in Bewegung gebracht hätte. Aber der Vorhang mußte mehr als fünfzigmal hochgehen, um immer wieder Jürgen Fehling mit seinen schöpferischen Mitarbeitern zu zeigen. Von diesem Tage an, da er mit einem Ruck das Niveau der Berliner Bühnen auf eine andere Ebene gebracht hat, von dieser seiner Wiederkehr wird man wahrscheinlich mit einer neuen Epoche des Berliner Nachkriegstheaters rechnen müssen.   10. 1. 1948

William Saroyan »Ein Leben lang«
Schloßpark-Theater

Vor der dauernden Freude, die dieses Stück und diese gelungene Aufführung noch lange bereiten wird, soll man eine grundsätzliche Scheu überwinden und einmal alle lange gesparten Superlative freigiebig aus dem Sack lassen: es war das schönste, wohltuendste dichterische Stück seit langem. Es war die geschlossenste Ensembleleistung, die zur Zeit in dieser Stadt zu sehen ist. Es war die behutsamste, klügste und überredendste Regie, die Boleslaw Barlog bisher gelang. Der Jubel des Publikums hält wahrscheinlich, während diese Zeilen geschrieben werden, noch an. Sehr zu Recht!

Ein reines Dichterstück, daran zu erkennen, daß dem dramatischen Augenschein nach überhaupt nichts passiert, womit keineswegs gesagt ist, daß nicht unablässig etwas geschieht. Eine kleine, amerikanische Hafenkneipe. Die Schwingtüren schlagen. Menschen kommen herein, treten an die Theke. Sie geraten in Gespräche, in landläufiges Quatschen, ins Tanzen, ins Saufen, ins Spielen, ins Musizieren, ins Lieben, ins Raufen. Tagediebe, Hafenarbeiter, Polizisten, Straßenmädchen, Verliebte, Enttäuschte, Verrückte. Strandgut des Lebens. Außenseiter der Gesellschaft. Sie passieren die kommune Theke dieser belanglosen Kellerkneipe, spülen herein, benehmen sich auf den Punkt so, wie sich kleine, landläufige Menschen benehmen, öffnen unversehens ihr Herz und ihr Schicksal, trinken eins oder mehrere und spülen wieder davon.

Ein »Nachtasyl«-Milieu und ein »Nachtasyl«-Vorwurf. Aber eben in Dur, aber eben nicht nur mit der offenbaren und heißen Liebe zum Menschen dort, wo ihn die Gesellschaft gerade noch existieren läßt, Sympathie nicht in Trauer und Mitleid, sondern hier mit einem deutlichen, wahren und ganz dichterischen Ja zum Leben, wie es da sei, schlimm, armselig, ahnungslos, rührend, unbewußt oder schmerzlich. Ein volles und liebendes Ja, von einem Dichter gesprochen, dargetan an einer Galerie von Gestalten, die nicht ablassen, neu, sonderbar und immer wieder ganz alltäglich zu sein. Es geschieht nichts, als daß Saroyan in diese Gesichter blickt, sie unbeholfen sprechen läßt, sie sozusagen verschämt öffnet und sie unserem Gelächter erst, unserem Mitgefühl dann und endlich unserer Liebe anheimgibt. Ein dreißigfaches Ja zum Menschen. Einmal ein Nein, und das ganz zum Schluß, als ein Schweinehund von einem verderbten Sittenpolizisten die Unschuld dieser Unterwelt zu verderben droht. Da passiert etwas. Da kommt Aktion in das gemütvoll ausgesponnene Zustandsbild. Ganz zum Schluß erst. Und dann geht dieses Leben weiter.

Wie das auf eine deutsche Bühne zu transponieren sei, hat man sich oft besorgt gefragt. Es gelang herrlich und völlig. Boleslaw Barlog hat dem schönen Text volle Genüge gegeben. Er hat den ruhigen, alltäglich scheinenden Ton, er variiert ihn einfallsreich in den vielen Stimmen, er läßt bewundernswert nebenher und scheinbar ohne Bedeutung sprechen und hat doch am Ende Seite für Seite dieses ganze, herrliche Buch aufgeblättert, daß das völlige Bild sich steigernd ergibt, füllt und Farbe um Farbe ansetzt. Er hat die mannigfachen Musiken, wie sie hier aus elektrischen Klavieren, aus Heilsarmeegesang, aus der Mundharmonika kommen, hellhörig unter die Dialoge gelegt. Er hat eine zwanglos scheinende und doch klug durchdachte Bewegung auf die gleichbleibende Szene gebracht. Ohne Pause ging das Spiel vor sich, und war doch keinen Augenblick lang, war nie in der naheliegenden Gefahr, vom Gemüt ins Sentiment, von der Darstellung des

Alltäglichen ins Gemeine, vom dichterischen Gemeinplatz in die Platitüde zu kippen. Nur wer das Buch kennt und liebt, ahnt, wie nahe solche Gefahren jedem Satze sitzen. Daß sie so überwunden wurden, das bleibt meisterlich in seiner Art.

Das Ensemble ging unter Barlogs Hand nie besser zusammen. Leistungen, die an keiner Stelle Lücken ließen. Nur einige zu nennen, heißt den übrigen unrecht tun. Trotzdem: Hans Söhnker als der reiche, kontemplative Gast am Dauertisch hielt seine absonderlich herrschende Rolle wunderbar durch. Wie ganz natürlich und doch im höchsten kunstvoll das leise und lässige Gespräch beispielsweise, das er mit der großartigen Maria Schanda, einer schönen, unglücklichen Frau, zu führen hat. Dialog en passant und unter der Sordine, schwer vergeßlich schon nach ein paar beiläufigen Worten. Wie sympathisch und mädchenhaft in ihrer unschuldigen Verkommenheit Gerty Soltau, das Straßenmädchen mit dem reinen Herzen. Wie umwerfend skurril und von selbstversponnener Komik Franz Stein, ein spitzer, weißhaariger Lügenbeutel von spinnenhaftem Format. Oder die gefährliche Rolle des jungen, halbverrückten Tänzers, die Erwin Bredow zugefallen war, fast das ganze Stück hindurch vor sich hinzutanzen und ständig zuckende, schleifende Arabesken in das Bild zu geben. Wie die schmerzliche erste Liebe zwischen Gudrun Genest und Klaus Schwarzkopf sofort aufklingt, sauber, heiter, schön und jugendlich leidvoll. Clemens Hasses lebensprotzige Spielversessenheit am automatischen Spieltisch, den er, ins Abenteuer der blanken Kugel versessen, vier Bilder hindurch nicht verläßt. Erwin Biegels humane Polizistenmelancholie und besonders das gespenstisch gutmütige Irresein des Mundharmonika spielenden Arabers Theodor Vogelers. Hinter der Theke ein wendiger Fleischberg, der König dieser lieben Unterwelt, Victor Janson. Bezeichnend für den Ensemblegeist auch, wie Walter Bluhm in diesem Stück der betonten Nebenrollen als melancholischer Klavierspieler in den Hintergrund tritt, wie andere, die sonst weiter vorn an der Rampe stehen, an einem stummen Part künstlerisch Genüge finden.

Ein Theaterabend, wie nicht seit langem. Beglückend im Stück, beglückend in der Leitung, gelungen im Spiel. Was mich betrifft, ich will noch oft gehen, mich daran völlig zu ergötzen. Vorausgesetzt, ich sollte im nächsten Jahre tatsächlich noch einmal Karten bekommen.   15. 5. 1948

Franz Molnar »Liliom«
Hebbel-Theater

Seit zwölf Jahren hat Hans Albers nicht mehr auf der Bühne gestanden. Wenn er jetzt wieder auf die Bühne springt, elastisch, breit, muskelbepackt, ungebrochen wie je – ich kann nicht umhin, schon aus diesem Grunde erst einmal in die Hände zu klatschen zu einem Auftrittsapplaus, der im Hebbel-Theater auch sofort und warm aufrauschte, kaum, daß sein Jungengesicht mit der verwegenen, hakigen Nase erschien. Als er wieder dastand, den grauen Börsenhelm in den Nacken geschoben. Den weiß-rot gestreiften Sweater am Leibe. In der Hand das Megaphon, so stand er auf dem Podest vor der großen Schaukel des Rummelplatzes. Allerlei amüsierfreudiges Volk vor ihm, puppenhaft erstarrt vorerst noch, solange Hanne sang, der Anreißer für die Riesenschaukel. Er sang es wieder, das Lied, das uns so oft von den Schallplatten gekommen ist in den vergangenen Jahren, das Lied, das er im gleichen Stück unzählige Male gesungen hat. Er sang es wieder: »Komm auf die Schaukel, Luise . . .«. Hans Albers war wieder da. Sofort. Mit ganzer Stärke und Intensität. Er griff ins Publikum. Und mit dem ersten Griff hatte er uns.

Jubel, Trubel auf der ganzen Linie. Kein Wunder. Hören Sie zu!

Liliom ist der Held unter den Dienstmägden vor fünfzig Jahren. Er steht auf dem Rummelplatz und schreit die Riesenschaukel der Frau Riesenschaukelbesitzer Muskat aus. Er ist der Casanova des Vergnügungsparks. Der Schwarm der kleinen Mädchen. Und auch der Schwarm der Frau Muskat, die glaubt, mit den fünf Mark, die sie ihm für seine Arbeit allabendlich zahlt, hätte sie gleich auch den ganzen Kerl gekauft. Hat sie aber nicht. Denn der greift den Mädchen auf seiner Schaukel verwegen um die Taille, daß sie quietschen und vor dem festen Griff des kessen Liliom außer Atem kommen.

Frau Muskat greift ein, als Liliom wieder einmal etwas zu fest zugegriffen hat. Reine Eifersucht. Sie will zwei redliche Dienstmädchen von ihrem Etablissement für immer verjagen. Denn Liliom hat ein Auge auf sie geworfen. Liliom steht zu den Mädchen. Mehr aus reiner Krawallust und Opposition als aus Grundsatz. Und er wird von Frau Muskat entlassen. Da sitzt er nun auf der mondüberschienenen Bank mit dem Mädchen Julie. Und ist grob zu ihr und kratzbürstig. Polizisten kommen vorbei und warnen das Mädchen: Liliom sei ein schwerer Junge, der den Dienstmädchen die Heirat verspricht und ihnen das Geld abnimmt. Aber Julie läßt sich nicht von ihm vertreiben. Sie bleiben beisammen.

Einer armen, schimpfenden Tante zur Last. Liliom ist arbeitslos und lungert herum. Wie zu erwarten war: das Zusammenleben mit Julie ist nicht das reibungsloseste. Sie haben Krach. Und er hat sie sogar schon geschlagen. Aber sie liebt ihn trotzdem. Sie ist ihm verfallen. Trotz aller rauher Mängel, die er hat.

Und verfällt wieder ihr, als sie ihm gesteht, daß sie ein Kind erwartet. Da führt er einen Tanz auf, der mit Jubel und Gesang beginnt und mit Schluchzen und schlagendem Gewissen endet. Und mit Sorge um die Zukunft. Woher das Geld für die neue Familie nehmen? Ein Dunkelmann bietet einen Plan an: man könnte doch den Kassierer von der Fabrik, der sonnabends immer die Löhne allein in der Tasche mit sich trägt, am Bahndamm erledigen. Ein Schlag. Ein Stich. Und sie hätten 16 000 Mark. Die Zukunft wäre gesichert. Und Liliom könnte mit Kind und Kegel nach Amerika gehen und dort ein großer Mann sein.

Gesagt – und nicht getan. Der Kassierer ist schneller als die beiden. Als sie ihn anfallen wollen, hat er schon die Pistole frei. Polizei kommt und Liliom sieht keinen Ausweg. Er sticht sich selbst das Messer ins Herz. Er stirbt.

Und auf geht's in den Verbrecherhimmel. In den Himmel, wie ihn der kleine Liliom sich vorstellt. Polizei überall. Chöre links und rechts, die komische Choräle von der Ewigkeit und vom guten Gewissen singen. Ach, in diesem Himmel ist alles so gut und unlebendig und langweilig und sanft. Liliom ist hier nicht am Platze. Er atmet erst auf, als er die erste himmlische Zigarette rauchen darf, von geistlichen Gesängen umspült, von rotem, himmlischen Licht umstrahlt. Das ist eine sehr komische Szene in all ihrer Ironie gegenüber der Vorstellung vom Paradies des kleinen Mannes. Er darf noch einmal hinunter auf die Erde. Nach sechzehn Jahren, um dort noch eine gute Tat zu tun. Er will sie tun an seiner eigenen Tochter, die er nie zuvor gesehen hat, und die nun aufgewachsen ist, ein großes, stattliches Mädchen. Julie erkennt den Himmelsgast Liliom bei seinem Urlaub auf der Erde nicht. Das Herz sitzt unter einer zu harten Schale. Unversehens schlägt er das Mädchen in seiner liebenden Vaterungeduld. Aber siehe: der Schlag tut nicht weh. Es war ein Schlag aus ungeduldiger Liebe. Wie auch Julie all die Schläge, die sie von Liliom in seinem Leben erhalten hat, nicht weh getan haben. Schlägt der Geliebte, so ist es, als ob er streichelte. Mit dieser melancholischen Sentenz endet das Stück. Liliom wird von der Himmelspolizei wieder nach oben in sein paradiesisches Gewahrsam geführt.

Nun, Sie merken es selber: Das ist nicht eigentlich große Dramatik. Molnar hat sein Stück eine Legende genannt. Und es ist ein redliches Volksstück. Drastisch bis zur Härte hier und weich und traurig bis zur Sentimentalität da. Aber es ist handfest gebaut. Es hat Rollen. Es hat Duft, Atmosphäre und Melodie. Es ist eines der großen Erfolgsstücke in New York, in Wien, in Budapest, in München, in Hamburg – weiß der Himmel, wo Liliom überall auf die Bretter gekommen ist. Und immer im Kleid der Umgebung. Immer im Jargon des Aufführungsortes.

Für Berlin macht Albers die Melodie. Wenn er seinem herrlichen, gottvergessenen Mundwerk freien Lauf läßt und ihm die Zunge unter der Nase durchgeht, jauchzt das genießende Parkett. Er kann sich das leisten. Er bringt genug Saft und Wirklichkeit mit, daß er sich jede Drastik leisten kann. Rabaukige Redensarten, die aus manchem anderen Munde aufgepappt und falsch klingen würden – bei ihm haben sie immer noch einen versöhnlichen Nebenklang. Er macht tatsächlich das liebenswerte Rauhbein. Der Mann, der sich vor innerer Weichheit in die knallige Härte nach außen flüchtet. Hans Albers darf das. Bei ihm ist's echt. Seine Wirkungen setzt er nicht über den Verstand an. Er rechnet nichts aus. Er sprudelt es weg. Das Heitere, das Harte und das Weiche. Er bleibt schauspielerisch, wie die Boxer sagen, immer am Mann. Er läßt an Insensität nicht nach. Völliger und seliger Komödiant, der er ist. Er drückt auf die Tube. Daher kommt es denn, daß er sein Publikum überrennt und »hat«.

Wenn man das Theater nach Liliom verläßt, merkt man, daß einem der Mann und das Stück eine Spritze Auftrieb und Optimismus mitgegeben haben, die man, weiß Gott, brauchen kann. Das Theater ist moralische Anstalt. Heute mehr denn je. Aber vergeßt nicht, daß es auch ein Ort redlichen Vergnügens ist, des Lachens, des Seufzens, des Weinens.

Und ein solcher Ort reinsten Theaters war das Hebbel-Theater mit diesem Liliom. Deshalb sage ich bedenkenlos: ja. Ich habe mich – gebe ich offen zu – amüsiert wie Bolle, um im Jargon zu bleiben. Ich habe gelacht. Und ein paarmal, auch das gebe ich zu, drang mir die Feuchtigkeit unter die Brille. Das ist blankes Theater. Und Karl Heinz Martin schwelgte mit seiner Regie darin. Er nahm die Volksliedmelodie auf und hielt sie durch. Am schönsten, wie er die Szene der ersten versteckten Liebe zwischen Liliom und Julie unter der tristen Laterne an der Bahnunterführung abgeschmeckt hatte. Und schön, wie die verhängte Ironie über der Himmelsszene lag. Neben Hans Albers auf der Bühne zu stehen, neben seiner erdrückenden Kraft – keine leichte Aufgabe, weiß Gott. Am sichersten hielt sich das kleinste und schwächste Geschöpfchen, erstaunlicherweise. Gundel Thormann. Ein süßes, dämliches, weibliches, bauernschlaues und rührendes Ding von einem Dienstmädchen, das eine Partie macht mit dem Gepäckträger vom Bahnhof. Die hatte zuweilen Töne, daß man sie hätte küssen können. Rein väterlich, versteht sich. Helga Zülch steht neben Liliom als dessen Geliebte und Mutter seiner Tochter. Sie hatte eine liebe Dienstmädchenmelancholie zuweilen. Sie hatte eine echte Trauer der Enttäuschung streckenweise. Aber diese gute Schauspielerin kommt über den Verstand. Sie ist eine intelligente Partnerin. Etwas mehr Breite, etwas mehr Fülle wäre für diese Rolle am Platze gewesen.

Die Frau Muskat ist Erna Sellmer, bunt, grell und auf »bemmisch«. Ein sicherer Farbklecks von einem eifersüchtigen Weib. Ludwig Linkmann ist ein grauer, komischer, böser, simpler Lude und Totschläger, der auch die Hände seelisch immer in den Hosentaschen trägt. Ein phlegmatischer, grauer Gegenton zu Lilioms ungebrochener Jungenhaftigkeit. Ich fand das gut. Ich fand das überhaupt gut und hatte meine bübische Freude an diesem Abend. Und nun gehen Sie hin und sehn Sie sich's an. 27. 4. 1946

Hier stoßen die Menschen ihre Dialoge wie Telegramme hervor. Hier sind der Sprache alle gefühlvollen Ränder beschnitten. Hier wird sozusagen der Extrakt der Sprache gesprochen. Hier jagen sich die Charaktere sofort in das Extrem ihres Wesens. Da wird nicht verweilt in Stimmung oder Sentiment. Hier wird sofort und gnadenlos die Summe des einzelnen Menschen subtrahiert und festgestellt.

»Der Snob«. Das ist die kalte Groteske eines wildgewordenen Spießers und Sohnes kleiner Eltern, der direkt in Reichtum und Adel hinaufstößt. Ein Gehirn wie eine Maschine. Nichts im Sinn als Karriere und Geltung. Er zahlt seine Eltern aus, will sie los sein, weil sie sein Ansehen stören. Er zahlt seine Geliebte aus, weil sie ihm jetzt nicht mehr weiterhelfen kann. Er eignet sich Kenntnis über Kunst, Bildung, Wissen an. Denn er will seine neuen Kreise beherrschen. Was ihn hemmt, stößt er ab. Alles wird ihm Kalkül. Alles sieht er als berechnete Stufe zum Aufstieg. Er wird reich, elegant, wird »gebildet«, geschätzt. Aber da die Komödie um die Jahrhundertwende spielt, ist er erst am Ziel, als er in die Kreise des Adels hineinsteigt, sie durch Heirat sozusagen besiegt. Als die Komteß vor ihm kniet, ist der Snob erst am Ziel, fällt der Vorhang.

Als er sich zum ersten Male hob, stand Gustaf Gründgens in der Mitte der Bühne und konnte nicht beginnen zu spielen: man ließ ihn nicht. Das Theater brauste. Die Leute trampelten und klatschten. Minutenlang. Eine Demonstration für den auf die Bühne Zurückgekehrten. Sie wissen, er war lange in Gewahrsam und sorgfältiger Untersuchung gewesen. Nun hat ihm eine interalliierte Kommission die Bühne wieder freigegeben. Er tritt wieder auf. Und die sensationsfreudigen Berliner nahmen die Gelegenheit wahr. Es sollen unter der Hand wilde Preise für die Premierenkarten geboten worden sein. Und doch kamen, glaube ich, die Besitzer solcher Schwarzmarkt-Karten nicht ganz auf ihre Kosten.

Gründgens kann natürlich diesen kalten, abstrahierten, sternheimschen Ton ausgezeichnet. Schnell, scharf, elastisch, sehr agil hatte er nach einer deutlichen, ersten Befangenheit diesen Ton sofort wieder. Er nahm das Tempo vorstoßend schnell und ging manchmal in der völligen Gefühllosigkeit seiner Intonation bis an die Grenzen des Grotesken. Der sternheimsche »Snob« kommt seinem Ausdruck sehr entgegen. Und es ist zu verstehen, warum er sich als neues Debut gerade die kalte und fast abstrakte Rolle gewählt hat. Und er blieb doch Gründgens.

Ein anderer war Sternheim: Paul Bildt. Das war wirklich Komödie. Dieser ausgezeichnete Schauspieler lebt aus der Verwandlung. Gründgens wird immer Gründgens sein und als solcher vortrefflich und nicht zu verwechseln. Paul Bildt ist einer jener Schauspieler, deren Wesen Verwandlung ist. Hier war er der spießige Vater. Auch er knatterte die Dialoge, wie sie es hier verlangen. Aber er siedelte diese abstruse Gestalt ganz und sicher im Grotesken an. Dieser dummliche Spießer ist vom ersten Wort an komisch. Wenn die Gestalt sich einmal mit Paul Bildt präsentiert hat, ist sozusagen die brüchige Naht einer ganzen Bürgerwelt aufgerissen. Der Plüsch ist durchschaut. Eine prächtige Leistung, und bezeichnend immerhin, daß er oftmals Sonderapplaus auf offener Szene erhielt von einem Publikum, das offenbar doch gekommen war, den Hauptdarsteller zu sehen.

Mit dem Stück war es seltsam. Verstaubt war es nicht. Dazu ist es zu eckig gebaut und die Drähte der Handlung sind zu straff und zu sichtbar gezogen. Aber, wenn ich mich recht erinnere, noch vor zwölf Jahren, als wir wohl Sternheim zuletzt auf unseren Bühnen sahen, hatten diese Komödien etwas Aktuelles, mochten sie auch damals schon zwanzig Jahre alt gewesen sein. Sie waren angreifend, aggressiv, von einer wohltuenden Bösartigkeit. Sie waren im Grund böse. Sie wollten verwandeln und einer gewissen Gesellschaftsschicht weh tun. Bewußt. Die Gestalten bewegten sich wie auf Glas. Keine Menschen, sondern die Karikaturen davon. Sie waren erbarmungslos aus ihrer Umwelt herausgeschnitten wie Silhouetten. Nicht viel Farbe. Sondern schwarz auf weiß. Damals hatten die Stücke von Sternheim noch den Rest eines Ziels für den Angriff. Und zur Zeit ihrer Entstehung werden sie Entrüstung und Anstoß genug hervorgerufen haben.

Jetzt wirken sie anders. Was früher voll Angriff und Bösartigkeit war – und bewußt! – jetzt ist es arglos geworden. Es betrifft uns nicht mehr. Die Figuren sind so nicht mehr denkbar. Die Umwelt ist fort. Die Zeit ist verwandelt. Und so kommt es, daß das, was gestern aktuell war und dem Zuschauer deutlich an die empfindliche Haut griff, heute uns nicht viel mehr ist als ein intelligenter

Bühnenspaß. Es betrifft uns nicht selbst. Es ist Rückblick. Ist intelligent und mit einer eigenen, faszinierenden Sprache gemacht. Aber ist nicht mehr so erregend wie gestern. Ist nur reines Spiel noch, sehr klug konstruiert. Ist nicht mehr Leben.

Das war deutlich zu fühlen. Und mancher im Parkett hat bemerkt, wie alte Lieben, wenn nicht rosten, so doch sich verändern und dabei etwas kühler werden. Das Stück zu sehen war reines Vergnügen, aber doch ein Vergnügen an Vergangenem. Das lernte man hier.

Die Inszenierung hatte Fritz Wisten. Er hätte dem Stück, fand ich, gedient, wenn er das Ganze noch mutiger vom Wirklichen fort ins Groteske gestellt hätte. Daraus hatte Paul Bildt seine deutliche Wirkung. Die anderen kamen so mit der abgezogenen, klirrenden Sprache nicht ganz zurecht. Heinrich Greifs Graf Pahlen zum Beispiel hätte Karikatur sein müssen, unbedenklich, troddlig, senil und dünkelhaft. So wurde es ein langer Herr mit grauem Zylinder, aber ohne viel eigenen Ton. Antje Weisgerber sah schön und verführerisch aus. Und hätte sich doch bewegen sollen wie eine bewußte Marionette. Sie ließ verstohlen einen Rest von Gefühl sehen. Und Gefühl ist bei Sternheim verboten und tödlich. 4. 5. 1946

Carl Sternheim »Die Hose«
Deutsches Theater

Dies war die Spielzeit des szenischen Nachhilfeunterrichts. In der ganzen Theatersaison nur ein einziges Werk, entstanden nach dem Kriege, den deutschen Zuschauer mit deutschen Fragen des Nachkriegs angehend. Sonst wurde ausländische Literatur aufgearbeitet. Oder es wurden jene Bezirke, die in den vergangenen Jahren gemieden und böswillig ausgespart worden waren, vorsichtig und mit Entdeckermienen wieder betreten.

Da erwies sich schon im »Snob«, daß die Schärfe von Sternheims Sprache unverwüstlich ist. Es zeigte sich weiter, daß die Art, mit der er heiter-böse den Plüsch seiner Zeit aufschnitt, nicht nur die Welt vor dem Ersten Weltkriege betrifft. Seine Komödienfiguren sind nicht zeitverhaftet. Sie treffen, sozusagen aus dem Kostüm tretend, auch noch heute. Die Dynastie der »Maskes« pflanzte sich über Sternheims Trilogie aus Spießers Traumland weiter. Die schon früh entlarvten Charaktere setzten sich fort, traten in allerlei Uniformen ein, rückten auf, gerieten mit letzter bornierter Konsequenz in den großen Amoklauf der Macht und sammeln sich jetzt erst wieder. Aber da sind sie. Ausgestorben sind sie nicht.

Wenn wir mit dem »Snob« eine radikal gebaute Komödie kennenlernten, die sich langsam und mit hämischer Logik bis zur letzten Lüge als Pointe hinaufarbeitet – die »Hose« setzt ein mit einem drastischen Paukenschlag. Die Situation, die erste, wirft um und hat den ewigen Spießer sozusagen sofort am Kanthaken. Wie Willi Schmidt das ohne szenische Umschweife sofort gab, war erstaunlich in der Treffsicherheit der Atmosphäre. Eine Etagenwohnung, in deren kläglich plüschene Abscheulichkeit man nach vier Seiten hin schaudernd Einblick gewinnt. Das Tschingdara einer bumsenden Marschmusik schwappt von unten in die Räume. Die Haustür schlägt. Herr und Frau Maske stürzen herein. Die Gnädige hat im Angesicht Seiner Majestät das Beinkleid auf heller Straße verloren. Das bürgerliche Debacle ist da.

Das nimmt der Regisseur sofort in einen überlegten Wirbel. Er treibt die Atmosphäre in eine kluge Hitze hinein, läßt die Karikaturen sozusagen durchgehend auf Zehenspitzen agieren vor innerer Geladenheit. Er peitscht den Ton sofort in ein geladenes Stakkato hoch und läßt als Kontrapunkt Aribert Wäscher, den Herrn Maske, mit öliger Akkuratesse aus einer tieferen und gesicherten Tonlage seine göttlich-gefährlichen Borniertheiten abschießen. Dieser Dreiklang der Dummheit: der ewige Spießer selbst und die beiden Schmeißfliegen verwirrten Halbbildungswustes, die sich genießerisch, als möblierte Mieter kaschiert, in der geschändeten Etage niederlassen. Vorerst haben sie die schöne, durch den Hosenfall unversehens moralisch anrüchig gewordene Hausfrau im Auge. Aber wie sie über Grundsätzlichem schließlich das schöne Wild ganz aus den Augen verlieren; wie sie sich, der eine mit einem zeitgemäßen Nietzsche-Rausch, der andere mit einem Wagner-Fimmel behaftet, im »Weltanschaulichen« verheddern und ihre verworrene Sache auf überrumpelnd deutsche Weise »um ihrer selbst willen« verfechten, während Herr Maske seinerseits das vollendet, was die beiden anfänglich ins Haus trieb: nämlich munter und rigoros an der Nachbarin sündigt – das ist schon von einer sehenswerten Komik und dekuvriert gleich drei ewige Spießertypen auf einen harten Schlag.

Um Aribert Wäscher war man nach der Zügellosigkeit, die er in seinen beiden letzten Rollen gezeigt hatte, besorgt gewesen. Jetzt zeigte sich, daß er seinen Regisseur gefunden hat. Der ließ ihn nur in ganz seltenen Fällen an die Grenzen des Degoutanten herangehen. Der hielt ihn fest bei der komischen Stange und preßte die Umrisse dieser gewaltigen Gestalt, daß sie nicht in Nebendingen ausliefen. Ein mit bösem Eifer irrender Koloß. Ein fossiles Ungeheuer, lustvoll beschränkt, durch kein Argument aus bourgeoiser Sicherheit heraus zu reizen. Wenn er »Luther« sagt oder feststellt, daß seit Bismarck im Grunde in Deutschland nichts mehr passiert sei, dann weht der ganz unausrottbare Dünkel dieses verbreiteten Geschlechtes von der Bühne. Dann steht die Gefahr dicht hinter der Komik. Besorgt war man auch um Antje Weisgerber, der die verschlagene Lüsternheit, in die sie mit dem Fortgang des Stückes zu geraten hat, schwer zuzutrauen war. Sie aber legte so zart und verwundert den Meltau fast altjüngferlicher Enttäuschung auf ihre Rolle, daß man eine drastischere Verkörperung der lüsternen Erweckung gern vermißte.

In diesem Panorama des verirrten Souterrains schlug nur Hannsgeorg Laubenthal als der verbiesterte Nietzescheaner über die Stränge. Wenn Willi Schmidt alle Figuren in einer kalten Ekstase agieren ließ, so tänzelte Laubenthal seinen Part und ließ den Stimmton in Höhen sich überschlagen. Friedrich Maurer hatte dagegen die Verbohrtheit aus dem Geducktsein zu geben. Wo er mit der Sternheim-Diktion, die ihm offenbar nicht liegt, fertig wurde, bot er eine ausgezeichnete Karikatur. Blaß, geil, hager und von einer verlogenen Geschwätzigkeit: Alice Treff. Sie traf den Ton tatsächlich.

Willi Schmidt hat nach seinen ersten Erfolgen wieder gezeigt, daß seine Inszenierungsart der intelligenten Überdrehtheit, der kühlen Hitze, um im Paradox zu reden, sich auch an diesem Stoffe bewährt. Das Publikum gab der Aufführung nicht den Beifall, den sie verdiente. War es betroffen? Erst die Berliner Kritik fand sich, bis auf eine (irrende) Ausnahme, einmal in kompakter Front der Akklamation. Junge Dramatiker aber sollten gehen und dieses Stück studieren. Wir bedürfen des heutigen Sternheim. Die Maskes, weiß der deutsche Himmel, gehen um. Kaum verändert.

21. 6. 1947

KOMÖDIENLUST

Shakespeare »Wie es euch gefällt«
Schloßpark-Theater

Das war wohl getan von dem rührigen Leiter der Steglitzer Bühne. Indendant Barlog hat wohl geahnt, wie wir das brauchen: Hilfe durch den alten lieblichen Zauber der shakespearischen Welt, Glück durch Shakespeare. Da war es wieder: Die böse Welt des städtischen Hofes. Die leichte gute Welt des geflüchteten Herzogs im Walde. Und dazwischen diese unerklärliche, deutliche Vielzahl von Gestalten, Narren, Liebenden, Weisen. Der alte, nie ausgeschöpfte Ton. Man wird seiner nie überdrüssig werden. Ich erinnere mich, wie ich als Junge ins Theater rannte, um Elisabeth Bergner gleich fünfmal hintereinander als Rosalinde zu sehen. Und ich bedaure es jetzt, daß mein Geld damals nicht reichte, noch öfter in den dritten Rang zu steigen. Ich habe das Stück einige Male in England und in der Sprache Shakespeares gesehen. Ich sah es in einigen Aufführungen hierzulande. Es ist immer wie neu. Es ist unergründlich in seiner herben und süßen Sprache. Es ist Zauberei. Reiner Zauber. Auch diesmal wieder. Ich liebe dies Stück wie keines.

Alles war hier auf lieblich, auf leicht, auf Grazie gestellt. Schon Gudrun Genest als Rosalinde. Sie war erst etwas starr, und die lächelnde Süße, die der Text ihr aufgibt, kam nicht gleich zum Klingen. Aber späterhin horchte man auf. Sie hat mehr in der Stimme, als man in den ersten Bilder zu hoffen wagte. Und zum Schluß hin hatte sie uns besiegt. Da kam diese gedämpfte Heiterkeit. Da hatte sie den vollen Shakespeareton.

Ulrich Hoffmann als ihr Orlando konnte da nicht ganz folgen. Aber er ging mutig an den schweren Part des liebegeschlagenen Jünglings und wurde zusehends freier. Hans Söhnker machte einen äußerlich schönen, sehr getragenen, melancholischen Jacques. Ein schwarzer Ton in dem Bilde der Heiterkeit. Ich hätte ihn mir etwas leichter gewünscht im Sinne des Ganzen. Hüpfend und sicher hatte immer Heinrich Troxbömker die Szene, als Narr und schließlich als Liebender. Und von der langen Liste der anderen Spieler brachte jeder seinen eigenen Farbklecks mit, bis das

Ganze sich füllte und ein voller und duftiger Shakespeare-Abend war. Ganz großes Theater nicht. Aber so sauber in der Arbeit. So deutlich voll guten Willens und Bemühens. Man muß das Steglitzer Schloßpark-Theater und seine wackeren Leute tatsächlich bewundern, wie sie da in der Vorstadt eine gute und lebendige Stätte der Leichtigkeit sich zurechtgezimmert haben und halten. Der Beifall ging liebevoll, lange und dankbar. Und ich habe mein Teil dazugetan.   4. 5. 1946

Holm und Abbott »Drei Mann auf einem Pferd«
Schloßpark-Theater

Wir haben einen veritablen Schwank gesehen. Ein Ding aus Amerika, daß uns die Seiten etwas schmerzten, als wir das kleine Schloßpark-Theater verließen. Kein Gedanken-Ballast. Keine »Probleme«. Kein Stirnrunzeln. Kein Versuch, den Rätseln des Lebens dramatisch auf die Spur zu kommen. Nichts als eine breite und unbedenkliche Attacke auf unseren Sinn für Heiterkeit. Ein direkter Kitzel an unserem Lachnerv. Und es war unter den Leuten, die da im Parkett saßen und schließlich nach der dauernden Beanspruchung ihres Lachmuskels sich angenehm geschwächt und gestärkt erhoben, zu erkennen, daß so etwas heute auch hilfreich sein kann. Nur einmal lachen. Die Miseren und Fragen des Tages mit dem Regenschirm an der Garderobe abgeben. Und dann hinein ins Vergnügen. Vergessen. Sich etwas vormachen lassen.

Das fängt im Foyer an. Da der Schwank vom Pferderennen handelt und »Drei Mann auf einem Pferd« heißt, hat der Intendant Barlog lauter Unfug vom Pferdesport an die Wände geklebt. Die Kasse hat er sozusagen zum Totalisator umfrisiert. Vor dem Eingang zum Theater hängt eine gewaltige Startglocke, die bei Beginn jeweils bedrohlich geschlagen wird. Er hat die Mitspielenden in großen Lettern als Favoriten an die Wand malen lassen und hat zu Rennrichtern die strenge Berliner Kritik ernannt, von Karsch bis Erpenbeck, von Goetz bis Harich. Und ich war natürlich gleich angenehm berührt, als ich die vier Buchstaben meines Namens auch angeführt fand. Er hat Fotos aus der Welt des Turfs, wie das wohl heißt, an die Mauern geheftet und große, krasse, grelle Reklameplakate überall verstreut, daß man, schon ehe der theatralische Unfug beginnt, in leichte, sommerliche Stimmung kommt.

Es fängt damit an, daß eine Gattin die Taschen ihres Mannes durchkramt, als der Anzug zur Reinigung abgeholt wird. In der Westentasche kann das Schicksal lauern. Oder das Mißverständnis in der Hosentasche wohnen. Wie hier. Ein Notizbüchlein. Sonderbare Namen. Mädchennamen von bedrohlichem Wohlklang darunter. Nummern – offenbar Telefonnummern – dahinter. Bisher herrscht Turtelglück bei den jungen Eheleuten. Jetzt bricht die anmutige Gattin zusammen: der Lümmel geht fremd! Es scheint erwiesen. Sie holt ihren Bruder zu Hilfe. Und da steht denn das Häufchen Unglück von einem Ehemann vor seinen beiden Richtern und muß alles wieder geradezubiegen versuchen. Er versucht zu erklären, daß er ja nur die Namen von Pferden notiert hat. Daß er lediglich nach den Zeitungen und rein theoretisch sich selber Tips gibt und Quoten errechnet. Daß doch alles so harmlos ist. Von Beruf ist er Dichter. Er schreibt an einem bedrohlich laufenden Band Gebrauchsverse für Geburtstagskarten, Muttertagskarten, Kondolenzkarten, Grußkarten. Er hat eine kleine Versfabrik und steht im Solde eines strengen Unternehmers und muß ins Büro. Und nun schon am Morgen dieser lästige Kladderadatsch mit den mißverstandenen Pferdenamen. Dazu kommt, daß seine Gattin mit dem Gelde gesündigt hat. Ein Bote bringt heimlich gekaufte Kleider. Und eine unheimliche Rechnung. Kaum hat der gereinigte Ehemann den Verdacht von sich gewälzt, hat er seinerseits Grund zu Aufregung und berechtigtem Kummer. Der Tag fängt schön an. Und so geht es nun weiter.

Es setzt sich in einer zweifelhaften Bar fort, in die der merkantile Dichter gerät, in seinem Kummer über den häuslichen Krach. Dort warten drei sehr komische Gestalten. Pferdegangster. Hochstapler des grünen Sports. Turfganoven. Sie sind am Wetten, da sie wieder einmal geldlich völlig ausgepumpt sind. Und nun kommt der kleine Theoretiker des Totos an ihren Tisch und gibt ihnen, bekümmert, betrunken und uneigennützig, wie er ist, Tips auf ihren schmutzigen und komischen Weg. Die setzen Sieg und Platz. Die machen Schiebewetten. Und das Geld rauscht herein. Sie waten in Dollars. Ein neues Leben fängt an für sie.

Der Segensspender selber wettet nicht. Er sträubt sich, auch nur einen Cent auf die laufenden Tiere zu setzen. Uneigennutz und reine Menschenfreundlichkeit. Ein sonderbarer Pferdeheiliger.

Dabei immer zerfetzt in seinem Inneren vor Sorge, ob er auch seine fünfzig Verse zum Muttertage noch fertig bekommt. Die muß er morgen früh vertragsgemäß abliefern. Und er ist erst in den Dreißigern. Da liegt die eine verborgene Quelle der Heiterkeit. Diese Gestalt. Ein Hans im Glück vor dem Totalisator. Doch er weiß nichts davon. Er könnte Tausende verdienen. Während die Pferdegangster ihn ausnehmen und seine Tips absahnen, ist er vor Sorge um die lästigen Verschen zum Muttertage zerrissen. Er selbst ist für die Burschen mit der Melone und dem speckigen Strohhut im Nacken eine wahrhaftige Goldgrube. Ihn kümmert's nicht. Er drängt zu den blöden Muttertagsversen. Und daher kein Ende des komischen, derben Konflikts. Ein leichtes Mädchen, natürlich, ist auch da im Gefolge eines der verschworenen Wetter. Die liebt natürlich schnell mal den jungen Mann mit der Wünschelrute für das schnellste Pferd. Peinlichste Situation, als sie ihm gerade einen tollen Tanz aus ihrer Bühnenjugend vortanzt, und er aus dem Bett heraus zusieht, wohin man ihn unter Entnahme der Hose gesperrt hat, damit er ja bei der Arbeit bleibt und die Tips errechnet, dies kleine amerikanische Dukatenmännchen. Und der Obergangster kommt gerade dazu und entdeckt die beiden in der spärlichen Bekleidung und der gar nicht mehr fragwürdigen Situation. Quietschen im Parkett. Der Schwank schwankt durch alle Grade der Heiterkeit. Und unterdessen fließt das Geld. Und unterdessen vergeht die kleine Gattin des Dukatenmännchens in Sorge um ihren verlorenen Mann, den die Gangster sozusagen gekidnappt haben, um ihn und seine Renn-clairvoyance ausgiebig zu melken. Man zwingt ihn schließlich, selbst Geld zu setzen bei dem letzten, dem größten Coup, da die Gangster in einer gewaltigen Schiebewette das ganze Gewonnene auf das letzte Rennen setzen. Sie wollen sichergehen, daß der Tip echt ist. Sie wollen ihn zwingen, selbst in das Risiko mit einzusteigen. Es scheint alles verloren. Krach. Verfluchung des kleinen Mannes. Es wird körperlich. Der Kinnhaken kracht. Am Radio ist der Rennbericht durchgekommen: Pleite auf der ganzen Linie. Der erste Tipversager hat die zweifelhaften Freunde des grünen Sports um das ganze Erraffte gebracht. – Da plötzlich kippt das Ganze um. Der Ansager im Rundfunk stellt richtig: Der bisherige Sieger wurde disqualifiziert. Der kleine Mann hat doch recht gehabt. Sein Tip war richtig und jetzt fließt der Gewinn ungestaut – aber: zum letzten Mal. Denn der Bann ist gebrochen. Der Zauber verraucht. Er selbst darf nicht wetten. Er hat seine Unschuld an Pferden verloren. Ab jetzt wird es schiefgehen. Er trumpft noch einmal auf. Er zahlt die empfangenen Kinnhaken heim. Er schlägt den Obergangster zu Boden. Und kehrt heim zu seinen Muttertagsversen. Sein Chef ist gekommen, ihn mit erhöhtem Gehalt in seine auspresserischen Arme zu nehmen und sein Genie für Gelegenheitsverse weiter auszunutzen. Und bevor der erschütterte Vorhang fällt, spricht der Dichter vom laufenden Band neue Verse, als wären sie von Stefan George. Er legt damit eine neue Serie auf. Das erste Stück – zum Vatertag.

Das alles ist sehr komisch. Und dies hier ist wenig mehr als eine Andeutung gewesen – unter Auslassung aller Zwischennuancen. Solche Stücke sind selten, und man sollte, was an ihnen das Technische und das Handwerk ist, nicht über die Schulter ansehen. Ein guter Schwank ist Goldes wert. Auch da gibt es Klassik, und es gibt von dieser befreienden Art nur sehr wenige, die gehalten haben. »Raub der Sabinerinnen«, »Charlys Tante« – zumeist kommen sie aus dem Angelsächsischen. Und ihre Zahl ist an den Fingern einer Hand abzuzählen. Hier kommt einer dazu. Denn das Ding ist sehr klug gebaut und läßt keine Möglichkeit aus. Zwei Männer haben daran im Sinne der tolldreisten Komik gepusselt und gearbeitet: John Cecil Holm und George Abbott. Axel Ivers hat dafür gesorgt, daß es gut ins Deutsche kam. Boleslaw Barlog selber, daß es auf seiner kleinen Bühne in Tempo blieb. Zwei Jahre lang, höre ich, hat man sich in einem New Yorker Theater vor diesem deftigen und unbekümmerten Theaterspaß die Schenkel geschlagen. In Steglitz wird man Programmsorgen bis auf weiteres auch nicht haben. Noch ist es Sommer. Und wer nicht gerne unbedenklich lacht, hat es sich selbst zuzuschreiben.

Barlog hat – um im Bilde zu bleiben – die Zügel der Regie straff in der Hand. Keinmal läßt er die Handlung schleifen. Er kommt vom Film. Man merkt es hier. Er setzt dem Ganzen hier und dort noch ein paar köstlich-komische Einfälle auf. Gags, wie man das im Atelier nennt. Und der kleine Einschub, wie der Tipgeber seinen Hut sucht und nicht kriegt – darauf achten Sie einmal, wenn Sie hingehen. Dergleichen läuft neben dem Dialog und ist in sich komisch.

Sein Ensemble ist prächtig in Fahrt nach der ersten Spielzeit. In diesem Zusammenhange – mein letztes kritisches Hemde auf

Walter Bluhm. Der ist das Dukatenmännchen, das die Dollarlawine in Bewegung bringt, ohne darauf zu achten. Der kleine Mann mit dem Hang zum Reklamevers. Der Junge war prachtvoll. Er hatte Töne, die in ihrer erstaunten Kinderart an den frühen Rühmann erinnerten. Schicksal auslösend, in die Fallschlingen des Bösen tretend – ahnungslos. Mit großen Kinderaugen geht er durch all den Trubel, nichtsahnend, was da alles an Verwerflichkeit, Geldgier, Laster oder Sorge ganz dicht an seiner eigenen Schulter sich zuträgt. Bluhm macht das prächtig. Die Naivität des echten Komikers. Und damit die echte Liebenswürdigkeit. Dadurch bleibt der Spaß im Grund so arglos und dadurch so erfrischend.

Schön abgeschmeckt auch das Trio der fragwürdigen Ritter vom Turf. Otto Mathies, Erwin Biegel, Axel Monjé. Der eine staunlich dummlich und mit der schauspielerischen Pointe einer komischen Heiserkeit. Der zweite mit einer komischen Schmierigkeit. An dem klebte alles. Der dritte – ein Hüne mit dem Ausblick auf die besseren Gesellschaftsklassen. Der Mann aus der Unterwelt mit dem gut geschnittenen Sakko. Das spielt sich die Töne schön zu. In ihrem Gefolge Hildegard Knef als verlockende Räuberbraut. So schön. Und so schön doof. Und so schön mit der Zunge anstoßend vor lauter hübscher Naivität. Dergleichen ist nicht leicht. Sie machte das sehr nett. Hans Schwarz, der ehemalige Meisterringer, macht einen Baks von einem Barkeeper. Schon im Kontrast zu Bluhm sehr lustig zu sehen. Ein Kerl mit einem Kreuz wie ein Fensterrahmen. Der schiebt den kleinen Mann auf der Szene herum wie ein Püppchen und muß sich noch vorsehen, daß er ihn bei einem Griff nicht gleich zerbricht. Sehr komisch. Ein Neger tritt auf und gibt schwarze Farbe in das bunte Bild, augenrollend und betulich. Gregor Kotto heißt er. Hilde Volk, als die Gattin des Dichters, hatte wohl die schwerste Partie und blieb etwas blaß. Reinhold Bernt, als ihr Bruder, sollte etwas auf seine Sprache achten. Manchmal blieb er unverständlich. Franz Stein war ein hagerer amerikanischer Geschäftsmann, dürr, spleenig, ein Dollarautokrat mit gepflegtem weißem Haar.

Das Ganze: keine Erleuchtung für die Erkenntnis, kein theatralisches Weltwunder. Aber Zuckerbrot für die Heiterkeit. Um es auf berlinisch zu sagen: wir haben uns amüsiert wie Bolle.

18. 8. 1946

Molière »Tartuffe«
Deutsches Theater

Mit diesem Theater, das sich seit einem Jahr so stolz »Max Reinhardts Deutsches Theater« nennt, hatte man seinen kritischen Kummer seit Kriegsende. Wirklich froh ist man dort eigentlich nur bei zwei Aufführungen geworden unter den vielen, die gezeigt wurden. Man verbiß sich in einen sonderbaren Realismus. Man hatte keine sehr glückliche Hand in der Wahl der Stücke. Man tat sich augenscheinlich etwas schwer mit der Tradition, die dieses Haus zu tragen hat. Mehr als einmal kam man enttäuscht heraus. Gestern abend waren wir erfreut und bezaubert. Eine entzükkende, eine kluge, eine gradlinige Vorstellung der alten, schönen Komödie. Willi Schmidt hatte die Inszenierung. Er legt sie fast aufs Tänzerische an zuweilen. Er hat fast immer Bewegung auf der Bühne. Ein großer, hallenartiger Raum mit vier Zugängen, perspektivisch weit in die Hinterbühne führend. Keine Verwandlung. Die freie Halle immer nur mit einem Tisch und vier Stühlen bestellt. Darin nun das Spiel. Schmidt hat das japanische Soldatenstück von Georg Kaiser im Hebbel-Theater geleitet. Er hat uns die reizende Aufführung von Shakespeares »Wie es euch gefällt« im Steglitzer Schloßpark-Theater gegeben. Jetzt dieses. Und alles drei waren deutliche Talentproben. Dies aber hier war, meine ich, das Schönste von allem. Die gedämpften Farben der Kostüme, die er auch selbst entwarf. Die gemäßigte Bewegtheit auf der Bühne. Wie er jedes Zuviel ferngehalten hatte. Wie er billige und drastische Wirkungen nie ausspielen ließ. Wie die Dialoge abgestuft waren – das war ganzes Theater. Mit Willi Schmidt hat Berlin einen wirklich bedeutenden Regisseur gewonnen. Seit gestern ist es ganz klar. Und man soll sich die Hände reiben darüber.

Ein prächtiges Ensemble stand ihm zur Verfügung. Tartuffe – Aribert Wäscher. Der war klassisch. Keiner Übertreibung nachgebend, zu der diese Rolle reizen mag. Komik zumeist aus der Bewegung des Gesichts und aus der Stimme. Wie er plötzlich bei seinen lasterhaften Bemühungen um die Frau Orgons abbricht und die krötige, schmutzige, unverstellte, tiefe Stimme des wahren Scheusals durchkommen läßt – großartig. Wie er mit dem Ende des dritten Aktes im vorschnellen Vorgefühl des Triumphes in einer wilden Geste erstarrt – sehr komisch. Wie er sein Urteil durch den Boten des Königs gar nicht auf sich bezieht, sondern sorglos zum

Fenster hinausschaut und dann der schnelle Zusammenbruch – das alles war eine sehr geordnete und überlegene Leistung. Neben ihm Paul Bildt in der weitaus schwierigeren Rolle des getäuschten Orgon. Er stößt seine Vokale heraus. Er hat die leise Intensität. Und im Zusammenbruch pure Tragik mit halber Stimme. Er weiß bei seiner verstrickten Dummheit so rührend und sympathisch zu bleiben, daß man schon deswegen das Stück besehen sollte. Elsa Wagner geht als seine Mutter umher – ein liebenswert-dummlicher Drache. Man weiß, wie sie das kann. Und als das junge, liebende Paar: Horst Caspar und Antje Weisgerber. Und hier ein Trick der Regie. Willi Schmidt ließ Caspar durchaus in seinem hochpathetischen Schillerton sprechen, mit strahlenden Augen, mit hochgedrücktem Kinn, mit seinem eigentümlich tänzelnden Schritt – und hier hatte das unversehens eine deutlich komische Note. Heiterkeit aus reinem Pathos. Auch mit Paula Denk, die reizend aussah, und die die Versuchung für den Heuchler abgeben mußte, hatte Schmidt sehr gearbeitet. Ihren eigenartig gähnenden Sprachton hatte er ihr genommen. Es blieb eine junge Frau mit Klugheit und Herz. Doris Krüger aber, als das vorlaute Dienstmädchen, fand ich unter der Weiblichkeit am glücklichsten besetzt. Sie hatte eine stämmig-natürliche Heiterkeit, sie war die Verkörperung des gesunden Menschenverstandes mit so viel Charme des Mädchens aus dem Volke, daß ein gut Teil des langen Applauses gewiß auf ihre künstlerisch saubere Rechnung ging.

9. 9. 1946

Jewgenij Schwarz »Der Schatten«
Kammerspiele des Deutschen Theaters

Zum Schluß herrschte eine liebliche Betäubung unter den Zuschauern, wie wir sie seit Kriegsende vor einer Bühne noch nicht beobachten konnten. Keine Problematik, kein Wühlen im Pessimismus der Zeit, keine bedrohliche Belehrung. Aber auch kein schlechtes Gewissen, sich von der Gegenwart unstatthaft entfernt zu haben. Nur wohltuende Betäubung durch reines Märchen. Ein Vorgang, simpel im schönsten Sinne, einfältig, wie es nur das Märchen sein darf. Und doch – mit einer Vielfalt des Witzes bestreut, daß von Beginn an sich beides glücklich verband: Esprit und Einfalt, Schlichtheit und Würze der Ironie, Innigkeit und wissendes Gelächter, Poesie und moderne Skepsis. Die Vermengung ist selten. Hier war sie gelungen. Volle Romantik also. Die seltenen Stellen der Literatur, an denen sich Volkston und moderne Kompliziertheit treffen. In der Geographie der Dichtung ein dünn besiedeltes Gebiet. Die Stätte, wo Eichendorff, Brentano, wo Tieck ihre dichterischen Liegenschaften haben. Der Russe Jewgenij Schwarz hat sich mit der kleinen Parzelle dieses Stückes ebendort angesiedelt.

Worum geht es? Ganz einfach darum, daß ein rechter Märchenhans, ein liebwerter, junger Gelehrter, in eine rechte Märchenstadt kommt. Hier leben die Gestalten aus der niederen Mythologie anmutig weiter. Das Mädchen mit den roten Schuhen, das so böse auf dem Brote tanzte – hier ist es zur Diseuse geworden. Die Menschenfresser der Volkserzählung sind Journalisten oder Hotelbesitzer und Leihhauseintreiber. Eine Prinzessin, wie im rechten Märchen, ist unglücklich und wartet auf Erlösung. Die Märchenliese ist da, die den Hans durch ihre treue und sehende, simple Liebe vor Gefahr und vor Abgründen rettet. Das Motiv der Persönlichkeitsspaltung ist aufgenommen, das alte Motiv, wie der Schatten sich von dem Helden löst. Wie er aufsteigt in Macht, in Herrschaft und falschen Glanz, und wie die törichte Welt der Täuschung erliegt. Wie der Held leiden muß und in Unschuld geköpft wird, daß auch der Schatten stirbt und auf offenem Throne wortwörtlich den Kopf verliert. Wie das Wasser des Lebens, das alte Märchenelixier, dann den Helden wieder zum Leben erweckt. Wie der Schatten entlarvt wird, Thron und Macht verliert. Und der Held, dieser innige Märchenhans, Macht, Glanz und Königstochter verschmäht. Er nimmt seine Annunziata, seine Märchenliesel, und schreitet in das beständige Glück über allen törichten Glanz hinweg. Daß am Ende die gute Märchenmoral bleibt: gut zu sein, menschlich zu sein, gläubig zu sein und den Firlefanz des Ruhms und der Macht zu verachten. Nicht im Palast wohnt das Glück, und es wird nicht auf silbernen Tellern serviert. Ein getreues Herze wissen und selbst die Unschuld des Lebens bewahren. Da liegt's. Mehr steht im Märchen nicht drin.

Wenn jetzt auch nicht ausbleiben wird, daß die kritischen Neunmalklugen auftreten und uns über den politischen Nährwert des Stückes gestreng unterrichten werden. Poesiefremd, und das heißt auch: zutiefst humorlos, werden sie kleine moralische Abwässerchen auf die politischen Mühlen ziehen wollen und damit ihre einseitige Beredsamkeit billig zum Klappern bringen. Schnickschnack! – ist die Anwort bei Andersen. Und das ist sie hier.

Zwei Berliner Intendanten hatten sich die intelligente Zauberkraft für diesen Stoff nicht zugetraut. Bei Gustaf Gründgens kam er vor die richtige Schmiede. Er hat den holden Gegenstand durch behutsame Geistigkeit gefiltert und dabei doch den Glockenton des Märchens an keiner Stelle aus dem Ohr verloren. Paul Strekker, der die zauberhaften Bühnenbilder schuf, hatte das auf Biedermeier geschriebene Stück resolut in ein ungefähres Monte Carlo der neunziger Jahre verlegt und damit dem Ganzen eine komische Verruchtheit beigegeben, die schon im Äußeren die romantische Ironie nie aus dem Auge kommen ließ. Leo Spieß gab eine bizarr-gläserne Musik bei, die den Vorgang in eine deutliche Sphäre des Überwirklichen hob und doch wieder dem Witz des Gegenstandes mehrere Takte freiließ. Es klang alles zusammen.

Auch die Schauspieler fügten sich glücklich ein. Am mühelosesten immer da, wo sie ins Groteske hinüberspielen konnten. So waren Wolfgang Kühne und Eduard Wenk als die Minister des Märchenreiches (der eine starr und von Livrierten auf silbernen Tabletts gestürzt, der andere klein und agil) ein Paar sublimer Komik. Paula Denk war in ihrer ziehenden, gleitenden Sprechart und in der betonten Mondänität ihres Aussehens eine sehr heitere Verkörperung der im Grunde törichten Anrüchigkeit. Walter Werner polterte gedämpft einen Menschenfresser mit weichem Herzen, und Wolfgang Lukschy einen ebensolchen, der in der Journaille eitel und menschenfresserisch weiterlebt. Kurt Weitkamp, der Scharfrichter mit der Liebe zum Kanarienvogel, Wilhelm Krüger, der starre Zeremonienmeister, Karl Hannemann, ein sturer Korporal, und Friedrich Maurer, ein Arzt mit dem bösen Prinzip des Fünfe-grade-sein-Lassens, waren ohne Aufdringlichkeit angesetzt und brachten jeder seine Märchenwelt für sich. Ungebrochen durch Ironie hatte sie Siegmar Schneider, der junge Gelehrte und Märchenhans, darzustellen. Ihm und der in glücklicher Naivität beharrenden Helga Zülch ist hoch anzurechnen, daß an keiner Stelle der Beigeschmack des allzu Biederen aufkam. Gisela Trowe, als wehleidige Prinzessin, blieb blaß. Sie konnte nur in ihrem ersten Auftritt durch die matte Höhe ihrer Sprache rühren. Heinz Drache hätte man einige dunklere Schattierungen geben müssen. Dem Prinzip des Bösen, das er allein verkörpert, hätte man einige dunkle Flecke von vornherein beifügen müssen.

Die Aufführung war ein Wagnis. Daß sie so einheitlich gelang, ist der wägenden Bühnenintelligenz von Gründgens und dem bildnerischen Witz von Paul Strecker zu danken. Und dem Theater selbst der Mut, uns ein Stück aus dem Osten zu zeigen, das nicht in politischer Zweckmäßigkeit oder in wackerer Wirklichkeit verharrt, sondern in Sphären vordringt, wo die Wirklichkeit sublimiert, überwunden und in höherem und spielerischem Sinne wahrhaftig wird.

Die Vorführung ging weit über drei Stunden. Um fast ein Drittel gekürzt, hätte sie ihre Wirkung nur verstärkt. Striche drängten sich fast auf. Das Publikum erwachte so erst kurz vor der letzten U-Bahn aus der holden Betäubung und ließ dann die Beteiligten dieses Erwachsenen-Märchens lange nicht los. Dieser Ton klingt nach. 5. 4. 1947

Die Spielzeiten 1948/49 und 1949/50

ZEITSTÜCKE – VON HEUTE UND GESTERN, WESTLICHE UND ÖSTLICHE

Carl Zuckmayer »Des Teufels General«
Schloßpark-Theater

Oft beklemmend, mehr als einmal zwiespältig, einmal höchst beteiligend und mitreißend, dann wieder fragwürdig und bedenklich stimmt alles: Thema, Stück, Aufführung.

So sonderbar: Carl Zuckmayer gab nach dem Ersten Weltkrieg die Uniform lustvoll der dramatischen Vernichtung preis. In den Vorstellungen des »Hauptmann von Köpenick«, in der die harten Nähte des bunten Rockes rigoros aufgetrennt wurden, saßen immer einige Fahnenträger der Reaktion, die protestierend reagierten. Kräftig und lachend schnitt damals der Dramatiker ins allzu feste Fleisch des Militanten. Jetzt, nach dem zweiten Kriege, liefert der gleiche Dichter aus der Emigration ein Stück, das sich prall, liebevoll und ausgiebig damit beschäftigt, zu erforschen, welche Motive, Verführtheiten, welche positiven Regungen und verdeckten Sauberkeiten auch noch in der Brust eines lebenstollen Nazigenerals wohnen mochten. Eine psychologische Studie in drei Akten, in der das am eigenen Idol zerriebene Innenleben sehr wirkungsvoll, sehr bühnensicher und überzeugend auseinandergefaltet wird. Kein Bannspruch. Keine Schwarzweißzeichnung mit dramatisch zusammengebissenen Zähnen. Hier herrscht die Bemühung, alles, dieses ganze Milieu, diesen krachledernen Typ des gepflegten Radaugenerals, zu verstehen, um schließlich nicht zu verzeihen, aber doch eben besser zu verstehen.

Zuckmayer wird selbst erfahren haben, wie Mißverständnisse und falsche Auslegung heute (noch und wieder) direkt an der nächsten Ecke lauern, um etwas, das eine in einen vollen Typ verliebte dramatische Studie ist, falsch auszumünzen und als dichterische Entlastung aufzufassen: »War ja auch nur ein Mensch!« Die glänzenden Höhen, die strotzenden Uniformen ringsum, das militant und landsknechtisch Verführerische daran wird manches

Auge blenden, das später die Moral: wie der Teufelsflieger in das Verderben seines Volkes abtrudelt, kaum so deutlich auffassen wird. Der pralle Glanz haftet – auch in diesem Stück – eher als das Halbdunkel der gedanklichen Anwendung. Zuckmayer hat anderenorts in Diskussionen und nachträglichen Gesprächen diesen Eindruck zurechtzurücken versucht. Schon daß das nötig war, zeigt, wie wenig es für den heutigen Dramatiker noch zulässig ist, dem Entscheidungsgefühl deutscher Zuschauer eine wägende Überparteilichkeit zuzumuten. Nötig ist heute das Deutliche. Dies Stück aber ist nicht deutlich, ganz allein aus dem Grunde, weil es Züge des Dichterischen hat.

Und wenn nicht immer des Dichterischen, so doch Teile, die von einer Sudermannschen Kräftigkeit des Bühnenlebens sind. Partien im Dialog, in denen die Sprache von Leben und Sattheit quillt, daß man die lange durstenden Ohren selig voll nimmt von solcher Unmittelbarkeit des Wortes. Es gibt eine völlig richtig gesehene Galerie der Nebenfiguren bei wenigen Verzeichnungen, wie es das »Pützchen« oder der schon »ressortmäßig« schlecht zu placierende »Kulturleiter« ist. Es ist ein erster Akt da, der, allein mehr als eine Stunde während, volles und deftiges Theater ist mit allen quellenden Mitteln und kleinen Drückern. Ein Akt, für den die beiden folgenden im Grunde nur Anhängsel, nicht Fortführung oder notwendige logische Erledigung sind. Wo der General sich noch im Recht glaubt, wo er stark ist, ist auch das Stück am stärksten. Kein Wunder, daß die Sympathie des Zuschauers auch dorthin pendelt.

Die Aufführung lief in ihren starken und schwachen Momenten dem Text parallel. Das erste Bild, in dem bei Horcher getafelt, geschwafelt und politisiert wird, hatte die lauteste Überredung. Boleslaw Barlog hatte das Fest weniger rauschend genommen, als es wohl verdiente. Großartig und piano präludierend noch das kleine Vorspiel unter den Kellnern (Gottfried Kessel, Werner Schott), dann aber kam das in Dialoge aufgelöste Gelage nicht so wuchtig in Fahrt, wie man es nach dem Buche erwarten mochte. Mag sein, daß der Regisseur, den falschen Effekt der Uniform und des gespielten Kraftmeiertums fürchtend, O. E. Hasse, dem Teufelsgeneral, zu sehr die Bremsen angezogen hatte. Er hatte kaum die elementar überrennende Wucht, die die Rolle vorschreibt. Er ersetzte klug und die eigene Strahlung sozusagen vorsichtig stumpf machend die selbstgefällig breiten Schultern durch früh einsetzende Blinkzeichen der Intelligenz. Hasse sprach, wo er an die Kostbarkeiten des Textes traf, schön, lebendig variierend und mit kräftiger Heiterkeit. Den Fragwürdigkeiten des Schlusses war auch er nicht gewachsen.

Schade, daß die Frauenrollen fast gar nicht besetzt werden konnten. Dadurch wurde das penetrant Maskuline des Stoffes noch überbetont. Eine Ausnahme Camilla Spira, die großartig als vollreifer Operettenstar mütterliche Betulichkeit, Echtheit und gewollt falsche Töne mische. Eine komische Leistung, die immer real blieb und haftet. Ernst Stahl-Nachbaur machte einen gemäßigten Hugenbergtyp soigniert in Spitzbart und vorsichtiger Kalkulation erkennbar. Unter dem grünen Gemüse der Fliegerleutnants fiel Sebastian Fischer durch eine gerade und redliche Erregbarkeit auf. Reinhold Bernt übertrieb zu seinem und unserem Glück nicht die etwas schablonenhafte Kommißrolle des wackervierschrötigen Offiziersburschen. Otto Mathies hielt die mißliche Rolle des SS-Nazis zu steif im Tone der Karikatur und stand so immer etwas neben dem sonst naturalistisch gemeinten Bilde. Paul Wagner konnte die Figur des Widerstandskämpfers, die spät und undeutlich dem Stück angesetzt ist, kaum mit deutlichen Zügen füllen. Vorzüglich aber in ihrer stummen Gegenwehr die beiden Gestalten der Arbeiter, Theodor Vogeler und Walter Bluhm.

Das Stück war zu spielen, ohne Zweifel, denn es ist neben Weisenborns »Illegalen« die einzige zeitgenössische szenische Lebendigkeit, die wir in dramatisch trist leeren Händen haben. Daß der Nachgeschmack hier bedenklich ist, daß gesorgt werden muß, damit nicht der Glanz, sondern der verborgenere Gedanke von dem Stück genommen wird, bleibt mißlich. Barlog hat versucht, den Akzent dorthin zu legen, wohin er gehört. Daß das gegen den Lauf des Stückes nicht voll gelingt, macht den Theaterabend am Ende zwiespältig. Wie das Thema und das Stück.   17. 7. 1948

Walter Erich Schäfer »Die Verschwörung«
Schloßpark-Theater

Das will die Geschehnisse des 20. Juli 1944 dramaturgisch aufarbeiten. Im Zimmer 11 der Gestapo in Berlin sollen hier der Verlauf und die Zuckungen jener späten, unglücklichen und verunglückten Revolte gegeben werden. Der kalte Schauplatz wechselt nicht. Das Stück besteht aus einer Kette von Verhören. Aus den Verhören, wer verhört wird, wie verhört wird und wer verhört, soll der Vorgang evident werden. Der Akzent sitzt also von vornherein auf der SS. Ein bestialischer und naßforscher Gruppenführer. Als es kurz so scheint, als sei Hitler tatsächlich beseitigt, steht er schon schlotternd im eilfertigen Zivil und will untertauchen. Sobald sich das unglückliche Blatt wendet, schlüpft er in die schwarze Kluft zurück und ist bis zum Ende der rächende Teufel an den Opfern des Fehlschlags. Neben ihm der »Renommier-Liberale«, ein Brigadeführer mit Brille, der, nachdem er jahrelang in Blut gewatet ist, sich in plötzlicher Metamorphose auf die Seite der Verschwörer stellt und zum Galgen drängt. Ein geringes und sehr außergewöhnliches Faktum, das der Autor dem Buche von Gisevius entnommen hat.

Aber Theater typisiert, gibt am gezeigten Beispiel das Exemplarische. Diese SS-Gestalt ist sehr unexemplarisch. Der Einzelfall höchst uninteressant. Hier wird er mit verdächtigem Fleiß interessant gemacht. Und da liegt dann die gleiche, nach der Sensation schielende, tückische und kalkulierende Oberflächlichkeit, die man, tief angewidert, in den sensationell aufgemachten Veröffentlichungen einer schnell und übel verkommenen illustrierten Presse zur Zeit findet. Wenn dies Stück eine Moral hat, so ist es am Ende die, daß es auch einen zum allerletzten Schluß anständigen SS-Bullen gegeben hat. Sei's drum! Wennschon! Ihn zu zeigen und ihm eine späte Gloriole zu gewähren, heißt, einen Widerschein von Heiligkeit auf eine Institution legen, die bewußt und in toto höllisch war. Den »Teufelsgeneral« hatten wir, und der suspekte Erfolg, den er hatte, soll hier, variiert in Schwarz, eilfertig wiederholt werden. Das macht den ganzen Abend so unerquicklich und unstatthaft. Im Vorwand der krassen Reportage das Spiel mit der Uniform, die Rehabilitierung des am sehr späten Ende erst richtig und gegen Hitler funktionierenden Offiziers. Die historisch unrichtige Bagatellisierung der Funktionen der Arbeiterschaft im Widerstand überhaupt. Andererseits am Falle einer tapferen Frau eine so sadistische und direkte Fixierung des Grauens, daß die Nerven mancher Betroffenen im Parkett nicht standhielten.

Gespielt wurde, wie unter Boleslaw Barlog meist, angemessen und geschickt. Paul Wagner in der Rolle des bösen SS-Führers wurde zu schnell an die Grenzen seiner Stimme und Wirkung geführt. Seine Effekte ließen zum Ende hin sichtbar nach. In der Rolle des »guten« Brigadeführers Wilhelm Borchert so zivilisiert, daß man vom ersten Wort schon wußte, wohin dieser einsame, schwarze Hase lief. Ganz ausgezeichnet Blandine Ebinger in einer theatralisch zum Reißerischen überzogenen Szene. Wie ihre Stille das Geschrei der Würger genau übertraf, das war schon meisterhaft. Sonst sind Reinhold Bernt, Albert Beßler, Herbert Wilk, Eduard Wenk, Werner Schott und Theodor Vogeler mit von dieser höchst unerquicklichen und politisch fast tückischen Partie. Das Ganze ein Beispiel dafür, wenn es dessen bedurft hätte, daß, auch wenn eben denazifizierte Autoren sich hurtig auf antifaschistische Stoffe werfen, der Teufelsfuß immer sichtbar bleibt. Sehr unerfreulich und dem Andenken der Toten jenes Datums keineswegs angemessen oder gar förderlich.   18. 10. 1949

Clifford Odets »Wach auf und singe!«
Kammerspiele des Deutschen Theaters

Eine Aufgabe des Dichters mag es sein, dem Menschen die Welt zu erklären und zu rühmen. Eine andere ist, das große Ungenügen nicht einschlafen zu lassen, den Menschen bei seiner Sehnsucht nach der Vollkommenheit zu rühren und ihn darin seine Umwelt und die Unzulänglichkeit seines Daseins erkennen zu lassen.

Cliffort Odets dient der zweiten. Seine Stücke zielen auf die Verwandlung des Menschen, provozieren den Protest gegen seine unzulängliche Umgebung. Sie wollen bessern. Sie sind ungenügsam. Sie beschreiben erst, detailliert und nicht ohne Liebe zum dramatischen Gegenstand. Aber sie sind dann der Beweis von der Bühne, daß diese Welt nicht erträglich wird, ehe sie nicht besser ist. Stücke, die in die Nähe der Aktion kommen. Dieses zieht den dramatischen Beweis aus der bedrückten, stickigen, armen, vielfach behinderten Existenz einer jüdischen Familie in Bronx, einem unzuträglichen Stadtteil New Yorks. Hier wohnen sie dicht aneinander und reiben sich andauernd an den empfindlichsten Stellen ihres Innenlebens. Schiffbruch an ihrer Sehnsucht haben sie alle erlitten. Sie leben, wie sie da sind, reduziert und in Furcht, in Rücksichtnahme, Resignation oder Traurigkeit. Ihr volles Leben, das ihnen zustünde – sie haben es alle hier nicht finden können. Und die meisten von ihnen haben es aufgegeben, wider den Stachel zu löcken. Sie stecken dauernd, müde werdend und sich zerreibend an den Unzulänglichkeiten, ihre Sehnsucht zurück. Sie leben falsch und werden durch eine falsche Welt gezwungen, es weiter zu tun. Nur drei brechen aus, gehen in Protest und wissen die Konsequenz. Einer negativ. Der alte Jacob, durch dauerndes Mitwissen an seinen Idealen schuldig geworden, ein redliches Leben lang ein Narr seiner Jugendträume, stürzt sich vom Dach. Die Tochter bricht aus dem Gatter strenger jüdischer Konvention aus. Der junge Sohn faßt den Entschluß, diese muffige, unwürdige Welt zu besiegen und zu bessern. Der Rest macht weiter, achselzuckend, am Gelde klebend oder an der Trägheit des eigenen Herzens scheiternd.

Ein Stück, das sich anläßt wie ein dichtes Beharrungsdrama. Da werden die Glieder dieser bedrückten, zahlreichen Familie vorgeführt. Mutter Berger, hart, schrill und scheinbar herzlos geworden in den Jahren der Entbehrung und der Sorge um die Familie. Vater Berger, der als lebenshungriger Student der Rechte begann und eine Niete geworden ist im Roulette des Lebens, ein halb komisches Anhängsel an Mutters derb gesponnener Schürze. Da ist der Onkel. Nach außen hin das, was Amerika landläufig einen Erfolgsmenschen nennt. Am Charakter aber hohl, geldhörig und niedrig geworden. Der Schwiegersohn, dem die einzige Tochter angehängt wurde, als ein anderer mit ihr schon Hochzeit gemacht hatte. Eine getretene, entwürdigte, ohne Kraft liebende Kreatur. Als Untermieter ein Invalide aus dem Kriege, bitter, stachlig und rüde geworden an der lustlosen Art zu leben, die ihm hier aufgegeben ist in diesen Niederungen der Großstadt. Der Großvater ist da, der sich so etwas wie eine Weltanschauung aus den Büchern gezimmert hat, mit dem jüngsten Herzen unter diesen allen. Seine vagen Vorstellungen von der besseren Welt kann er mit der bestehenden nicht in Einklang bringen. Er resigniert im Selbstmord. Der junge Sohn, fahrig und ungenau erst aufbegehrend gegen den permanenten Skandal der Unfreiheit, straft das falsche Leben der übrigen Lügen und wagt dann den Absprung in das angemessenere Dasein. Er wacht auf. Wo er endet, bleibt fraglich. Worauf es Odets ankam, war, den Elan zu geben, die Geste des Protestes und des Aufbruchs. Das Ziel nennt er nicht. Auf dem Aufbruch liegt der Akzent.

Ein Stück, das auf viele Weise überredet. Es überredet durch die logische Konsequenz, mit der die Figuren langsam vorgeschoben werden, und es drängt sich auf durch die Wahrheit der einzelnen Gestalten in dieser stickigen Großstadtetage. Das Milieu, das hier angegeben ist, auf deutsch und jetzt zu treffen, mochte schwierig erscheinen. Es gelang in einigen Typen zumindest überraschend. Hellmut Helsig gab dem verdrückten Vater Töne von echter, bewegender, rührender und kläglicher Resignation, auch noch im ewigen Achselzucken viel typischen Humor bewährend. Friedrich Maurer machte das Getretene und Innige des gefoppten Schwiegersohns ohne Wehleidigkeit mit sehr stillen und nur selten auffahrenden Tönen erkennbar. Gisela Trowe war die sich an den Ecken des Daseins dauernd stoßende Tochter: manches von echter Aufsässigkeit und oft von gediegener schauspielerischer Intensität. Wilhelm Borchert, als der skeptische Invalide, der am Ende den anderen noch Mut macht, aus dieser Umwelt in eine bessere auszubrechen, schien seinen breiten Typ am wenigsten in diesem Milieu geltend machen zu können. Die wissend skeptischen Wahrheiten, die er zu verbreiten hat, kamen um einige Nuancen zu vierschrötig. Obgleich in ihrer Art überzeugend als Typ, war Erna Sellmer ebenfalls zu ungebrochen, zu direkt, in der Konzeption zu blond für die hart-herrische Figur der Mamme. Walter Werner stand ebenfalls für Strecken neben dem Typ, den das Stück verlangte. Eher ein spinöser Nordseefischer als ein weiser alter Hebräer.

Vortrefflich fand sich die Regie Franz Reicherts mit dem für eine hiesige Bühne schweren Brocken ab. Er bewegte die Figuren mit einer schönen Zwangsläufigkeit und holte soviel Atmosphäre heraus, wie sich wahrscheinlich bestenfalls hier nur herstellen läßt, ohne das Jüdische des Vorwurfs zu übertreiben oder das Taktgefühl, das hierbei jetzt besonders empfindlich sein muß, auch nur an einer Stelle zu verletzen.

Saroyan zeigte uns in dieser gleichen Spielzeit, wie die arme Welt wunderlich und schön sein kann. Odets weist nach, daß sie verändert werden muß, um erträglich zu werden. Zwei Dichter. Zwei Arten, die Welt anzusehen. Die von Saroyan unbefangener und schöner. Bei der von Odets ist uns ethisch wohler. Ein guter Theaterabend mit viel beiläufiger Heiterkeit in der skeptischen Treffsicherheit der jüdischen Diktion. Am Ende lauter Beifall.

24. 7. 1948

Ein Drama, fest, logisch gebaut, wie es im dramaturgischen Regelbuche steht. Richtig angesetzt von vornherein, von Bild zu Bild genau verzahnt, schiebt es die Figuren dem Ende zu, das es sich selbst gesetzt hat, selten in tendenziös direkter Rede verweilend. Das ist alte, wirksame Schule, hat seine genau Exposition, geht schnell in die Höhe, entwickelt sich strahlenförmig, sammelt sich zum Knoten, retardiert, verhält in der Spannung, um endlich direkt in das tragische Ziel zu stoßen.

Das wäre schon wohltuend: nach den vielen Auflösungs- und Scheindramen, die heute in aller Welt angeboten werden, ein Stück zu sehen, in dem, was passiert, nach der Regel geschieht und mit Vorbedacht. Hier sind keine Ausschweifungen im Atmosphärischen gestattet. Die Handlung liegt fest im Milieu. Keine ins nutzlos Schöne ausschweifende Rede im Dialog. Fast jedes Wort wird gebraucht, ist an seiner Stelle nutzbar. Die dramatische Beweisführung hat hier immer Vorhand. Ein – als Stück – gutes Stück.

Eine dramatisch haarsträubende Handlung, die, wäre sie nicht so rigoros geführt, unschwer ins Kolportagehafte hätte kippen können. Ein Vorgang, der im Realen sein Vorbild und seine Entsprechung hatte: Mitte der zwanziger Jahre begibt sich unter der scheinbar friedlichen Oberfläche Grausiges in einem ungarischen Dorfe. Obenhin alles in Ordnung. Ein gutes Dorf, scheinbar. Ein stilles Dorf, scheinbar. Scheinbar ein friedfertiges Dorf. Lehrer, Pfarrer, Polizist, Arzt genießen die rustikale Idyllik des gottgesegneten Landstriches. Das Dorf scheint in Ordnung. Trotzdem – unter der Decke unterwürfiger Achtbarkeit geht der Mord um. Die reichen Bauern sterben. Die Gilde der reichen Witwen wächst. Habgier, Sucht, selbst zu besitzen und zu herrschen, treibt die Weiber des Dorfes dazu, sich bei der Hebamme ein weißes Gift zu beschaffen. Fünf Fälle des Gattenmordes aus Sucht nach dem Haben liegen vor. Julius Hay läßt vor des Zuschauers Augen den nächsten geschehen. Wie aus sozialer Not ein Bauernmädchen sich auf das Todesgeschäft einläßt. Wie aus Herzensbedrängnis und Armut sie zu dem bösen Schritt getrieben wird. Der Mord an dem alten, klotzreichen Bauern soll nur die Stufe sein zum »Haben« und zum endlichen Glück mit dem Polizeikorporal, den sie liebt. Eben der deckt die Kette der Schandtaten auf. Er überführt die Geliebte. Er wird Vollstrecker des Schicksals.

Hays Ziel ist klar. Ihm geht es um die neuerliche Beweisführung der These, daß nicht der Mensch schlecht sei, sondern daß bei ungerechter Verteilung des Habens der Mensch schlecht werden müsse. Er hat seitlich in die Handlung eine »rote Gruppe« eingeschoben, die die Lösung weiß. Er läßt zweimal in direkter Rede sagen, daß mit Veränderung der sozialen Bedrängnisse die Welt ins Lot kommen müsse. Ein marxistisches Stück hat es Lion Feuchtwanger daher genannt, kaum zu Recht oder treffend, denn gerade an diesen kurzen Stellen springt der Wagen der Handlung für kurze Zeit aus dem Gleis. Gerade die versuchte Kur der Welt nur am neuralgischen Punkt des ungleich verteilten Besitzes mutet heute eng und überholt an. Es sind jetzt andere Gefahren sichtbarer. Wunden sind an unserem Tage, die schmerzender und aktueller sind. Die dramatische Richtigkeit und gleichzeitig die einseitige Gutgläubigkeit, mit der hier die Heilung empfohlen wird, hat etwas Überholtes angesetzt, eine Staubigkeit, eine Vergangenheit, die am Ende den Beifall achtungsvoll, aber bezeichnend wenig warm sein ließ.

Dabei war die Aufführung eine der besten, die man in der Schumannstraße seit langem sah. Falk Harnack hatte, oft ungebührlich dehnend, im ganzen doch ein eindringliches Bild des wurmstichigen Dorfes gegeben. Die Akzente lagen, bezeichnenderweise, hier auf den Nebenhandlungen. Da war Paul Bildt in einer präzisen, überhobenen Realistik, vorzüglich sprechend, aus dem gemächlichen Hinterhalt eigene Tragik gebend, der weltoffene, dem Zweifel nahe Pfarrer. Gerda Müller sah man so gut wie hier lange nicht. Sie legte die giftkundige Hebamme auf herb, auf herrschsüchtig, auf eine beleidigte Verderbtheit hin an, ohne das Bigotte oder süßlich Böse unziemlich zu übertreiben. Franz Weber, als der verschusselte Arzt, brachte mit seinen ersten Sätzen schon das richtig verteilte Gelächter auf die Szene. Hans Stiebner, als der kurzbeinige, schlagflüssige, reiche Bauer, um einige Nuancen zu starr. Aber doch – ein Kerl, von der Angst um das Leben und das Haben gestoßen. Angelika Hurwicz, eine Lehrersgattin wie aus einer Oberländerzeichnung, komisch, ohne an die Übertreibung zu kommen. Gerhard Bienert, dümmlicher Polizeisergeant in uniformierter Rechthaberei und schön falscher Jovialität nach unten. Käthe Braun, obgleich sie für die Rolle des leidenden und mordenden Mädchens für Strecken etwas zu puppig wirkte, zeigte an den dramatischen Gefahrenstellen doch, welche Kraft zur schauspielerischen Überredung in der Weichheit ihrer Diktion und Gebärde Platz hat. Harry Hindemith rechtschaffen und derb in der schweren Rolle des liebenden und strafenden Korporals.

Bezeichnend war für das Stück und für die Aufführung, daß die Aufsässigen, daß die »rote Gruppe« auch schauspielerisch nicht die Deutlichkeit und Echtheit gewinnen konnte, die den anderen anflog. Als Stück erregend und eine achtbare Aufführung. Aber eine These, die die Welt hinter sich gelassen hat.   26. 10. 1948

Ilja Ehrenburg »Der Löwe auf dem Marktplatz«
Volksbühne in der Kastanienallee

Ein miserables Stück. Eine hundsmiserable Aufführung. Ein degoutanter Theaterabend. Wenn einen hier nicht ein tieferes Grauen packte, in Ansehung dieses theatralischen Debakels, genügten zwei Sätze mit dem kritischen Schwamm drüber. Aber dies ist mehr als ein kurzer Schrecken in der Abendstunde übern langen Weg in die Kastanienallee. Dies ist so blamabel, weil es von einem ehemals intelligenten Literaten stammt. Dummheit ist furchtbar. Furchtbarer ist, wenn sich Intelligenz dumm stellt oder dumm stellen muß, um ihr literar-politisches Soll zu erfüllen. Wenn vor lauter »politischer Literatur« dergleichen aus einer früher gepflegten, aggressiven, unterhaltsamen und tatsächlich fortschrittlichen Feder kommt. Ein »satirisches Schauspiel«, in dem nichts, aber auch nichts dramatisch und literarisch stimmt, außer – versteht sich – der politischen, hier außenpolitischen Generallinie, die in mißlungen kabarettistischen Ulkszenen gehämmert wird, als wollte man den »Wilhelmshallen« oder dem seligen »Alt-Bayern« dilettantische Konkurrenz machen.

So weit kommt es mit einem klaren und hochbegabten Kopf, wie ihn Ilja Ehrenburg nachweisbar besaß, wenn das Unsystem der Befehlsliteratur, der Zweckdramatik, des befohlenen Richtungsgelächters mit Ausschließlichkeit und Strenge Ton und Thema vorpaukt. Dies Stück gegen den Marshall-Plan ist mit dem vorgestrigen Schlage ins theatralische Wasser ein Schlag gegen das System politischer Literaturplanung geworden. Nicht ein

Rest Echtheit. Nicht eine Ecke Intelligenz, sei es auch noch im dünnsten Dialog. Eine Zumutung und ein Abschied von einem ehemals bedeutenden Schriftsteller vier öde Akte hindurch, über die mit kritischem Ernst zu sprechen eine Zumutung an den Leser bedeuten würde.

Den Regisseur des Abends, Heinz Wolfgang Litten, hat es seinerseits nicht gelitten, bis er die Reste dieses hilflosen Ulkes kurz und klein verinszeniert hatte. Entweder liegt hier Bühnensabotage innerhalb der Volksbühne selbst vor, oder ich will Kritiker in Meseritz werden. Das hatte Berlin noch nicht gesehen. Und es hat, gerade letzthin, sehr viel gesehen. Schauspieler, deren wackeres Mittelmaß zumindest man früher geachtet hatte, wurden hier unkenntlich, daß man sie nur mühsam an Hand des Programmzettels identifizierte. Zu allem Jammer hatte Litten noch in den Verwandlungen des lustlosen Lustspiels jeweils einen proletarischen Chor an die Rampe gemauert, der auf die alte Weill-Weis »modern« Chöre stampfte, während auf der Projektion markige Kernsprüche sichtbar wurden. Im Lustspiel! – Kinder, wenn der gute Piscator in New York erfährt, wie man heute noch seine Regieeinfälle von vor zwanzig langen Jahren mißverstehen und falsch kopieren kann, schwört er seine ganze Lebensarbeit ab!

Alles schlimm genug. Aber das Schlimmste: dem literarischen Begräbnis eines hochbegabten Schriftstellers auf dem Friedhof der Parteipropaganda beiwohnen zu müssen. Kein Einzelfall, sondern Symptom. Wo der Dichter einst die Zeit aus den Angeln hob, wo der freiheitliche Literat zum Fortschritt die apathische Menge fortriß, da steht der neue, uralte, verderbliche, trockene, gebückte Typ des Schreibmaschinen-Funktionärs wieder auf, ein graues Geschlecht von Tinten-Henneckes, von bestellten Kultur-Stachanows. Sie rücken näher. Sie walzen den Gedanken und die Sprache ein und machen alles so platt, wie ihre jeweils anbefohlene Tendenz ohnehin ist. Kein ferner Alpdruck, sondern der Irrtum schon im Hause. Hier in Berlin tagen sie, sind sie schon angetreten und empfangen Takt und erwünschte Melodie für den »Zweijahresplan«. Die Ausrottung der Literatur durch die Parteipropaganda. Und das Menetekel dieser Aufführung in der Volksbühne: der Abschied eines Literaten von der Literatur.

30. 10. 1948

Friedrich Wolf »Tai Yang erwacht«
Deutsches Theater

»Wo der Staub dick liegt, darfst du nicht blasen!« sagt ein chinesisches Sprichwort. Hüten wir uns, diese Ausgrabung aus den zwanziger Jahren zu wichtig zu nehmen. Die Zeitung von gestern kann furchtbar langweilen. Das Zeitstück von vor zwei Jahrzehnten, wenn es nicht zu seiner Entstehung schon mehr gewesen ist als nur ein gesinnungswacker geschustertes Zeitstück, kann lähmen in seiner absoluten Überlebtheit. So hier.

Das ist die Technik der Vergangenheit, das Schema aus der Zeit, als man gutwillig noch hoffen durfte, die Welt allein aus einem Punkte zu kurieren. – Arbeiter, Bauern, Soldaten rotten sich gegen die Ausbeuter zusammen. Ein Faden der Handlung spielt immer in die Welt der Kapitalisten hinüber. Hier macht das die junge Weberin Tai Yang, die aus verquickten Motiven in das Teehaus des Ausbeuters einzieht und dort ein Leben in Samt und Seide zu führen beginnt. Aber ihr Herz schlägt auch unter dem neuen Seidenkimono noch für die unterdrückte Welt, aus der sie kam, und heimlich liebt sie den Wortführer der Aufständischen. Als der ergriffen und gefoltert wird, schlägt sie sich wieder auf die Seite der Roten. Sie hilft, die Flugblätter im Keller zu drucken. Sie tut das Ihre, die als Wohltätigkeit camouflierte blanke Ausbeutung bloßzustellen. Und der Schluß, wie sich's bei solchen unkomplizierten und bedenkenlos vereinfachenden Darstellungen gehört: Die siegreiche Phalanx der sich Erhebenden marschiert mit Fahnen frontal gegen die Rampe vor, flugblattumflattert, den Refrain der Theaterrevolution laut und verbissen hervorstoßend.

So plusquamperfekt das Ganze, so petrefakt geworden, mit der gleichen versteckten und falschen Rührung zu betrachten heute, wie man vielleicht ein Stück aus der noch gutgläubigen und ungebrochenen Jugendbewegung ansehen würde, kopfschüttelnd und lächelnd vor der Erfahrung, wie sehr das Simple den Staub anzieht, wenn es nur etwas alt wird. Der frühe, ungebrochene, legitime Elan ist heute durch die Erfahrung so vielfach gebrochen. Die Feindschaften in der Welt sind völlig anders gelagert. Aus einer Art schneller Wahrheit ist mit der Zeit eine Halbwahrheit und eine Lüge geworden. Leicht schaudert's einen in Ansehung solcher Ausgrabung.

Friedrich Wolfs sprachliche Kraft reicht hier nicht her und

nicht hin, diese Gefühle zu verdecken. Das geht nach dem Schema. Das ist sprachlich überholt. Es hat keine Kraft, keine Bitterkeit, keine Schönheit. Man weiß, wie die ausgiebigen Gespräche laufen müssen. Und so laufen sie denn auch. Und enden so schnell im Leeren. Wolfgang Langhoff tat, inszenierend, wenig mehr, als ein paar effektvolle Drücker aufzusetzen. Nur das Bild in der Seidenspinnerei hatte, hauptsächlich durch die Anordnung des Bühnenbildes von Heinrich Kilger, etwas von der frühen Verlorenheit, die da gefordert ist. In der Darstellung stand viel Unzulänglichkeit neben einiger Routine. Sabine Krug konnte die Hauptrolle nicht füllen, wie es überhaupt unmöglich war, die leere Deklamation des Textes mit Leben zu versehen. Das konnte auch Wilhelm Borchert nicht, nicht Erich Gühne, nicht Herbert Richter, trotz seiner erfreulichen Frische, nicht Ingo Osterloh, und auf der Gegenseite nicht Willy A. Kleinau in seiner Wäscherrolle, nicht Hans Lefèbre, als der geschmeidige Handlanger der Ausbeutung, nicht Amy Frank in einer verrutschten Groteskfigur, nicht Wolfgang Kühne, nicht Horst Schönemann. Da war selbst das Groteske nicht heiter, weil es falsch grotesk war.

Ein Teil des Publikums fand gemäßigtes Gefallen an der Repetition des Überholten und beklatschte die späte Exhumierung längst Lügen gestrafter Jugendgefühle, als die Requisiten-Flugblätter aus dem Schnürboden taumelten. – Ein paar Minuten später die Wirklichkeit: vor den fassadenhohen Stalinbildern in der Friedrichstraße Tausende von Flugblättern, das Zeichen »F« darauf. Mengen von patrouillierenden Volkspolizisten, die Schweißhunde scharf an der Leine. 22. 12. 1949

Ernst Fischer »Der große Verrat«
Deutsches Theater

Der Zeitpunkt ist gekommen, da zu bedenken ist, ob die Entsendung ernsthafter Theaterkritik in die immer monotoner werdenden Schaustellungen kommunistischer Selbstbefriedigung im Osten unserer Stadt überhaupt noch angängig ist. Ob das einem, der das Theater achtet und liebt, noch zugemutet werden darf: sich mitansehen zu müssen, wie da die dürftigen, festgeronnenen Klischees aus den Leitartikeln einer Presse, die ungelesen bleibt, notdürftig zu Bühnenfiguren verpappt werden. Mit lebendigem Theater hat dies auch aus der Entfernung nichts mehr zu tun. Kein Punkt, der noch zu diskutieren wäre, denn das Ganze ist absurd indiskutabel. Kein Augenblick, da man hinsieht und denkt: Immerhin ... Das da mag für Sekunden interessant sein ... dies da ist sprachlich wenigstens ganz lebendig ... jenes schauspielerisch ganz schmackhaft. – Nichts dergleichen.

Wenn du das Theater betrittst, den königlichen Einzug der SED-Funktionäre erlebt hast, kann nichts mehr kommen. Ein paar Schauspieler, bedauernswerte Wesen, werden in die bekannten Prägeformen gepreßt. Nichts passiert, weil, was geschehen muß, nach der Linie geschieht, die an keinem Punkte verlegbar ist.

Hier geht es auf Tito. Ein Schauspieler, von dem gesagt wird, daß er früher Raimund- und Nestroygestalten entzückend formte, donnert einen politischen Tarzan mit Augen- und Zungenrollen auf die Bühne Reinhardts. Ein paar Sowjetmenschen werden milde und sanft personifiziert. Theatralische Glücksfälle von tiefer Menschlichkeit. Gestalten so gut, so innig human, daß sie vor Güte kaum treten können.

Aber brauchen Sie dagegen eine amerikanische Journalistin? – Da ist die Bestie schon: Boogie-woogie-besessen, skrupellos, verhurt in jedem Betracht, mit ihren Stöckelschuhen lustvoll über Leichen tanzend. Und im Suff gibt sie dann dem Publikum, falls das noch nichts gemerkt haben sollte, noch einmal bekannt, wie scheußlich und typisch amerikanisch verworfen sie ist.

Kennen Sie sich unter Engländern aus? Hier ist einer: Agent natürlich unter seinem geleckten Scheitel, auf Mord versessen, völlig ohne Verantwortlichkeit, ein dreckiger Dekadent, der Spaß an den Leichen aus dem wackeren Volke hat. Und damit seine morbide Perversität auch ja verstanden wird, wird auch ihm Gelegenheit gegeben, sich monologisch auszukotzen und seine typische und ekelerregende Existenz dem Publikum noch einmal direkt auszumalen. Da spricht England. Und »Pfui Spinne!« – das soll der naive Zuschauer denken, falls es einen so naiven – Gott behüte! – überhaupt gibt.

Wissen Sie, was man im »Westen« Kultur nennt? Gehen Sie zu Langhoff! Der weiß es. Im Westen wackelt man mit dem Popo. Man tanzt zur ungestopften Jazztrompete über Leichen. Whisky der Gott. Das Scheckheft, versteht sich, das Gebetbuch, Freiheit? – Freiheit bedeutet ausschließlich, daß der jazz- und kriegslüsterne Amerikaner sich in allen Ländern so schmutzig aufführen kann, wie offensichtlich zu Hause auch. Weiter nichts.

Und Krieg ist das eingestandene anglo-amerikanische Ziel. Krieg muß es sein, während die friedliebenden und arglosen Bühnenvertreter der UdSSR kopfschüttelnd wie auf Wolken hoher Menschlichkeit über die Bretter wandeln.

Dies ist ungelenke, dies ist unverbrämte Völkerverhetzung. Wenn dies nicht böseste, radikale ideologische Kriegsvorbereitung ist – was dann? Intendant Langhoff geht am Nachmittag in die Berliner Westsektoren, um dort die Trojanische Friedenstaube mit arglosem Augenaufschlag zu verkaufen. Abends wird mit allem Aufwand, der in der Schumannstraße zur Verfügung steht, daheim die Völkerverhetzung betrieben. Und dabei bleibt es dann ganz uninteressant, ob technisch manches ganz geschickt auf den bösen Punkt getrieben wird, oder ob der Verfasser, Ernst Fischer, der so etwas wie der Abusch von Wien ist, in den »westlichen« Dialogen hin und wieder aphoristische Aufschwünge versucht. Dies hat, wie man es dreht und wendet, den Haß zum Ziel. Und die Lüge ist sein Mittel.

An dieser Stelle haben wir immer versucht, die böse Zerreißung der Stadt im Künstlerischen zu verhindern. Wenn aber nicht das Theater mehr die Sorge ist, sondern die Bühne nur der Ort wird, den Haßgesang einstimmig zu intonieren, dann geht es nicht mehr um künstlerische Bezüge. Dann ist bewußt und eingestandenermaßen der Zeitpunkt gekommen, wo die Politik einer ungewollten und ungewählten Minderheit sich hetzerisch selbst befriedigt.

Dem beizuwohnen, ist keiner, dessen Sorge das lebendige Theater bleibt, verpflichtet. 20. 7. 1950

Jean-Paul Sartre »Die schmutzigen Hände«
Renaissance-Theater

Wer gekommen war, ein rüde anti-sowjetisches Stück zu finden, muß enttäuscht gewesen sein. Er fand einen hochpolierten, mit allen Wassern des wilden Spannungstheaters gebauten Reißer. Jetzt wurde in sehr geschliffenem Dialog blitzgescheit über die Möglichkeit dialogisiert, wie man Politik treiben und dabei persönlich integer bleiben könne. Im nächsten Augenblick schon wurden

Spannungs- und Wirkungseffekte in Anwendung gebracht, die im gepflegten Souterrain des billigen Reißers gedeihen.

Hugo, ein junger, aus bürgerlichem Lager zur »Partei« gestoßener Intellektueller, hat den Auftrag, Höderer, einen hohen Funktionär, zu beseitigen, da der während des Krieges und in der Untergrundbewegung eine Blockpolitik mit den Vertretern der anderen getauchten Parteien anstrebte. Hugo begeht den Mord. Als er aus dem Gefängnis kommt, ist gerade die Politik, die er durch den Befehlsmord auslöschen sollte, zur offiziellen erklärt worden. Er sieht sich durch die veränderte Parteilinie bitter enttäuscht und persönlich bedroht. Er liebte Höderer, den Mann, mit neidvoller Haßliebe. Jetzt ist er selber gefährlich geworden. Er wird beseitigt.

Sartres spannendes Stück steht in seinen Prämissen auf schwachen Füßen. Sartre unterschiebt, es gäbe keine andere Möglichkeit für die Durchführung der »Parteilinie« als die Auslöschung dessen, der ihr zuwider denkt, durch schnellen Mord. Gerade wer die tiefe dialektische Lust sozialistischer Kreise am Ausdiskutieren der jeweiligen Taktik kennt, wer das genießerische Bohren nach der jeweils anwendbaren Wahrheit beobachtet hat, wird solche verkürzende und brutale Verfahren, wie sie vorgekommen sein mögen, wie sie aber keinesfalls die Regel sind, nicht als exemplarische Regel hinnehmen können. Durch diesen Denkfehler in der Exposition, der die Ausnahme für die Regel setzen will, wird das Ganze schief und in seinem dramatischen Wahrheitsgehalt anrüchig.

Denn was sich nun begibt zwischen dem jungen Revolutionär und dem hartgewordenen, breiten und machtgewohnten Funktionär, ist von verblüffender Richtigkeit. In scharfen Dialogen wird da die Frage immer wieder aufgegriffen, fest gefaßt und von allen Seiten abgetastet, wie politische Aktion und persönliche Integrität in Einklang zu bringen sind. Wie man in diesen Zeiten politisch soweit wie angängig links stehen könne, ohne damit gleichzeitig zwangsläufig in die Gefahr zu kommen, in notwendiger Aktion die Selbstachtung einzubüßen. Mit Anstand links. In diesen Dialogen wird die alte Frage des »Prinzen von Homburg« in das politische Konversationsstück gezogen und auf minderem Plateau abgehandelt: wie sich Freiheit und Gesetz zueinander verhalten.

Beide Partner dieses Gesprächs sind von Sartre in die Sphäre hoher menschlicher Sauberkeit geführt. Sympathisch und verständlich beide. Hugo, der neurotisch belastete, idealistische junge Revolutionär, dem die Erinnerungen an seine Herkunft in dieser Umgebung Schwierigkeiten machen müssen und dessen unernste und verderbliche Frau ihn immer wieder in die Sphäre des hemmend Privaten zurückzieht. Dagegen der ausgeruhte, konsequente und arrivierte Politiker Höderer, dessen Klarheit und Sicherheit, dessen Illusionslosigkeit und warme Persönlichkeit die überzeugendste Figur des Stückes abgibt. Diese Dialoge, wie sie da gesprochen werden, könnten in ihrem Ernst und ihrer zutreffenden Art noch die schärfste Zensur kommunistisch beherrschter Länder passieren. Das stimmt und ist nicht hämisch verdreht. Es ist zutreffend, ehrlich und richtig.

Bleibt der etwas fatale Nebengeschmack an der reißerischen Geschicklichkeit, mit der Sartre das Motiv einer unstatthaften Liebe und Eifersucht zwischen Höderer und Hugos junger, katzenhaft verspielter Frau eingeflochten hat. Bleibt die fatal verschiebende Verallgemeinerung der Mordprämisse. Sonst wäre hier ein Stück entstanden, das fast malgré lui eine Art sauberen Aufklärungsunterrichts über die Struktur kommunistischer Gehirne gegeben hätte.

Die Aufführung rückte durch Walter Francks starke Kraft das Recht fast zu sehr auf seiten Höderers. Wir haben ihn lange nicht ruhiger, intensiver gesehen, wie er die Dialoge aufblätterte und seinen theatralischen Standpunkt mit intelligenter Breite aufzeigte. Ein Schauspieler, dem hier wieder einmal eine angemessene Rolle zukam. Gegen ihn hatte Ernst Schröder schweren Stand. Hugo müßte schon als Typ anders anzusehen sein. Gundel Thormann als das spielerische Katzenwesen von einer Frau brachte in heiser surrend gefährlicher Spielart ein Stück Cocteau in dieses Sartre-Stück. Ausgezeichnet Tilly Lauenstein, die konsequente Genossin in der Lederjacke. O. E. Hasse hatte das Stück angemessen, aber ohne besondere Auffälligkeiten eingerichtet, wenn auch der Text, besonders zum Ende hin, ruchlos gekürzt war.

Der Teil des Publikums, der sich eine skandalöse Sensation erwartet hatte, wurde durch den Zwang, scharf mitdenken zu müssen, gestraft oder entschädigt. Der andere dankte am Ende durch Beifall für einen geschliffenen, festen Reißer, der, auf den schwachen Füßen einer falschen Prämisse, logische und theatralische Beteiligung forderte.   18. 1. 1949

John Steinbeck »Von Mäusen und Menschen«
Schloßpark-Theater

Es bleibt mißlich, Stoffe, die sich im Roman wohlgefühlt haben, verkürzt, immer notwendig verändert, auf die unbarmherzige Übersichtlichkeit einer Bühne zu transponieren. Sie verlieren zumeist bei der Metamorphose von Ethik zu Dramatik. Oder sie kommen, wie hier, in dem zweiten Zustand gar nicht an.

Steinbecks Roman war ein festes, realistisch melodiöses, aber liebenswertes Stück Prosa. Die Geschichte von den beiden Landstreichern und Landarbeiterfreunden, den Tippelbrüdern im amerikanischen Süden mit der ewig unerfüllten Sehnsucht nach Seßhaftigkeit, nach der eigenen Stube mit ein paar Morgen eigenen Landes davor.

Der eine ein arglos gefährlicher Gorilla von einem Kerl. Ein Bursche mit viel hilflosem Herz, mit ganz ungezähmter Kraft und einem leeren Hirn. Weichherzig, aber mit Schwielen auf den Händen, die streicheln wollen und in Zärtlichkeit töten. Er sehnt sich nach der Liebe, nach der Weichheit im nachbarlichen Leben, nach dem Herzklopfen in der Nebenkreatur, in der Maus, im jungen Hunde oder im Mädchen. Aber seine täppische Hand erdrückt, wo sie Liebe meint. Der weichherzige Waldschrat mordet gerade da, wo er zärtlich sein will.

Der andere geht seit Jahren neben ihm. Klein, gewitzt, guter Freund und guter Engel. Er plant, er beschwichtigt die Verfolger, er sorgt für die Zukunft, beschafft Arbeit und räumt dem treuen Unhold von einem Freunde die Steine aus dem gemeinsamen Weg. Doch er kann ihn vor seiner ungebärdigen Beschaffenheit nicht retten. Als das täppische Tier ein Mädchen in der Umarmung mordet, kommt der kleine Freund den Landarbeitern, die es lynchen wollen, zuvor. Er erschießt seinen starken Schützling, bevor die anderen noch Hand an ihn legen. Er erlöst ihn von seiner unglückseligen Natur.

Das, natürlich, ist reine Epik. Es war großartige Schilderung und psychologische Genauigkeit im Roman. Das ergab schon einen wichtigen Film, denn der Film ist Bilderepos und nicht notwendig dramatischer Mittel bedürftig. Auf der Bühne bleibt es wenig mehr als Melodramatik. Es klingen Gefühle auf. Töne werden hörbar. Das Mitleid mit der ratlosen, enterbten Klasse der streunenden Landarbeiter wird erregt. Die Sehnsucht der Unbehausten nach etwas Wärme und Heimat wird erkennbar. Die Freundschaft zwischen den beiden Ungleichen wird rührend, wenn der beschwichtigende und lenkende Zwerg dem täppischen Riesen das Leben richtet und ihn schließlich grausam von sich selber befreit. Dramatik ist das nicht. Zustandsschilderung ohne Ziel am Ende. Romanmotive in sechs Bilder zerlegt, anrührend zu sehen und Mitleid erregend. Reinigung nicht. Klärung nicht. Entwicklung nicht. Es bleibt Zustand durchweg.

Willi Schmidt, der nun für Berlin dieses Stück inszeniert hat, erkannte wohl, daß hier mit Raffung, mit Tempogebung, mit Drängen dem Ende zu nichts gewonnen sei. Er bemühte sich vorerst um die Melodie. Er versuchte, aus dem Ensemble die Stimmung zu schlagen, die dem Roman innewohnt und die dort so fesselt und anhält. Er kostete, wenn die Melodie der Männersehnsucht und der streunenden Heimatlosigkeit ertönte, die Melancholie der Dialoge aus. Er gab den Nebenfiguren Zeit, ihre liebenswerte Exzentrik auszuspielen. Aber er versuchte dann immer wieder, den Ton zu heben, er drängte seine Schauspieler für Strecken ins dramatisch Hektische hinein, das dem Stoff nicht zuträglich ist. Er versuchte, Handlung hochzupeitschen, wo Handlung nicht ist. Er bemühte sich um Dramatisierung, wo Dramatik fehlt. Regie kann sie nicht aufsetzen, ohne falsch zu werden. Hier war durchweg Charakterkolorit zu geben. Hier sind die unveränderten Töne immer wieder anzuschlagen. Eine Geschichte bleibt zu erzählen, deren Ausgang zu Beginn schon sicher ist und die in reiner Melodramatik auf der Bühne ausklingt. Wo Schmidt das aus Bühnenpassion überspielen wollte, verfehlte er den Klang des Ganzen. Wo er das traf, war es vorzüglich.

Er traf es aber nur dann, wenn ihm die Schauspieler die Melodie des Stückes halten konnten. Da hatte er bei Franz Stein in einer skurril-realistischen Nebenrolle die sicherste Hilfe. Stein war ein spindeldürrer, täppisch-kindischer Greis von solcher Richtigkeit in der Anlage dieser Rolle, daß er in schierer Echtheit durchweg komisch wurde. Diese Leistung lohnte den Abend. Die eigentliche Hauptrolle des mordenden Riesen ist zur Zeit in Berlin nicht zu besetzen. Gustav Knuth ist wahrscheinlich der einzige, der ihr gerecht werden könnte. Franz Nicklisch konnte es nicht. Er überdrehte das bärenhaft Ungelenke, er brach zu oft in nutzlosem Ausbruch nach oben weg und versuchte, durch ein verzerrtes, ruheloses Mienenspiel einen King Kong von einem tumben Riesen zu geben, daß die Gestalt nicht aus der Ruhe heraus bedrohlich wurde, sondern am Ende eine Art hysterischer Gigant war. Keine Gestalt, sondern verzerrte Puppe.

Damit wurde Walter Bluhms sehr sorgfältige Bemühung um den Freund und Gegenspieler fragwürdig. Er wich ins Sentimentale aus, wo verdeckte Männerfreundschaft hätte angedeutet werden müssen. Er wurde auch so gezwungen, zuweilen im Ausdruck und in der Intensität viel höher zu gehen, als es dem erzählerischen Duktus dieses Bühnenromans zuträglich war. Gerty Soltau war nicht das Flittchen vom Lande, nicht die männertolle Farmersfrau, sondern schien aus einem mondänen Film unvermittelt in die rustikale Umwelt gefallen zu sein. Das ländliche Laster sieht anders und weniger augenfällig aus. Auch in Amerika wohl. Verläßlich die anderen: Paul Wagner, Clemens Hasse, Werner Schott, Herbert Wilk und Reinhold Bernt.

Es wurde wohltuend klar gesprochen, auch in der Stille noch Stärke gebend. Willi Schmidt hatte sich angemessene und zuweilen schöne Bühnenbilder gebaut.

Bliebe die Frage am Ende wieder, ob man Stücke spielen soll, die im schauspielerleeren Berlin richtig nicht zu besetzen sind. Der Beifall schien nach anfänglicher Zagheit laut »ja« zu sagen.

23. 10. 1948

Tennessee Williams »Glasmenagerie«
Hebbel-Theater

Ein fragil träumerisches Gebilde der Erinnerung. Eine lyrisch psychoanalytische Rechenschaft über Jahre der Tugend, dargeboten im dramatisierten Monolog. Der Betroffene ist zugleich Ansager und klappt sein Innenleben auf der Bühne auf. Ein langes, schön und zart klingendes Rezitativ über das Thema, wie Liebe und Haß zu den Nächsten nahe in der Brust des jungen Menschen wohnen. Er blickt zurück und rekonstruiert seine bittersüßen Erfahrungen der Jugend. Die Unerträglichkeit und wieder auch die schöne Unersetzbarkeit der eigenen Mutter. Das melancholische Los der verkrüppelten Schwester, die einmal in liebender Hoffnung aus einer zart verstockten Traumwelt kurz in die Welt hinein aufblühen durfte, um sich, enttäuscht, wieder zu schließen. Die Jahre der jungenhaften Verbocktheit mit der Sehnsucht, der unerfüllten, nach Abenteuer, beschleunigtem Pulsschlag aus Lebensbetroffenheit. Dies tägliche Leben, wie er es szenisch rekapituliert, stagnierte. Er holte sich das dumpfe Stimulans von den Silberwänden der Kinos. Er mußte aufbrechen. Er mußte Schmerz bereiten dort, wo er halb haßte und halb liebte. Er tat es seinem Vater gleich und ging in die Welt. Er verließ die billige Etagenwohnung familiären Schicksals, die ihn ekelte und bannte in einem. Jetzt sieht er zurück und gibt Rechenschaft.

Während er es in direkter Ansprache tut, gehen sichtbar die Lichter der Erinnerung auf der Bühne auf. Während er's sich noch einmal zutragen läßt, liebt er und haßt er es wieder. Ein Spiel der Erinnerung, duftig, mit halben Tönen und einer schönen lyrischen Verlorenheit.

Kein Stück wieder, sondern behutsame Aufgliederung eines Zustandes, mit Beteiligung und einer herben Rührung zu beobachten. Einmal nur hebt sich so etwas wie Handlung, wenn die behinderte Schwester in liebende Hoffnung gerät, zum ersten Male aufleuchtet und enttäuscht zurücksinkt. Sonst wird das Alltägliche liebevoll angeklopft. Und im Alltäglichen, wo es banal, kärglich und lächerlich ist, eine Poesie aus dem verklärenden Rückblick gefunden. Kein Stück, das irgendwohin führte. Es breitet nur einen Glanz um den Alltag, es legt einen wohltuenden Schleier vor Erlebnisse, die schmerzhaft waren in ihrer Öde, als sie sich ereignislos ereigneten. Und jetzt – im Rückblick, siehe, war es schön, wie es da war.

Das kann leicht in die Gefahr des Sentimentalen kommen. Um dergleichen Zerbrechlichkeiten zum Klingen zu bringen, bedurfte es einer sehr geschickten und behutsamen Hand. Das Hebbel-Theater hatte sich F. R. Wendhousen vom BBC ausgeliehen, und es gelang. Die Aufführung kippte niemals in Süßlichkeiten um. Tatsächlich bewegten sich die zum Leben gebrachten Traumfiguren in einer robusten Zierlichkeit und Entfernung. Eine ausgezeichnete Musik von Kurt Heuser schob das Reale in eine Sphäre, die genau und mit frühen Schmerzen nachgeträumt war. Eine Aufführung, die tatsächlich schwer auszufüllen war und am Ende den lächelnden Klang des traurigen Traums erreichte und hielt.

Schwer für die Schauspieler. Auf die landläufigen Figuren, die sie darzustellen hatten, sind allgemein amerikanische Erinnerungsassoziationen gehäuft, die hier erst hergestellt werden müssen. Wo dort ein leises Anschlagen der Glocke genügt haben mag, muß hier erklärt und strikt musiziert werden. Es gelang wieder. Ehmi Bessel als die kratzbürstig liebende Mutter, eine Mischung von Ekel und Mutterherz, brachte die Zwiespältigkeit dieses Charakters sehr klug heraus. Man liebte sie noch, wenn man sie in ihrer hausfraulichen Pusselhaftigkeit verwünschen mochte. Sie gab Fritz Tillmann einen ausgezeichneten Ansatz für die Rolle des unter dieser Mutter seufzenden und verstockt liebenden Jungen, dem nichts bleibt am Ende als das Schicksal des Verlorenen Sohnes. Er sprach gut. Er war deutlich und intensiv, ohne die Stimme unziemlich zu strapazieren. Kein einziger Ausbruch, und doch – junge Rebellion die ganze, melancholische Zeit hindurch. Erstaunlich auch Reva Holsey in dem Alpdruck von einer passiven Rolle. Die leidende Schwester mit ihrer ersten Liebesenttäuschung. Dergleichen spielt sich nur mit großer Kunst, soll es nicht sofort rührsam und unleidlich werden. Es gelang und war eine der achtenswertesten Leistungen. Siegmar Schneider war in solchem Pastellgemälde seelischer Verquetschtheiten und Schwierigkeiten das unkomplizierte Leben. Alle sind hier von Komplexen bedroht. Er hat die ungefährliche, die glückliche Welt zu sein, nach der die anderen sich sehnen und die ihnen sogleich wieder entschwindet. Auch er spielte wie unter der Sordine einer behutsamen Regie. So erfreulich zu hören: auch wenn er laut sein mußte, gelang es ihm mit halber Stimme.   4. 12. 1948

Tennessee Williams »Endstation Sehnsucht«
Gastspiel des Schloßpark-Theaters in der Komödie

Berthold Viertel, Übersetzer und Inszenator dieses Stückes, hat schon eine ausgiebige und liebevolle Analyse des Stückes selbst gegeben. Der episch gehaltene Elegiecharakter dieser Studie eines menschlichen Unterganges wurde betont. Es wurde die Frage gestellt, ob nicht die Darstellung einer Dekadenzerscheinung schon Hilfeleistung, Abgrenzung und Überwindung eben bedeute. Die trockenen Moraltrompeter eines langweiligen und mißverstandenen »Fortschritts« wird man schnell auf den Zinnen ihrer tumben Entrüstung finden. Pessimismus aber, Dekadenz, die verschiedenen Spielarten des Nihilismus sind nicht mit einem Sprunge bei zugekniffenen Augen zu überwinden, oder man gibt sich einer verderblichen Selbsttäuschung hin und lebt hinter der Zeit. Erst bewußtes Durchschreiten der Gefahrenbezirke läßt wahrhaft Fuß fassen dort, wo immer die Rettung wohnen mag. Niedergang bleibt zu verstehen und zu beschreiben. Erkenntnis tut not, ehe von Überwindung die Rede sein kann.

Dieses ausführliche Drama ist die Studie eines Niederganges, beschrieben an dem Fall eines Mädchens französischer Herkunft in den Südstaaten. Sie steht für ein Geschlecht, das, den Boden unter den Füßen verlierend, die Realität nicht mehr als Realität erkennt, in fragwürdige Illusionen ausweicht, bis sie, zwischen Sein und Schein, zwischen Wahrheit und Selbstlüge unfähig zu unterscheiden, eine offene Gefahr für ihre Umwelt bedeutet. Die Umwelt schützt sich. Blanche Dubois wird in die Heilanstalt abgeführt. Ein pathologischer Fall, eingebettet in die Darstellung sozial fragwürdig gewordener Beziehungen. Aus Anlaß eines genau analysierten Einzelvorganges die Fragestellung, ob die dort und so geschilderte Gesellschaft funktioniere. Das ist dargestellt nicht ohne atmosphärische Meisterschaft. Es zieht Nutzen aus einer Spielart des Morbiden. Es genießt, während es darstellt, heimlich die gefährliche Interessantheit der Dekadenz, wie sie da, genau analysiert, müde und nicht ohne heimliche Verlockung aufblüht. Der Genuß an der Gefahr, das ist hier ein fragwürdiges Phänomen, von dem der Autor merkbar nutznießt.

Berthold Viertel hat das für Berlin ausgezeichnet inszeniert. Denn wenn das Atmosphärische eben einen wichtigen Bestandteil des Vorganges bedeutet: die tropische Müdigkeit einer schmutzigen Vorstadtgegend von New Orleans so genau zu treffen, die hiesigen Schauspieler so an das geschmeidige Ungelenke zu führen, daß man ihnen die Darstellung eines so sonderbar entfernten Menschenschlages durchaus abnimmt, den Sprachton zwischen müder Poesie und rüder Aussage so genau schwingen zu lassen – das bedeutet eine Leistung, wie wir sie auf unseren Bühnen lange nicht so überzeugend angetroffen haben. Viertel hat wunderbar gearbeitet. Er hat diese Aufführung in positiv bedrückender Langwierigkeit genau abgestimmt auf das Modell der

New Yorker Inszenierung. Er hat sich von Ita Maximowna Melzieners originales Bühnenbild auf die übrigens weitaus kleinere Bühne der Komödie klug kopieren lassen. Ganze Gänge und Arrangements erkennt man wieder, hat man die New Yorker Aufführung gesehen, die es weitaus leichter hatte, weil sie das Atmosphärische eben müheloser schaffen konnte und als bekannt voraussetzte. Viertel muß hier darstellen lassen, wo drüben ein leichtes Anrühren jedweder Stimmung genügen konnte. Wie Viertel die Schauspieler in dem sehr fremden Milieu geführt hat, ist vollends bewundernswert. Die Rolle der Blanche Dubois ist schwer besetzbar. Das hat in Paris die Arletty gespielt, in London Vivian Leigh, in Hamburg jetzt die Collande, keine wahrscheinlich die fragwürdige Erscheinung der Rolle ganz treffend. Hier ist das Marianne Hoppe. Wer gefürchtet hatte, daß die Natur dieser Schauspielerin für die Darstellung eines psychologisch so gefährlich differenzierten Charakters kaum ausreichen würde, wurde – je länger um so stärker – vom Gegenteil überredet. Sie variierte das heikle Thema erstaunlich. Sie begann fast grobschlächtig und gesund. Ließ dann immer deutlicher die nervöse Überdifferenziertheit dieser höchst gefährdeten Person durchblicken. Sie hat Töne, die das Ausschweifen ins rein Illusionäre glaubhaft machen konnten, eine morbide Poesie des Untergangs, die sie schön und verführerisch traf, um dann gleich wieder den Ausdruck zitternder Hysterie zu finden. Eine sehr komplexe Rolle. Die Hoppe überraschte, wie sie die Skala vom morbiden Traum bis in die Nähe des Verbrechens ausdrückte. Sie ist, seit Berlin sie aus den Augen verloren hat, sichtbar in ihren Mitteln gewachsen.

Aus Hamburg hatte Barlog für die Gegenrolle Peter Mosbacher geholt. Der dumpf gesunde Kontrapunkt zu den Schnörkeln des Niederganges, ein Bursche nur aus Muskeln und Kleinhirn. Roh, kalt, gutmütig, rechnend, tierisch liebeskräftig. Gut, wie Mosbacher diese Spielart des Amerikanischen traf. Seine Frau – Angelika Hauff, etwas zu schön fast für diese hausmütterlich hörige Gestalt. Ausgezeichnet diesmal Franz Nicklisch, mit dem das aufgelöst späte und verruchte Mädchen noch einmal das fragile Glück der Liebe zu finden hofft. Nicklisch machte das auf gemütvoll täppische Weise, ein bärenhaftes Opfer. Sonst auffällig: Erna Sellmer als die handfest hilfreiche Nachbarin, Hans Emons, ihr Mann. Eckart Dux in dem sehr prekären Part eines zufälligen Versuchsobjektes für die Reize der alternden, hysterischen Schönen.

Hintergrund und Szene belebt unablässig von Geräuschen, Musiken und Gestalten, die bewunderungswürdig und bis zur Beklemmung die authentische und gehobene Atmosphäre gaben.

Das Ganze gewiß keine leichte oder eingängige Kost. Die Aufführung geht bis an die Vierstundengrenze. Einige Streichungen, zeitweise Belebung des Tempos hätten die Ansicht des schwer Erträglichen erleichtern können, ohne daß der Effekt gemindert worden wäre. Aber auch dies eingeschränkt: hier ist wieder eine Aufführung eines gewichtigen Stückes, die dem Ansehen der Theaterstadt Berlin Ehre macht. 12. 5. 1950

Arthur Miller »Tod des Handelsreisenden«
Hebbel-Theater

Stück, Problem, Aufführung, Darstellung – wir haben in der vergehenden Spielzeit schon fünfmal das Glück des Außergewöhnlichen gehabt, Rechtfertigungen, daß hier vorzüglich Theater gespielt werden kann. Dieser Abend gehört zu den wichtigsten und gelungensten. Als der Vorhang vor der Pause zum ersten Male fiel, herrschte eine benommene Stille im Hebbel-Theater, bis Beifall hervorbrach, schon nach dem ersten Akt Ovationsformen annehmend. Am Ende war das Theater nicht leer zu kriegen. Rufe nach Kortner, nach Johanna Hofer, nach Käutner und dem ganz außergewöhnlichen Ensemble in diesem außergewöhnlichen Stück. Wieder ein Beweis, daß es in der Theaterstadt Berlin ein Glück sein kann, ins Theater gehen zu dürfen. Ein großer Abend.

Bedeutend, was das Stück betrifft. Hier hat ein junger Amerikaner, Arthur Miller, bedrohliche Klopfzeichen in der sozialen Maschinerie gehört. Er ist der Sache mit einer erzählenden Dramatik gesellschaftskritisch sehr hellhörig nachgegangen. Er hat sich das Schicksal des kleinen Handelsreisenden Willy Loman hergenommen. Es stimmt etwas nicht, konstatiert er, wenn ein solcher Mann so sterben muß, getrieben von den Sorgen fortschreitenden Alters, wegen seiner grauen Haare ausgestoßen aus der Reihe derer, denen gut zu leben gestattet ist. Hier ist Gefahr im Verzuge. Sie ist schon da. Seht diesen Loman, gutmütig, lebensgläubig, fortschrittsfreudig auf unsere vielleicht überzogene Weise. Aber er hat zwei Jungens, liebt sie, tut, übermäßig und af-

fenartig liebend, Unrecht an dem einen. Ein Reisender, ein kleiner Vertreter, hat vierzig Jahre auf der Straße gelegen, verkauft,
hat gestrahlt, wie sichs in seiner Branche gehört, hat Trikotagen
angeboten, das große Land hinauf und hinunter. Jetzt, da er alt
wird, da er das Keep Smiling nur noch mit Anstrengung und
Krampf herstellen kann, fällt er zurück. Seine Verkaufsquote
sinkt. Seine Existenz ist bedroht. Er wird entlassen. Er wird hinge-
macht. Er betreibt Selbstmord, nicht mehr fähig, seine kleine ge-
sellschaftliche Stellung zu halten. Die Abzahlung des Eisschran-
kes. Die Reparatur des Ford. Die fällige Rate der Lebensversiche-
rung. Es ist nicht mehr zu schaffen. Dieses Leben stimmte nicht.
Es war die Schuld Lomans nur bedingt. Es ist unser aller Schuld.
Klopfzeichen in der sozialen Maschine. Arthur Miller läßt sie
deutlich hören an einem Exempel.

Was hätte aber auch jener Loman tun sollen? Hätte er es halten
sollen wie sein skrupellos erfolgreicher Bruder? Der, unbehindert
von Gewissen und Träumen vom redlichen Leben, schlug sich,
siebzehnjährig, in den Dschungel des rabiatesten Geschäftsle-
bens. Mit einundzwanzig kam er wieder heraus. Reich und erfolgreich. Welcher Farbe seine Hände seither sind, soll man nicht fragen. Aber er hat es geschafft, was der redlichere Lohman nie
wagte, behindert durch sein im Grunde anständiges Herz und die
Skrupel seiner Ehrsamkeit. Bruder Ben trägt Edelsteine, sieht
nach der Uhr und muß weiter mit seinen blutigen Händen. Einer,
der die Schläge austeilt. Loman gehört zu den anderen. Er wird
niedergemacht. Dies Stück ist eine Elegie auf den »Erfolglosen«.
Es ist ein Klopfzeichen. Ein Menetekel. Eine Warnung von der
Bühne herunter. Ein Zeitstück. Eine Zeitdichtung, kritisch, sozial
empfindsam, anklagend, dekuvrierend und, weil sie so unmißverständlich enthüllt, hilfsam schon und äußerst notwendig. Ein
schönes Stück mit einem besonderen Schmelz gegenwärtiger Poesie über dieser Elegie vom Auslöschen eines kleinen, heutigen
amerikanischen Mannes.

Ich habe am Broadway vor der Originalaufführung dieses gleichen Stückes hartgesottene New Yorker Geschäftsleute heulen sehen wie die Schloßhunde. Nicht, daß ich Heulen im Parkett für
den Gütebeweis eines Stückes hielte. Eher im Gegenteil. Ich hielt
es aber für tröstlich, als einer von den Tränenden neben mir zu seiner Frau sagte: »Verdammt, stimmt ja alles! Denk an Vater! Da
muß doch was geschehen! Das müssen wir doch ändern. Da muß

doch was passieren!«

Nicht das Heulen – dies wollte Miller.

Die Berliner Aufführung ist fast noch besser als die New Yorker, die dort seit achtzehn Monaten zu den Broadwaysensationen gehört. Schon deshalb ist diese bedeutender, weil hier die Anlaufstrecke über das dort Bekannte mühsamer überwunden werden muß. Wo Miller für einen Amerikaner nur anzutippen braucht, und der Zuschauer dichtet mit, beginnt hier erst die Mühe der Herstellung einer jeden Assoziation. Das hemmte den Fluß des Ablaufes nicht. Die durch Rückblenden, Traumvisionen und ein klug konstruiertes Bühnenbild hergestellte Einheit des Ortes bei vielfachen und überraschenden Zeiten ist in der Berliner Aufführung durch die legitime Anwendung der Drehbühne, die man in New York nicht hat, müheloser gemacht worden. Das läuft ab. Greift immer wieder zu Gefahrenpunkten des Vorlebens im Dasein des kleinen Loman träumerisch zurück. Es mischt die Sphären klug und versponnen. Es bleibt aber immer unmittelbar am Charakter und Schicksal, am exemplarischen und skandalösen Zerfall des gutmütigen Mannes Loman. Den spielt Fritz Kortner. Man hatte, nicht ohne Berechtigung, gefürchtet, seine massive Persönlichkeit würde diese Gestalt eines Nebbich, wie sie hier darzustellen bleibt, immer wieder zerdrücken und unstatthaft prononcieren. Das geschah nicht. Kortner blieb ganz klein, sozusagen, und bewies damit eine bewundernswerte Größe im Schauspielerischen. Der gedrückte, hilflose, von einer unseligen Phantasie zum »Erfolg« hin beflügelte Mann, der sich an seinen plötzlich immer wieder hochfahrenden Träumen ins Leere hinaufschwingt, um dann mit jedem realen Mißerfolg um so brutaler auf die Schnauze zu fliegen, bis sein tatsächlich tragisches Schicksal erfüllt ist. Wunderbar macht das Kortner, das exemplarisch Pathologische mit scheinbarer Mühelosigkeit und großer Eindringlichkeit zeichnend.

Neben ihm wunderbar: Johanna Hofer. Was sie für echte und unmittelbare Töne des Mütterlichen hat. Wie sie, gleichsam als wissender Spiegel, das Schicksal dieses Mannes Loman ernster noch und tragischer, weil eben wissend und durchschauend, wiedergibt. Wie sie den letzten Epilog am Grabe spricht. Wie sie in einer der furchtbarsten Szenen den Schleier der Affenliebe zu den Söhnen zerreißt und ihnen ihre Grausamkeit mit direkten und starken Worten nachweist. Szene für Szene. Auftritt für Auftritt –

wunderbar. Eine sehr große Schauspielerin.

Wer hätte gedacht, daß dergleichen Fähigkeiten in Fritz Tillmann steckten, wie sie hier in der Rolle des geliebten Lomansohnes sichtbar werden? Labil, liebenswert, gefährdet, gefährlich, von schwankender Haßliebe zum Vater befallen, seit er ihn in den Armen einer Fremden in einem kleinen Bostoner Kaufmannshotel vorfand. Und daneben trifft Tillmann mit den gefährlichen Rückblenden in die völlige Jugend auch das Wurschtig-Schlenkrige des Amerikanischen selbst. Gleichwertig neben ihm Kurt Buecheler, der unkomplizierte, weit kältere Bruder. Ein Tunichtgut unter den leichteren Mädchen New Yorks, eher geschaffen zum ruchlosen Sieg in solch fragwürdig geschäftlich kaltem Leben. Auch er ein verderbtes Geschöpf seiner falschen Umwelt. Buecheler spielt das leichthin, ohne zu zeigen, wieviel mosaikfüllende Mühe hier nötig war.

Ernst Schröder in einer Episode, die er mit fast grausam humoristischen Strichen füllt. Man sollte es ihn hiernach in diesem Fach einmal breiter versuchen lassen. Was er hier schon ansetzte, war gerade in seiner gedankenlosen Gefährlichkeit sehr auffällig und auf intelligent tupfende Weise farbgebend.

Eduard Wandrey, der Freund des Reisenden Loman, seßhaft, ohne Aufbegehren, Träume und Hochfahrenheiten wie jener. Wieder ein genauer Farbfleck auf dieser ungemein amerikanischen Szene. Herbert Hübner, in den eingeblendeten Traumszenen der Bruder Ben, der in den Dschungel der Geschäfte ging und reich und blutig zurückkehrte. Auch er treffend in der lässigen, auf die schiere Münze hinzielenden Geschäftigkeit. Berta Drews, die kompakte, kurze Sünde im Bostoner Kaufmannshotel. Sie trifft die massiv ordinäre Damenhaftigkeit solcher Existenzen ohne jede Übertreibung oder Grelligkeit großartig.

Helmuth Käutner hat als Einrichter des Ganzen eine intelligente Poesie über diese Elegie eines kleinen Mannes gelegt. In dem sehr brauchbar angelegten Bühnenbild von Friedrich Prätorius hat er auf der rastlosen Drehscheibe ein bewundernswertes Arrangement getroffen, das sich wie mühelos ergibt und doch Ergebnis einer sehr zielsicheren Arbeit an einem der Arbeit wohl werten Stoffe war. Schön, daß Käutner damit auch hier seine Fähigkeiten an einem großen Drama beweisen konnte. Die Bühnenmusik Kurt Heusers, die Traumszenen lyrisch oder gefährlich untermalend, war kongenial. Auf alles zielte der ungewöhnliche Beifall. Aber auf Kortner, auf die Hofer, auf Tillmann, auf Käutner vor allem.

Theater – das eigentlich das Erfreulichste und Tröstlichste an dieser buchenswerten Aufführung –, Theater nicht als Propagandamittel, nicht als verlängerter Arm einer vorgefaßten These, Theater als Argument, als erregendstes Forum öffentlicher Fragestellung, als Menetekel, als Protest, anschaulichstes Argument, Augenöffner und warnendes Verklärungsmittel der Gegenwart. Das, was unsere museale Gebarung eines selbstgefälligen Bildungstheaters endlich belebt, aufrührerisch macht und wirklich in seine Funktion setzt. Nicht flink-flaches Zeittheater. Zeitdichtung wie hier. Man gehe. Man sehe. 4. 6. 1950

– Die Spielzeiten 1948/49 und 1949/50 –
BRECHTS WIEDERKEHR

Bertolt Brecht »Mutter Courage und ihre Kinder«
Deutsches Theater

Das bleibt aus der Erinnerung nicht wieder zu entfernen: wie der bedeutendste Dramatiker unserer Sprache nach 15 Jahren unwirtlicher Emigration wieder auf einer Berliner Bühne stand und nun der Jubel der Betroffenen aus dem Zuschauerraum über ihn hinging. Unsere Bühne hat mit der authentischen Darstellung seiner »Mutter Courage« eine herzhafte Spritze erhalten. Dieser hartnäckig unbequeme Dichter gibt mit einem dramatischen Schlage wieder Anlaß, die Position der Zeit und des Theaters genau zu überdenken und zu revidieren. Daß dergleichen gerade auf den Brettern der Bühne geschah, die sich so linientreu und wacker um die Innehaltung eines antiquierten »Progressivstils« bemüht, war dabei nicht ohne schöne Ironie zu beobachten.

Denn hier wurde radikal und ohne billige Hoffnung auf einen bequemen Ausweg aus dem Dilemma des Menschlichen vorgegangen. In fast vier Stunden klarster Darstellung der unleidliche Tatbestand: wie der Mensch böse sei von Mutterleib. Und wie die sich lustvoll fortpflanzende Pest des Krieges angetan ist, das Böse zu vervielfältigen.

Diese »Chronik aus dem Dreißigjährigen Kriege« hat Brecht vor elf Jahren in Dänemark geschrieben, geschrieben mit der Überwindung und Verachtung des Illusions- und Spannungstheaters. Der exemplarische Vorgang: wie die Marketenderin Courage, gesonnen, aus dem Kriege händlerischen Nutzen zu ziehen, durch eben den Krieg alles verliert – drei Kinder, die Habe, die Freunde. Als wir sie aus den Augen verlieren, rollt sie den leeren Marketenderwagen in den leeren Horizont der Szene. Der Krieg geht weiter.

Brecht statuiert damit in Text und Theater sein gnadenloses Exempel bei Verzicht auf jedes »Spannungsmoment« und jede zuschauende Neugier. Der kommende Vorgang wird jeweils in drei Sätzen mit Laterna-magica-Projektion auf den mannshohen Zwischenvorhang geworfen. Noch bevor es passiert, sind wir unterrichtet, was geschieht. Brecht, der gemeinsam mit Erich Engel die Regie in langer und sehr sorgfältiger Arbeit vorbereitete, hat das volle, kahlweiße Rund der Bühne von allen überflüssigen Requisiten freigefegt. Er läßt ständig unter erbarmungslos hellstem Licht agieren, gleichgültig, ob die Szene Tag oder Nacht darzustellen hat. Aus dem Schnürboden läßt er Schriften herabsenken, die informieren, wo wir uns befinden – in Schweden, Mähren, Polen oder Sachsen. Der Krieg frißt sich ohne szenischen Aufwand und doch ganz sichtbar durch dieses Stück in reiner, unterhaltender Lehrhaftigkeit. Ein sehr pessimistischer und fast zynischer Vorgang, der am vielfachen szenischen Beispiel und im jeweils eingelassenen Lied nur feststellt, wie das Böse – ohnehin des Menschen Teil – durch den Krieg genährt und vermehrt wird. Hier wird der Mensch nicht geliebt, kaum bedauert. Er wird unablässig gewarnt. Lehre in der Form epischen Theaters. Nur in einem halben Satz wird der Hoffnung eine Tür halb offengehalten mit den fünf achselzuckend halboptimistischen Worten: »Und brauchte doch nicht sein...« Sonst am Beispiel die pure, warnende Negation.

Trotzdem – und das ist das Bezeichnende daran – der positivste Theaterabend von einem zeitgenössischen Dichter seit langem Gedenken. Die Szene steht unablässig voll von prallen, scharf profilierten Gestalten, Reisläufern und gefoppten Nutznießern des großen Blutvergießens, Feldhauptleuten, Landsknechten, Zeugmeistern, Köchen, Pfaffen, getretenen Bauern und Troßhuren. Sie vermehren durch ihr jeweils exemplarisch im blutigen Nichts verlaufendes Schicksal das exemplarische Schicksal der Courage, wie es endlich leer und um das Letzte vermindert im kahlen Horizont uns aus den Augen gerät. Das ist gewürzt mit knappen, sicheren und ironisch kompakten Dialogen, die in ihrer volkstümlich klugen Verschlagenheit der Beweisführung oft an die verblüffende Technik des großen Nestroy erinnern. Wie widerwillig und doch selig von der Saugkraft des reinen Theaters ergriffen, gerät da Brecht, der theoretisch verbissene Puritaner der Szene, in die nicht fortzudisputierende Macht des Schauspiels. Stücke in dem Stück, bei denen die »Lehre« fest ins Fleisch eines unerhörten Vorganges, des pur Theatralischen also, gerät. Das Theater scheint hier schon langsam über einen Theatermann zu siegen, der mit seinen Anfängen ausgegangen war, eben das Theater in Frage zu stellen und durch den reinen, dargestellten Gedanken zu ersetzen. Brecht schrieb dieses Stück vor einem Dutzend Jahren. Wir rekapitulieren es jetzt. Er selber ist weitergegangen. In seiner neusten theoretischen Schrift, dem »Kleinen Organon für das Theater«, steht der den früheren Brecht aufhebende Satz: »Widerrufen wir, wohl zu allgemeinem Bedauern, unsere Absicht, aus dem Reich des Wohlgefälligen zu emigrieren, und bekunden wir, zu wohl noch allgemeinerem Bedauern, nunmehr die Absicht, uns in diesem Reiche niederzulassen.«

Die reine Lehre, bisher möglichst nackt und provozierend gezeigt, wächst in die Fabel ein, gerät auf dem Umweg über das Sinnliche wieder in den Gedanken. Hier bahnt es sich an. Und jedesmal, wenn es das tut, zeigt der Dichter, welche überstürzende Macht der szenischen Überredung ihm zu Gebote steht. Täuscht nicht alles, so werden wir sie in seinen kommenden Experimenten immer deutlicher spüren.

Wie handfest es da zugeht, wie wird einer Szene der Auslauf gelassen! Wie körnig, mit welch herber und böser Verschmitztheit da Rede gegen Gegenrede steht in rabiater Ironie oder dekuvrierter Zynik! Wie sich da schon die Profile gegen die kalkweiß getünchte Szene abheben! Die prägnantesten Schauspieler, die Berlin noch besitzt, hat Brecht in den Vordergrund genommen. Unter der Jugend hat er, sehr glücklich, für dieses Wagnis junge Talente angeworben. Vor allem aber hat er Helene Weigel auf die Berliner Bühne zurückgeführt, ein Datum, das zu vermerken bleibt. Sie, vor fünfzehn Jahren aus der vordersten Linie des Experimentiertheaters mit Brecht emigriert, hatte damit eine herrliche Wiederkehr. Wir sind um eine unverwechselbare Schauspielerin reicher mit diesem erregenden Premierenabend. Klein, von einer zähen Fragilität, das harte und unvergeßliche Gesicht wie von der Kollwitz gezeichnet, spielte sie die Mutter Courage. Eine schauspielerische tour de force, die sie scheinbar mühelos erledigte. Wie sie – sozusagen klug neben der Rolle stehend – das Schicksal der vom Krieg betroffenen Frau vorzeigte, ohne selbst sich in die Figur zu verlieren, wie sie, spielend, das Exempel statuierte mit einer wie selbstverständlich scheinenden darstellerischen Überredungskraft, das bleibt noch genauer zu studieren und in der Beobachtung bei öfterem Hinsehen zu analysieren. Hier ist eine Prägnanz der Arbeit am Werke, die neu war und oft genug den Atem benahm. Helene Weigel hat damit den Schauspielern ein Beispiel gegeben, das neugierig und gelehrig beobachtet werden muß.

Neben ihr in runder, dümmlicher Großartigkeit Werner Hinz als der korrupte Pfaffe, hinter dem Vorgebirge einer aufgestülpten Pappnase den jeweils rechten Glauben für eine Zwiebelsuppe verratend. Er wohnte sicher im Brechtschen Darstellungsstil. Genau wie Paul Bildt, der als holländisch röchelnder Koch einige Liebenswürdigkeit in die zynisch kalte Szene hineinspielen durfte. Wunderbar, wie auch bei ihm, bei Innehaltung des paradigmatisch kühlen Stils, die Figur von allen Seiten langsam vom Theaterhaften her zuwuchs und voll wurde. Zwei Leistungen wie lange keine. Unvergeßlich weiter Angelika Hurwicz, als stumme Tochter der Courage so überredend in ihrer hustenden Wortlosigkeit, daß das Stück für Strecken »Tochter Courage« hätte heißen können. Die beiden Söhne, die Mutter Courage dem Kriege opfern muß: Ernst Kahler und Joachim Teege. Der eine die Nutzlosigkeit einer jungen Lebensliebe und Heißspornigkeit, der andere die ehrliche Dummheit des Redlichen zum darstellerisch richtigen Beispiel bringend. Renate Keith, die Troßhure, die, wieder zynischerweise als einzige, Gewinn aus den Kriegsläuften zieht, war von einer sofort anrührenden Unschuld hinter der offenbaren Verkommenheit. Wieder ein Zuwachs für das dünn bestellte Fach junger Charakterspielerinnen.

Die Liste der Darsteller ist kritisch nicht zu erschöpfen. Gert Schäfer, Herwart Grosse, Franz Weber, Erich Dunskus, Wolfgang Kühne, Paul Esser bewegten sich deutlich im karg-vollen Stil, den die glückliche Doppelregie angesetzt hatte. Auffällig nur, wenn, wie im Falle von Gerhard Bienert, oder bei Gerda Müller noch sichtbarer, der schmale Pfad verlassen wurde.

Das Publikum hatte vorerst sichtbar Mühe, die Brechtsche Darstellung zu fassen, in die bewußt wie Fremdteile die Songs mit der Musik von Paul Dessau eingelassen waren. Schon vor der Pause aber war die erste Befremdung überwunden, und der positive Pessimismus des Vorgangs, die geschnittene Klarheit der Darstellung hatten gesiegt. Dies war glückliche Rekapitulation. Brecht selber ist weiter. Das genau den Tag und uns treffende Theater ist von ihm beständig zu verlangen. Aber wenn schon solche provozierenden und aus dem Negativen förderlichen Stücke so wieder zu sehen sind, ist Berlin als Theaterstadt noch lange nicht verloren.

Des Beifalls am Ende kein Ende. 15. 1. 1949

Bertolt Brecht »Herr Puntila und sein Knecht Matti«
Berliner Ensemble im Deutschen Theater

Bertolt Brecht organisiert seinen Stil und seine Wirkung mit hausväterlicher Genauigkeit. Sein Ensemble, das den Brechtton nach der berechneten Vorschrift herstellen und durchhalten kann, steht. Er widerspricht aktiv den verbreiteten Seufzern, es gäbe keinen Schauspielernachwuchs. Er findet ihn durchaus und fängt ihn jung. Auf dem Zettel eigentlich nur vier bekanntere Namen. Der Rest ist neu und vorzüglich und in drei Fällen außergewöhnlich.

Brecht hat in der vorigen Spielzeit mit der »Mutter Courage« seine spezifische Tonlage gesetzt und hat uns mit der Weigel eine eminente Schauspielerin wiedergegeben. Diesmal demonstriert er die Anwendbarkeit seiner Thesen und theatralischen Postulate für die Bezirke des Komischen, und er hat jetzt Leonard Steckel dafür aus der Schweiz zurückgeführt, einen Mann, dessen kluge Fülle sofort wieder auffällig und bewundernswert ist. Im Parkett dieser zweiten Premiere schon die Vorreiter für den dritten Streich. Berthold Viertel, über Amerika, England, die Schweiz und Österreich wieder nach Berlin gerufen, und Therese Giehse aus Zürich. Das hat Strategie und Kontinuität und zieht Bewährtes von außen und Bildbares von innen an.

Diesmal also das »Volksstück« vom Herrn Puntila, dem finnischen Gutsbesitzer und Herrenmenschen. Das ist ein feudales Fossil, herrschend mit rüder und ausnehmerischer Strenge, solange es trocken ist, Gesindeschreck und Leuteschinder, wenn nüchtern und zurechnungsfähig. Eine dunstige Seele von einem Burschen aber, wenn unter der lösenden Wirkung des Aquavits stehend. Dann fürchtet er, das Menschliche beim Menschen suchend, die inhumanen Intervalle seiner Quartalsnüchternheit und ist bereit, der Welt selig auf seine Art am Halse zu liegen.

Der Ablauf streng episch, wie das Brechtsche Gesetz es befiehlt. Es gibt Höhepunkte des Komischen, es sind Situationen hergestellt, von denen das Lachen kompakt kommt. Es sind vor allem wieder komische Effekte, mit der logisch verkürzenden Pfiffigkeit gebaut, die schlagend sind und Brecht, wenn das nötig wäre, als den treffsichersten Dialogiker und würzigsten Sprachkönner unseres Bereichs ausweisen. Wenn da Puntila in seligem Volltrunk beispielsweise die patriotische Gemütsplatte auflegt, sich von seinem Knecht aus Billardtisch, Standuhr und Hockern einen imaginären Berg aufbauen läßt, um, von dessen Höhe auf die eingebildete Heimat schauend, vaterländisch überzuschwappen und sich zu seinem Suff noch einen patriotischen Rausch anzuquatschen – wie da dann Brecht die lallende Rede des vaterländischen Orgiastikers durch die hämische Akklamation und die Zwischenrufe des nüchternen Knechtes trocken interpunktieren läßt, das ist eine der dekuvrierendsten Beschäftigungen mit dem Nationalismus, wie er in unserer nächsten Nähe gerade heute wieder bewußt und böse planend aktiviert wird.

Oder wie die Unüberbrückbarkeit des Standesunterschiedes sichtbar gemacht wird, wenn Puntila seine spinöse Tochter an Matti, den Knecht, verloben will. Wie da an einem fingierten Tageslauf im komischen Spiel evident wird, daß von reich zu arm kein Zugang ist. Wie Brecht dann wieder das Mißliche des Armseins an vier Anekdoten beweist, die die törichten Jungfrauen erzählen. Mit ihnen hat sich der dicke Puntila anhand von Gardinenringen verlobt, als er, wieder bis zu den Knien im Alkohol, in die Weiblichkeit des Dorfes einbrach. Sie haben, bekränzt auf das Gut ziehend, den vierfach Verlobten trocken, herrisch und böse vorgefunden. Geknickt und entkränzt dialogisieren sie mit halber Stimme auf der Landstraße über den Nachteil, mittellos zu sein.

Das Volksstück führt zu keiner Klimax oder theatralischem Knalleffekt. Das wäre gegen das Kalkül. Brecht will keine Entwicklung dartun. Er bebildert einen laufenden Zustand. Die Lösung aus der Kalamität, wie sie als von vornherein gegeben und als am Ende unverändert demonstriert wird, ist nicht gezeigt. Die Posten werden aufgezählt. Zusammenzählen, die Summe errechnen soll der Zuschauer selbst. Eine Wohltat nach all den Stücken und Filmen, die mit der umgekehrten Technik operieren, so nämlich, daß erst die Summe dick aufgetragen wird und danach schulmeisterisch in ihre bekannten Posten zerlegt.

Wieder haben Erich Engel und Brecht gemeinsam Regie. Das arbeitet überall, wo der herrschende Stand dargestellt wird, mit direkter und unverblümter Groteske. Puntila ist eine hochgerückte Groteskfigur. Amtsrichter, Probst, Attaché, Pröbstin und die spillerige Tochter des Puntila sind alle mit Attributen des Absurden versehen. Tirpitzbärte, Monokel, das halbe Gesicht verdeckend, Pappnasen, lächerliche aufgeklebte Hinterköpfe. Diese absurde Gesellschaft bewegt sich im Stil schon in der Sphäre des völlig Abstrusen und hat zu der Lebenslage des Natürlichen, wie es in den Gesindestuben wohnt, schon im Stil bewußt keinerlei Beziehung. Diese beiden Sphären aber, die überall sonst so nicht nebeneinander zu stellen sind, auf eine Bühne und einen Ton zu bekommen – da lag das szenisch fast Unmögliche, das hier gelang. Als ob man einen Schauspieler mit allen berechneten Übertreibungen eines Erich Carow spielen ließe und daneben ganz einfach und ungeschminkt einen redlichen Realisten stellte. Absurd. Aber hier kommt beides überein und ergibt erst den Spaß und dann die verhaltene, sozialistische Moral. Eine Regieleistung, das Beziehungslose in Beziehung zu bringen, wie sie bei näherem Hinsehen noch genauer zu studieren sein wird.

Leonard Steckel als Puntila. Was für ein intelligenter Akteur! Wie er aus dem Suff in die Nüchternheit umschalten kann und zwei Männer in einer Rolle zeigt, den versoffenen Emphatiker und den nüchternen Stinkstiebel. Wie er die ganz leisen Tricks beherrscht. Wie er, beispielsweise, sich fast unbemerkt und gegen sein Bewußtsein im vorletzten Bild aus schreiender Trockenheit in seine Art seliger Menschlichkeit hinübertrinkt. Das war ausgezeichnet. Wie er noch im stummen Spiel die Vorgänge an der Rampe skandiert. Welche schwappenden, gleitenden, schwimmenden Bewegungen er sich zurechtgelegt hat. Ein Komödiant, niemals den Stil des bewußt Kargen komödiantisch sprengend. Und doch voll, saftig, herzhaft und malgré lui liebenswert. So hatten wir das lange nicht. Erwin Geschonneck sein Konterpart. Die realistische Gegenfigur zu dem grotesken Herrn. Die Rolle hoch heikel, denn wer gegen die Groteske im Tonfall des Natürlichen recht behalten soll, muß viel können. Dieser kann's und ist damit in einem gelungenen Schlage zu einem unserer brauchbarsten Schauspieler geworden. Der duldende, überlegene Nebenton, den er anschlägt. Wie er seine trockenen Sentenzen in die qualligen Reden des Puntila abschießt. Wie er das Proletarische, das bei uns schauspielerisch fast keiner mehr beherrscht, völlig unaufdringlich, richtig und zutreffend macht, das war schon erstaunlich. Und der Mann hat, o Seltenheit!, Humor. Ausgezeichnet!

Annemarie Hase sang die Zwischenmoralien und trat dann sicher immer wieder in ihre Köchinnenrolle zurück. Das Quartett der verschmähten Verlobten: Angelika Hurwicz, Regine Lutz, Eleonore Zetzsche, Carola Braunbock. Jede ausgezeichnet und mit klugen Eigenarten ausgestattet. Besonders auffallend die junge Begabung der Ilse Nürnberg, die mit ganz kleinen Mitteln die dümmliche Traurigkeit eines lieben Küchenmädchens gab. Ein besonderes Talent, so wirkungsvoll stumm und bedeutend über die Szene zu gehen, arglos und verschreckt durch die Drahtbrille blickend. Gisela Trowe ist eine aggressive Schauspielerin, die sich in dieses Ensemble und den hier geübten Stil schwer einpassen kann. Sie stand, als einzige eigentlich, neben der Aufführung. In anderen Rollen – auf der Seite der Grotesken: Friedrich Maurer, Georg Peter-Pilz, Erhardt Stettner, Werner Wegtrop, Anny Haupt. In der Gegensphäre der Arbeitenden: Friedrich Gnaß, Peter Lehmbrock, Ernst Kahler, Hans Eckert. Caspar Neher, auch er von Brecht nach Berlin zurückgeholt, gibt die hellen, andeutenden Bühnenbilder.

Brechts These vom enthaltsamen Theater mag vielen zweifelhaft sein. Und wenn ihnen auch in seiner Technik des bewußten Wegstellens, in der Art des Objektivierens das feste und gewohnte Fleisch des Theatralischen im herkömmlichen Sinne fehlen mag – was für eine bekömmlich und klug gekochte vegetarische Speise wird da angeboten!

Es gab, besonders nach der Pause, pralle Salven verstehenden Gelächters, Wohlgefallen und am Ende Beifall aus vollen Händen. Diese Aufführung, meisterlich im Detail, kühn in der Konzeption, bedeutet einen Höhepunkt.   13. 11. 1949

Das ist vollendet. Dieser Abend übertrifft die Vorzüglichkeiten, die Brecht mit seinem Berliner Ensemble bisher hier zeigte, noch bei weitem. Dies hat eine Rundung, eine durchdachte, schöne Starre, einen im scheinbar Simplen versteckten Witz, eine Differenziertheit in der dargebotenen Schlichtheit, die bewundernswert sind. Wenn Brechts betont trockener Darstellungsstil, seine paradigmatische Art des epischen Theaters von vielen oft als sozusagen vegetarisch, als nicht völlig satt machend empfunden wurde, hier ist die Überredung zu seinem Stil tatsächlich gelungen. Das bleibt immer im Beispiel. Das zielt nicht auf Emotion. Und auch wo noch Emotion, tragische Verstrickung, Unglück und Bosheit dargestellt werden, werden sie immer durch das trocknende Sieb heiterer und skeptischer Betrachtungen gefiltert, daß sie nicht bedrängen, nicht aufpeitschen. Sie werden dargestellt. Eine Entfernung wird eingehalten, die zutiefst künstlerisch ist. Nicht das Gefühl wird strapaziert. Das Gefühl wird nur gelockt, soweit es dienlich ist. Bedient wird der wägende Verstand, der gezwungen ist, jeweils die Summe zu ziehen. Eine Heiterkeit, die aus dem Denken kommt. Aus der Anschauung des Genauen, des minuziös Durchdachten, des sauber künstlerischen Plans kommt eine Wirkung, die man so auf dem Theater sonst nirgend studieren kann. Das ist vollendet.

Brecht hat sich für seine Zwecke das Schauspiel des Sturm-und-Drang-Dichters Jakob Michael Reinhold Lenz hergenommen und präpariert. Er hat die rohe Struktur des besessenen Stückes belassen, hat wohl deutliche Veränderungen und Umbauten an den Charakteren vorgenommen. Er hat aber nicht ein Zeitstück, das vor 150 Jahren gegen den Mißstand feudaler Erziehung anging, im mumifizierten Zustande ausgegraben. Er hat es zur historischen Lektion werden lassen. Ein durchaus treffendes Pandämonium teutonischer Charakterfehler und Verfehlungen. Ein Übel an der Wurzel. Ein Abc der deutschen Misere überhaupt.

So führt es die Hauptfigur zu Beginn vor dem Vorhang ein. Der Darsteller des Hauslehrers und Hofmeisters gibt, ruckend wie die Gestalt einer Spieluhr, die Moral vorweg. Er zieht sie am Ende wieder nach Ansehung des didaktisch spielerischen Vorganges – dann aber aus der Rolle heraustretend, sich der Perücke begebend und als Zeitgenosse sprechend. Kein Irrtum bleibt.

Er bleibt schon in der von Brecht nachgezogenen Handlung nicht. Die Qualen eines jungen Privatschulmeisters. An einem Panoptikum zuerst belustigender und dann auf genaue Weise erschrecklich gefährlich werdender Typen wird der Finger auf den Mißstand gelegt, den die Erziehung in unserem Lande seit Anbeginn darstellte. Den abgedienten Korporal als Lehrmeister für das Volk. Den Hofmeister für die Feudalität. Beides die Methode des pädagogisch gebrochenen Rückgrats. Hier werden, in genauer Betrachtung der Wurzel, die Früchte der Methode vorgezeigt, Fall um Fall.

Brechts Vorzug, daß er aus einem dunkel gärenden Protest eine hell durchleuchtete Satire gemacht hat. Immer der Anlaß zum Gelächter erst. Und dann bei einem wohltätigen Schreck die Erkenntnis des bösen Ernstes, der latent durch das neugeformte Stück geht. Das ist verschlagen gemacht, pfiffig verzahnt und souverän durchgehalten.

Wie ist da, deutlich ablesbar, mit jedem der durchweg jungen Schauspieler gearbeitet worden! Von der älteren Garde eigentlich nur Friedrich Gnass auf der Bühne. Und sonderbar – er eigentlich der einzige, der ungenau wirkt und aus dem Uhrwerk dieser Inszenierung fällt. Die anderen alle von gleicher Vorzüglichkeit. Aus der Schweiz wurde der Hauptdarsteller dieses Abends geholt. Hans Gaugler, ein junger Mann bedeutender Suggestionskraft und doch eben von der Distanz zur Darstellung, die Brecht verlangt. Er, der Hofmeister, der sich in seiner Verzweiflung selbst kastriert, da ihm als Mensch in dieser Gesellschaft zu leben nicht gestattet ist. Mit satirischer Bezeichnung läßt Brecht den Türkischen Marsch zu dem Geständnis der Selbstentmannung dröhnen. Die Rolle des humanen Geheimen Rats hat Brecht im Gegensatz zu der Lenzschen Version nicht direkt kommen lassen, sondern auch gebrochen und mit einer achselzuckenden Skepsis übergossen, die Erwin Geschonnek ganz sicher und heiter serviert. Regine Lutz macht das kleine Aas von einem Herrentöchterchen, ein durchtriebenes Ding, zu dem die Gestalt hier verwandelt worden ist. Wunderbar, wie sie das mit großen, verschlagen naiven Augen durchhält. Eine der schönsten Leistungen in dieser Kette des Treffenden. Oder was Gert Schäfer für einen tumben, herzlich deutschen Brausekopf macht, der dann am warmen Ofen, mehrfach gefoppt, zum Konformisten wird, den Herrn

Kant und seine Lehre abschwörend für ein warmes Bett. Großartig. Die spillerige Romantik, die Joachim Teege diesmal exemplifiziert, die blauäugige Gutgläubigkeit in träumerischer Einfalt. Schwer vergeßbar. Die kleine Sonderszene, die Annemarie Hase am Spinett hat, alle höheren Töchter von vornherein und für alle Zeiten vorwegnehmend. Herrlich. Friedrich Maurer, ein Schullehrer aus dem Geschlecht derer, die Büchner, die Grabbe schon tödlich trafen. Wunderbar, wie er das deutsche »Eine Sache um ihrer selbst tun« dem präzisen Gelächter anheimgibt. Eine beträchtliche Leistung, wie gestochen in jeder Bewegung, in jedem Ton. Angelika Hurwicz, eine hallensische Studentenvermieterin, wie auch sie die Figur plastisch macht, die nur kurz sichtbar wird. Figur an Figur, jede eine schöne, klargezeichnete Einsamkeit tragend. Und doch alle zusammengeführt unter einen aggressiven Nenner, der ein deutsches Übel angeht: den Schulmeister in seiner verkorksten Gestalt. Caspar Neher, der Brecht auch bei der Regie assistierte, hat großartige Bilder auf die Drehbühne gestellt, von gefüllter Kargheit, von einer zarten Eindringlichkeit der Farben, die an sich schon eine abendfüllende Lustbarkeit für das Auge bedeuteten.

Ein großer Abend. Einer von denen, die das Theater überhaupt einen deutlichen Schritt weiterführen. Fort von der repetierenden Praxis unserer fast museal sich gebärdenden Bildungstheater. Dieser Stil trifft. Er straft alles, was sich da partei-präzeptoral »sozial-realistisch« gibt, überlegen Lügen. Es macht das Illusions- und Emotionstheater fragwürdig. Dies ist zeitgemäß und förderlich. Die Methode, so zu spielen, wird sich mit diesem dritten Versuch durchgesetzt haben. Er war vollendet.   16. 4. 1950

SIE SOLLEN BLEIBEN!

August Strindberg »Der Vater«
Hebbel-Theater

Die Momente des Wiedersehens, die schöne Erschütterung, wenn
wieder einer zurückfindet, wenn spät und endlich eine Stimme
wieder ertönt, die in purem und schwerem Unrecht entfernt war,
– die schöne Erschütterung gehört zu den wenigen vollen Erfreu-
lichkeiten dieser wirren Jahre. Als sich der Vorhang hebt, steht er
mit dem Rücken zum Publikum und im Hintergrund der Bühne.
Die ersten Worte des Dialogs werden von der fast fiebrigen Erwartung verschluckt. Dann wendet sich die kompakte, unver-
kennbare Gestalt, kommt langsamen Schrittes nach vorn. Und
nun bricht der Jubel der Begrüßung los, ein Beifall von herzlicher
Stärke, wie er mit mehr Recht in diesem Theater nie erklungen ist.
Kortner, sichtbar überwältigt, setzt mehrmals an. Man läßt ihn
nicht zu Worte kommen. Schon der erste Gruß, der einem der pro-
nonciertesten Schauspieler unserer Epoche entgegenschlägt, soll
unmißverständlich und anhaltend sein in seiner freudigen Stärke.
Dann erst beginnt das Spiel.

Es beginnt ein Theaterabend von solcher Präzision und Stärke,
wie ihn diese Stadt seit Ende des Krieges nur noch dreimal erlebt
hat. Es spielt sich etwas in kluger Ordnung und in so künstlerischer Strategie ab, daß der Kritiker die verminderten Maßstäbe,
mit denen er sonst unter falschem Wohlwollen und Seufzen zu
messen gehalten ist, lustvoll fallenläßt. Dies wieder hebt unsere
Bühne auf den Zustand der Richtigkeit, der reinigt und selbst
Maßstab wird. Jede Theaterkrise wird lächerlich, sobald Theater
von solcher Güte gespielt wird. Diese Aufführung, diese Leistung
Kortners als Regisseur und Schauspieler rehabilitierte in drei
Stunden das künstlerisch verwahrloste Haus in der Stresemann-
straße. Wer dieses sah, wird vieles andere nicht mehr sehen wollen oder mit einer positiven Strenge sehen müssen, die die verwirrten Dinge unserer Bühnen an ihren gemäßen Platz rückt.

In mehrfachem Betracht wird dieser Abend unvergeßlich sein.

Das Stück ist sichtbar durch die kalkulierende Bearbeitung des
Regisseurs gegangen. Was unseren Vätern so heikel interessant

daran war, die tödlichen Wirrnisse, die zwischen Mann und Weib spielen, die mörderische Haßliebe zwischen den Geschlechtern, der tragische Dualismus beider zueinander strebenden Komponenten, all das ist geblieben. Aber Kortner hat es auf eine sehr eingängige und moderne Seite etwas beiseite gerückt. Die tödliche Antagonie zwischen Mann und Frau ist unserer Generation so nicht mehr verständlich. Das brennt nicht mehr, wie es damals brannte. So hebt Kortner, indem er immer pfleglich das alte Problem innehält, doch den ganzen Vorgang auf einen höheren geistigen Kampfplatz.

Nicht nur der Mann unterliegt, nicht nur der Vater wird hier aus seiner ihm patriarchalisch zustehenden Position gestoßen. Kortner läßt den Akzent fast unmerklich auf den Kampf hinübergleiten, der in diesem Stück zwischen dem Prinzip der Klarheit, dem Rationellen, dem Vernunftgemäßen und der Gegenpartei der verfilzten Bigotterie, der wohligen Unklarheit, des im falsch Religiösen sich egoistisch Spreizenden geht. Aus einem Stück, das vornehmlich der Darstellung der grausamen Antagonie der Geschlechter galt, ist etwas geworden, das uns mehr und tiefer betreffen muß. Fast so etwas wie ein Zeitstück, wenn man den ruchlosen Auftritt der Kräfte der Unklarheit jedweder Färbung heute täglich schreckhaft genug am Werke sehen muß.

So die Bearbeitung, so der Duktus der Inszenierung schon eine Wohltat.

Kortner erreicht den verwandelnden Effekt durch einen sauber durchgeführten Regietrick. Er selber, das in die Enge getriebene und bis an die Grenzen des Wahnsinns gejagte Prinzip der Vernunft, hält einen ganz realistischen Darstellungsstil durch. Seiner Umwelt, all den vielfarbigen Vertretern der bigotten Selbstliebe, gibt er einen ganz kleinen Aufsatz an Stilisierung, sie dreht er aus didaktischen Gründen etwas stärker auf und läßt sie zuweilen bis in die Nähe der Karikatur kommen. Ein Mittel, die geplanten Sympathien schon beim ersten Anblick richtig zu setzen und das zerreißende Kräftespiel, das nun einsetzt, von vornherein richtig zu verteilen.

Der Regisseur läßt zu den Aktschlüssen immer die durch die jeweilige Katastrophe herbeigerufenen gespenstischen Mitbewohner des verfluchten Hauses im Hintergrund erscheinen, eine schweigende Mauer des Unheils. Er hat mit dem ganz ausgezeichneten Bühnenbild von Wolfgang Znamenacek die Möglichkeit, die Dinge nuancieren zu lassen, sie bedrohlich in den etwas versenkten Hintergrund zu stellen, Auftritte durch einen durchsichtigen Glasvorraum bedeutend zu machen und die Straße und die Außenwelt durch ein prononciertes Fenster einzubeziehen.

Seine schauspielerische Potenz ist in den Jahren gewachsen, die er für uns nicht sichtbar war. Er hat eine eindringliche Nuance des leisen Sprechens gefunden, die wir so noch nicht gehört haben. Sein wunderbares und unverwechselbares Organ variiert jetzt, wendet die Worte, geht leise bis zum Hauch und kommt keinen Augenblick auch nur entfernt in den Verdacht der Künstlichkeit. Eine realistische Art, die so klug durchtränkt ist von künstlerischem Kalkül, daß hier eine Vollendung steht, die ähnlich uns sonst nicht bekannt ist.

Was für Nuancen da spielen! Wie er große Sätze mit halbem Atem nimmt und ihnen so doppelte Kraft gibt. Wie die Geste, das Mienenspiel durchaus wirkt, als wäre es im Augenblick für den Augenblick gefunden, und ist doch alles am Ende Ergebnis und Krönung einer Arbeit, die erstaunlich ist. Als Kortner von uns ging, war er die hohe Fanfare. Jetzt hat sein Organ, hat sein Spiel die Tönungen des Cellos gewonnen. Herz hat sich gesellt zu diesem Kopf, der immer schon bestechend war. Man sehe und höre dies, und man weiß, wo die wahre Modernität im Schauspielen liegt.

Wunderbar, wie er die ausgezeichnete Münchner Darstellerin der Laura, wie er Maria Wimmer geführt hat. Diese Frau hat ebenfalls eine Eindringlichkeit mit ganz unaufdringlichen Mitteln, die ihrem Partner Kortner selbst erst in der ständigen positiven Antagonie das Echo gab. Wie ihre widerliche und hartnäckige Bigotterie ganz in die bürgerlichen Formen einer verspielten Frauensperson der Jahrhundertwende eingeht, auch das war ein Labsal zu beobachten. Und wie sie sicher die ganz leichte Überdrehung, die der Regisseur ihr auferlegt hatte, durchhielt, war meisterhaft.

In diesem Sinne tat Wolfgang Lukschy zuviel. Er war nicht mehr Gestalt aus Fleisch und Blut wie die beiden Hauptgestalten. Er zeigte mit einigen ganz witzigen Tricks Karikatur und stand so neben dem eigentlichen Bild. Richtig wieder und erfreulich gedämpft Carl Kuhlmann als der wankelmütige und seelenfeige Pastor, auch genau seine etwas hochgetriebene Linie haltend. Frisch und erfreulich die junge Dinah Hinz, die der Regisseur sicher auf dem realen Teppich hielt im Gegensatz zu der bewußt überspannten Umwelt. Wie sie den gewagten Ausbruch gleich zu Beginn brachte, war aller Beginner-Ehren wohl wert. Lotte Stein, die Amme, hatte Schwierigkeiten, ihre graue und unheimliche Maske zu durchspielen. Aber auch sie stand genau auf dem Platz, der hier der richtige war. Mit einigen frechen Schlenkern machte sich Ernst Wehlau als der Bursche auffällig.

Der Beifall war endlos. Bis zum Eisernen hielten prominente Schauspielkollegen, Kritiker und Stadtväter mit der jubelnden Jugend aus. Daß Kortner sich einen alten Strindberg zu seiner Wiederkehr zurechtrücken muß, ist das einzige Bedenken, das blieb. Früher wäre zu solchem bedeutenden Anlaß Zeitgenössisches zur Hand gewesen. Immerhin: er wird »Death of a Salesman« zeigen. Zu wünschen, daß er uns Brechts »Galilei« spielen wird in absehbarer Zeit.

Zu beschwören wären endlich alle beamteten Kunstpfleger, diesen Mann und Schauspieler zu halten, ihn in einen bindenden Vertrag hinein zu überreden und Berlin damit eine Potenz auf der Bühne ständig zu sichern, die ihresgleichen heute nicht hat. Von ihm wird nicht Repetition oft gesehener Glätte kommen, sondern, wenn auch oft barsch und ungemütlich, eine Erlösung unseres Theaters aus dem Mittelmaß. Kortner soll bleiben.   3. 2. 1950

Maxim Gorki » Wassa Schelesnowa«
Berliner Ensemble in den Kammerspielen
des Deutschen Theaters

Die Rückkehr bewährter und vermißter Kräfte und der Zuzug von Vortrefflichkeiten, die Berlin in der künstlerischen Abgeschiedenheit der letzten 16 Jahre nicht kennenlernen konnte, scheinen dieser Spielzeit endlich die Würze geben zu wollen, die wir so lange entbehrten.

Berthold Viertel ist zu begrüßen. Sein Name ist dem Berliner Theater eng verknüpft. Ihn nach der schönen Aufführung sich in den brausenden Beifall neigen zu sehen, hatte etwas von der freudigen Rührung, die uns überkommt, wenn wir zu unserem betrachtenden Teil beobachten dürfen, wie ein neuer Rückkehrer seinerseits aktiv und künstlerisch integer »Wiedergutmachung«

betreibt, indem er das Theater wieder gut macht. Zu geben ist nichts, als daß man selbstsüchtig darauf besteht, daß Männer wie Viertel bleiben und in dieser Stadt, die Maßstäbe braucht, eingeladen werden, zu wohnen und zu arbeiten. Den Nutzen haben wir. Der Jubel, der den Dichter, Essayisten und klugen Regisseur umbrandete, wird ihm bewiesen haben, daß er vonnöten ist und in großer Herzlichkeit willkommen.

Das Berliner Ensemble hatte ihn geholt, nachdem eine erste Einladung an das Hebbel-Theater durch offenbare Ungeschicklichkeit nicht realisiert worden war. Viertel hatte damals die »Glasmenagerie« in seiner eigenen und großartigen Übersetzung einrichten sollen. Jetzt brachte er Gorkis bitterböse Abrechnung mit der zerfallenden russischen Gesellschaft nach der fehlgeschlagenen Revolution 1905. Das ist, eingelassen in eine positive und oft lyrische Langatmigkeit, die ihren Stil, die Dichte und Überredungskraft aus der Nähe von Tschechow und Ostrowski hat, die fatale Dekuvrierung einer sich auflösenden Schicht am Exempel einer Familie. Das hat eine böse und dichterische Intensität und die Strategie der Novelle, so nämlich, daß nur die Kulmination einer Entwicklung herausgehoben ist. Ein Verfall im Augenblick, da das Fallende sich selbst die letzten Stöße der Vernichtung versetzt. Das Neue, der Ausweg, ist nur angedeutet. Ein Lichtblick, ein Fragezeichen, die Hoffnung einer Lösung. Aber wieviel überredender doch als der frontale Aufmarsch der direkten Fahnenschwinger, den man am Abend zuvor in Wolfs dünnem Tendenzstück kopfschüttelnd wahrnahm. Hier Dichtung, dort Propagandamache. Das eine lebt. Das andere staubt.

Das Auseinanderfallen einer verrotteten Familie. Der Vater vergewaltigt Minderjährige. Als es zum öffentlichen Skandal kommen soll und das Kreisgericht sich wider Erwarten in diesem Falle nicht als bestechlich erweist, wird er von Wassa, seiner Frau, beseitigt. Ihr Bruder steht in einem verbotenen Verhältnis zu einer ihrer Töchter, gleichzeitig aber bringt er ein verführtes Stubenmädchen dazu, Selbstmord zu begehen. Die Herrin des Hauses, Wassa, ist umflattert von einer lügnerischen und korrupten Sekretärin. In dem alten und von bösem Reichtum geblähtem Hause bröckelt es an allen Ecken, und das wurmstichige Gebäude wird nur durch die resolute Bedenkenlosigkeit der Titelfigur zusammengehalten. Als sie einem Herzschlag erliegt, fallen die sie umgebenden Aasgeier auf die böse Beute, plündern und raffen im

Angesicht der Toten. Eine der furchtbarsten Szenen, die für die Bühne überhaupt ersonnen wurden. Aber das will das Stück zur Evidenz bringen: wie hier ein Altes fällt, und daß es unwert ist, gehalten zu werden.

Der Abend gehörte auf der Bühne selbst der Therese Giehse. Sie stand weit über den sie umgebenden Leistungen. Eine resolute Frau mit festen, klaren Augen, breit, zugreifend. Sie ließ über die Gestalt der Wassa viele Lichter spielen. Sie war tückisch und lauernd, sie war von einer behäbigen Tantenfreundlichkeit gleich im nächsten Augenblick; jetzt von ruchloser Raffsucht und direkter Menschenverachtung, dann von einem glänzenden Charme, der die Züge der lauernden Bosheit fast vergessen machen konnte. Eine eindrückliche Leistung in einem Fach, das heute in Berlin so nicht annähernd gefüllt werden könnte.

Der Abstand zeigte sich schon in der nächsten Umgebung. Erwin Geschonnek spielte den Bruder. Er ist kein Charakterspieler. Es erwies sich hier. Man braucht sich nur Steckel oder Bildt oder Hinz in der Rolle zu denken, um zu wissen, was hier alles ausgelassen werden mußte. Angelika Hurwicz gab eine neue Abart ihrer vermufften und hinterhältigen Spätmädchentypen. Maria Schanda hielt sich erstaunlich in der recht unergiebigen Rolle der zureisenden Revolutionärin. Gerty Soltau überzog die Gestalt der älteren und vom Leben früh angeekelten Tochter zum Lasziven hin. Aber sie hatte Augenblicke und Töne, die bestachen. Die junge Regine Lutz als ihre jüngere Schwester, von Viertel wohl in Richtung einer Frühhysterikerin geplant, war ganz unzulänglich und störte durch die unmotivierte Unnatur ihrer körperlichen und vor allem mimischen Verrenkungen. Ilse Nürnberg und Annemarie Thalbach, die Stubenmädchen, wobei die zweite besonders durch ein paar schnell und fest gesetzte Züge auffiel. Friedrich Gnass, der versoffene Kindesschänder, schreckerregend in Maske und Gehabe, wenn auch sprachlich nicht immer sauber und in der Tonstärke oft ins Unverständliche überzogen. Gert Schäfer gab eine seiner gleichbleibenden sympathischen Typen jugendlicher Unbekümmertheit.

Die Giehse war der Abend. Sie beherrschte die Szene, wo immer sie stand. Wenn sie fehlte, bröckelte es oft und wurde leer. So hätte man sich die Sauf- und Tanzszene beispielsweise weit eindringlicher vorstellen können.

Das überredende, unauffällige Bühnenbild von Teo Otto. Viertel selber wird diese Aufführung mit den verminderten Mitteln des Berliner Theaters hoffentlich nur als ein Präludieren auffassen. Der lange und stürmische Beifall drückte aus, wie sehr herzlich er hier erwünscht ist. 23. 12. 1949

Jean Giraudoux »Die Irre von Chaillot«
Hebbel-Theater

Das unvergleichliche Stück in seiner quellenden und grazilen Poesie ist die pure Freude. Der durchgehaltene Zauberton. Variationen eines legitimen und hochgescheiten Poeten über das Thema von Schönheit und Schlechtigkeit der Welt. Hier werden die Geschäftemacher, die Profitjäger, die kalten Beutelschneider so reizend und so richtig und überzeugend abserviert, daß man mit einem kleinen Mitleid an die vielen »sozialistischen Realisten« denkt, die das gleiche mit dramatischen Keulenschlägen zur Evidenz zu bringen sich so schweißtriefend abmühen. Hier ein Dichter, der nicht direkt stößt, sondern alles sozusagen über die poetische Bande gehen läßt. Und schon setzen sich die Bälle anmutig in Bewegung. Das flirrend geistvolle Spiel läuft ab. Die Geschichte von der holden, greisen Irren in Chaillot, einer untragischen Ophelia, von dem klarsichtig fürstlichen Wahnsinn befallen, daß die Welt gut sei und das Leben schön. Ihr wird von ihrem freien Gefolge, das sich aus Blumenmädchen, Kloakenreinigern, reitenden Fahrradboten, Straßensängern, Lumpensammlern und Jongleuren farbig zusammensetzt, gemeldet: die Invasion des Bösen habe stattgefunden, die Welt sei unfrei und verpestet von den fetten Anbetern des Goldenen Kalbes. Und sie schafft Remedur. Sie sitzt mit drei anderen holden Irren zu Rat und beschließt, den Unrat der Menschheit, die Bankiers, die Beamten, die Aussauger und die schlechten Mädchen, die die Liebe verunreinigen, in den Orkus zu schicken. Sie lockt die Schlechten in die Fallen des Bösen. Und die, auf den ironischen Leim gegangen, verschwinden in den Tiefen von Paris, den gurgelnd schmutzigen Abwässern der hochgebauten Stadt, die nun wieder leuchtet, deren silberne Luft wieder zu atmen ist.

Das der »Inhalt«, die Moral, wenn man hier so sagen darf, die Linie. Das Ganze in seinem schön naivischen Gang immer wieder durchsetzt von poetisch reinen Überredungen zum Leben. Was springen da für heiter geschwungene Fontänen des menschlichen Witzes auf! Wie wird da eine klare Rührung in Ansehung der geistig Armen verbreitet! Wie wird hier legitim die niedrige Welt der Unbehausten und Entrechteten geliebt und gepriesen! Das Zauberwort der dichterischen Verklärung, hier wird es fast in jedem der flirrenden Sätze laut. Eine dramatische Lustbarkeit wie wenige in unserem Zeitalter. Jean Giraudoux der Dichter, ein moderner Romantiker, gewiß. Aber durch den Schleier der liebevollen Ironie, durch den Filter einer vorsätzlichen Liebe zum Menschen in seiner reichen Armut – die Realität der trocken beflissenen Realisten so mühelos bei weitem übertreffend. Das Stück macht besser. Es macht glücklich.

Die Sorge war, ob dieser Ton auf unsere Bühne übertragbar sein würde. Da darf kein übermäßiges Gewicht gegeben werden. Jede Schwere würde das Poetische erdrücken. Jede Ungenauigkeit eine holde Heiterkeit hinfällig machen. Karl Heinz Stroux hat über die Schwere gesiegt. Dies spielte sich in duffen Farben ab, war anmutig und weise angeordnet, wie es anmutig und weise im Buche steht. Der Zauberton getroffen und gehalten, wie nur zu wünschen war.

Das Bühnenbild half. Ita Maximowna hat es großartig nach dem Pariser Modell des Szenariums, wie das Christian Berard vor einigen Jahren entworfen hat, gebaut. Ein gültiges Beispiel, daß, das Gute und Zutreffende geschickt und einfühlsam zu kopieren, wieder der beste Weg zum Guten ist. Im ersten Bild das Filigran einer hohen Pariser Häuserwand, wie mit Silberstift in das Nichts gezeichnet. Darunter die Tische des Café Francis. Zwischen den Marmortischen und der Rampe die Straße und das Spiel. Als der Vorhang sich vor dem zweiten Bild erhob, klang Beifall auf. Eine ironisch liebevolle Augenweide: die Irre in ihrem von falschem und brüchigem Pomp vollgestellten hohen Kellergewölbe, thronend unter einem bombastischen Baldachin von weinrot bestechender Kitschigkeit. Die fürstliche Armut, gefangen auf den ersten Blick.

Das der Hintergrund für die volle Großartigkeit der Schauspielerin Hermine Körner. Ihr die Krone des Abends! Kein Gran Gewichtigkeit zuviel. Die königliche Irre, aufgeputzt mit dem Plunder längst vergangener Epochen, bestückt mit falschem Schmuck, eine in ihrem bewußt holden Wahnsinn, eine in ironischer Verkehrung das Vernünftige ausführende, heimliche Königin. Sie spielt es herrlich. Wie da die gewollt pathetische Gestik im vollen Stil bleibt. Was sie mit ihrer brüchig bestechenden Stimme für Wunder treibt, wenn es das Leichte, die betonte Nebensächlichkeit, die kaschierte Wahrheit zu treffen gilt. Jeder Schritt, jede schön ausladende Gebärde richtig und wohltuend. Diese Schauspielerin hatte nie eine Rolle, die sie schöner durchgeistigt und herrlicher umgesetzt hätte als diese. Ihr die Krone.

Neben ihr Lucie Höflich, die jungfernhaft verdrückt ältliche Abart des Irreseins auf das Amüsanteste vorzeigend. Sie ist in ständigem und geistesabwesendem Gespräch mit dem imaginären Geliebten. Auch das eine Leistung, sich einprägend durch die kurzen Bewegungen und die wunderbar dumm hochgeschraubte Stimme. Roma Bahn, die dritte in diesem verdrehten Bunde. Sie stand gleichberechtigt neben den beiden Vollenderinnen einer großen Schauspielkunst. Sie wieder macht mit einem staubigen und bewußt aufgesetzten Altjungferncharme einen amüsanten Tick sichtbar: das Bissige einer vom Leben Vernachlässigten, die ihre kleinen Biestigkeiten in einen mottigen Liebreiz packt. Auch sie wunderbar. Ursula Krieg, die es mit einer forschen Verrücktheit versuchte, hatte es da sichtbar schwerer, dem herrlichen Trio sich anzugliedern.

Der Abend voll von kleinen schauspielerischen Kostbarkeiten. Wir erinnern uns ohne Wahl: Otto Gebühr, witzig und liebenswert, ein bildungsbeflissener Pedikeur. Franz Stein mit weichen und beschwörenden Spinnenbewegungen der aktive Taubstumme. Was machte da der vortreffliche Hans Hessling aus der kleinen Rolle des herzlichen Kloakenreinigers für ein gemütvolles Meisterstück! Der prekäre Part der Tellerwäscherin wurde durch Tilly Lauensteins kluge, lyrisch klare Art zu einem blonden Ariel. Wie sie ihren kleinen Monolog fast malgré elle, an den Bühnenrahmen gehängt, direkt ins Publikum sprach, war bestechend.

Herbert Hübner, komisch, knarrig, der Anführer der kalten Kapitalistenhorde. Schade, daß Carl Kuhlmann neben ihm wieder einmal völlig über die Ufer seines komödiantischen Naturells trat. Er war vor lauter Intensität nicht intensiv. Eine Enttäuschung leider O. E. Hasse, der als der Lumpensammler eigentlich den magischen Motor des Stückes hätte abgeben müssen. Er traf den Zauberton nicht und ließ damit eine der wesentlichsten Figuren leer. Ein Wiedersehen mit Otto Stöckel, der einem korrupten Adligen ein zermürbtes Gesicht gab. Echt, trocken und klar im Ton, Paul Edwin Roth als der Selbstmörder, der von der fürstlichen Irren zum Leben überredet wird.

Der Personenzettel schien ohne Ende. Stroux hat hier gearbeitet und eine gute Sache sichtbar zum Guten und angemessen Leichten gewendet. Ungeschickt nur das Arrangement ganz zu Beginn. Da geht der Text, der wunderbar dekuvrierende, den die kapitalistischen Strauchdiebe zu sprechen haben, in den zu sehr nach vorn gespielten stummen Straßenszenen unter. Zu lange wirkte im zweiten Akt das träumerische Liebesgespräch, das die Irre mit ihrem imaginären Geliebten im Angesicht des realen jungen Selbstmörders führt. Schön, aber lang. An anderen Stellen hatte man klug gestrichen. Warum hier nicht?

Theaterkrisen werden lächerlich, wo gutes Theater gespielt wird. Die Feststellung ist zu wiederholen. Das Beispiel Kortners, das Beispiel dieser Aufführung – beide beweisen, daß die Rettung des Theaters nach wie vor das Theater ist. Zu hoffen, daß man sich an kunstbeamteter Stelle der Hersteller solcher Erfolge auf Dauer bemächtigt und sie nicht wieder dahinziehen läßt und uns in Theatermonate solchen Mißvergnügens versinken läßt, wie wir sie hinter uns haben. Unsere Bühne kann besser werden. In diesen beiden Fällen war sie ausgezeichnet. 14. 2. 1950

»100 000 Thaler«
Theater am Kurfürstendamm

Der kritische Kummer ist groß, wenn der Rezensent bei einer Sache, die auf Heiterkeit mit Tanz und Gesang aus ist, gezwungen wird, die geplagte Stirn doch wieder in Falten zu legen. – Es ging nicht auf. Es war nicht berlinisch. Es war nicht leicht, nicht saftig, nicht präzise. Es wurde gelacht, gut. Aber es hätte herzlicher gelacht, und wenn es wirklich gut gewesen wäre, tatsächlich heimlich geschluchzt werden müssen. Es ging nicht auf.

Es traf nicht, weil ein sich leider einbürgernder Starfehler wieder gemacht wurde: Lucie Mannheim, die Hochwillkommene und herzlich Begrüßte, führte Regie und stand dabei selbst unablässig auf der Bühne in der ihr seit langem zustehenden Starrolle. Wenn sie in der Szene selbst angesungen wurde mit dem Refrain:

»Hauptsache, det se da is!«, werden die, die ihr Talent lieben, leise den Kopf geschüttelt haben: Wunderbar, daß sie da ist! Aber die Hauptsache doch wohl, daß sie richtig da ist, daß sie in einem würdigen Rahmen da ist, daß sie nicht in einer Aufführung da ist, die – hier herrscht Offenheit – provinziell in der Preislage, nicht akkurat in der Arbeit, oft holprig in der umgebenden Darstellung, offenbar ungeprobt in den Tanznummern ist. Die Musik wackelt. Das geht bis in die Beleuchtung, die nervös macht, weil auch sie nicht stimmt, flackert und verwischt. Mit dem allerbesten Willen zur vollen Fröhlichkeit war man gekommen, kaum halbsatt verließ man das Theater.

Und da wäre wieder mit der Freien Volksbühne zu sprechen. Wenn eine Berliner Posse geplant wird, dann doch, bitte, die saftigsten Berliner Komiker nach vorn. Hier gehörte Kurt Seiffert her. Hier wäre für den göttlichen Erich Carow Verwendung, der müßig geht. Werner Finck wäre auf seine Art beste Möglichkeit gewesen. Weiter: Regisseure, ein gutes halbes Dutzend, die dergleichen zu einer heiteren Ordnung hätten bringen können. Hier puffen auch noch die besseren Pointen des Textes matt, da die meisten Schauspieler, die sie verwalten, ihnen nicht zur Durchschlagskraft verhelfen. Das Kurfürstendamm-Theater ist wie kein anderes mit dem sicheren Strom der Zuschauer für die jeweils nächsten 50 Aufführungen gesegnet. Man braucht nichts zu riskieren, sagt man sich offenbar. Diesmal haben wir ja die Mannheim.

Natürlich, die Mannheim hat Momente, in denen sie ihren souveränen Charme des liebevoll Ordinären rührend beweist. Wenn sie allein auf der Bühne ist und ein Chanson hat und die Musik sie nicht allzusehr im Stich läßt, ist sie wunderbar wie je. Eine schauspielerische Beteiligung, die durch eine schöne Maske berlinischer Schnoddrigkeit sicher hindurchfindet. Sie hat den Berliner Ton, den man, dem heiligen Nante sei's geklagt!, an anderen Stellen so dringend vermißt. Sie legt, ist sie von dem umgebenden Mittelmaß unbehelligt, ihre Texte hin, souverän, geschickt, sicher und mit einem augenzwinkernd fraulichen Liebreiz, der ihr die Herzen mühelos gewinnt. Um so betrüblicher dann, wenn sie in das Grau der Umgebung zurücksinken muß. Und sie muß immer wieder.

Neben ihr bestand nur Alfred Balthoff, bestenfalls. Er hat die märchenhafte Possenintensität und den Schuß schnoddrigen

Traums, der bei ihm in fester Regie noch hätte vielfach verstärkt werden können. Die beiden anderen Hauptfiguren, Kurt Weitkamp und Hugo Schrader, kaum Notbehelfe diesmal. Die übrigen konnten sich in dem so zufällig sich ergebenden Arrangement nicht bewähren, so daß der Eindruck des Laschen sich, je länger, je mehr, verbreiten mußte. Obacht allerdings in Zukunft auf die junge Waltraut Runze, die tatsächlich jung, hübsch und beweglich ist und dabei schon eine kleine Ironie angenehm verwalten kann.

Die Bühnenbilder von Ernst Schütte taten wenig, Atmosphäre, Raum oder echte Farbe zu geben. Und wie hätten sie schon, stimmten sie, den laschen Spaß aufmöbeln können.

Die Mannheim ist da. Gerade weil man ihr wunderbares Talent so liebt, ist man besorgt, sie könnte in ähnlicher Mediokrität weiter versinken. Sie gehört in andere Sphären des Theaters als dort. Und nach dem kaum halben und konventionellen Erfolg dieses Possenversuchs stellt sich unvermindert die Frage nach der Notwendigkeit eines eigenen Hauses der Volksbühne, kann sie es auf der Bühne nicht phantasievoller und großstädtischer füllen.

5. 3. 1950

Somerset Maugham »Theater«
Komödie

Jetzt kommen die vereinsamten Stars geflogen und lassen sich für kurze Zeit nieder, ehe sie ihren einsamen Flügelschlag westwärts wieder lenken und dort, von Ort zu Ort hüpfend, den späten Ruhm, der auf der winterlichen Straße liegt, sammeln.

Sie sind unseßhaft geworden. Es gibt augenscheinlich nirgends für sie die Verlockung, in einem Ensemble zu wohnen und redlich die ordnende Arbeit des Tages zu tun. Sie flattern hin und wieder. Sie zeigen, schnell brillierend, ihre individuellen Kunstfertigkeiten und reisen wieder dahin. Eine etwas melancholische Erfahrung. Wir hatten sie mit Hermine Körner, mit der Bergner, wir hatten sie mit Lucie Mannheim, wir haben sie jetzt mit der Dorsch in der »Komödie« und gleich ein Haus weiter mit Rudolf Forster. Schlechte Zeiten, wenn sich die großen Könner isolieren, wenn sie nicht sozusagen in einem adäquaten Garten redlich blühen, sondern, wenn der Ausdruck erlaubt ist, als transportable Topf-pflanzen schnell und nach doch wohl merkantilen Gesichtspunk-ten hier- und dorthin versetzt werden. Bekömmlich ist das auf die Dauer weder dem schaugestellten und isolierten Star, noch mun-det das auf die Dauer dem Publikum. Es wäre an der Zeit, daß die Spitzenspieler wieder eingefangen und in einem guten Hause seß-haft gemacht würden, ein ruhig nachwachsendes Ensemble tra-gend, stützend und krönend.

Frau Dorsch, die diesmal ihre herzlichen Künste der Verzaube-rung an Somerset Maughams »Theater« zeigte, stand auf der Bühne sehr allein. Auf dem Programmzettel suchte man erfolglos den Namen und auf der Bühne selber erfolglos die Hand eines Regisseurs. Dergleichen arrangiert sich auf solchen Tourneen wohl von selbst, dergestalt nämlich, daß die Prominenz die Zügel auf der Szene nebenher in die Hand nimmt und die Theatersache um sich selbst herum rechtschaffen arrangiert. Da sind dann im-mer Löcher, wenn der Star – selten genug in solchen Stücken – für kurze Zeit von der Bühne gerät. Und auch sonst ist man gehalten, das Auge nach allen Seiten wohlwollend zuzudrücken und es nur auf die künstlerischen Evolutionen der berühmten Mittelpunktfi-gur zu richten, um die sich das Gastspiel dreht.

Wer die Dorsch kennt, wird alles wiederfinden, was diese Frau liebenswert macht. Die resolute Herzlichkeit, den ungezuckerten Humor, die girrenden, die lockenden, die goldenen Töne und die hellen Kantilenen ihres unvergeßlichen Lachens. Das mag alles etwas an Ursprünglichkeit eingebüßt haben, und der theatralische Anlaß ist hier nicht provozierend genug, als daß sie neue oder überraschende Wirkungen hätte ausprobieren müssen. Die Rolle gibt die Dorsch, wie eben die Dorsch geliebt wird, mit der Überle-genheit des Herzens, mit jenem schönen und unverschnörkelten Geradezu der Wirkung, mit einer unverblümten, menschlichen Wärme, wie sie sonst nur wenige ausstrahlen. Das alles ist da in diesem Stück, das an einer Schauspielerin recht nach dem Publikumsgeschmack und der allgemeinen Vorstellung beweist, wie Leben und Theater bei den Leuten vom Theater nicht ausein-anderzuhalten seien. Wie eins ins andere spiele, und wie das Theater und die spielerische Verstellung auch noch im Leben sie-gen.

Da fallen einige verschmitzte Bonmots, da sind im Salon einige Anflüge von Schicksal angetupft, da geht's leichthin zu, daß manchem, der die anderen Möglichkeiten der Schauspielerin Dorsch kennt, etwas melancholisch zumute wird im Parkett.

Was könnte sie nicht spielen! Wie müßte um sie herum gespielt werden! Wie sorgsam müßte schon ein Bühnenbild gestellt werden, das hier offenbar nur aus zufällig anwesenden Versatz- und Requisitenstücken zusammengeschustert war. Eine ganze Schauspielerin inmitten vieler Halbheiten. Immerhin, sie ist da. Wir wollen sie grüßen. Wir wollen sie überreden zu bleiben und wollen nicht nachlassen in der Hoffnung, sie bald in schwerer wiegender Arbeit glücklicher zu sehen als so, in dieser künstlerischen Vereinsamung, als isolierte Vortrefflichkeit.   28. 12. 1949

Die Spielzeiten 1950/51 und 1951/52

MODERNES WELTTHEATER

Christopher Fry »Die Dame ist nicht fürs Feuer«
Schloßpark-Theater

Dies ist englisch im schönsten Wortverstande. Es ist eine mit glänzenden, fliegenden, melancholischen und hochheiteren Metaphern behängte Paraphrase über die Schönheit des Lebens, gezogen durchaus aus dem gesunden Pessimismus, ohne den zu sein in diesem Zeitalter läppisch macht oder leichtfertig. Leichtfertig ist dies nicht. Durch ganze Partien dieses geistdurchwirkten, poetischen kleinen Wunders ist so etwas wie ein romantischer Nihilismus zu spüren, der aber immer wieder durch die reine und poetische Liebe zum Menschen neutralisiert wird. Und am Ende geht es schier aus wie im Märchen. Der Todessüchtige, der fremde Zugewanderte, der seine Aburteilung durch den Strick von den hilflosen Trägern der Gewalt in der kleinen mittelalterlichen Stadt so dringend und so lebensüberdrüssig in krassem Humor verlangt, macht seinen Frieden mit dem schönen Leben. Er wird gefangen in den Schlingen der Liebe und macht seinen Frieden mit dem »endlich freundlichen Tode« auf dem Weg über's Leben.

Ein Stück, das unsere These beweist, daß die radikale Beschäftigung mit dem Nihilismus, daß die fast wollüstige Fixierung der Patsche, in die wir seit Nietzsches Erkenntnis des puren Nichts geraten sind, schon wieder überholt und ohne Nährkraft ist. Das Dilemma kennen und trotzdem nach den Sternen greifen – da liegt's. Wissend weiterzumachen, den Menschen trotz allem zu lieben, da fängt das neue Interesse an. Da liegt es wohl wirklich. Da liegt es auch hier.

Dies hat Humor. Es hat jene englische Abart des Humors, der genau durch die Skepsis gegangen ist, der seinen Aufschwung immer aus der Unterbetonung nimmt, aus dem Achselzucken, um mit einem unversehenen Ruck ans volle Licht des Heiteren zu gelangen. Partien, Spracheinfälle, Bilder, die aus shakespeareschen Narrenszenen sein könnten, dabei gesprochen aus einem so mo-

dernen Lebensgefühl, daß der sprachlichen Erheiterungen kein
Ende ist. Gestalten, so feste, so poetische Figuren, daß jede ihr eigenes Gesicht sofort und mit dem ersten Satz schon zeigt. Skurrile
Erfindungen darin, daß eine wirklich so flirrende, so nahrhaft
zierliche Ermunterung zum Leben am Ende entsteht, wie sie uns
von der Bühne lange nicht anwehte. Hier schreibt tatsächlich ein
Dichter. Und einer von der seltenen Art derer, die denken können, die das Pulver ihres Witzes fein trocken halten und deren Humore nie simpel oder klebrig werden. In unserer schreibenden
Welt – tatsächlich ein kleines modernes Weltwunder.

Was in dem Stück geschieht, ist fast nebensächlich: In den kleinen mittelalterlichen Marktflecken kommt einer, der von dem be-
stürzten Bürgermeister seine Erhängung verlangt. Er sei dieses
Daseins tief überdrüssig. Und in das gleiche Haus wird eine junge
schöne Hexe geführt, die mit dem Übersinnlichen konspiriere.
Der eine will sterben und darf nicht. Die andere soll sterben und
will nicht. Das die beiden absurden Haken, an der die schwingende Dichterschaukel dieses Stückes befestigt ist. Sie schwingt
sich hoch bis in die Sphären intelligentester Poesie.

Leider schwang die hiesige Aufführung nicht mit. Die männliche Hauptrolle des todessüchtigen und dann zum Leben berede-
ten Landstreichers war mit Mathias Wiemann irrtümlich besetzt.
Das hätte einen mißmutigen Humor haben müssen, überlegener
sein, eleganter in der Diktion, tupfend in der misanthropischen
Heiterkeit. Das kann Wiemann nicht. Er ist zu schwerblütig. Er
beißt die Worte im Munde, er versendet sie nicht in gewichtiger
Schwerelosigkeit, wie hier zu tun wäre. Er hatte so viel Überge-
wicht, daß offenbar dadurch ein großer Teil des Publikums die
Komödie nicht als Komödie erkannte.

Auch Gundel Thormann, so rührend zerbrechlich, so reizend
sie unter dem feuerroten, ungeordneten Haarschopf aussah, fand
nicht den doppelten Boden dieser Komödie. Entweder spürte
man nur den Ernst. Oder man spürte nur die zielende Heiterkeit.
Ein Rest blieb immer, so reizend die Anstrengung war.

Schön, wie Aribert Wäscher das alberne Monument eines trä-
gen Richters hinstellte. Erfreulich, wie Trude Hesterberg, sozusagen zu eigenem Erstaunen, die triftigen Pointen ihres Textes
setzte, die bei den anderen so oft verwischt wurden. Reizend das
Liebespaar: Hanna Rucker und Sebastian Fischer, die Liebe der
Unschuld im April. Und wie behutsam betulich Walter Bluhm,

ein bratschender Kuttenträger, wieder war in seiner gemüthaften Komik. Franz Nicklisch und Erich Schellow, zwei ungleiche Brüder, zweimal der gleichen Liebe verfallen, taten dem Text weniger Ehre. Und Franz Stein war belustigend, was seine fahrigen Spinnenbewegungen anging. Die Verse lagen ihm offenbar nicht. Großartig Eduard Wenk in einer versoffenen Episode.

Boleslaw Barlog inszenierte es redlich. Aber gerade das reicht hier nicht aus. Sprachliche Nuancen, die Pointe im Nebenher, der heiter hochfahrende Duktus des Stückes, das Hans Feist sehr gut übersetzt hat, fehlten zu oft.

Trotzdem wurde es einer der heitersten, lieblichsten Theaterabende hier seit langem. Das Stück ist so schön. – Viel Beifall am Ende. 19. 11. 1950

Christopher Fry »Ein Phönix zuviel« und »Schlaf der Gefangenen«
Schloßpark-Theater

Vor der Pause, entgegengesetzt antiker Erfahrung, das Satyrspiel. »Ein Phönix zuviel« ist nichts anderes als die gute, alte Witwe von Ephesus. Plautus erfand sie. Lessing hat den Vorwurf bei uns benutzt. Christopher Fry, der konsequente Lyriker unter den Dramatikern, verwendet die grausig-heitere Geschichte, um darüber den Schleier seiner glitzernden Wortkaskaden zu werfen.

Ein Vergnügen für das Ohr vorerst: wie er seine Vergleiche ansetzt und laufen läßt, wie er aus der kühnen Zusammenstellung des Unangemessenen Effekte zieht, wie die Metaphern sich häufen und wie aus solcher Häufung ein schwirrender, gleißender, sozusagen kitzelnder Effekt entsteht. Die Anmut, hergestellt aus einem Blütenregen schöner, oft ironisch geknickter Worte.

Fry bleibt ein Einzelfall. Seine Begabung ist kaum wiederholbar und nicht zu kopieren, daß der Himmel uns behüte! Diese reine Überredung zum Dasein aus der Lust an der Sprache, am zierlichen Vergleich, an dem munteren Hakenschlagen des Satzbaus, am Bild und Doppelbild ist ohne Vorbild und kann nicht Vorbild werden. Obgleich da die Sprache graziös zu wuchern scheint, ist sie doch klug beschnitten und gezähmt. Wo führt sie hin? Zur Lebensliebe, aus der sie kommt. Diese schwirrenden Texte bereiten einen Taumel sublimer Heiterkeit. Sie erregen eine

Art zierlicher Trunkenheit am reinen Wort. Sie verführen zur Liebe an Welt und Leben. Ein Sonderfall. Dramaturgische Bedenken hin und her – dies steht außerhalb der Gesetze, weil es stark genug ist, sich das eigene Gesetz zu erzwingen.

All das ging im ersten Teil des Abends im Schloßpark-Theater, der »Witwe-von-Ephesus«-Paraphrase, noch auf. Boleslaw Barlog ließ da den gurgelnd spritzenden Fluß der Worte laufen. Edith Schneider zeigte, von hypertropher Trauer zu hypertropher Leidenschaft wechselnd, viel Vergnügen an den Rundungen und Zierarten dieser Sprache. Siegmar Schneider hielt als dummlich schöner Wachmann etwas hölzener und bewußt staksig den Gegenton, während Eva Bubat die Domestiken-Sphäre, das Souterrain dieses kräftigen Glitzerdialoges, fest verwaltete.

Das alles verschob sich nach der Pause. »Schlaf der Gefangenen« ist ein Kirchenspiel, in England auch in Kirchen gespielt. Da wechselt Fry in dunklere Bezirke hinüber. Vier Tommies, gefangen, werden in eine Kirche als Notgefängnis eingesperrt. Dort schlafen sie. Und dort träumen sie vier alte Schmerzensträume und Alpdrücke der Menschheit: Kain und Abel, Abraham und Isaak, David und Absalom und die Männer im Feuerofen. Das nun ist sprachlich schwer und dunkel. Das will in Traumgestalt vier Erz- und Urqualen des Menschlichen fixieren. Es will – wie in einem dunklen Spiegel – zeigen, wie zwischen vier vergleichsweise gleichgültigen Menschen die alten Qualen, die Atavismen des Streites, des Hasses und der Vernichtung heimlich bestehen. Daß sie zu überwinden seien in neuem Versuch am Guten. Des alten Adam täglicher Tod und Überwindung. Der Tod des Hasses. Der kommende Sieg »der Mächte, die segnen«. Das bleibt immer wieder in der sicheren Deckung des Symbols und der Metapher, ist also in Gefahr nicht, wortwörtlich und banal zu werden. Aber es kommt auch aus der Dunkelheit nicht heraus und kann seine Anwendbarkeit und Realität nicht beweisen. Offenbar hat das der zweite Regisseur des Abends, Lothar Müthel, viel zu fest, viel zu klumpig eingerichtet. Hier kam schwerer Ballast an Frys Sprache, und – siehe! – das verträgt sie nicht. Den Kain-Abel-Komplex zudem mit freier Brust spielen zu lassen, ist geschmacklich kaum ratsam. Und die Spieler in eine laute und ekstatische Traumtrance gehen zu lassen, tötet das Wort eher, als daß es dies kräftig machte. Franz Weber blieb als einziger da im Rahmen der gezügelten Diktion. Die anderen alle: Wilhelm Borchert, Hannsgeorg

Laubenthal und Alfred Schieske, machten sich zu schaffen wie Möbelpacker des Ausdrucks.

Das Publikum, die Lebensheiterkeit und den Wohlgeschmack des Lustspielfragments vor der Pause genußvoll kostend, war etwas verdutzt und ohne Zutrauen zu Form und Mission des Traumspiels, wie es da von der zumeist düsteren Bühne kam. Ein Defekt der Regie, wie uns schien, der dem Dichter Fry schädlich wurde. 26. 11. 1950

Federico Garcia Lorca »Bluthochzeit«
Schloßpark-Theater

Ein so jubelnder Beifall, wie er nach dieser Tragödie des Spaniers Federico Garcia Lorca aufging, ist selten in unseren Theatern geworden. Wem galt er? Er galt einem wichtigen, authentisch poetischen Stück. Und er galt den beiden Heroinen, die die Bühne beherrschten. Er galt offenbar der großen Hermine Körner zumeist, die hier noch einmal einen Abglanz hohen, pathetischen Theaters gab mit Tönen und Variationen, die oft genug den Atem nahmen. Und er galt daneben der jungen Tragödin, die zum ersten Male in Berlin zu sehen war, galt Maria Becker, die in einer vollen Leistung den bedeutenden Ruf einholte und überholte, der ihr schon lange vorausgegangen war.

Lorcas »Bluthochzeit« ist ein hart simpler Vorgang. Die junge Braut, schon einmal einem Manne versprochen, fällt am Tage ihrer bäuerlichen Hochzeit in die leidenschaftliche Verwirrung ihrer ersten Liebe zurück. Sie entflieht. Sie wird von dem früheren Liebhaber entführt. Verfolgung der sündig Entflohenen. Kampf und Tod zwischen den Männern. Die Mutter des Bräutigams verliert wieder einen Sohn durch das schnelle spanische Messer, wie sie ihren Mann schon verlor. Bluthochzeit.

Das nun, so rüde einfach es in seinem Vorgang ist, ist eine legitime Dichtung. Es nimmt aus dem dichterischen Wort eine solche Schönheit, Trauer und Kenntnis der Welt und ihrer Erbarmungslosigkeit, daß diese »lyrische Tragödie«, diese bluttriefend glänzende Bühnenballade von Liebe, Treue, Sünde und Sühne unter spanischen Bauern von diesem jungen Dichter Lorca, der 37jährig von seinen faschistischen Landsleuten ermordet wurde, zu den bleibenden Dramen unserer Tage gehören wird.

Das hat eine wagemutige, eine kräftige, eine würzige Poesie. Da kommt der Mond, da kommt der Tod auf die Szene. Und beide haben so hochfahrend Poetisches zu sprechen, daß man die trokkene Fülle solcher Schönheit mit Inbrunst einsaugt. Es gibt Partien, die sprachlich so genau poetisch stilisiert sind, Dialoge, die so fest und dabei so festlich geschmückt daherkommen, daß von ihnen das volle Glück ausgeht. Das kräftige Wissen um den Glanz und die Bitternis dieser Welt, nie aufgeweicht oder lyrisch ins Sentimentale verzogen. Dies hat einen heißen, hat harten Atem.

Mit der Inszenierung von Karl Heinz Stroux nun ging solche düster ausgemalte Holzschnittdichtung nicht auf. Er putschte durch oft unziemliche Mittel die Szene zu oft und zu früh schon an den Siedegrad. Einfälle und Nebendinge, die unzusammenhängend aufeinander folgten und den Eindruck des Inkohärenten überhaupt entstehen ließen. Schon der Bau einer Brecht-Bühne mit abgegrenztem Spielfeld, ohne Vorhang, mit Verwandlungen bei offener Sicht durch ein tänzerisch viel zu spanisch mondänes Paar, das die Requisiten bewegte, war hier nicht angebracht. Brecht postuliert auf einem solchermaßen abstrahierten Innenspielfeld auf der Bühne den deskriptiven Darstellungsstil. Und der paßt dorthin. Hier aber wurde durchaus dampfendes Emotionstheater gemacht. Hier wird bewußt und notwendig immer wieder ins hohe Pathos gestiegen. Hier muß ein Erregungszustand szenisch angeschlagen und temperamentvoll gesteigert werden. Und da wirken dann die abkühlenden Unterbrechungen der sichtbaren Auf- und Abgänge, wirken die auf der Hinterbühne gestellten Nebenszenen in ihrer wattigen Fülligkeit eher störend und verkrampft. Ein gewagter Wurf solch Versuch durchaus. Aber hier ein Wurf weit daneben. Das Stück wurde verändert. Der Ton, wo er leidenschaftlich ist, wurde immer wieder ins brutal Keuchende verschoben. Die oft übermäßig plumpe Choreographie hielt auf, verschob das Interesse auf das Ornament der Aufführung. Aber wenn sich Stroux auch noch so vertut, wie hier, ist es bei ihm immer noch interessanter, herausfordernder und erregender als bei vielen minderen Regisseuren.

Ein Wunder in solch bauschig wattigem Stil die Körner. Wie sie einsetzte, wie sie die mütterlich harte Wehmut schon in ihren ersten Worten faßte, das war der unwiederholbare, war der hohe alte Stil großen Tragödinnentons, dessen man hier noch einmal erschaudernd inne wurde. Wie das herüberragt aus den großen Epochen des unbedenklichen und ungebrochenen Bühnenpathos, und wie sich erweist, wie dergleichen, so vollendet dargeboten, heute noch statthaft ist, das wird schwer vergeßbar sein. Wer solchen hohen Abglanz miterleben will, darf diese Leistung einer unserer größten Heroinen nicht auslassen. Und da störte es nicht, wenn der wagemutige Schwung, mit dem die Körner angesetzt hatte, nicht bis zum Schluß durchzog. Ihr Ton, ihre königliche Geste, ihre menschlich hehre Erscheinung bleiben unauslöschbar, gerade weil all dies nicht aus dieser Zeit zu sein scheint.

Daneben die Becker. Sie, die gefährdete, sündigende und Tod und Verderben auslösende Bauernbraut, ist aus ähnlichem Holze, wenn sie auch das modernere Pathos, das heutige, unvermischte Gefühl bringt. Wie sie das Schwanken zwischen Hingerissensein und Abwehr zu dem früheren Liebhaber ganz sinnfällig, unverschmiert und genau darstellt, das war beispielhaft. Wie sie vom Ton bräutlicher Schüchternheit bis zur genauen Raserei hinfindet, das trifft und zeigt, welche Skalen diese Schauspielerin in größeren Aufgaben noch wird durchlaufen können. Dazu ist ihr eine Stimme gegeben, die auch im hellen Ausbruch eine heitere Süße nicht verliert. Eine hohe, schlanke, dunkle Erscheinung und offenbar ein schauspielerischer Intellekt, der sie die Grenzen statthafter Wirkung um keine Kleinigkeit überschreiten läßt. Nur die Gorvin kann heute bei uns ähnliches.

In den anderen Rollen das verläßliche Schloßpark-Ensemble. Und da vor allem auffällig Maria Schanda, die vorbildlich einfach eindringlich sprach und die aussah, als sei sie von der Kollwitz gezeichnet in dunklem Pastell. Paul Bildt brachte unversehens in die kärgliche Bauernrolle so etwas wie einen geizigen Humor, fest und wendig, wie er sprach und sich bewegte. Erschütternd: die große Lucie Höflich als der Tod im Bettelgewand. Und neben ihr mit fester Grazie sprechend, kühl und wissend: Erich Schellow, der Mond.

Die Regie hatte Peter Mosbacher ein Doppeltes an Leidenschaft aufgegeben, daß sich sein feuerwerfendes Temperament bald am Zuviel leer lief. Gudrun Genest erfüllt diesmal die Schmerzensrolle einer Betrogenen kaum. Dies Fach liegt außer ihrer Zuständigkeit. Wilhelm Borchert, erfreulich gehalten, in starrer Jugendkraft, der gehörnte Bräutigam dieser poetisch-bäuerlichen Tragödie. Eva Bubat, die hier so etwas wie eine Koppenhöferrolle hatte, dürfte bei strengerer Führung eine sehr besondere Schauspielerin sein. Hier zerrann ihr die Figur der Magd in einer störenden Überbeweglichkeit.

Vorzüglich die kühne Musik Wolfgang Fortners, die dem Ganzen die zutreffende harte, barocke, strenge und simple Melodie gab, an der die Inszenierung so genialisch vorbeigestürmt war.

Beifall ohne Ende. Stroux führte die Körner und die Becker immer wieder vor das Publikum, das laut und verzaubert nach ihnen rief.   19. 9. 1951

Federico Garcia Lorca »Bernarda Albas Haus«
Schloßpark-Theater

Ein Haus des Unmuts, ein Haus des verdrängten Lebens, ein Haus, in dem die spanischen Frauen wie in Särgen gehalten werden. Diese Tragödie hat eine soziale Richtung. In der Anschauung des ländlichen spanischen Mißstandes wollte Federico Garcia Lorca die Veränderung der abstrusen und mittelalterlichen Sitte, die Frauen unfrei zu halten, vorbereiten und fördern. Obgleich dies mit einer gewissen poetischen Inbrunst auf dem Lande und unter bäuerlichen Gestalten angesiedelt ist, kommt es doch nie in die Gefahr, faden »Blut-und-Boden«-Geschmack anzunehmen. Solche »Heimatliteratur« tat sich leicht in dem geistfeindlichen Lobgesang mit schwerer Zunge auf die Unabänderlichkeit und Gloriole des allzu einfachen Lebens. Davon bei Lorca nichts. Er sieht diese Welt, er hebt sie mit einem bitteren poetischen Schwung auf die Szene. Die Zustände aber, die er zeigt, mißbilligt er. Deshalb zeigt er sie.

Eine entfernte Welt und ein entfernter Mißstand, gewiß. Soll deshalb uns beides heute und hier Hekuba sein? Das Gewissen geht nicht nach Geographie und Nationalität. Hier gab einer, den die Falange 1936 ermordete, Alarm. Die Kreise, die dem bedeutenden spanischen Dichter Stimme und Leben raubten, standen und stehen für die Konservierung des Mittelalters in ihrem Lande. Thema und Anklage sind nicht veraltet. Das Stück zu spielen, bedeutet einen Anschauungsunterricht gegen Unfreiheit und sittliche Beschränkung des Menschen überhaupt und überall. Solche Darbietung lohnt immer, mag sie angenehm, mag sie im flachen Sinne unterhaltsam und einfach auch nicht sein.

Lohnend aber ist die Aufführung des makabren Dramas auch um seiner selbst willen. Lorcas Sprache trägt den deutlichen Duktus echten Dichtertums. Wie er in den geduckten Haßreden der alten Magd, ehe noch das Spiel begonnen hat, die drückende Atmosphäre dieses unfröhlichen Frauenhauses bannt, ist bedeutend. Und bedeutend, wie Elsa Wagner den Part in krötiger Mißgunst spricht und gestaltet. Großartig, wie er die männergierigen, männerhassenden Frauenfiguren eine von der anderen absetzt und profiliert. Die Bernarda Alba: eine despotische Muttergestalt, verkniffen, noch lebensfähig durchaus, aber Rache nehmend am Leben, indem sie ihre Töchter in die schwarze Konvention einkerkert. Franziska Kinz deutete das genau an durch ein statuarisches Besserwissen, Lust an der Macht und durch eine mimische Härte, die bei dieser Darstellerin erstaunte. Sie und das altspanische Gesetz herrschen über die Töchter. Joana Maria Gorvin darf die einzige sein, die ausbricht und den Mann, der so deutlich hinter der Szene wartet, trifft. Ihr bleibt nach der Schande nichts als der Tod. Und auch der wird noch verdeckt und vertuscht, wie es die tote Sitte befiehlt. Die Gorvin spielt das mit einer schönen, bitteren Grazie vollendet. Das war nicht Leichtsinn – sie wußte dem aus dem Kerker der Konvention ausbrechenden Mädchen einen echten Schuß Aufruhr ins Blut zu geben. Ihr schwingender Gang, ihr ziehend bestechendes Organ und die Intelligenz dieser Schauspielerin auf einer unserer Bühnen wieder zu haben, machte den Abend ohnehin bedeutend.

Mutig die Leistung der Heidemarie Hatheyer. Unter roter Perücke gibt sie mit fad bleichem Gesicht die bucklige Schwester, Mißgunst, Zurückgesetztheit und Hunger nach dem Manne atmend wie die anderen auch. Berta Drews, die älteste der verrückten Schwestern, die um den Liebhaber und Bräutigam gefoppt wird in bösem Männerraub. Sie hatte eine gute Art, das Hochfahrende, das Bessergestellte und Einfältige dieser Figur darzustellen. Gudrun Genest und Ursula Diestel dürfen als einzige unter diesen schwarzen Schwestern das kichernd Mädchenhafte zuweilen aufklingen lassen.

Zwei gespenstische Auftritte hat Lucie Höflich, lallend, greisinnenhaft und ausgelöscht, die letzte Station in solcher Unnatürlichkeit und Auslöschung des Weiblichen zeigend. Eva Bubat fällt auf durch die handfeste Realistik, die sie in die poetisch dramatische Anklage zu bringen versteht. Karl Heinz Stroux hat Regie. Das Stück in seiner dunklen Monotonie so bewegt zu haben, die düstere Ballade von den sechzehn schwarzen Frauen über manche Klippen so sicher geführt zu haben, bleibt ein Verdienst. Die Bilder und Kostüme (Herta Böhm) halfen ihm dabei vorzüglich. Der fremde, erregende, abstoßende und faszinierende Vorgang gewann einen einheitlichen, fast poetischen Ton.

Keine leichte Kost, das Ganze. »Ein Granatapfel der Bitternis«, wie es im Text einmal heißt. Lorcas Unbedingtheit, die jedes Licht und Lachen aus diesem Vorgang ausschließt, mag nicht jedem eingehen. Das Premierenpublikum wenigstens holte erst einmal hörbar Atem. Dann aber gab es dem Regisseur und den Darstellerinnen das volle Maß an Beifall und Zustimmung. 22. 2. 1952

Jean Anouilh »Colombe«
Schloßpark-Theater

Das kommt davon, sagt der melancholisch lebensheitere Jean Anouilh, wenn man als junger Pariser Ehemann sich zum Reservedienst einziehen läßt und gleich sozusagen den Kant in den Tornister tut. Armer, dummer, anständiger, ernster kleiner Poilu in deinen roten Reservistenhosen! Deine liebliche Gattin wird das strenge Glück des Moralisten nicht verstehen, die eckige List der Wohlanständigkeit nicht und nicht die heimliche Selbstbestätigung starrer Rechtmäßigkeit.

Du irrst, sagt Anouilh, kleiner Poilu mit dem preußischen Gußeisenherzen! Die liebliche Colombe wird in deiner Abwesenheit das Leben entdecken, sie wird Gebrauch davon machen, daß sie ein Mädchen, eine Frau und sehr anmutig ist. Sie wird dich betrügen, daß dein moralischer Gott dich behüte! Sie wird dem Glanz der Oberfläche verfallen, den du so verachtest; denn siehe, sie ist ein Weib und zudem in Paris und zudem am Theater. Deine Schuld, daß du das Leben so stockernst nimmst und so starrsinnig das Glück aus dem Moralischen zu ziehen versuchst, kleiner Puritaner in den roten Reservistenhosen!

Colombe ist nicht schlecht. Ihr Fehler ist, daß sie das Leben liebt und gern glänzende Augen sieht. Sie tat Unrecht, vielleicht. Aber du tatst Unrecht auch in deinem störrischen Edelsinn. Es wird kommen, wie es kommen muß. Ihr werdet euch trennen. (Vierter Akt.) Und dir bleiben wird nicht viel mehr als die träumende Erinnerung an das erste Glück der noch ungetrübten Liebe, da das trennende Wasser noch so tief nicht wahr. (Melancholische Schlußapotheose mit Musikbegleitung.)

Ein rosa Stück mit kleinen schwarzen Borten. Und ein Stück, das viel heitere Behaglichkeit aus dem Bühnenmilieu der Jahrhundertwende zieht, das es vornehmlich schildert. Der von falschem Pathos starrende Drache von einer alternden Tragödin. Das zeigte die herrliche Berta Drews mit allen Mitteln der Komik, die auch noch die Drastik erträglich machten. Ein alter geiler Poet. Das war Aribert Wäscher mit der Geste dummer Öligkeit, mit dem komisch schleifenden Ton der Selbstgefälligen. Herbert Hübner in penetranter Unterbetonung und grauer Geschäftigkeit der Theaterdirektor mit dem Pincenez, Carl Kuhlmann, ein ausschweifender Schmierant und Heldendarsteller, der so mit der Zunge falsch schlägt, bis es wieder echt klingt. Elsa Wagner in bewundernswerter Leistung: eine Garderobiere, die latente Liebestragik der Helden mit dem komischen Geseire ihrer Altweibergeschwätzigkeit herrlich durchsetzend, eine rheumatische Plaudertasche, gutmütig, obstinat und mit der heimlichen Schadenfreude des Alters. Hans Hessling, die pralle kleine Studie eines Unterdrückten und im Leben Zuspätgekommenen, der durch das Astloch in der Wand das Schicksal plinst und sich an fremdem Unglück weidet. Gerd Martienzen, Sohn der Tragödin am Stock, Lüderjahn, Hallodri und Tunichtgut unter den Weibern, wie alle Männer ringsum an der Jagd nach der schönen Strohwitwe Colombe beteiligt.

Die war Gisela Uhlen, entzückend in der Partie, da sie noch im Zustand ehelicher Unschuld ist, wenn sie noch erwacht, wenn sie langsam nach dem Leben zu greifen beginnt. Weniger überzeugend in der Verwandlung, wenn alles geschehen ist und sie das Recht der Leichtfertigkeit vor dem Starrsinn ihres edlen Gatten verteidigt – Erich Schellow, der seine Rolle in der Nähe von soviel Komik erstaunlich trocken hielt und den falschen Glorienschein des Moralisten trefflich durch den Abend trug.

Helmut Käutner hat es inszeniert, daß das Ganze Duft, Heiterkeit, gelegentliche Drastik und einen schönen Schwung behielt bis zum Ende. Am offensichtlichsten das Vergnügen des Publikums, wenn gegen die Unnatur des Theaterbetriebes da immer neue Pointen kommen, und wenn Anouilhs Text voll ist der verliebten Bitterkeiten gegen die Bühne. Erstaunlich auch, wie Käutner die Eifersuchtsszene mit dem heiklen Schluß zwischen den beiden Brüdern möglich machte. Ein kleiner Strindberg-Einbruch in die sonst so rosa Welt.

Und liebenswert die Bühnenbilder, die der Regisseur gemeinsam mit dem Maler Alexander Camaro gebastelt hatte, liebliche Ausblicke in die gerüschten Scheußlichkeiten der Jahrhundertwende. Und wie er den Bühnenauftritt auf der Bühne arrangiert hatte, das war eine sehr muntere und bestechende Lösung auf so kleinem Raum.

Es wurde ein jubelnder Erfolg. Das Publikum, eingefangen von der melancholischen Heiterkeit des Stückes und duftig und klug bedient vom Regisseur, von den vielen kleinen properen Darstellungen und dem schönen Zusammenklang, wurde bei offener Szene schon viel Beifall los. Am Schluß trennte es sich lange nicht von dem reizenden kleinen rosa Stück mit den schwarzen Borten.

27. 10. 1951

Jean-Paul Sartre »Der Teufel und der liebe Gott«
Schiller-Theater

Sartre denkt die Welt systematisch leer. Schon in den »Fliegen«, seinem ersten dramatischen Versuch, hatte er den Himmel mit den Göttern aus der Welt entfernt. Er hatte die Hölle aufgehoben. Leben, Erfahrung und Wahrheit werden reduziert auf den kleinen Raum, den das Bewußtsein des einzelnen ausmacht. Die radikale Atomisierung unserer Vorstellungswelt. Keine religiöse, keine moralische, keine menschliche Bindung, die uns an den Nachbarn hielte. Sartres Lehre, die er nun wieder in das Fleisch der Dramatik kommen läßt, ist von einer unerbittlichen Desillusionierungssucht, ist von einem selbstzerstörerischen Wahrheitsfanatismus, der schaudern macht.

Diesmal legte Sartre sein paradigmatisches Spiel in eine Epoche, deren sozialer Revolutionscharakter und deren religiöse Sucht zum Infragestellen des Hergebrachten seinen Thesen sehr entgegenkommt: die Reformation tut gerade einen Schritt zur Befreiung des Menschen im Sinne Sartres. Das Landproletariat steht auf gegen die feudale Herrschaft. Luthers vorbereitende Tat zur völligen Lösung des Menschen aus der verhärteten Bevormundung der Klerisei ist im Gange. Eine schwärende, eine blutende, eine in Richtung neuer Freiheit torkelnde Epoche. In ihr kann dieser denkende Dramatiker sein Exempel von der absoluten, von der grausamen Entleerung der alten Götterwelt und von der letzten Freiheit stabilisieren. Die Szne ist gestellt.

Götz von Heidenstein, ein Bastard, zwischen den Klassen geboren, als Feldherr direkt in die Macht gestellt, rennt bewußt und mit heimlicher Sehnsucht nach Strafe wollüstig in Richtung der Sünde. Er will die Existenz der Hölle erkunden. Er mordet. Er quält. Er treibt seinen Zynismus bis zum Äußersten, wirft seine Lagergeliebte den eigenen Untergebenen zur Schändung vor. Er versucht Gott auf das lästerlichste und schreckt vor keiner widerwärtigen Anbiederung an den Teufel zurück. Gott schweigt. Und die Freundschaft Satans ist nicht zu gewinnen. Die Welt, erkennt Götz, ist in Richtung der Hölle leer. Schlimmer: in Ansehung eines Verräters, des kirchenflüchtigen Überläufers Heinrich, muß er die ungeheure Langeweile der Sünde erkennen, die Ennuyanz und Folgelosigkeit des Lasters. Ihn ekelt. Er spielt. Er spielt falsch und würfelt seine gewollte Umkehr zum Guten aus. Der Saulus blieb ungesättigt vom Leben in Richtung des Bösen. Er wirft sein Leben herum.

Er kriecht, selbsterniedrigt, in die angenommene Richtung Gottes. Sein Hab und Gut gibt er dahin. Er kasteit sich. Er versucht, die Welt mit Güte vollzustopfen und eine »Stadt des Lichtes« an dem Ort seiner ehemals feudalen Besitzung zu errichten. Bodenreform bringt er seinen bäuerlichen Brüdern. Er lehrt sie die weltenthaltsame Lehre von dem Übel aller Gewalt. Er stürzt, maßlos auch in der Sucht, das Gute und Gott zu erkunden, selbstzerstörerisch bis in die Nähe Gottes und ruft. Es kommt kein Echo. Die Leere schluckt auch hier seine einsame, menschliche Stimme. Gott ist tot. Es gibt ihn nicht. Der Himmel ist leer. Die Freiheit, die er zum zweiten Male gewinnt, ist immens, radikal, erdrückend und unausdenkbar. Hilda, ein klares, liebendes, animalisch sich an ihn schmiegendes Geschöpf, gibt ihm in ihrer Zuneigung die einzige Illusion, als sei die fatale Einsamkeit, die böse Reduzierung der Welt auf das eigene Bewußtsein auch nur in solcher Zuneigung des Zufalls zu lindern.

In den »Fliegen« ließ Sartre den Orest, nachdem er das absolute Nichts erkannt und geschmeckt hatte, in die neue, absurde Freiheit hinter der Szene entweichen. Den Götz läßt Sartre, nachdem er die gleiche absolute Desillusion erlebt hat, in die Welt wieder einsteigen. Götz setzt sich an die Spitze der revoltierenden Bauern, sein Gewissen und sein einsames Bewußtsein, als einziges Kriterium für das Richtige, stabilisierend. Und bewußt beginnt er seine neue, kahle, entleerte Existenz mit einem warnenden Mord.

Was bleibt von so wollüstig radikalem Zuendedenken zu sagen? Zu sagen bleibt, daß, wie der absolut schlüssige Gottesbeweis unmöglich geblieben ist durch die Jahrhunderte, auch Sartres versuchte doppelte Beweisführung für die Nichtexistenz Gottes fragwürdig ist. Seine These, einen Gegenstand des Glaubens angehend, begibt sich in die Sphäre und die Spielregeln des Glaubens. Damit verfängt die Schlüssigkeit des Denkens nicht mehr. Und damit ist Sartres Technik selber zu klein geworden. Das logische Handwerkszeug, das er bedient, ist nicht mehr zuständig. Der Schlüssel, den er sich so ingrimmig gefeilt hat, schließt nicht. Daß er das Tor nicht öffnen kann, ist kein Beweis dafür, daß das Haus leer ist.

Zweites Bedenken, das einen kalt überläuft in Ansehung dieses dramatischen Exempels von der folgenlosen Einsamkeit, von der ganz ungehinderten Freiheit: Ist mit solcher Einsetzung des privaten Gewissens als letzte und einzige Instanz nicht ein Nero gerechtfertigt, ein Dschingis-Khan, ein Cortez oder ein Himmler? Wie ist die Gesellschaft zu schützen, wenn mir mein Gewissen morgen freistellen sollte, mordend durch die Straßen Amok zu laufen? Sartre hält den Existentialismus für einen Humanismus. Und damit fängt er, der den Glauben so rabiat abschafft, selber idealistisch zu denken an. Eritis sicut deus, scientes bonum et malum. Die Rede der Schlange im Paradies, daß wir sein können wie Gott (oder ohne Gott), das Gute und Böse selber erkennend ...

Hier macht Sartre, sonst das Nichts und die Leere und die volle Skepsis inthronisierend, eine bedenkliche Wendung in den Glauben, bei der ihm selbst die positivistischsten Philosophen nicht folgen können. Er muß, nachdem er die Welt des Gedankens folgerichtig atomisiert hat, das Atom, das er als letzte lebende und moralische Einheit gefunden hat, vergotten oder mit der Macht des Teufels versehen. Indem er die Welt rundum auf das konsequenteste erniedrigt, kommt er dazu, den Menschen auf der anderen Seite der Gleichung unstatthaft und mit falscher Folgerichtigkeit erhöhen zu müssen, damit die Rechnung aufgehe und nur das Dasein nicht ganz leer bleibe. Da sitzt wohl der Rechenfehler.

Gleichviel: Es war gut, das Stück zu spielen. Schade nur, daß es nicht gut gespielt wurde. Karl Heinz Stroux ist kein logischer Regisseur, kein Mann des zu statuierenden gedanklichen Exempels am Beispiel der Szene. Er machte mühsam Fülle und Effekte, wo Schärfe und Deutlichkeit den einzigen Effekt gemacht hätten. Man hatte oft den Eindruck, als wüßten die Gestalten nicht, für welches System, für welche philosophische Nutzanwendung sie auf der Bühne sind. Dieser Vorwurf trifft Walter Franck nicht, der mit einer bohrenden Vitalität über vier Stunden den Leerlauf in die Hölle und den Himmel antritt. Eine sehr intelligente und zugleich bühnenvitale Leistung. Aber schon Kurt Meisel blieb blaß und hat nicht den Hintergrund, den die Rolle des abtrünnigen Heinrich braucht. Paul Esser, der aufrührerische, für Gott und die Revolution eifernde Anführer der Freigläubigen, macht seine sündhafte, der Macht verfallende Wandlung kaum sichtbar. Gisela Uhlen, die Troßhure, war mehr eine dünne Allegorie des lebendigen Lasters, als die Sache selber. Eine deutliche Kontur und ein erkennbares Prinzip: Herbert Hübner, der Bankier. Heidemarie Hatheyer, zuträglich als die Geliebte, die die letzte fahle Erkenntnis und Einsamkeit dieses radikalen Faust teilt. Sonst blieben Gestaltung und Aufführung unscharf, wolkig und matt. Der Beifall war höflich.   30. 3. 1952

– Die Spielzeiten 1950/51 und 1951/52 –
GLÜCK UND UNGLÜCK MIT KLASSIKERN

Lope de Vega »Die Launen der Dona Belisa«
Schloßpark-Theater

Wenn man schon, wird sich der Regisseur Leonard Steckel gesagt haben, eine der 1500 Mantel-und-Degen-Komödien des Lope de Vega spielt, dann aber auch, bitte, Theater, daß die kompakten

Fetzen fliegen. Eine so schnelle, eine so feste, eine so in ihrem beständigen Übermut gebändigte Aufführung sah man hier lange nicht, so saftig und gleichzeitig so obenhin, mit einer Leichtigkeit, die ins Blut geht, zum logischen Atemholen kaum Zeit läßt, Pointe hurtig auf Pointe setzt. Das stürmt leichtfüßig vorbei, ist wie mit festem Pastellstift angesetzt, macht einen holden Wirbel.

Steckel läßt keine der schematischen Comedia-Figuren so stehen, wie sie im sonst reichlich trockenen Text stehen mochten. Jeder gibt er auf, sozusagen in Anführungszeichen zu spielen. Allen wird heiter aufgetragen, die jeweilige Gestalt elegant ins Ironische zu ziehen, daß eine schöne, unterhaltsame Abstraktion am Ende entsteht, ein genau flirrender szenischer Traum, eine ganz sinnlich gebliebene Erheiterung aus dem Überbewußten. Eine schöne, kleine, kompakte Aufführung, die Visitenkarte des Regisseurs Steckel für Berlin. Möge manches so erfolgreich noch folgen!

Den Inhalt der Comedia kennt jeder, der auch nur eine der Komödien von Lope sah. Liebe und Ehre, die beiden spitzen Harfentöne, die er immer wieder variierte. Hier: wie ein edles Liebespaar in reiner Verwechslung, als maurische Sklaven verkleidet, in ein mannstolles Witwenhaus gerät. Und nun spulen die Verwicklungen ab. Da liebt alles durcheinander in immer neuer, falscher Richtung. Da werden die irrtümlichen Seufzer pausenlos laut. Da gärt die Eifersucht heißblütig und roten Auges. Domestiken und Granden geraten in den Wirbel der genauen Komödienverknotung, bis es sich eben löst mit dem schönen Gleichmut der Überlegenheit, mit der augenzwinkernden Logik direkt ins Parkett.

Steckel legt von vornherein ein Tempo vor, wie man es hier nicht mehr kennt. Die Auftritte überlappen fast. Keine leere Sekunde auf der kleinen Bühne. In den Auslauf des letzten Satzes jeweils springt schon der Dialogpartner ein. Auf keinem der vielen Gags wird da ausgeruht. Steckel bläst immer wieder nach, daß sich der Federschaum, der gebändigte, gar nicht erst setzt.

Mit den Schauspielern treibt er Erstaunliches. Er zieht ihre natürliche Wirkung immer wieder konsequent in die Nähe der Parodie. Aribert Wäscher läßt Wäscher parodieren, das komisch salbige Öl seines Phlegmas komprimierend. Gundel Thormann, die hier das launische Spanienfräulein zu sein hat, hat dauernd auf das heiterste ihren üblichen, kratzbürstigen Charme noch zu überziehen. Sie spielt, als wolle jemand andauernd den katzenhaften, pikanten Reiz dieser Darstellerin liebevoll durch den Kakao ziehen. Und daraus verdoppelt sie ihre Wirkung. Was Erich Schellow da an überhitzter Eifersucht treibt, zischend, schnaufend, immer kurz vor der Explosion, das gehört zum Heitersten des heiteren Abends. Und er muß sprechen, als hätte ihm Steckel ein Mundmaschinengewehr eingebaut. Trude Hesterberg (willkommen in Berlin) segelt durch den Aufruhr, eine stattliche Fregatte, alle fröhlichen Wimpel einer rührigen Witwenseligkeit hissend. Sehr komisch.

Für die bezaubernde Ausstattung hatte Fritz Butz gesorgt, den sich Steckel aus Zürich mitgebracht hatte. Eine helle, schön abgeschmeckte kleine Farbenlust auf der Schloßparkbühne, die selten ein so zusammengefaßtes und dabei ganz schwereloses Spiel erlebt hat. Der ausgedehnte Jubel galt allen. 5. 10. 1950

Shakespeare »Ende gut – alles gut«
Theater am Kurfürstendamm

Wie weit dürfen »Neufassungen« und »Bearbeitungen« gehen? Wenn sie so weit gehen, wie diese von Hans Rothe, wäre es angezeigt, sie nicht mehr eine »Komödie von William Shakespeare« auf dem Zettel zu nennen. Man sollte drucken: »Eine Komödie von Hans Rothe« und könnte bestenfalls hinzufügen »nach fernen Motiven von W. Shakespeare«. Etwas anderes liegt nicht vor.

Rothe, dessen harte, dessen schwer biegsame Sprache schon bei anderen Übersetzungen störte, läßt hier jede fromme Scheu fallen. Er stellt um. Er verändert Charaktere völlig. Er mischt Dialogpartien ein, die auf Rothesche Weise witzig sind, aber an Shakespeare nicht von ferne anklingen. Er hat am Ende ein völlig anderes Stück (und kein gutes) hergestellt. Fast nur noch der Titel erinnert an das Original. Protest! Protest!

Wo bei Shakespeare eine unübersichtliche Dichte herrscht, wo das Wort, voll dahinfließend, Sinn und Unsinn des Lebens anspült, bei Rothe wird das hart, wird es ungelenk, wird es rüde, kraß und in üblem Sinne teuton in der latenten Humorlosigkeit. Eine dürre Lektion, wo bei Shakespeare die volle, krause Weisheit aufklingt. Soll einer schreiben, was er will. Soll einer auch an

Handlungsmotiven bei Shakespeare oder wo immer nutznießen. So zu tun aber, als bleibe dies auch nur in der Entfernung noch ein Shakespeare – da setzt die literarische Unverfrorenheit ein. Da muß richtiggestellt werden.

Wie Rothe in Shakespeares Garten geharkt und umgegraben und neu und gewiß nicht besser arrangiert hat, braucht im einzelnen nicht belegt zu werden. Fast nichts steht da an seinem alten Platz. Ganze Blumenbeete des bunten Dialoges sind ruchlos gerodet. Dafür hat der Bearbeiter die dürren Strohblumen eigenen Witzes angepflanzt. Es stimmt nichts mehr. Und Kenner des Originals, wenn sie auch diese selten gespielte Komödie kaum zu den besten rechnen werden, sitzen vor dieser Darbietung, die Hand vorm Gesicht.

Denn auch die Aufführung beweist nur wieder, daß in diesem Hause, wenn es nicht bald einer angemessenen Bestimmung zugeführt wird, weiterhin der Wurm sitzt. Welch eine schlechte, welch eine dürre, welch eine einfallslose, flache, unbunte Darstellung, den ganzen lieben langen Abend lang! Der Regisseur Hans Lietzau hatte wenigstens den Einfall, das Ganze auf einer in den Zuschauerraum hineingezogenen Vorbühne spielen zu lassen. So war das Verständnis, das in dem unglücklich gebauten Hause sonst so böse leidet, immerhin gewährleistet. Aber damit hatte es auch schon sein Bewenden. Man sah die junge Begabung der Eva Ingeborg Scholz. Man registrierte Töne echter Innigkeit. Die Leistung ließ in solch dürrer Umwelt kalt. Nie zog der Einrichter das Tempo an. Keinerlei inszenatorische Arabesken hatte er den Nebenfiguren aufgegeben. Und wenn Rothe schon den ganzen Diana-Komplex völlig ins Hurige gezogen hatte, der Regisseur machte selbst diese Umwelt lasch und lahm. Denn es will etwas heißen, wenn eine Schauspielerin wie Maria Schanda ganz ohne Wirkung bleiben muß.

Günther Hadank, ein Sprecher doch, ein funkelnder Könner des Dialogs – hier blieb er stumm, auch wenn er sprach. Wolfgang Lukschy, ein Darsteller doch immerhin mit einigen komischen Nebentönen, mit populärem Witz und handfester Komik – er landete keine der Rotheschen Pointen. Und Lu Säuberlich auch blieb unklar und weinerlich.

Der Rest sei Schweigen, um das Vokabular für das Ermüdende und Unzureichende nicht zu strapazieren. Wie Blei lag's auf der weiten Bühne. Und als Unikum wäre nur zu registrieren, daß die

Güte des Volksbühnenpublikums so weit ging, auch hierfür einigen Applaus in Nachsicht und Verzicht auf Niveau zu finden.

1. 2. 1951

Schiller »Don Carlos«
Hebbel-Theater

Ein unglückseliger Abend, immer wieder unterbrochen von halben oder vollen Protestkundgebungen gegen die sonderbar verzerrende Aufführung. Oft kam der ganze hochgetürmte Stil ins Wanken, wenn das Gelächter im Zuschauerraum nicht still werden wollte. Dann Partien wieder, in denen sich für Strecken das pure Schillerwort aus dem getüftelten Krampf der antiquiert »modernen« Darstellung vernehmbar machen konnte. Diese Oasen dann wieder überdeckt durch eine neue inszenatorische Provokation über die Grenzen des Geschmackvollen hinaus. Bis im fünften Akt der Regisseur Kortner eine in Reihe angetretene Rotte von Arkebusiers drei Salven direkt von der Rampe ins Publikum abschießen ließ. Was zur Folge hatte, daß der Schrecken unter den Zuschauern zu Recht so laut und real wurde, daß Rufe nach Beendigung kraß ertönten und mehrere Frauen in Zustände gerieten.

Am Ende dann sammelten sich Teile des Publikums doch wieder zu Ovationen von einer Lautstärke und Ausdauer, die die Spieler für die vorhergegangenen Unbilden wohl entschädigen sollten. Unziemliche politische Sentiments mischten sich offenbar unstatthaft in Kundgebung und Gegenkundgebung. Sie waren fehl am Platze. Und vorbereitet, wie es nun gewiß heißen wird, waren sie sicher nicht. Die Aufführung war falsch und war in falscher Weise provozierend. Ein unglückseliger Abend.

Wer den »Carlos« spielt, muß sich entschließen. Er kann die Carlos-Posa-Tragödie in den Vordergrund nehmen, er kann das Philipp-Posa-Dilemma von Macht und Freiheit nach vorn rücken. Er kann, was selten geschieht, das Carlos-Elisabeth-Drama herausschälen. Kortner lag hier offenbar daran, den politischen Klerus als die hauptverderbliche Macht szenisch anzuprangern und dagegen die reine und idealistische Christlichkeit des Malteser-Ritters Posa abzusetzen. Ihm lag offenbar daran, das Stück dadurch zu aktualisieren, daß er den Freiheitsbegriff, wie ihn Posa inkarniert, gerade heute zum Klingen bringt. Und dartun wollte er wohl, wie das System der verhärteten, der weltanschaulich unverrückbaren Macht grundverderblich sei, gleichviel, ob es sich religiös oder philosophisch-dialektisch gebärdet.

Das wurde nicht klar. Das wurde durch eine übertüftelte, durch eine flußlose, allzu bedeutsam gestückelte Inszenierung zerrissen.

Schon das unglückliche Bühnenbild, eine Art spanischen Sing-Sings aus dem Königshofe machend. Gitter, Eisentreppen, Drahtgespanne. Dazu waren die Kostüme so ganz ohne Glanz, sie glichen so sehr bei den Männern lustlosen Motorradfahrerausrüstungen, daß dem Auge wenig Genüge getan war. Und durch die Übertechnisierung der Bühne wurde der Lauf des Ganzen mehr gehemmt als unterstützt. Das Optische schon irritierte, weil es auf eine überholte Piscator-Weise neu zu sein versuchte.

Was das Sprachliche dieser Aufführung betrifft, so war da offenbar der Irrtum wieder herrschend, man müsse heute Schillers Verse modern beiläufig »aufbrechen«, teils mit hektischer Schnelle, teils mit wegwerfender Nichtachtung sie sozusagen zu Prosa machen. Warum? Der Vers trägt das Drama. Ihn so zerschlagen, heißt den hohen Vorgang des intelligent furiosen Duktus berauben wie hier. Und da werden dann ganze Passagen läppisch oder unfreiwillig komisch, weil es dieser Eboli immer wieder so beklagenswert geschah. Man reite durchaus auf den legitimen Wellen der gewollten Verse. Nicht ihre ängstlich moderne Zerstörung – ihre Fülle, ihr authentischer Klang sei heute die Sorge der Regisseure.

Die Aufführung war überinszeniert. Einfälle immer wieder, die nicht auf den Punkt zuführten, sondern falsch provozierten. – Was soll, beispielsweise, die degoutante Aufmachung des Inquisitor-Kardinals als hämisches Wichtelmännchen mit geklebten Augen? Was die horrende Geste, mit der er den kniefälligen Philipp von oben bis über die Verlängerung des Rückens abtatscht? Warum muß dieser Alba (Herbert Hübner) so ganz und gar holzig kasperleartig reagieren? Warum muß die heikle Szene zwischen Carlos und der Eboli so ungünstig in dem permanenten Gefängnisgitter arrangiert werden, daß der falsche Humor, der sich im Parkett erhob, kaum zu tadeln war? Warum zerhackt man die große Posa-Rede immer wieder mit hochgezogenen Chören, die aus der angedeuteten Kapelle herüberdringen? Kortner wollte die immanente Gefährlichkeit des Klerus damit gespenstisch hörbar machen, gewiß. Aber all das ist im Text und bedarf nicht so deutlicher Illustrierung. Und so den ganzen Abend durchaus. Die Bemühung wurde so uninteressant, weil sie auf so fälschliche Weise auf »interessant« gepeitscht war.

Hin und wieder riß Horst Caspar (Posa) den überdrehten und mürben Faden solcher Darstellung strahlend hoch, während Paul Edwin Roth (Carlos) nicht viel mehr gab als in Geste und Ton die genaue Imitation des Regisseurs Fritz Kortner selber, der sich als König eingesetzt hatte und sonderbar müde und dann wieder outriert wirkte. Offenbar hatte er sich mit der überdifferenzierten Maschinerie seiner Inszenierung schon übernommen. Die Philipp-Gestalt blieb matt mit gelegentlichen Übertreibungen, die sie nicht profilierter machen konnten. Interessant tatsächlich Ernst Schröder, ein schleichend salbungsvoller Domingo, schwarz, fett und blaß. Von den Frauen gelang keiner Glanz, Tragik oder Überredung. Ruth Hausmeister (Eboli) war in der Rolle strikte vorbeigeführt worden und sprachlich so ziehend nuschelig, daß das Verständnis fast durchweg zu kurz kam. Charlotte Campen (Königin) blieb auch blaß und ohne wirkliche Eigenart. Fast alle verfehlten die Wirkung, die im Buche steht.

Was ergibt sich? – Vorerst, daß es offenbar unmöglich ist, eine technisch so aufgesetzte Aufführung zu führen und dabei die eigentliche Hauptrolle selbst spielen zu wollen. Kortner fehlte – auf der hier notwendigen Wanderung zwischen Regiepult und Bühne – am Ende der Überblick. Er mußte ihm fehlen. Er selbst konnte offenbar so nicht mehr unterscheiden und regulieren. Er hatte sich zu Hohes zugetraut. Die Rechnung mit den zu vielen getüftelten Posten ging nicht auf.

Er müßte selber in fester Regie unserer Bühne erhalten werden. Der Schlußbeifall endlich, der fast rasende Formen annahm, dürfte ihm zeigen, daß er über Freunde seiner künstlerischen Persönlichkeit genug verfügt, die selbst einen so unglückseligen Abend zu übersehen und zu vergessen entschlossen sind. Und wer da pfiff, randalierte und zeitweise in verständlichen Protest ging, auch der wird sich sehnen, diesen unverwechselbaren Schauspieler wieder so treffend und zielsicher in Aktion zu sehen, wie wir ihn aus dem »Handelsreisenden« in unverwischbarer Erinnerung haben.   5. 12. 1950

Dieses Stück ist, und das war das Glück und das Bestürzende auch bei dieser Aufführung, von atemloser Modernität. Wie das in seiner hochgetriebenen Poesie, in einer Sprache, die, lange vor Freud, schon alle sublime Kenntnis der Analyse hat, das furchtbare Dilemma aller Politik sichtbar macht. Wie Idee und Leben hier miteinander kämpfen. Wie Moral und Genuß in solchem Panorama der großen Revolution sich gegeneinander stemmen. Wie das Prinzip der lebenstollen Trägheit gegen die eifernde Integrität des Grundsätzlichen sich wälzt. Wie das aus den Sphären der hohen Politik mühelos auf die Straßen und in die Lotterbetten flüchtiger Liebe findet. Und wie grandios das versandet in der Gleichgültigkeit, in der laschen Revolutionsroutine, in der die schöne Lucile den Freitod sucht.

Was für ein Stück! Unlehrhaft durchaus, da es vorerst voll im Fleische sinnlichster Anschauung steht. Und geladen doch mit der Fragwürdigkeit, die allem Bewegenwollen der menschlichen Gesellschaft tragisch anhängt. Danton, Prinzip des kraftvollen Lebens, wird der Guillotine zum Fraße vorgeworfen. Robespierre, Inkarnation der denkerischen Tugend und der Unbestechlichkeit, muß zum Mörder werden. Er löscht das Leben aus, um das Prinzip der Revolution zu retten.

Schuld – Unschuld, Recht – Unrecht, Büchner teilt keine dramatischen Zensuren aus. Er wirft das blutrünstige, das flackernde Panorama an die Schauwand. Ein grandioses Schauspiel, vergleichbar in solcher gedrängten Hitze, in solcher subtil kraftvollen Sprache nur wenigem. Das wieder einmal zu vernehmen, ist schon Glück.

Karl Heinz Stroux, doch ein Regisseur des Robusten, doch ein Mann des heißen Atems sonst, hielt hier sonderbar an sich. Die Aufführung blieb befremdend redlich, unjugendlich und vorsichtig, wo man bei ihm schon einen zu wilden Impetus erwartet hatte. Das mochte daran liegen, daß er offenbar nicht aus dem vollen arbeiten konnte, sondern mit manchem klugen »Schummel« über den Mangel an Statisterie und Bühnenfülle hinweggleiten mußte.

Aber immer noch: wie vieles gelang da kräftig und richtig! Als Ernst Deutsch als Robespierre wieder eine Berliner Bühne betrat, ging der Beifall schon hoch. Eine heftige Begrüßung von vornherein, auf die man zu lange gewartet hatte. Er traf den Stil. Er baute seine Konventsrede mit einer fast kühnen, intellektuellen Sparsamkeit auf. Das priesterlich asketische Gesicht nur selten bewegend, die Hände ganz sparsam einsetzend im Vertrauen auf den psalmodierend, anschwellenden Ton dieser unvergessenen Stimme. Eine betreffende Intensität geht von dem Manne aus, eine rabiate, stille Heiligkeit, die alles andere überstrahlte. Und wie klug gebrochen dann sein gewissensforschender Monolog nach dem großen Gespräch mit Danton, die dunkel-hellen Büchnerworte gesetzt, bis sie leuchteten. Der heftig freudige Beifall, der vor der Pause schon viele Vorhänge forderte, galt ihm und der kühlen Hitze seiner Darstellungskraft.

Walter Franck als Danton, Gegenspieler, Inkarnation der Kraft und des Lebens, zu Fall gebracht durch die Unbedingtheit der revolutionären Abstraktion, hatte da schweren Stand. Seine Verteidigungsrede im Tribunal war grandios und hatte die stürmische Kräftigkeit, die in anderen Szenen fehlte. Der Traum vom Genuß, das Schwellen im Bewußtsein eigener Kraft, das pessimistisch wohlige Lebensgefühl – das gelang vorher und später immer etwas zu hölzern, war zu gezirkelt und gestiefelt, als daß es Büchner hätte erfüllen können. Aber auch mit diesem Abstrich noch – eine Gestalt durchaus, ein Sprecher, dem das Derbe gelingt und der das Zarte kann.

In die illustrativen Nebenszenen hatte Stroux viele verliebte Details eingearbeitet, die im Augenblick wohl schmeckten, aber die bei der Akzentuierung des Filigrans dem Ganzen dann schleppend Abbruch taten. Die Frauen: Gundel Thormann, bedrückend in der Liebesmelancholie der Marion. Sie sprach die Traurigkeit ihrer erschreckenden kleinen Beichte mit ungewöhnlicher Herzlichkeit und Delikatesse. Tilly Lauenstein, Julie, hatte eine blasse Größe in ihren entsagenden Dialogpartien. Erstaunlich die junge Ruth Leuwerik, die die Lucile in dem schönen Schwebeton einer modernen Ophelia hielt, in zartem Irresein vor dem wilden Leben verglühend. Hier ist eine Hoffnung.

Erfreulich auch, in welch gläserne Fühllosigkeit Stroux Fritz Tillmann gedrängt hatte. Und erregend, wie bei seiner Tribunalrede eben aus solcher wächsernen Unbeweglichkeit die böse Konsequenz der irrelaufenden Revolution zündet. Paul Edwin Roth (anzusehen wie der junge Novalis), Heinz Welzel, Kurt Buecheler, Wolfgang Kieling – die sonderbar jugendlichen Deputierten im Gefolge des donnernden Danton. Da fehlte sichere Profilierung, als daß das Panorama des Menschlichen in dieser Ebene gefüllt gewesen wäre. Walter Tarrach, der gequälte Ankläger, gab da festeres Gesicht. Sonst in den zahllosen Nebenrollen viele verläßliche Gesichter des Ensembles.

Ita Maximownas Bühnenbilder waren, wo das optisch Lyrische zu gestalten war, vorzüglich. Auf der Drehbühne hatte sie 19 Bilder von pastellener Eindringlichkeit erstaunlich verwandelbar angeordnet. Wo stärkere Konturen, wo härtere Farben dem Vorgang angemessen wären, blieb das Bild zierlich und gab nicht den Hintergrund des Gewaltsamen, dessen die Aufführung ohnehin entbehrte. Das Ganze: keine erneute Schau Büchners, nicht die ganze Ausschöpfung eines großen, gebrochenen, heiß atmenden Dramas. Aber ein großer Theaterabend gewiß, interpunktiert immer wieder von schauspielerischer Interessantheit und schöner Treffsicherheit auf der schwebenden, schwellenden Skala dieses bestürzenden Bühnengedichtes. Man muß dies sehen.   4. 3. 1951

Schiller »Die Räuber«
Theaterclub im British Centre

Der Abend war so sympathisch, weil er so jung war, so vehement in seiner Wirkung, so klug in die Möglichkeiten dieser kleinen Bühne eingelassen. Das Brio des Schillerschen Pathos, das man in »großen« Aufführungen unserer Subventionsbühnen oft vermißte – hier klang es auf. Der Abend war sympathisch.

Im British Centre und dem dort angesiedelten Deutsch-Englischen Theaterclub suchen seit Monaten schon ein paar junge Akteure, deren mit der mißlichen Isolation Berlins das Spielfeld der Provinz verschlossen ist, nach dramatischem Auslauf, nach Übung und Bewährung. Dankenswert, daß sich Kurt Meisel der Mühe unterzogen hat, mit diesen zum Teil sehr begabten Novizen das Exempel zu statuieren: es gehe durchaus ohne großen Aufwand und Dekoration; es lasse sich bei einiger planender Einrichtung und berechnender Kostümandeutung durchaus Theater machen, wenn nur der Wille zur Gestaltung da ist, wenn nur das Talent zur dramatischen Überredung zur Verfügung steht. Beides fand sich hier.

Die Einheitsdekoration von H. U. Thormann läßt nur ganz unumgängliche Requisiten auf der Bühnenschräge zu. Man hat die Wände mit gespritzten Strohmatten verkleidet, vier Abgangsmöglichkeiten geschaffen, die sonst lästigen Säulen am vorderen Rampenrande geschickt mit in die Szene einbezogen, daß den jungen Akteuren eine karge, aber wohnliche und verwandelbare Stätte bereitet ist.

Darauf nun einige Leistungen, die unsere Intendanten sich ansehen sollten. Martin Benrath (Karl Moor) ist ein jugendlicher Held, der in Momenten an den frühen Horst Caspar erinnert, die gleiche, reinliche Ausstrahlung, wenn Benrath auch stämmiger, moderner eigentlich ist und sprachlich noch manches wird lernen müssen. Aber er ist eine Natur, er hat Kraft und Keuschheit im Ausdruck, die Hoffnung machen. Ottokar Runze (Franz) hatte dagegen schweren Stand. Der Typ für die schwierige Rolle ist er eigentlich nicht, aber erstaunlich, wie mutig und teilweise treffend er den Part angeht. Eva Krutina rettete die blasse Figur der Amalie durch eine strenge Rührung und eine herbe Interessantheit vor der Schablone. Wolfgang Spier als Spiegelberg legte diesen wehenden Charakter sehr intelligent und bewußt flackernd an. Schade, daß er nicht intensiv genug blieb, um die einmal gewonnenen Umrisse zu halten.

Erstaunlich auch, wie Meisel die Libertiner und Banditen jeden an den eigenen Ausdruck gebracht hatte: Eberhard Fechner, Otto Czarski, Wolfgang Gruner, Klaus Herm, Horst Buchholz, Wolfgang Oelze. Erfreulich, Erich Gühne wieder einmal zu sehen. Er zeigte eine überredende, dienende Leidenschaft in der Rolle des Daniel. Georg August Koch, der alte Moor.

Ein sympathischer Versuch, leidenschaftlich das leidenschaftlichste deutsche Drama angehend, von einer schönen, beteiligten Vehemenz und eben jener Lebendigkeit, die man in den beamteten Bühnehäusern so oft vermißt. Dafür nimmt man den Rest spröden, besten Dillettantentums, der über dem Ganzen liegt, nur gern in Kauf. Meisel ist für diesen Abend mit dem begabten Nachwuchs sehr zu danken. 16. 5. 1952

Curt Goetz »Das Haus in Montevideo«
Renaissance-Theater

Der Heiterkeitskoeffizient dieses Abends ist, um in Goetzens Pau-
kerparodie zu bleiben, ein gewaltiger. Das Parkett röchelte. Der
Rang bebte. Als unser Gentleman-Akteur die Bühne betrat, geriet
er unvermittelt in ein Warmwasserbad der Sympathiekundge-
bung. Als seine Frau, als die klugherzige Valerie von Martens sich
nach soviel Jahren den Berlinern zeigte, war die Ovation kaum ge-
ringer. Es ging hoch her. Und dann setzten uns die beiden theatralischen Heimkehrer pointiert zu. So lachte man lange nicht.

Lange nicht so, weil ja Goetz kein didaktischer Komödien-
schreiber ist, sondern ein Mann der klug verspielten Feder. Der
intelligente Quatsch, die ausgepichte Absurdität – das ist seine
Domäne, auf der er, so weit man auch spähen mag, heute einsam
wandelt. Der Dialog am genau albernen Schnürchen. Die Wirkung aus der Klugheit, mit der er die Worte mit ihrem komischen
Karat wiegt, hebt, wichtig macht und mit einer lässigen Wendung
wieder parodiert – wer kann das sonst? Und wer kann das sonst
darstellerisch so machen, daß er die Pointen sozusagen in einem
Huster kaschiert, daß er den Höhepunkt in einer ironischen Geste
versteckt, daß er mit seinen besten Effekten sozusagen schamhaft
und darstellerisch höchst ökonomisch umgeht, um sie unversehens gerade durch solche Unterbetonung zu bester Evidenz zu
bringen. Das ist für die Heiterkeit so nahrhaft, weil es nicht nur
komisch, sondern weil es so intelligent komisch ist. Geist und
Spiel. Die Summe heißt: Goetz.

Das ist die gelängte und auf vier pointierte Akte getrimmte
»Tote Tante«. Die Einheit des komischen Ortes bei der einaktigen
»Tante« von einst hat Goetz jetzt ausgeweitet. Er läßt den erb-
schaftsgierigen Oberlehrer nach Montevideo reisen und dort in
das vermeintliche Freudenheim geraten, Szenen von einer fast absurden Heiterkeit. Aktschlüsse, die den albernen Punkt genau auf
das komische i setzen. Keine Verdünnung der »Toten Tante«,

sondern die klug kondensierte Heiterkeit bis zur komisch getüftelten Endpointe hin. Lacher auf Lacher, Handlung und Wort, logisch komisches Hakenschlagen und brillant dekuvrierende Sentenzen – das elegant knatternde Feuerwerk hört nicht auf, uns taktvoll und geschmackvoll zu amüsieren. Ein Herr hat's geschrieben. Ein Herr hat's gespielt. Dieser Gentleman unseres Theaters sei gelobt.

Wie flüssig das auf der kleinen Bühne eingerichtet war! Wie der komische Duktus nicht absetzte. Wie neben dem Ehepaar Goetz der gute Albert Florath die würzigen Effekte brachte. Mit welch blödsinniger Ausführlichkeit Curt Vespermann den Witz, aus dem seine Rolle besteht, anbrachte. Wie hübsch man die bebrillte Kinderschar des bärtigen Oberlehrers arrangiert hatte, an ihrer Spitze die begabte, intelligent naive Eva Ingeborg Scholz. Kein schwacher Punkt, auch darstellerisch nicht, in des Abends konzentrierter Heiterkeit. Und wenn an einziger Stelle des Stückes Herz laut wird, wenn Valerie von Martens die beständige Liebe zu der prächtig verschrobenen Paukerseele zu zeigen hat –, wie schön sie das spricht, mit welch süßer Einfalt, mit welch redlicher Stärke des Gefühls. Herrlich. Das Parkett röchelte lustvoll. Und der Rang bebte von soviel witzdurchsetzter, ganz unböser Satire. Beifall endlos. Und wenn die Leute vor Gelächter nicht gestorben sind, dann lachen sie heute noch. Dem Goetz die Krone!

28. 12. 1950

»Im weißen Rössl«
Theater am Nollendorfplatz

Man reibt sich natürlich die Augen. Das war, als es jung war, schon alt. Und das ist offenbar, da es noch viel älter geworden ist, jung geblieben. Das alte, sämige, ungefilterte, ruchlos sentimentale, direkt komische Singspiel. Eine völlig abstrakte Vergnügung nach der Regel mit den zwei Hauptpaaren, dem Buffopaar und den Komikerrollen. Das ist volkstümlich bis zum Exzeß und ohne Rücksicht eigentlich auf den Geschmack der Hochgeschraubteren. Das nimmt keine Kenntnis von der Entwicklung der Operette, hat nichts zu tun, will nichts zu tun haben mit den frappanten Neuerungen, die sich auf diesem Gebiet in Amerika zum Beispiel zugetragen haben. Das drückt auf die alte Tube. Schunkelt unsynkopiert, ohne den Versuch einer Ironisierung oder filternder Distanzierung im Umptata-Umptata-Takt durch alle drei Akte.

Liebe des Oberkellners zur Rösslwirtin. Alter Text. Alte Lieder. Alte, an allen fünf Operettenfiguren abzurechnende Komplikationen. Es gibt kein Erbarmen. Die k. u. k. Feuerwehrkapelle marschiert mit dem veritablen »Deutschmeister« durch den Saal auf die Bühne. Jubel! Der alte Kaiser Franz Joseph – jessas! – zittert auf die Szene und ist – joi, wie herzig! – eine Art Gott aus der alten Maschine. Und Umptata und Dreivierteltakt und drei Brautpaare und Schlußapotheose des reinen Sentiments.

Die »Neue Scala« schmilzt. Der Beifall flößt Furcht ein, so stark, so anhaltend, so jubelnd, so ohne Hemmung. Es war, als wären alle Uhren stehengeblieben. Als hätte der alte, unverfinsterte Operettenhimmel den Nollendorfplatz laut geküßt.

Und das hat natürlich Max Hansen mit seinem Singen getan. Bis zur ersten Pause ist man etwas in Sorge, ob die Leute bei dieser Repetition eines alten Erfolges mitgehen werden. Wenn er dann aber sein angeschickertes, etwas modernisiertes Chanson bezaubernd abgeschlossen hat, ist alles im alten Lot. Der kleine, Charme verstreuende, agile Mann mit den verdutzten Bubenaugen und dem angenehm gedrückten Tenor kann von da ab machen, was er will. Er hat sein Publikum. Jene feuchte, gerührte, zustimmende, herzklopfende Familienstimmung ist da. Das Einverständnis mit dem schönen Schein dort oben, das selige Schwimmen in den Wonnen der schillernden Gewöhnlichkeit. Hansen kommt, singt und siegt an genau dem gleichen künstlerischen Punkt, an dem er vor 18 Jahren aufgehört hatte, zu singen und zu siegen. Rufe nach ihm noch als die letzten U-Bahnen längst fort waren. Berge von Blumen. Und eine kleine dänische Invasion von Freunden seiner präzisen Operettenkunst war ihm gefolgt. Dänische Rufe mischten sich mit dem Jauchzen der hier Eingeborenen. Neben ihm, sehr schön anzuschaun, sehr diskret spielend und bezaubernd singend, Gretl Schörg als die Rössl-Wirtin mit dem geteilten Herzen. Ilse Hülper und Otto Falvay, das zweite Paar, seine Operettenkompetenzen in Stimme und Wohlgestalt richtig erfüllend. Sehr komisch aufgedreht Walter Gross. Das Spiel vom »Schönen Sigismund« zog bei ihm bedeutend. Bruno Fritz, ganz Berliner Schnauze, ganz direkte Wirkung, sah oft aus wie ein Vetter von R. A. Roberts. Ann Hölling noch und Joachim Teege und die zierliche Solotänzerin Giselle Vesco auf Spitzen, wo all die anderen volkstümlich fest auftraten.

Hans Stiebner hat es inszeniert und auf der vergleichsweise kleinen Bühne zusammengedrängt, wo eigentlich mehr tänzerische und darstellerische Ellbogenfreiheit herrschen müßte. Er hielt sich ans alte Blatt. Und hat, wie ja der Beifall zeigte, damit recht behalten. Er sollte noch kürzen. Er sollte noch einmal mit den Beleuchtern reden, daß sie richtig zielen und treffen. Er sollte auch mit dem Kapellmeister im Sinne einer präziseren Koordination verhandeln.

Dies hat alle Anzeichen eines ausschweifenden Erfolges. Es hat, scheint's, gefehlt. Und wenn man diesen Treffer voll ausgespielt hat, vielleicht entschließt man sich dann einmal zu etwas Neuerem, vielleicht gibt man Günter Neumann dann sogar für dieses Haus ein heutiges, ein gepfeffertes, ein aktuelles Musical in Auftrag, das etwas über den Wolfgangsee hinausführt. Es ist ja alles da! 17. 3. 1951

Gerhart Hauptmann »Der Biberpelz«
Schloßpark-Theater

So ausführlich und so zu Recht hat ein Publikum in dieser Stadt lange nicht frohlockt. Hier fand eine Aufführung statt, an die man denken wird. Ein Abend unvermischten Wohlgefallens: das Stück, herrlich wie am ersten Tage. Hauptmanns Diebskomödie ist, wie jedes gute Zeitstück, anwendbar über die betroffene Zeit hinaus. Es scheint noch gewachsen. Heute erst sieht man, mit welcher Genauigkeit das gebaut ist. Wie da nach dem strengen Gesetz der Dramaturgie die Handlungsläufe geführt, gestaut und wieder losgelassen sind. Kräftig und klug. Und aus Kraft heiter, aus Heiterkeit weise. Die erste Verneigung gilt dem hier großen Hauptmann.

Die zweite gelte der großen Dorsch. Sie – die Mutter Wolffen. Vor diesem Sprung in ein für sie neues Fach hatte man sich heimlich gesorgt. Er gelang herrlich. Sie agierte lebensgeladen, als sollten die schmalen Mauern des Schloßpark-Theaters schier bersten. Ihre hinreißende menschliche Motorik belebte den ersten Akt schon gewaltig. Wie sie da sich ein leicht böhmisch gefärbtes Schlesisch zurechtgemacht hat. Wie sie dieses Idiom gebraucht und in allen Lagen intensiv schwingen läßt. Die Ausbrüche, jedesmal mit kleinen Ironien auf der Spitze. Die genau hingefegten Nebenpointen. Die Verstellungsnuancen, mit der sie der Wahrheit heitere Schlagseite zu geben versteht. Und in all das auf fester volkstümlicher Ebene eben der bestechende, der wahrhaft herzwärmende Goldton gewebt, den nur die Dorsch kann. Jene umwerfende Süße vollster Natürlichkeit. Dieser Griff genau über den Intellekt an das Herz. Das hat Größe tatsächlich. Das Wunder ist wie am ersten Tage, da man selig vor diesem herrlichen Talent kapitulierte.

Ihr Gegenpart, der Wehrhahn: Martin Held. Was der Mann mit dieser oft strapazierten Rolle machte, ist erstaunlich. Krauß hatte vor zehn Jahren noch den Wehrhahn eine ausschweifende Karikatur sein lassen. Wie Held jetzt diese Figur faßte und füllte, war ungleich besser. Da schwebt sie nicht mehr in abstrakter »Simplizissimus«-Sphäre. Sie hat den Fuß wieder real auf dem märkischen Boden. Sie wird komisch nicht aus Verzerrung, sondern aus Wahrheit. Held geht keinem Effekt ungebührlich nach. Er drückt an keiner Stelle auf die Übertreibung. Er bleibt manierlich, setzt genau und mit einer unfehlbaren Diktion ganz leicht die Töne der Dummheit und des Reserveleutnantjargons – und ihm gelingt eine Erneuerung dieser fast schon klassisch verhärteten Komödienfigur, daß man sich die Augen reibt – und das nicht nur vor Lachen. Ein vorzüglicher Schauspieler ist da, wie sich jetzt erst ergibt, in Barlogs Ensemble gekommen. Ein Mann mit einer klugen Vision der Gestalt erst, und dann mit einer bewundernswerten Ökonomie der Mittel.

Karl Heinz Stroux führte die anderen nicht weniger genau und betreffend: Eduard Wenks eindrucksvoller Krüger in seiner liberalen Verschusseltheit, Arthur Wiesner dumpf maulend und märkisch stumpf – der Wolff. Sonderapplaus für die junge Edith Hanke mit dem ganz authentischen Ton des frechen Berliner Kellerkindes, herrlich gesetzt. Oder Erwin Biegels Glasenapp, die ölig unterwürfige Stimme seines naßforschen Herrn, auch er von Stroux ganz trocken und unaufdringlich gehalten. Franz Weber, Erich Dunskus, Blandine Ebinger, Wilhelm Borchert – sie alle füllten die kräftigen Nebenrollen so richtig, daß am Ende Stroux eine Aufführung in den angemessenen Bühnenbildern der

Ita Maximowna zustande gebracht hatte, die schwer zu übertreffen sein wird.

Beifall und Toben und Rufen schier ohne Ende. Die große Dorsch gehört wieder uns. Und ein Hauptmannstück ist wie neu gewonnen. 25. 12. 1951

Peter Ustinov »Die Liebe der vier Obersten«
Schloßpark-Theater

Rechnet man am Ende dieses amüsanten Abends ab, warum man eigentlich soviel gelacht hat, nimmt man erstaunt wahr, daß sich im Grunde szenisch nicht allzuviel mehr begeben hat als die geschickte und mit Anspielungen gespickte Längung jener alten Klasse von Nationalitätenwitzen: »Ein Engländer, ein Franzose, ein Russe und ein Amerikaner . . .« Und dann wird immer anhand dessen, was sie auf eine einsame Insel mitbringen, oder wie sie eine Frau ansprechen, oder wie sie Geldgeschäfte handhaben, in solchen Standardwitzen ironisches Licht auf den Nationalcharakter gegeben.

So hier einen Abend lang. Aber das allein kann es nicht gewesen sein, daß man in dermaßen heitere Laune geriet, sich die Schenkel schlug und andauernd munteres Wohlgefallen an der bewegten Szene hatte. Peter Ustinov, das Wunderkind und muntere enfant terrible des englischen Gegenwartstheaters, hat Geist, hat Überlegenheit der Beobachtung, hat jene Geschicklichkeit in der Anwendung des reinen Theatereffektes, daß man schon wieder staunt, noch während man über den letzten Trick des Autors lacht. Was er hier anbietet, ist in dem sonst selten bewohnten Gebiet zwischen Cabaret, Schwank, Märchenspiel und Farce angesiedelt. Er macht so intelligenten Hokuspokus, daß man, was die unbekümmerte und naiv-intelligente Mischung der Sphären anbelangt, von ferne an die Technik Nestroys erinnert wird. Die unbedingte Skrupellosigkeit, Himmel und Hölle um eines Witzes willen in Bewegung zu setzen, hier wie dort. Der Spaß am Absurden mit tieferer Bedeutung bei diesem wie jenem. Wir sprechen von der Technik und der ruchlosen Anwendung aller greifbaren Effekte. Daß Vergleiche zwischen dem poetischen Eigengewicht beider nicht von fern versucht werden dürfen, versteht sich.

Ustinov läßt vier Besatzungsoffiziere sich in ihrem Quartier am Fuße eines deutschen Dornröschenschlosses langweilen. Die freundlich-feindlichen Brüder kommen nicht weiter. Die erste, sehr komische, mit Zeitanspielungen gespickte Kommandantura-Sitzung ergibt es, wenn der Russe sie immer wieder verläßt, um prompt zurückzukehren, wenn der Franzose spielerisch über den »Ernst« der Lage hinweggeht, der Engländer sich mit seinen antiquierten Praktiken von fair play nicht durchsetzt und der Amerikaner mit seinen erregbaren Matter-of-fact-Praktiken keinen Schritt weiterkommt, sondern immer nur das Mißtrauen seines eingleisig sturen sowjetischen Gegenübers herausfordert.

So werden sie das Dornröschenschloß nie nehmen. Da verlegt Ustinov mit einer szenischen Handbewegung den Vorgang ins völlig Absurde. Er läßt eine gute und eine böse Fee auftreten und die vier in der Sackgasse der Verhandlung befindlichen Offiziere in das Märchenschloß führen. Sie sehen die schlafende Prinzessin, verfallen zu ihr in Liebe und bekommen nun auf, die schöne Holde, jeder auf seine Art, durch Kuß und Umarmung zu wecken.

Und damit hat Ustinov neuerdings die Szene in schneller Verwandlung für die reine Kabarettparodie frei. Nun spielt jeder vor, wie in seinem Unterbewußtsein solche Verführung und Erweckung vorgehen müßte. Der Franzose gibt auf der kleinen Bühne ranziges, schiefes Rokoko. Der Engländer macht eine grausampoetische Shakespeareszene. Der Amerikaner wird zum Drugstore-Parcival und Readers-Digest-Positivisten. Der Russe, bezeichnenderweise, tunkt seine Seele tief und bürgerlich in schiere Tschechow-Melancholie. Erwecken kann die Prinzessin keiner. Zwei bleiben zurück und verfallen ihrerseits in Dornröschenschlaf. Zwei gewinnen das Freie. Sie werden sich dort weiterkabbeln.

Das alles nun erweist sich deswegen schon als geschickt, weil es keinen Augenblick peinlich oder politisch schief wird. Es ist durchweg gut gelaunt. Es holt sich durch die Feengestalten lauter mythologische Bezüglichkeiten heran und bleibt doch der leichte Jux, als der es gemeint ist, den Abend hindurch. Man lacht andauernd und überlacht dabei sogar die triftigen Längen, die der absurde Text ohne Zweifel hat.

Helmut Käutner war genau der rechte Mann, diese Mischspeise anzurühren und zu würzen. Die Aufführung ist entzückend und bestes Cabaret immer da, wo das sich anbietet: leicht, schnell, schlagend und intelligent überdreht. Hannelore Schroth, das kesse Dornröschen, wirkt erstaunlich versatil in den Paradeparodien auf die Wunschträume des Weiblichen in den vier Nationen. O. E. Hasse in der ständigen Verwandlung des Cabaret-Mephisto dreht alle Hähne des Komödiantischen lustvoll auf. Edith Schneider, die gute Fee mit der heimlichen Sehnsucht nach der Sünde, gibt die schöne Verhohnepiepelung des ständig Moralischen sehr reizvoll. Von den ungleichen militärischen Brüdern war Peter Mosbacher wendig, souverän und mit Augenzwinkern der Franzose, Fritz Tillmann der tapsige, gutmütig optimistische Ami, Herbert Wilk der steife, begriffsstutzig sympathische Engländer mit dem verräterischen Innenleben (wobei er sonderbarerweise eine amerikanische Uniform tragen mußte), Wilhelm Borchert das umwerfend komische, dabei ganz taktvoll konturierte Bild des Russen mit den verborgenen, bürgerlich weichen Stellen am parodierten Standardcharakter eines Sowjetmenschen. Sonst auffällig: Ernst Sattler, Blandine Ebinger, Tilly Lauenstein.

Sauertöpfe, Tiefenschürfer und Spaßverderber mögen diese Aufführung meiden. Hier macht sich einer einen puren Theaterjux. Das Publikum hatte das bald weg, ließ immer neues Gelächter und Klatschen in Willi Schmidts ironisch verschnörkeltes Bühnenbild gehen und trennte sich sogar nach drei geschlagenen Stunden nur schwer. Beifall, Lachen, Wohlgefallen.   15. 2. 1952

– Die Spielzeiten 1950/51 und 1951/52 –
NOCH EINMAL ERPROBT

Shaw »Die Heilige Johanna«
Schloßpark-Theater

Fromm und respektlos – das ist die kühne Mischung, die den Reiz dieser »dramatischen Chronik« ausmacht. Fromm und grundrespektlos ist das Stück.

Als Shaw, der vife, wunderbare und sonderbare irische Heilige im weißen Bart und der Radfahrerkleidung der Jahrhundertwende, dieses Drama vor fünfundzwanzig Jahren der Welt vorsetzte, versetzte er damit dem Parkett der Theater noch einen beträchtlichen Schock.

Dies war ein weiterer, heiterer Schritt in der Desillusionierung des allgemeinen Geschichtsbildes. Shaw kratzte respektlos die Pattina, er schabte fröhlich die Illusionen von der Historie. Er machte eine Heilige menschlich. Und er machte ihre Umwelt allzu menschlich. Tragik und Komik lagen damit auf seiner gewitzten Hand. Und das ist eigentlich das neue Wunder, das damit auf die Bühne kam: der Erzskeptiker schuf eine Gestalt von einer menschlichen Heiligkeit, von einer herzlichen Klarheit, die wahrscheinlich die klugen Späße seiner übrigen, sehr zeitverhafteten Stücke überdauern wird. Gleichzeitig betrieb er in ihrer nächsten Umgebung, betrieb er unter den großen Weltlichen und Geistlichen sein hämisches Geschäft, Fallgruben des Witzes zu stellen, daß die Großkopfeten darin zu Fall kamen.

Sein Trick, sein dramatisch verschmitzter: die Gestalten ehrlich zu machen und ihnen selbst fragwürdige oder geradezu schofle Motive dreist in den Mund zu legen, nahm sich im historischen Gewand doppelt verblüffend aus. Und sein anderer: in der Historie provozierend modern denken und sprechen zu lassen, machte den dekuvrierenden Effekt doppelt fröhlich wirksam.

Dieses Stück ist respektlos bis an die Grenzen der Blasphemie. Und damit ist es auf eine erregende Weise gefährlich. Zugleich aber ist es von einer natürlichen Heiligkeit, hat es in der reinen und kräftigen Gestalt der simplen Heiligen eine menschliche Frömmigkeit, die die Frechheit der anderen Passagen auf das klügste neutralisiert. Zwei Seelen, wohnten, ach, auch in der Brust des Weißbärtigen im ridikülen Radlerkostüm. Die Frechheit des Modernen. Und die Lebensliebe, die kaschierte Frömmigkeit des Weisen. Die Aufführung der »Heiligen Johanna«, die Willi Schmidt im Schloßpark-Theater vor seinen eigenen schönen Bildern gefügt hat, mangelt der Respektlosigkeit. Sie selber ist zu respektvoll am Text geblieben. Was sich da weltlich- und geistlich-politisch um die Heilige tummelt, hat doch vorerst Züge des Komischen. Das trägt doch seine heiter-gefährlichen menschlichen Grotesken vor sich her. Da ist doch Farbe und Gelächter. Da spielen sich doch Grotesken der Heuchelei ab. Da stehen doch Enthüllungen mit den Mitteln des Komischen dicht bei dicht. Hier ist doch ein Pandämonium menschlicher Defekte im Gange. Hier müssen die Figuren doch nur ihrem Worte gemäß nachmoduliert werden. Und wenn sie selbst in der gewitzten Selbstoffenbarung ihrer Dialoge sich schon eröffnen, warum dann nicht auch das jeweilige Profil schauspielerisch in der gleichen Richtung nachmodulieren? Warum da nicht Mut bis zur Karikatur hin, da dies doch kluge Karikaturen sind?

Eigentlich nur Aribert Wäscher machte das sichtbar. Eigentlich nur bei ihm war Shaw zugegen. Er schoß seine selbstsatten, gefährlichen Sätze ölig und in frecher Selbstsicherheit ab. In dem großen und meisterlichen Gespräch zwischen ihm (Graf Warwick) und Paul Bildt (Bischof von Beauvais) flirtte es shawhaft. Er machte die selbstsatte, die skrupellose, die rigorose Figur auch äußerlich sichtbar. Selbstgefälliges Pathos mit Schmerbauch. Abwesenheit des Gewissens bei saturiertem Matter-of-fact-Geist.

Aber sonst? Schmidt hatte zu respektvoll und schulbuchfolgsam Shaw um die Farbe gebracht. Fast keine Figur sonst wurde, wie sie es werden mußte, komisch, sobald sie sich, konfrontiert mit der Wahrhaftigkeit der jungfräulichen Heiligen, selbst in ihrem durchweg komischen Defekt eröffnet hatte. Die Selbstverzerrung, die Shaw in die Figuren gelegt hat, fehlte durchaus. Die Beigabe komischer Gefährlichkeit war dieser Aufführung, so beflissen sie sich gab, entgangen. Als habe man Pfeffer und Salz von Shaws ohnehin vegetarischem Tische genommen. Die Würze war entfernt. Blieb ein redlicher historischer Prospekt von ausschweifender Länge. Blieb eigentlich nur die Anlage, die Zeichnung. Die deftige Kolorierung war nicht da.

Gisela von Collande – die Jungfrau. Sie hatte das rustikal Handfeste. Sie konnte das volkstümlich Sympathische. Aber da blieb sie. Sie blieb auf der Erde. Das andere, das hier verlangt wird, ist ihr kaum gegeben. Sie zeigte eine schauspielerisch achtbare, in Teilen erfrischende Leistung. Aber der Einbruch der Gnade, der Schuß Übersinnlichkeit, von dem die Bergner zuviel und die Wessely gerade genau genug hatte, fehlte ganz. Nur in der ersten Szene, in der auch Alfred Schieske auffiel, waren Ansätze des Richtigen. Sie verflüchtigten sich später.

Schmidt hatte Klaus Schwarzkopf den Dauphin anvertraut. Auch er zeigte zu Beginn die groteske Anlage, die diese schaurig komische Figur braucht. Sie durchzuhalten, war dem jungen Schauspieler noch nicht gegeben. Und die Wandlung in den Epilog hinein blieb leer. Franz Nicklisch in der Rolle des frühnationalistisch erhitzten Kaplans zerbrüllte seinen Text zu oft. Siegmar Schneider gab nicht viel mehr als die Bilderbuchfigur des Dunois – als Soldat und brav.

Eigenartig bezeichnend auch für die diesmal so dünnblütige Einrichtung des Ganzen, wie die große Gerichtsszene zerfloß und das Interesse nicht treffen konnte. Und der Epilog litt an dem etwas dürftigen Arrangement. Shaws grandiose Schlußpointe landete nicht. Das Stück, ohne Zweifel, hat verloren. Denn die Respektlosigkeit vor der Historie ist inzwischen bis fast zum szenischen Überdruß nachgeahmt worden, daß der Witz davon gelitten hat. Dennoch – interessanter, erregender, kraftvoll farbiger als hier wird man sich Shaws Meisterwerk immer noch denken können. 18. 2. 1951

Luigi Pirandello »Sechs Personen suchen einen Autor«
Theater am Kurfürstendamm

Freude und Genugtuung vorab, daß man endlich, endlich nicht gesenkten oder halbgesenkten Hauptes das Theater am Kurfürstendamm zu verlassen brauchte. Dies war ein knisternder Theaterabend. Dies war eine vorzügliche, durchdachte und faszinierende Inszenierung.

Und das gelang mit einem Stück, dessen Anwendbarkeit man für heute sehr bezweifelt hatte. Luigi Pirandellos »Stück, das gemacht werden soll« »Sechs Personen suchen einen Autor«, diesen legitimen Einbruch des Surrealismus auf der Szene: wie auf einer Schmiere in eine Probe, die schlampig und komisch und ungeregelt angefangen wird, sechs Gestalten aus dem Übersinnlichen einbrechen. Sechs Schauspielfiguren, die ihr Autor nicht zu Ende formte. Sechs verschwommene, unerlöste Gestalten, geladen mit ungehobener Dramatik, die danach lechzen, zu Ende geführt zu werden. Die in die Figuration wollen. Die von ihrem Autor nicht zu Ende gedacht wurden und nur zur Hälfte ins Fleisch der Dichtung kamen.

Sie nun bedürfen der Erlösung durch die endgültige Gestalt. Und in dem gespenstischen, komischen, quälerischen Gespräch, das sich zwischen ihnen und den probenden Schauspielern ergibt, rückt Pirandello die Wand der Wirklichkeit immer trügerisch hin und her. Sie führen vor, was von ihnen an Schicksal schon da ist. Und sie führen es unter der Hand des sich entzündenden Regisseurs langsam weiter. Sie beweisen den skeptischen Schauspielern und dem Publikum die Wahrheit: daß das Wirkliche, das platt Existierende vergleichsweise uninteressant und unerlöst sei. Der Schein, die exemplarisch gemachte Wirklichkeit, die Erlösung durch die Form, durch das bannende Wort – das sei mehr und sei wirklicher und bringe erst die Erlösung. Die Namhaftmachung des Schicksals, die Fixierung im Geist, der Stempel, den der Denkende und der Dichter erst auf das Schicksal setze, verbürge die höhere Wirklichkeit, mache sie gründlich erst wichtig.

Nun – das ist ein Versuch mit der Bühnenauflösung, der später bis zum Überdruß fast nachgeahmt wurde. Und das ist so schwankend und sich wiegend im Zwischenreich von Sein und Schein, daß da nicht alle Posten logisch aufgehen; als hätte Pirandello zu viele Unbekannte in die Bühnengleichung aufgenommen. Aber es war wert, wieder gespielt zu werden, weil das Stück deutliche Geniestellen enthält. Wie beispielsweise in scheinbar reiner Imagination eine neue Gestalt aus dem Nichts auf die Bühne gebannt wird. Wenn sich die Kraft der Einbildung vor unseren Augen bewerkstelligt, so ist da der Nerv alles Schauspielerischen und mehr noch berührt. Oder wenn die Schauspieler später den unerlösten Dichtergestalten ihr Schicksal nachzuspielen versuchen und Schiffbruch leiden müssen. Wenn da die Frage auftaucht, ob das Einmalige überhaupt nachahmbar sei. Passagen gewiß, da sich Pirandello in dem Grenzbereich zwischen Sein und Schein verläuft und der Zuschauer das Verständnis im Dunkeln verliert. Dann aber Stellen immer, die wie von ungefähr den Deckel von einem Geheimnis der Transfiguration heben und den Text so faszinierend machen. Ein Stück, aufgeputzt durchaus mit den formal spielerischen Schockwirkungen der Jahre seines Entstehens. Mit Wirkungen aber, die ihre Richtigkeit noch lange nicht verloren haben.

Oscar Fritz Schuh, der Inszenator, holt sie vorzüglich heraus. Wie er die blasse und doch in sich kräftigere Welt der Schemen von den Randfiguren abgrenzte, war schon eine Leistung. Wie er die große Bühne belebte und in dem diesmal etwas konventionellen Bühnenbild von Caspar Neher jeweils die unmerkliche Aufteilung vornahm, blieb bis zum Schluß beobachtungswert. Wie er dann die Schemenfiguren wie mit dicken Kohlestrichen nur kon-

turierte, die Einzelbezüge vorerst aussparte und langsam sich ein-
fügen ließ, das hatte eine bedeutende Ökonomie und brachte die
Steigerung. Wie er den Ton der einzelnen Sprecher genau voneinander absetzt, das Geschwafel der Lebenden weit von dem angestrengten Ausdruck der unerlösten »Personen des Stückes« rückt.
Auch das legitimierte diese erste Leistung Schuhs auf einer Berliner Sprechbühne als eine Vorzüglichkeit.

Schauspielerisch gehörte der Abend Kurt Meisel. Er bewährte
eine Verwandlungskraft, eine schleichende Intensität und Genauigkeit der Mittel, daß man zuweilen an die guten Zeiten der Krauß
oder Jannings denken mußte, so spürbar war die Transfiguration,
die er einging. So atembeklemmend die schauspielerische Stärke,
die er gewann. So intelligent der Zug, mit dem er die vom imaginären Autor ausgelassene Vaterfigur durchhielt. Hier fand Außergewöhnliches statt. Und als das muß es vermerkt werden. Erstaunlich auch, wie Lola Müthel die andere Rolle aus dem quälerisch Unbewußten festhielt. Welcher Reiz und welche Tragik des
Ungesagten von ihr ausging, wie sie tot schien und doch die Lebendigste war von allen. Wie die bedeutende Franziska Kinz, deren Rolle fast keinen Text hat, doch die Bühne füllte mit eigenem
Schicksal. Oder Wolfgang Kielings störrisch marode Aufsässigkeit und fahle Tragik des Bösartigen. Eine stechende Flamme: der
kleine Auftritt der Kate Kühl.

Die Schemen des ungedichteten Stückes umstehend: die
»Schauspieler«, gespielt von den Schauspielern Walther Suessen-
gut, der angemessen schmierig, wenn auch zuweilen etwas fahrig
im Ton war, Walter Buschhoff, mit der leeren, oft ein wenig überzogenen Komik des Schmierenstars, Gerda Zinn, die flatternde
Salondame, Hugo Werner Kahle, mit rollendem Baß ein eitler,
wankender Heldenvater. Dazu ein Dutzend richtig füllender
Randfiguren, die staunend und skeptisch das Theaterwunder, das
sich vor ihnen abspielt, umstehen und kommentieren. 24. 10. 1951

John B. Priestley »Die ferne Stadt«
Tribüne

Das also war der zweite Streich der neuen »Tribüne«. Er ging –
leider! – ins sozialsymbolische Wasser, wo es am flachsten ist.
Das Stück taugt nichts. Es ist gehaltlos. – Der wackere J. B. Priestley mit seiner Pfeife! Ein Mann, der dem englischen Mittelstand
mit einigen sicheren und biederen Büchern das Gefühl der Wichtigkeit gegeben hat. Der zu den besinnlichsten Essayisten und
Feuilletonisten der großen Insel gehört, er gerät immer ins literarische Rutschen, wenn er seine Sphäre der Biederkeit verläßt. Hier
gleitet er vollends ab.

Was geschieht? Es fängt damit an, daß sich einige Tote in einem indifferenten Jenseits finden. Eine Kellnerin, ein Matrose,
ein Geschäftsjobber, eine feudale Mumie, ein junges Mädchen,
ihre Mutter, eine geschwätzige Salonhippe und eine wackere Zu-
gehfrau.

Vor ihren Augen taucht die »ferne Stadt« auf, die Siedlung, in
der für die Fortschrittlicheren unter den Personen des Stücks das
Glück wohnt, und von der sich die Verhärteten unter ihnen ent-
setzt abwenden. Aber sieht man genauer hin aus dem Parkett, so
handelt es sich bei dieser fernen Symbolstadt, in der die Menschen so offen, so reinlich gekleidet, so fröhlich und so sorgenlos
leben, um die alte, die oft schon fragwürdig gewordene, die langsam in der Vorstellung angeknackste Traumgemeinschaft der
durchsozialisierten Einheitsgesellschaft. Es handelt sich, mit dürren Worten, um die Endphase, wie der gute alte Marx sie uto-
pierte, um die klassenlose Gesellschaft. Um mehr nicht.

Aber auch die wird nun, was ja szenisch heikel interessant wäre,
nicht gestaltet, nicht definiert, nicht dargestellt. Sie wird aus der
sicheren Ferne gepriesen und nur in den erschrockenen oder den
hymnischen Schilderungen derer gespiegelt, die sie kurz einmal in
jenem indifferenten Jenseits sahen. Gezeigt wird nichts. Priestley
träumt und schwafelt unverbindlich. Und das läßt den Gutwilligen im Parkett so hungrig bleiben, zumal auch die Typen der Fort-
schrittsfreudigen von denen der Reaktionäre so schablonenhaft

abgesetzt werden, daß auch da keine Spannung, kein positiver Streit, keine klärende Zwistigkeit im Dialog entsteht. Das ist alles von einer vorgeplanten Gutwilligkeit, ist ungenau und auf fatale Weise träumerisch. Das Stück taugt nichts.

Die Aufführung, ein Regiedebüt des jungen Rolf von Sydow, tat nichts, das stehende flache Wasser solch fatalen Sozialsymbolismus in Bewegung zu bringen. Da wäre viel zu streichen gewesen. Es wurde leider nicht. Da hätte viel Farbe den Personen aufgelegt werden müssen. Sie wurde nicht. Das gängige Arrangement half dem ranzigen Stoff nicht durch die Darbietung zur Wirkung.

Unter den Darstellenden an erster Stelle Ilse Fürstenberg, die als gutwillige Aufwartefrau einen heiter treffenden Realismus auf die irreale Szene brachte. Gut, sie wieder einmal zu sehen. Sonst: Hans Halden, Annemarie Steinsiek, E. W. Schröder-Schrom aus der Generation der Bewährten und der im Stück Rückschrittlichen. Unter der Jugend, die im Text nach der klassenlosen Gesellschaftsstadt strebt: Horst Niendorf, der gewiß Möglichkeiten des Handfesten und vielleicht auch des Komischen hat. Rosemarie Eick, deren Talent hier noch nicht erkennbar wurde. Ruth Piepho, die die heikel sentimentalischen Texte sauber und oft mit einem eigenen Einschlag von Ironie sprach. Auch sie müßte man noch in anderen Aufgaben sehen, um ihre Fertigkeiten abschätzen zu können. Zwischen den Welten von »alt« und »neu«, Alfred Klemp und Ursula Schaube.

Schauspieler, zeigt sich, sind auch neue in Berlin genügend da, um aufzufallen. An Nachwuchs kein Mangel. Aber die Stücke! Die Stücke fehlen bitter nötig. Vielleicht, daß nun auch die nachwachsenden Autoren durch die Existenz eines solchen Versuchstheaters, wie die »Tribüne« es sein will, angespornt werden, sich auf den Hosenboden zu setzen. Sie sollten sich setzen!

16. 11. 1950

Clifford Odets »Das Mädchen vom Lande«
Schloßpark-Theater

Ein Schauspielerstück in doppeltem Verstande: es handelt von Schauspielern und von der Dauerneurose, der ein alternder Mime verfällt. Es zeigt, wie Theaterleute, diese professionellen Lügner der

Wahrheit, auch in ihr privates Leben gefahrvoll den Vorgang der Verstellung hinübernehmen. Wie ihnen da die Realität aus den Augen kommt und das nächste unter den nervösen Händen zu verrinnen droht. Wie sie aber gerettet werden können nur wieder durch die Bestätigung, den Erfolg im Vorgang der Verwandlung, nur durch die Akklamation, den Glanz theatralischer Verstellung.

Zum anderen aber ist dies ein Schauspielerstück, weil in ihm drei Gestalten wohnen, die kompetenten Darstellern herzhaftes Rollenfutter bedeuten. Hier haben das zwei von ihnen lustvoll gefressen, und der Erfolg des Abends stand auf den Namen Hoppe und Deutsch. Ihre Leistungen waren erregend und fast perfekt. Sie erneuerten die Wahrheit, daß die schlechteste Belebung der Szene die nicht sei, die ohne Umweg von den denkenden Schauspielern kommt.

Clifford Odets hat hier aufgehört, die Welt direkt von der Szene herunter verwandeln zu wollen. In »Awake and Sing!«, in »Golden Boy« schoß er scharf und bedacht nach Mißständen. Hier gibt er nur Zustand ohne Kritik. Hier interessiert ihn der seelisch unerquicklich faszinierende Sonderfall vorerst. Wenn da auf die Geschäftigkeit des Theaterbetriebes, auf die Grausamkeit, mit der er den Menschen verschlingt, vernichtet und wie zufällig wieder zum Leben erweckt, Seitenhiebe fallen, ist das ein Nebeneffekt. Das Ziel des Stückes ist es nicht. Die Wandlung eines Theaterautors: vom szenischen Prediger zum dramatischen Beobachter. Ein Schritt, der gerade bei Odets und für die ganze Schule positivistischer Stückeschreiber, der er entstammt, bezeichnend ist. So als ob er aufgehört habe, an den unmittelbaren, sozialen Einfluß der Bühne zu glauben. Als ob ihn die Beschäftigung mit der Welt zurückgeführt hat auf den Menschen selbst. Und sei es der Mensch im Sonderfall.

Denn ein Sonderfall ist dies: der vor zehn Jahren noch erfolgreiche Schauspieler kriegt wieder eine Chance. Er ist in den Jahren der unfreiwilligen Muße verkommen. Er säuft. Er erniedrigt seine Frau, das Mädchen vom Lande, die enttäuschte Gefährtin, die ihn liebt, während er sie noch quält. Er versucht sie den anderen hinzustellen als Quälgeist und Strindbergweib, während er selber es war, der beider Dasein zerrüttet und leer und böse machte. Das neue Stück läuft, die letzte Chance scheint genutzt. Da bricht er wieder aus. Er kommt ans Trinken. Und nur durch einen Akt liebender Roheit reißt ihn die Unscheinbare, das Mädchen vom Lande, wieder zurück. Er reüssiert in New York. Er schwimmt wieder oben, unbelehrt, wie das zustande kam. Ich-besessen, erfolgstrunken, kindlich im Grunde und nicht meßbar wahrscheinlich mit den Maßen der Bürgerethik. Ein Sonderfall.

Reizvoll daran die psychologischen Möglichkeiten, die Odets wittert und sichtbar macht. Szenen darin, die großes Theater auf dem Theater sind. Aber so dicht bleibt die Szene nicht immer, und der Schluß mit dem Happy-End auf beiden Ebenen klingt nach Klavier und Geige. Das rutscht in pure Melodramatik aus.

Marianne Hoppe hielt die Titelrolle und machte sie zu einer besonderen Leistung: die ekelnde Liebe, die sie zu dem verkommenen Versteller zeigen muß. Der Rest Ungebrochenheit und Stärke, der immer wieder aus ihrem nervösen Gesicht hervorbricht. Die hinhaltende Existenz, die sie da zu leisten hat. Die nervöse Gesundheit, mit der sie die Lebenslüge des Mannes in durchschauender Liebe stützt. Die Hoppe zeigte das alles wunderbar. Und wie sie die Sehnsucht nach dem gewöhnlichen Leben, nach dem Dasein in Unkompliziertheit, wie sie den Überdruß an der diabolischen Welt des Theaters durchblicken ließ, war schauspielerisch sehr beachtenswert. Ihr gegenüber Ernst Deutsch. Die Rolle scheint wie für ihn geschrieben, und er erfüllte sie bedeutend. Schon sein erster Auftritt, wenn er als der abgesackte Star einen Teil der rettenden Rolle verlesen soll – wie da die Angst des Verkommenen mit einer falschen Pose von Stolz und Noblesse überzogen wird. Wie er sich dann am Text entzündet und – doppelt spielend – das Talent sichtbar hervorbricht, eine Passage, bei der man zum ersten Male den Atem anhält. Wie er dann immer wieder ausbrechen will. Der Rückfall in den Suff und die Lethargie. Wie er das macht, ohne einmal schauspielerisch aufzutrumpfen und naheliegende Effekte aufzusetzen, das hatte eine Meisterschaft, die selten geworden ist. Und wie er endlich den melodramatischen Schluß unterspielt und auch im Erfolg dann die kraß egozentrische Einsamkeit beibehält, zeugte von großer darstellerischer Ökonomie. – Beide Leistungen machten diesen Abend wichtig.

Hans Söhnker tat sich etwas schwer, eine »amerikanische« Schlaksigkeit durchgehend herzustellen. Er war gut, wenn er leise sein konnte und das gute Herz des sich rabaukig gebärdenden Regisseurs vorzeigen durfte. Sonst mischte sich eine populär falsche Vorstellung von amerikanischer Forschheit ein, die übrigens auch die Gestalt des Producers, wie sie Alfred Schieske anlegte, ausrutschen ließ. Die Rabauken am Broadway sehen anders aus. Dieser schien zur Hälfte aus Chemnitz zu stammen.

Zierlich, dumm und entzückend, wie es die Rolle befiehlt, Marianne Prenzel als die kleine leere Schönheit. Rührend wieder, wie Walter Bluhm mit zarten Strichen die kleine Seitenkomik eines Inspizienten profilierte. Kurt Buecheler, sehr verhalten und mit störrischer Echtheit, der Autor des Stückes, das im Stück unter solchen Wehen an den Broadway kommt.

Boleslaw Barlogs Regie hielt in den erfreulich kargen und leeren Bühnenbildern von Werner Kleinschmidt den amerikanisch transponierten Strindbergton. Er holte aus dem morbiden Sonderfall alle hellen Aspekte pfleglich heraus und ließ nur selten den Zug der Handlung übermäßig durchhängen. Sonst: auch dies wieder ein Beweis, wie sehr er die Mittel der Abstufung und die atmosphäregebenden Effekte zu setzen weiß.

Der Beifall für die Hoppe, für Deutsch, für Barlog, Söhnker und die anderen wollte schier nicht enden. 11. 11. 1951

John van Druten »Ich bin eine Kamera«
Schloßpark-Theater

Diese sieben Berliner Bilder, von John van Druten in vorsichtiger Rastermanier nach der erzählerischen Vorlage Christopher Isherwoods (»Leb wohl, Berlin«) in die Dreidimensionalität der Bühne übertragen, geben nicht vor, ein Drama zu sein. Das Stück besteht nur aus atmosphäreträchtiger Exposition. Konflikte finden außerhalb des Bühnengeschehens statt. Die Katastrophe beginnt, wenn die sieben Bilder enden. Nur: wie ein junger Mann, Schriftsteller, Sprachlehrer, sich in einem düster möbliert en Zimmer am Bülowbogen öffnet wie der Verschluß einer exakten Kamera. Er läßt Bilder ein, Eindrücke, Impressionen. Er nimmt das Hell-Dunkel jener unruhigen, hektischen, überdrehten und gefährdeten Monate kurz vor der »Machtübernahme« auf. Er registriert nur. Er kommentiert nicht. Er greift nicht ein. Er ist eine Kamera.

Das ergibt – allerdings lange nicht mit der Dichte und dem kühlen Berliner Charme, den die Erzählung Isherwoods hatte – etwas von der Unruhe, der Offenheit, der Bedrohung und dem hektischen Selbstgefühl, das die Stadt Berlin jener Jahre ausstrahlte.

Die Kamera nimmt auf: eine junge Engländerin, einen etwas abgerutschten »Flapper«, eine kleine kindliche Megäre, die sich durch das Nachtleben und die wechselnden Umarmungen der Herrenwelt treibt. Keß und dürstend nach radikaler Freiheit und gleich wieder verhuscht und der ersten Zuneigung und Hilfe bedürftig.

Die Kamera nimmt auf: eine volle, berlinische Zimmervermieterin, die eine bürgerliche Wohlanständigkeit zwischen Stechpalmen und Samtdecken in den vermieteten Zimmern verwaltet, während ihr Blick neugierig und lüstern auf die Straßen geht, wo die käufliche Liebe jener Jahre stattfindet. Die geweckte Herzlichkeit jener Spezies wurde von Erna Sellmer hier mit einem breiten Schuß Humor und verschämter Unverschämtheit handfest getroffen.

Die Kamera nimmt auf: ein begütertes jüdisches Mädchen, dessen Lebenssicherheit durch den wachsenden Krawall auf den Straßen sichtbar vermindert wird. Ursula Lingen spielt das mit jener Festigkeit und geraden Intelligenz, die jene Mädchen jener Jahre auszeichnete. Sie umstreicht ein junger Mann, der wie ein angebrochener Rückstand aus den Jahren der Inflation anmutet, einer jener »fixen« Jungs, die ihren Nihilismus durch eine zur Schau getragene Forschheit andauernd zu kaschieren suchen. Gerd Martienzen hatte nicht ganz die geistige Statur für eine solche zeitgebundene Gestalt.

Die Kamera nimmt den sagenhaften Amerikaner auf, wie er durch die Lokale und Freundschaften jener allzu ungebundenen Zeit schwirrte: breit, behaglich, unruhig nach immer neuen Sensationen dieser nervösen Weltstadt, verfolgt von einer Heckwelle fröhlicher Schnorrer. Er bricht in diese möblierte Welt ein, verbreitet arglos und herzlich Sonne, Hoffnung und Champagner, um gleich wieder, ohne Angabe der Adresse, aus dem Adlon abgereist zu sein. Hier hatte Fritz Tillmann mit einer törichten Herzlichkeit, mit einem sehr komisch gestalteten nervösen Optimismus Sonderapplaus.

Die Kamera faßt in dieser Welt der Unruhe und der gefährlichen Bodenlosigkeit die Studie einer besorgten, englischen Mutter, die zugereist kommt in solche Bülowbogen-Bohème, ihre Tochter auf das moralische Festland der Heimatinsel zurückzuziehen. Und mit welcher hoffärtigen Indignation sie das macht, mit welcher degoutierten Sicherheit – das brachte Agnes Windeck sehr komisch und rührend zum Ausdruck.

Der Gewinn des Abends – die Mosheim. Grete Mosheim schaltete die Figur des Flappers Sally Bowles so sicher von Verderbtheit zu Naivität, von Laszivität zu seelischer Reinlichkeit, von Albernheit zu Herz, von moralischer Schlampigkeit zu heimlicher Strenge der Gefühle, daß das Publikum sie sofort liebte, wie sie da nach fast zwanzig Jahren wieder auf einer Berliner Bühne stand und genau die Vielfalt der besten Sinnes volkstümlichen Töne hören ließ, die diese Stadt immer an ihr bewunderte. Solche schauspielerische Sicherheit ist selten geworden, solche volle Natürlichkeit auch noch in der kleinen, gedrehten Nuance des Ausdrucks ist rar. Man kostete diese Leistung und ließ die Mosheim am Ende berechtigte Ovationen hören.

Die Kamera, das Objektiv, das die spielerische, gefährdete Welt wahrnimmt, der junge englische Schriftsteller war Erich Schellow. Und schön, wie er Zaghaftigkeit und leisen Humor über diese registrierende Gestalt legte.

Franz Reichert hat das in Werner Kleinschmidts angemessen muffigem Bühnenbild liebevoll eingerichtet. Hier war kein dramatischer Ablauf zu akzentuieren, hier war nur durch sieben Bilder die gleiche, sich fast unmerkbar zusammendrängende Situation durch die Darsteller zuverlässig zu kommentieren. Reichert zeigte viel Takt und Zuverlässigkeit, wie es ihm gelang, das Interesse fast drei Stunden lang nur aus der Atmosphäre zu nähren.

Freundlicher Beifall. Jubel für die Mosheim.   22. 5. 1952

– Die Spielzeiten 1950/51 und 1951/52 –
AUS DEUTSCHER FEDER

Ulrich Becher »Samba«
Schloßpark-Theater

Kein Drama. Ein Zustand wird begabt gezeichnet. Die mürben und ausgesetzten Personen, die sich in der schmuddeligen Hotelhalle unter den Bergen Brasiliens zusammenfinden, ausgespien von dem in Agonien liegenden Europa, geflüchtet aus der Heimat, zehn unbehauste Personen, Streusand des Schicksals, über das Meer und in die Nähe des Urwalds verweht, geben in neun drückenden, bitteren, zuweilen mit achselzuckendem Humor durchsetzten Bildern ihre Zukunft an. Und alle, doch grade mühsam der üblen Mitte des Bösen entkommen, müssen mit fast krankhafter Sucht die anziehende Zentrifugalkraft des Ruchlosen spüren. Sie kommen nicht los. Sie werden, Tausende von Meilen entfernt, mit einem quälenden Magnetismus immer wieder angesaugt von den Höllen, denen sie gerade entkamen. Der doppelte Zermürbungsprozeß wird geschildert, der Zustand der Emigration. Aktion gibt es nicht, oder doch nur Scheinaktion. Der Zustand einer mutigen, bitteren, zwangsläufigen Auflösung wird dargestellt. Kein Drama.

Ulrich Becher, der dieses Schicksal am eigenen Leibe erfuhr und sich nach fast zwanzig Jahren hiermit auf der deutschen Bühne literarisch wieder einfindet, ist ein Mann mit spürbarem Talent. Ihm ist gegeben, Figuren, Gesichter zu zeichnen und diese Figuren jeweils mit einer persönlichen Sprache zu versehen. Das hat Authentizität. Wenn er einen k. u. k. legitimistischen Offizier auf die Bühne bringt, so hat das tatsächlich den bitteren, morschen Charme einer vergangenen Welt, hat es die schüttere Noblesse eines toten Jahrhunderts. Wie er als Kellner einen kleinen Nebbich aus der Konfektion am Moritzplatz, Berlin, durch das Stück gehen läßt, zeigt eine Humorfähigkeit und eine sichere Begabung zum szenischen Konzentrat, die ganz selten bei uns geworden ist. Becher kann Menschen hinstellen. Wie er die achselzuckende und doch lebensverliebte Attitüde eines kleinen Wiener Mädchens nachzeichnet, hat die gleichen, bühnensicheren Meriten. Oder was er mit der Gestalt eines kryptofaschistischen brasilianischen Polizeioffiziers anstellt, läßt aufhorchen. Es hat Schärfe, Genauigkeit und Gefährlichkeit wieder im Humor. Solche Begabung kostet man bis zur Pause. Da stellt Becher die bitteren Typen seines tragischen Zeitpanoptikums vor. Da interessiert es.

Nach der Pause liefert er den Auflösungsprozeß. Und da denn erweist sich, daß mit diesem Stück seine Fähigkeit, die so sicher gefundenen Typen sich aneinander stoßen, sie aneinander leiden und stolpern lassen, noch nicht ausgebildet ist. Jeder bleibt einsam. Die Personen reden in Isolation. Das Stück geht als ein Stück von lauter Individuen zu Ende. Der Konflikt, die Notwendigkeit des Unterganges wird nicht in der Verflechtung der dort angesammelten Typen bedrohlich und beleidigend: Becher verwebt die Schicksale nicht; er nimmt sich jeden Handlungsfaden einzeln vor und verfusselt ihn vor unseren Augen. Der alte k. u. k.-Legitimist begeht Selbstmord. Ein junger französischer Arzt stirbt, lungenkrank. Ein deutscher Fliegeroffizier, aus Ekel vor den Nazis emigriert, verkommt einsam im Suff. Ein deutscher Schriftsteller bricht aus diesem Gefängnis der Freiheit aus, um tätig in den Kerker Deutschlands zurückzukehren. »Ist das ein Leben . . .?« fragt der kleine Nebbich von Konfektionskellner. Und damit senkt sich der Vorhang. Der Beifall, nach der Pause noch stürmisch, mäßigt sich zum Achtungserfolg.

Der aber war, o Jubel!, nach der allzu langen Dürre an hiesiger Dramatik von einem deutschen Autor gewonnen mit einer sicheren Talentprobe, mit einer bestechenden Fähigkeit in der Einzelzeichnung, wenn auch das dramatische Gefüge noch unsicher und ungeordnet blieb. Der Erfolg war befestigt durch eine Reihe vorzüglicher schauspielerischer Leistungen. Rudolf Forster allen zuvor. Denn wie er die trottelig konsequente, die liebenswert gespenstische Gestalt des flackernden k. u. k.-Hauptmanns im fernen Urwald prägte, das gehört nun zu den Unvergeßlichkeiten großer Schauspielkunst. Seine geistesabwesende Konzentriertheit, die schüttere Noblesse, der fahrige Charme und die tragische Verkennung ihrer selbst, die in dieser Figur angedeutet sind, holte er grandios hervor. Eine meisterliche Leistung an Diskretion und schauspielerisch intelligenter Genauigkeit. Großes Theater. Forster war herrlich.

Brillant auch Martin Held, der den spanisch-schwäbelnden Polizeioffizier gibt, einen deutlichen Schuß Oper in die weiße Uniform werfend und jene elegante Dummlichkeit, die die Figur zum heimlichen Faschisten prädestiniert. Walter Bluhms humoristisches Talent hatte endlich wieder einmal vollen Auslauf in der Type des kleinen, gegen das Schicksal meckernden Nebbich vom Moritzplatz. Ursula Lingen, mit sehr vorsichtigen Mitteln das elegisch schnoddrige, jüdische Mädchen aus Wien, vom Leben immer wieder überredet und zum Glänzen gebracht. Peter Mosbacher hielt sich gut in der schwierigen Rolle eines dem Autor etwas melodramatisch geratenen antifaschistischen Schriftstellers. Sonderbar blaß neben ihm: Hanna Rucker. Berta Drews, kurz für die ergrippte Roma Bahn eingesprungen, erntete für ihre Darstellung eines grantigen Reiterweibes mit goldenem Herzen sogar mitten in den Dialog hinein bewundernden Zwischenruf. Eine charmante Parkettreaktion, die aber hoffentlich nicht Schule macht. Klaus Miedel, mit zarten Strichen den tuberkulösen Franzosen zeichnend. Fritz Tillmann, weniger glücklich in der zu ausführlichen und am Ende leerstehenden Rolle des sich zu Tode saufenden deutschen Fliegers. Im Hintergrund Stanislaus Ledinek, Wilhelm Borchert als der geheimnisumwallte Antifaschist, der verläßliche Franz Weber als leprakranker Photograph, und im Schmucke ihrer braunen Haut, hereingeweht von den orgiastischen Zuckungen des brasilianischen Samba-Karnevals, die Tänzerin Lilo Herbeth.

Ludwig Bergers Regie, atmosphäregebend, dämpfend und den düsteren Mollakkord mit leichten Scherzo-Tönen klug auflichtend, gab hier die schönste Inszenierung seit seiner Wiederkehr. Legitim nahm er mit allen den langen Beifall der Achtung entgegen.

Das Publikum genoß es sichtbar, einen lebenden deutschen Autor auf die Bühne rufen zu können. Kein Zweifel, daß Becher selber die Löcher auf der Szene, wo sie noch sind, am kritischsten erkennen wird. Neue Stücke müssen gespielt werden. Und sei es nur, damit die Autoren davon lernen. Daß Becher das Zeug für das kommende, voll ausgeführte Zeitdrama hat, ist seit vorgestern außer Zweifel.   5. 4. 1950

Friedrich Dürrenmatt »Die Ehe des Herrn Mississippi«
Schloßpark-Theater

Einer steht für die Verbesserung der Welt. Er, der in den Taschen eines versoffenen Zuhälters zufällig seinen Karl Marx fand, sieht in der Abhobelung der sozialen Gegensätze die Vorstufe des Paradieses auf Erden. Der Mann, abtrünniger Partisan der Weltrevolution, der gerade ausziehen will, in Portugal den in Rußland versoffenen Kommunismus neu zu gründen und die Revolution von Westen nach Osten zu tragen – er wird zu Beginn des zeitunempfindlichen Stückes erschossen. Die Handlung wird zurückgerollt.

So lernen wir den nächsten kennen, der mit dem Revoluzzer eine schmachvolle Vergangenheit in stinkigen Bordells gemeinsam hat. Nur daß dieser damals eine Bibel aus dem Dreck zog und sich in die Gesetze Moses' vernarrte. Er wurde Staatsanwalt. Er findet unser Rechtsempfinden verludert und aufgeweicht. Er giert nach den Köpfen der Angeklagten. Die absolute, die grausam funktionierende Moral sein Ziel; ein starrer, blutiger Zeigefinger die ganze Figur.

Der dritte stellt das Prinzip der Liebe dar, ein Narr auch er, ein Don Quichotte der Vereinfachung. Er schmeißt sein Leben für die Frau weg, die auch die beiden anderen schon ruinierte. Ein makabrer Idylliker, geopfert am Ende auf einem schmuddeligen Altar der absoluten Erotik.

Der vierte kommt als einziger über die mit Leichen bedeckte Strecke. Der Machtmensch bleibt am Leben, der satte, rechnende, spießig kalkulierende Politiker bleibt auf dem Plüschsofa der Gewalt sitzen, Zigarren rauchend, nutznießend vom Verfall ringsum. Prototyp der feigen, am Ende triumphierenden Gewalt. Der einzige Überlebende repräsentiert das verächtlichste Prinzip.

Alle vier, der vitale Revoluzzer, der steife Staatsanwalt, der liebestorkelnde Edelmann mit der ausgehöhlten Existenz und auch der Ministerpräsident mit dem Kalkül der Feigheit – alle vier werden genarrt, verführt und zerbrochen von Anastasia, die das fatale Weib in dieser stilisierten Komödie abgibt; eine schöne Spottgeburt aus Dreck und Feuer, ihren Männern vergiftete Zuckerstückchen in den Kaffee tunkend und die jeweilig geplante Ordnung immer wieder radikal durcheinanderschmeißend.

Anläßlich der Münchener Uraufführung dieses in seinen Stilmitteln bewußt und lustvoll konfusen Stückes wurde schon angemerkt, von wannen Dürrenmatt da die Vorbilder kamen. Das ist streckenweis reines und blutiges Grand Guignol. Es hat Partien der blanken Moritat. Dann bricht es wieder in übersteigerte Wedekind-Parodien um. Gleich daneben macht es sich alle bekannten Erfahrungen der Bühnenauflösung zunutze. Illustrationstafeln segeln vom Schnürboden und werden monologisch apostrophiert. Sie segeln wieder hinauf. Ort der Handlung gibt es nicht. Der Blick aus dem einen schiefen Fenster ist südlich. Der andere spiegelt Gotik mit Laubbäumen. Auf Zauberwinke der Agierenden bricht hinter der Szene das jeweils gewünschte akustische Pandämonium los und verstummt auf Fingerzeig. Die Figuren treten durch die Fenster oder die Wanduhr ein. Sie bewegen sich wie Puppen. Sie geben immer die Übersteigerung der Emotion. Sie sind dauernd ein paar Millimeter über dem Boden. Und da noch stehen sie in exemplarischer Ekstase sozusagen auf Zehenspitzen. Eben noch im strikten Dialog, brechen sie jetzt aus, stehen neben der Szene und kommentieren sich selbst mit Blickwendungen ins Publikum.

Alles, was erfunden war, die Szene aufzulösen, läßt Dürrenmatt los. Die Visionen der Groteske jagen sich. Wenn man eben noch eine schlagende, freche Sentenz ernst nehmen wollte, sieht man sie im Nachsatz schon wieder in Frage gestellt und selbst parodiert. Das Stück ist ungemütlich. Und wenn es in kalter Hymnik endet – wenn zum Schluß die wiedererstandenen Leichen ihren Abgang haben –, da zum ersten Male findet man den bisher dauernd und ausweichend brillierenden Autor ertappt in wirklichem Pathos. Und das – tableau! – klingt fatal.

Das Stück beweist nichts anderes, und will offenbar nichts anderes beweisen, als daß das Nichts unsere Wohnstatt sei, die Lüge unser Schicksal und die »Prinzipien« unsere Katastrophe. Die Moral eines verwirrenden Moralisten, ohne Zweifel. Und mit so vorgefaßter Negation gelingen ihm denn auch immer wieder verblüffende Effekte. Oft hat das wirklich einen neuen kalten Spaß. Dürrenmatts Sprache ist voll, treffsicher und von einer seltenen Modulationsfähigkeit in der Abstraktion. Partien, die von einer frechen Kälte und von einer zynischen Festigkeit sind. Schnelle Konturenzeichnungen an den Figuren, die eine bedeutende Begabung verraten. Eine geregelte Fülle der Gesichte, wie sie nur wenige Dramatiker heute aufweisen.

Gottfried Benn fragt im Programmheft, ob dies die Form des neuen Theaters sein könnte. Ich meine – nein. Die Technik der Auflösung und des dauernden Bluffs, der Stil der Stillosigkeit und die Wahrheitsfindung in der Verschleierung, so faszinierend das Dürrenmatt auch immer wieder gelingt, ist im Grunde der Versuch von gestern.

Das Publikum schien es zu empfinden. Die Kundgebungen von Beifall und Mißfallen bleiben beide matt. Es kam zu keinem Theaterskandal, den dies, wäre es wirklich kräftig und heutig, hätte auslösen müssen in Pro und Contra. Das kommende Theater wird deutlich sein, nicht verwischend und im Grunde parteilos wie dies. Lessing: »Die größte Deutlichkeit war mir immer auch die größte Schönheit.«

Gespielt wurde vorzüglich. Fritz Tillmanns kahlköpfiger Staatsanwalt war eine Leistung von großer sprachlicher Faszination, ebenso gespenstisch komisch wie kräftig und gezügelt. Ganz ausgezeichnet Ernst Schröder, der den Partisan der Weltrevolution hinstellte mit Zügen von Echtheit, die haftenbleiben. Siegmar Schneider, zumal in seiner gequält komischen Conference vor dem Vorhang, war von genau der grotesk schütteren Ausgehöhltheit, hatte die heimliche Melancholie durchweg, die der Autor mit dieser Figur meint. Breit und sicher Paul Esser – der überlebende Politiker mit dem Prinzip der Prinzipienlosigkeit. Sie alle kirrend, mit einem sämig verführerischen Sprachton das »Weib« personifizierend und gleich auch wieder bis in Marlitt-Vorstellungen hinein parodierend – Ruth Hausmeister. Ihr fiel die schwerste Rolle zu, und sie hat sie gemeistert. Eine parodistische, fast stumme Nebenfigur – Ursula Diestel, die stilisierte Kammerkatze. Sonst am Rande: drei Killer in Regenmänteln, die Hand in der Tasche; die überzogenen Schießbudenfiguren dreier Geistlicher dreier Konfessionen; und ein ganzes Kollegium von Irrenärzten, Eduard Wenk mit schneller, grotesker Komik an der Spitze.

Franz Reicherts Regie blätterte alle Möglichkeiten beflissen auf und hielt doch den festen Grundton der geplagten, wirren Groteske. Das Bühnenbild, wie aus einem expressionistischen Stummfilm, stammte von Rudolf Schulz. Das Publikum, in Beifall wie Protest sonderbar lau, stritt sich später noch lange auf der Straße.   14. 8. 1952

Die Spielzeiten 1952/53 und 1953/54

DIE NEUE DRAMATURGIE

Franz Kafka/Max Brod »Das Schloß«
Schloßpark-Theater

Dieser Abend hatte das echte Fluidum des Sensationellen: das
Theater traf einen Nerv der Zeit, endlich wieder einmal. Eine Darstellung wurde gegeben, die in ihrem tiefen und verwunschenen
Wahrheitsgehalt bestürzte. Vor zwei Jahren, als die Gide-Bar-
raultsche Bühnenfassung des Kafka-»Prozesses« Aufsehen erregte, war schon zu erkennen, wieviel Dramatik, welche latente
Bühnenfähigkeit Kafkas dunklem Wunderbuche innewohnte. Im
»Schloß« wird das noch augenfälliger. Max Brods Bearbeitung
und Szenenfassung ist so ausgezeichnet komponiert, der Freund
des Dichters und der treue Mehrer seines Nachruhms hat den magischen Text sehr vorsichtig und mit kluger Aussparung in dialo-
gische Form gebracht, daß auch der für Kafka nicht vorbereitete
und disponierte Zuschauer angegriffen wird und bestürzt. Wenn
die Aufgabe des Dichters ist, ein Zeitgefühl zu artikulieren, einen
Grundakkord seiner Epoche hörbar zu machen – hier geschieht
es. Daher denn haftete dieser Aufführung das echte Fluidum des
Sensationellen an. So erkennt sich die Zeit selten. So erschrickt
man nicht oft.

Der exemplarische Vorgang, den Kafka gibt, ist – und das beweist seine dichterische Größe – auslegbar in fast jede Richtung.
Ein Mann, ein Fremdling, gerät in ein Lemurenreich. Eine Welt
der Türhüter, ein Imperium der Vorzimmer, eine hämische Landschaft der Hindernisse. Im fernen »Schloß« wohnt die Macht und
die Verantwortung. Das »Schloß« erreicht der Fremdling nie.
Und wenn er schon in die Nähe eines der Funktionäre der unerreichbaren Macht zu kommen scheint – so ist der nicht kompetent
und stößt den Fremdling in die absurde Einsamkeit zurück, aus
der er sich, immer neu verwundet, nicht zu befreien vermag.

Brod läßt den Landvermesser K. am Ende mit einer angefügten
Szene, die Kafkas Plan und Intention entspricht, im Grabe liegen.

Die unfaßbaren Lemuren umstehen das Grab. Jetzt kommt – endlich! – Nachricht vom »Schloß«. Zu spät. Ein Mensch ging zugrunde, weil er die Wirklichkeit nicht fassen konnte. Die absurde Losgelöstheit unserer Epoche vom Nachbarn, das Gefühl der tragischen Verlorenheit ist etabliert. Ein Zeitgefühl, ein tragisches, ist ausgesprochen.

Auslegbar ist der Vorgang nach vielen Richtungen. Kafka-Exegeten haben nicht geruht, bis sie das gegebene Exempel auf das Religiöse, auf das Soziale, auf das Medizinische, auf das Physikalische, auf das Menschliche überhaupt angewandt haben. Die Gleichnisfähigkeit stimmt in fast jeder Sphäre. Und das macht den Vorgang so erschreckend wahrhaftig. Ob man für das »Schloß« den unerreichbaren Bezirk setzt, Gott oder Mensch oder Freiheit oder Liebe oder Wahrheit – der tragische Zustand der Heimatlosigkeit, die tiefe Trauer des Ausgestoßenseins und der Unerfülltheit kann in jedem Falle bewiesen werden. Ein Zeitgefühl ist genannt. Und es klingt in einer Sprache auf, die in jedem Falle überzeugt, weil sie die echten, magischen Qualitäten des wahrhaft Dichterischen besitzt.

Der Gegenstand also machte diese Uraufführung schon sensationell und befremdend. Die Darstellung selber stand dem kaum nach. Der junge Rudolf Noelte hatte den zeitlosen Expressionismus getroffen, der hier allein angebracht ist. Das stimmte von der ersten Minute an. Und es war bewundernswert, wie er den einmal angesetzten Ton der gespenstischen Stille, der hämischen Verhaltenheit bis zum letzten Bilde durchhielt. Die Stimmung in ihrer makabren Erregung, in ihrer tückischen Detachiertheit war grandios gehalten, und jede Stimme war so klug geführt, abgetönt und in ihrer Eigenart gehalten, daß die fast perfide Eindringlichkeit der Szene nicht nachließ, zwei Stunden lang. Eine bewundernswerte Regieleistung.

Bewundernswert auch, daß Noelte den latenten Humor, der bei Kafka bisher nur zu wenig erkannt worden ist, traf. Die ferngesteuerten Lemuren, die dem faustischen Landvermesser Ausblick und Zugang zu seiner eigentlichen Funktion immer wieder so hämisch und grausam verwehren, sind in ihrer besorgten Grausamkeit, in ihrem abgelösten Funktionärsdasein in sich erschreckend und komisch zugleich. Und das traf die Inszenierung, ohne damit den Akzent auch nur einen Augenblick von der exemplarischen Tragik des Vorgangs zu nehmen.

Walter Bluhm (Barnabas) beispielsweise – ein Beispiel zaghafter Inkompetenz, von tückisch-liebenswürdiger Unverläßlichkeit. Oder wie der ausgezeichnete Friedrich Maurer den »Gemeindevorsteher« in seinem Aktengehäuse mit einer gichtigen Selbstbezogenheit bestechend profilierte. Neben ihm, mit einer kalkigen Heiterkeit überzogen, Else Ehser. Das »Nachtverhör«, das Aribert Wäscher anstellt, und wie er aus dem Schlaf langsam in ein grausliches Beamtengeseire übergeht – großartig. Wolfgang Kühnes kurzer, spinnenartiger Auftritt gleich zu Beginn. Arthur Wiesners krüppelhafte Unterwürfigkeit. Franz Steins spirrelige Intensität. Eduard Wenks kaschiertes Spießertum in der Lehrerrolle. Franz Webers gruseliger Wirt. Die Zwillingsleistung von Paul Edwin Roth und Harry Wüstenhagen, des Landvermessers tückischen Gehilfen – ein Doppelgeflecht aus Servilität und Aufsässigkeit. Alles stimmte.

Es stimmte alles bei den weiblichen Figuren. Elsa Wagner blieb real in der Rolle der denunzierenden Klafte von einer Wirtin. Gleichzeitig wohnte die Figur, die sie schuf, genau im Reich des Irrealen, das hier zu besiedeln war. Die junge Ingrid Andree, deren liebende Rolle zu den schwierigsten gehört, hielt erstaunlich die beiden Sphären, war von einer abgelösten Sinnenhaftigkeit in diesem Reich des Unsinnlichen, daß man betroffen war davon. Else Reuss und Ruth Hausmeister, beide hervorragend in den Schwesternrollen, behaftet mit aller Traurigkeit der Welt. Rolle für Rolle ging auf und faszinierte.

Wie aber Wilhelm Borchert die Zentralfigur, den Landmesser K., gestaltete, wie er die ständige Suche dieser verletzten und gestoßenen Seele immer neu interessant zu machen wußte, wie er Gesten der Verlorenheit und heimlich heischender Liebe und dann gleich wieder Töne des kurzen Aufbegehrens und Sichwundstoßens fand – das blieb der stärkste Eindruck dieser starken Aufführung. Ich habe diesen Schauspieler noch nie so verhalten, so ausgeruht und gut gesehen. Dies Gesicht, seinen müde faustischen Ausdruck vergißt man nicht. Ihm galt ein großer Teil des Beifalls zu Recht.

Noelte hatte sich von Friedrich Prätorius den düsteren, immer nur mit Andeutungen bestellbaren Bühnenraum bauen lassen. Kurt Heuser hat die überleitende, gespenstisch ziehende Musik zwischen den neun Bildern geschaffen. Und wie hier die Lichteffekte mit scheinbar müheloser Eindringlichkeit funktionierten, war ein Teil des großen Erfolges (Willy Sommer).

Ein großer Abend, sensationell durch sein Thema und dessen Gestaltung. Die kühle Eindringlichkeit, die sanfte Leidenschaft, die da walteten, machten dies zur besten Inszenierung der Spielzeit. Das Publikum merkte es schnell. Nach angemessenem Atemholen – schier endloser Beifall. 15. 5. 1953

Samuel Beckett »Wir warten auf Godot«
Schloßpark-Theater

Es hat den Anschein, als sollten für eine neue Klasse der Dramatik die Regelbücher, an die sich Generationen gehalten haben, hinfällig werden. Es scheint, als entstünde eine neue Art der Bühnenaussage, die der »Handlung« entraten könne. Christopher Fry verblüffte durch die Art, in der er seine zierlichen und optimistischen Wortkaskaden springen ließ. Er sandte die funkelnde Gischt seiner Metaphern und wortverliebt sprühenden Poetensätze über die Rampe, ungeachtet eines dramatischen »Vorganges«. Die Wirkung? Er hatte uns ein zutreffendes, kitzelndes, neues, in allem gesunden Pessimismus bejahendes Lebensgefühl mitgeteilt.

Die sensationellen Dramatisierungen der Kafka-Romane »Prozeß« und »Schloß« – auch da keine Handlung im herkömmlichen Sinne, sondern ein unerfülltes, tragisch sich verzehrendes Lebensgefühl sinnfällig gemacht. Tragödien des modernen Hiob, der gar nicht mehr an das Schicksal herangelassen wird, sondern sich in der Sehnsucht, im Hunger nach Schicksal schon verzehrt. Eine große, symbolische Geste sind diese beiden dunklen Stücke, in Richtung der Erlösung. Die Erlösung selber oder auch nur der Ansatz zur Erlösung im Unterliegen nicht. Ein Lebensgefühl wieder. Keine paradigmatische, klärende Handlung.

Ähnlich hier. Samuel Beckett, der französisch schreibende Ire, tut nichts, um etwas zu finden, das einem Ablauf, einer Handlung ähnlich sähe. Zwei Ausgesteuerte des Schicksals, zwei Penner in steifen Hüten, stehen den ganzen Abend auf der nur mit Rupfen ausgeschlagenen Bühne und räsonieren. Sie warten. Sie warten auf Godot. Und da ist denn symbolisch für den Namen Godot einsetzbar, was man immer will: das Schicksal, Gott, das Glück, das echte Leben überhaupt, die Wirklichkeit. Sie warten. Zwei Männer im Zustand einer trüben, immer wieder enttäuschten Hoffnung. Der Herr K. bei Kafka machte immerhin noch faustische Anstrengungen in Richtung des Schicksals, rieb sich wund und krank an der Unmöglichkeit, überhaupt die höhere Instanz zu fassen. Diese beiden Ausgesteuerten des Schicksals bei Beckett machen keine Anstrengungen mehr. Sie warten nur, sie greifen nicht mehr ein. Sie sind im nächsten Stadium pessimistischer Erkenntnis. Sie regen sich überhaupt nicht, die Gnade vom Himmel zu erzwingen. Sie warten auf sie. Vergebens.

Wie nun füllt Beckett die beiden je einstündigen Akte? Er füllt sie auf dichterische Art mit dem reinen Wort. Er läßt das Wort kräftig und rüde sein im puren, verantwortungslosen Quatsch, der gesprochen wird. Gleich daneben belastet er Sentenzen, die die beiden Penner unter ihren steifen Hüten hervorbringen, mit heimlicher Symbolik und Doppeldeutigkeit. Er stellt das Gelächter am puren Blödsinn her und braucht Wirkungen des Wortschreckens, die dem Grand Guignol entstammen könnten. Er setzt daneben ganz zarte Effekte, läßt Lyrik vernehmen, eine verlorene Stromer-Lyrik, die ihren zierlichen Effekt macht. Und dann wieder greift er direkt nach der Wahrheit, läßt in dem Dialog der beiden, der wie zufällig hingeplaudert wirkt, uns vor verdeckten Einsichten erschrecken, die die Zeit, die das Lebensgefühl einer ausgeleerten Epoche, die den Nerv der Gegenwart genau und mit einer melancholischen Hellsichtigkeit treffen.

Beide Akte zeigen dasselbe. In beiden Akten treten zu den zwei räsonierenden Stromern zwei andere Gestalten im steifen Hut. Ein Mann mit Peitsche und Herrenallüre, der einen zweiten, ein vorerst stummes, geschundenes Wesen, am Halfterband führt und es mit Schlag und Rede schikaniert, Schemen, die eine krasse, sozialkritische Note vor das erschrockene Auge bringen. Und fürchterlich tatsächlich, wenn die Peitschennatur beginnt, im Angesicht der armen und vereinsamten Schlucker wohlzuleben, wenn der böse »Herr« sein Geschöpf am Halfterband, seinen Kofferträger und seine Kreatur, tanzen und »denken« läßt. Dann öffnen sich die Schleusen einer bis in alle Verachtung hinein geöffneten Bildungsparodie, und es schaudert einen vor den wohlgesetzten, entleerten Worten, die aus dem geschundenen Wesen hervorquellen. Eine bösere, eine entlarvendere Darstellung des leergewordenen Denkens, des mechanisch gewordenen Bildungsmenschen unter der Knute vernahm man nie.

Das Stück ist vernichtend? Ist pessimistisch bis in die äußersten Konsequenzen der Verneinung? – Das ist es nicht. Zwischen den beiden Räsoneuren, zwischen den Pennern unter dem steifen Hut, lebt eine menschliche Beziehung, so isoliert, so völlig vereinsamt und vom Leben und der Unwelt abgeschnitten und verloren sie sonst sein mögen. Sie lieben sich auf ihre verdeckte, männliche Art. Sie lehnen ihre beiden entleerten und verödeten Existenzen aneinander, um so wenigstens die Fiktion eines Haltes zu gewinnen.

Und durch den Umstand, daß sie überhaupt warten, daß sie Godot erwarten, äußern sie ihr Ja. Sie gehören zu der Gilde der fröhlichen Hoffnungslosen. Den Selbstmord, den sie konsequenterweise zuerst noch planen, unterlassen sie. Nicht einmal dazu reicht ihre Aktivität. Sie bleiben auf der Schwelle zwischen Tod und Leben. Sie warten weiter. Und indem sie warten, geben sie doch Gott, geben sie dem Leben, dem Schicksal, der Wirklichkeit eine Chance.

Die ehrliche, die unverbrämte, diese ganz und gar desillusionierte Haltung ist echt. Und indem Beckett sie so echt und unverbrämt und mit oft so merkbar dichterischen Mitteln zur Anschauung bringt, trifft er ohne Umschweif ein modernes Zeitgefühl genau. Das macht dieses nur scheinbar verwirrende Stück am Ende so klar, so überredend, so bedeutend.

Die Aufführung im Schloßpark-Theater stand auf vier ausgezeichneten Schauspielern. Hans Hessling und Alfred Schieske sind die beiden Penner im steifen Hut. Hessling bringt durch eine chaplineske Traurigkeit und durch eine zarte Dulderdemut viel zärtliche Rührung in seinen Part. Schieske haben wir seit langem nicht so überzeugend gesehen, so echt in der Art, in der er hier eben noch rüde Platitüden ausspricht und gleich daneben das Wort öffnet, daß es die Kraft findet, in symbolisch leicht verdeckte Bezirke einzugehen. Die Hoffnung, die in der Verzweiflung und in der konsequenten Lethargie noch lebt – Schieske brachte sie oft großartig zum Klingen. Walter Franck bringt mit der peitschenden Herrennatur einen böse dämonischen Zug auf die Szene. Seine satirische Schärfe läßt ihn die gedankenlos drückenden Worte lässig und provozierend sprechen. Am Halfterband führt er sein Geschöpf: Friedrich Maurer, der den Szenenbeifall, den man ihm gab, sehr verdiente. Er spricht, auf Befehl »denkend«, den grausigen, mechanischen Bildungssalat, daß man schaudert.

Karl Heinz Stroux hatte eine Woche vor der Premiere die Regie abbrechen müssen. Die Schwere an der dunklen Sache hatte er gebaut, das Grobschlächtige, das Provozierende war da. Wahrscheinlich war er nicht mehr dazu gekommen, nun auch die scheinbare Leichtigkeit herzustellen, das Parlando mit Tiefsinn, das tiefgründige Obenhin hörbar zu machen, das hier notwendig gewesen wäre, um die volle, erschreckende, klärende Wirkung zu schaffen.

Das Publikum, vorerst offenbar unsicher, was dies solle, schien den Zustand, schien das Lebensgefühl, das hier ausgedrückt wird, bald zu erkennen. Es gab langen Beifall für dieses Stück außerhalb der dramatischen Regel, das innerhalb seiner selbst soviel latente Gegenwartsdramatik fühlen läßt.

Der Autor zeigte sich, hager, ernst und linkisch, mit den Mitwirkenden oft. Er schien selbst erstaunt, daß Menschen an soviel Bitterkeit und extremer Wahrheit Vergnügen finden könnten.

10. 3. 1953

– Die Spielzeiten 1952/53 und 1953/54 –
MODERNES WELTTHEATER II

Jean Giraudoux »Sodom und Gomorrha«
Schloßpark-Theater

Kein Theaterabend für Verlobte! Dieses späte Schauspiel von Giraudoux exemplifiziert ebenso grundpessimistisch wie schön die große, unüberbrückbare Feindschaft, die zwischen die Geschlechter gesetzt ist. Die tragische Verschiedenheit, die letzte Unmöglichkeit, zueinanderzukommen und die Wand des Andersseins einzureißen. Eine grausige, böse, gründliche Wahrheit gibt Giraudoux am Beispiel dieses sprachlich flimmernden, trotz aller trauriger Versunkenheit glänzenden Textes.

Die Engel Gott des Herrn, die durch die schwarze, mit Goldstaub überzogene Landschaft dieser Tragödie wandeln, rufen den himmlischen, furchtbaren Willen aus: die Städte werden in Staub und Asche verfallen, sollte es nicht möglich werden, daß sich ein Mann und eine Frau nur, daß sich Jean und Lia zu einem Menschenpaar vereinen, das Grund, feste Liebe, keine Zweifel, und das Bestand hat. Die aufgerufenen Gerechten, das Paar, das die Welt retten könnte, versagt. Die Erde birst. Gott versengt die Städte. Aber aus der Asche noch klingen klagend und streitbar die unversöhnlichen Stimmen der unversöhnten Geschlechter. Der Tod war nicht genug. Das Spiel geht weiter.

Kein Theaterabend für Verlobte; denn hier wird das Phänomen der Liebe so konsequent in Frage gestellt, so fatal skeptisch nähert sich der Dichter allem, was sonst so wohlfällig durch die Poeme der Liebenden geht, er nimmt so klug und so wissend Vorhang nach Vorhang von einem der Urgeheimnisse, daß man erschrickt: ob es überhaupt statthaft sei, den Finger so intelligent und spielerisch auf das letzte Geheimnis der Welt zu legen ...

Aber sonderbar: so radikal der Pessimismus hier aufklagt, so scharfsichtig die Illusionen der Liebe beiseite geräumt werden, die Wirkung dieses Weltenschauspiels ist nicht vergrämend und dunkel. Wie immer, wenn die Wahrheit dichterisch und intelligent zugleich gehandhabt wird, kommt der seltene Effekt einer traurigen Heiterkeit zustande, eine Empfindung wissenden Lächelns, die heimliche Freude an der Erkenntnis, und sollte einen solche Erkenntnis dreist noch einmal aus dem Paradies der Illusionen treiben.

Giraudoux' Sprache ist von einem geistigen Wohlklang, der betört. Sein Witz, auch wenn er hier tatsächlich mit dem Entsetzen einen hohen Spott treibt, ist von jener federnden, gallischen Ruhe, daß noch das Schlimmste, ja, das Weltende, erträglich, weil geformt, übersetzt und durchdacht scheint. Ein dunkles Schauspiel, gewiß. Aber der Glanz, der darüberliegt, die denkende, die sprachliche Perfektion, die es aufweist, macht den Vorgang auf einer höheren Ebene wieder hell, macht den gründlichen Pessimismus wieder heiter.

Das einzurichten, ist nicht leicht; denn es geschieht (außer einem Weltuntergang) nichts. Erstaunlich, wie da Karl Heinz Stroux das Wort, die böse betörenden Passagen dieses Weltendialoges allein in den Vordergrund zog. Die Figurinen des Schicksals bewegen sich in gefaßter Stilisierung, die hier beinahe nie zur

Starre wurde. In dem völlig treffenden Bühnenbild von Jean-Pierre Ponelle, das nur eine schwarze, mit Baumstilisierungen durchsetzte Szene zeigte, bewegen sich die Wortträger des selbstverschuldeten Unterganges in schöner, überlegener Gemessenheit. Durch Ruhe kommt dem Vorgang Größe, Klarheit und die Gelassenheit der wahren Heiterkeit bei.

Wunderbar, wie Maria Wimmer da den Ton des Aufbegehrens traf. Sie warf die Schlingen sarkastischen Weltenwitzes, sie trug das Zeichen der lebenstörenden Erkenntnis sicher durch den heiklen Text. Sie war von einer tragischen Stärke und eben von jener heiter lästernden Überlegenheit auch, die diese Rolle braucht. Sie setzte den geglückten Ton des Abends.

Neben ihr – erstaunlich zu sehen, welche Entwicklung Antje Weisgerber als Schauspielerin genommen hat. Sie stellte ganz sicher das andere Prinzip des Weiblichen dar, die verführerisch kluge Unklugheit, die Verführung ohne die Erfüllung, die Lüge mit den weichen Armen. Sicher, überlegen, sprachlich schön und in voller Anmut trat sie neben die Wimmer.

Bei den männlichen Antagonisten war die Besetzung kaum ähnlich glücklich. Mathias Wieman, obgleich er dem poetischen Text oft bewundernswert gerecht wurde, ließ wenig von der Gefährdung, von dem Gegenfeuer spüren, das hier die Welt von zwei Seiten zum Brennen bringt. Ein Übermaß an Gemächlichkeit minderte da die Spannung, die die Wimmer immer wieder ausstrahlte. Und Herbert Wilk war seiner Aufgabe kaum gewachsen.

Tatjana Sais, wiederum, verwaltet scharf, überlegen und genau pointierend das bitter-heitere Zwischenspiel eines Auftritts der Dalila. Walter Bluhm gibt behutsam und mit humorvoll angehobenen Schultern die volle poetische Heiterkeit in der sanften Nebenrolle des Gärtners, der erst von dem Erzengel die göttliche Exposition des Dramas erfährt, und der dann eine Rose, eine blühende, durch den Weltuntergang retten darf. Fritz Tillmann und Erich Schellow: die Sendboten Gottes, die durch die Handlung schreiten und strenggelassen die Wortführer Gottes abgeben.

Eine erfreulich gefaßte Aufführung kam so zustande, der man nur hin und wieder etwas mehr Leichtigkeit gewünscht hätte. Den Schluß, den Weltuntergang, macht Stroux durch Pusten und Stöhnen der auslöschenden Menschen leider zu einem überflüssig dick inszenierten Spektakulum. Auch hier hätte – wie zuvor doch fast immer! – das Wort, die Gelassenheit des Symbols genügt.

Das Publikum der Premiere, offenbar zu der etwas gewichtigeren Kost nicht aufgelegt und auch mit dem rechten Spürsinn für die poetischen Humore, die hier aufklangen, nicht begabt, bereitete der schönen Aufführung eine sonderbar lasche Aufnahme, die sich allerdings für die Wimmer dann rechtens zu Jubel steigerte.
28. 9. 1952

Jean Cocteau »Bacchus«
Schloßpark-Theater

Die Franzosen! Die Vorzüge, die man seit je an ihnen rühmte: die Greifbarkeit ihrer Thesen, die Sinnlichkeit ihrer Kunst, die logische Motorik ihres Denkens – es scheint, sie wollten mit Fleiß diese Tugenden ablegen. Die Form scheint sie nicht mehr zu faszinieren. Sie verfallen dem Gedanken. Die Tugenden oder Untugenden, die man bisher (je nachdem) uns Deutschen ankreidete – offenbar wird man sie bald den Franzosen zu einer Ehre oder einem Flecken (je nachdem) machen müssen: tatenarm und gedankenvoll.

Vor zwei Frühlingen vergrub sich Sartre an der azurenen Küste und konzipierte das Monstre-Gedanken-Stück vom »Teufel und dem lieben Gott«. In St. Tropez entstand das unmäßige und formvergessene Thesendrama von der Unbezüglichkeit der alten Moralwerte, gebettet in die paradigmatisch unruhige Welt der deutschen Reformation. Zu gleicher Zeit saß Cocteau auf Cap Ferrat und ersann seinen in Gedanken, Reflexionen und letzten Konsequenzen sich ergehenden »Bacchus«. Wieder Reformationszeit. Wieder ein Grundsätzlichkeitsstück. Auch ein Drama, das das Dramatische über der direkten »Aussage« geflissentlich vergißt.

Die beiden Herren, als sie voneinander hörten, trafen sich im neutralen Cannes, besorgt, ob sie nicht im gleichen Garten ernteten. Sie schieden beruhigt. Nur die Zeit ihrer Dramen, nur die beflissene Formvergessenheit war ähnlich. Nur das Milieu war das gleiche. Sonst sind nur Unterschiede.

Wenn Sartre nämlich Thesen setzt – Cocteau setzt einen Zustand. In der mittelalterlichen Verkleidung eines fatalen Karnevalsbrauches will er den Glanz, die Einsamkeit, die schöne und tragische Verlassenheit der Jugend verklären. Einer wird für eine

Woche zum »Bacchus« gekrönt, und so hat er für sieben Tage die oberste Gewalt in der Stadt inne. Der junge Mann nimmt den Spaß ernst. Er nimmt das Wort Gottes wörtlich. Er will radikal seine Macht zum Guten verwenden und mit einem idealistischen Ruck den idealen Zustand unter den Menschen herstellen.

Versteht sich: er muß scheitern. Der glühende und gläubige Nonkonformist muß zerrieben werden. Die Kirche geht gegen ihn. Die Gegner der Kirche, die Lutheraner, sind gegen ihn. Der Pöbel will ihn zerreißen. Alle sind gegen ihn. Nur die Jugend versteht ihn. Und sein glühendster Anhänger, jung wie er, bewahrt ihn am Ende vor dem Kompromiß an die Macht dieser Welt. Er schießt ihn nieder, ehe der unverbesserliche Weltverbesserer von der Menge verbrannt oder von der Kirche in ein Kloster gesperrt werden kann. Der Tod als der letzte Akt der Freiheit.

Cocteau ist vorzuwerfen, daß ihm die konsequente und sinnfällige Handlung immer wieder in dialogisierte Abstraktionen zerfällt. Er gibt sich gar keine Mühe, den Vorgang im Vordergrund zu halten und vom Vorgang den Zuschauer die Konsequenzen ablesen zu lassen. Sein Stück rutscht über die eigentlich dramatischen Situationen geflissentlich hinweg. Auf die Expektorationen seiner Figuren kommt es nicht an. Nicht auf die Figuren. So wird es ein schwaches Stück Theater. Aber immer wieder sind faszinierende Grundsatzgespräche zu hören. Sie machen den Abend auf eine mühsame Weise interessant. Zumal das tödliche Gespräch zwischen dem idealistischen Bacchus und dem italienischen Kardinal hat Momente der Gegenwartsbezogenheit, hat seine Anwendbarkeit auf unseren Tag hin, daß man aufhorcht. Da klingt oft der grazile, jugendliche Geist Cocteaus. Das nimmt gefangen.

Sonst aber gestalten sich die Denkgebilde nicht. Wenn schon die übrigen Figuren wenig dramatisches und theatralisches Fleisch zeigen. Die Verkörperungen, die sie in dieser befremdend konventionellen und dünnen Aufführung fanden, machten die Mängel des Stückes immer nur sichtbarer.

Der eigentliche jugendliche Atem des Ganzen, jene stolze und bis ins Letzte wollüstige Radikalität eines frühen Alterszustandes kam gar nicht auf. Lag es an dem Darsteller der Hauptfigur, an Erich Schellow, der, in blonder Perücke, »Jugend« herstellen mußte, wo Jugend präsent hätte sein sollen? Ein vorzüglicher, überredender Sprecher, gewiß. Aber die genaue Verkörperung gerade dieser Idealfigur eines idealen Zustandes nicht. Darunter litt das Ganze.

Es litt auch daran, daß sein Antagonist, daß Ernst Deutsch die Rolle des römischen Kardinals mit einem monotonen Wohlwollen und einer abstrahierten, heiligen Heiterkeit überzog. Der Mann hat gefährlich und gefährdet zu sein, bei aller tückischen Konzilianz.

Lag Helmut Käutner das Stück nicht? Oder fehlte ihm der Mut zu einer hier sich doch aufdrängenden Stilisierung? Oder hinderte ihn das konventionelle Butzenscheiben-Bühnenbild von Heinz Hoffmann, sich an dem langwierigen Gedankenspiel genügend zu entzünden?

Ein oft banales, dann brillantes, ausführliches, überdialogisiertes, handlungsarmes Zustandsstück wie dieses bedarf gerade der theatralischen Nachhilfe durch den denkenden und formenden Regisseur.   20. 2. 1953

Jean Anouilh »Jeanne oder die Lerche«
Schloßpark-Theater

Anouilhs Stücke, auch wo sie schwarz sind, sind noch von einem Silberstaub zärtlicher Poesie überschüttet. Dieser dramatisierende Dichter ist zu sehr Poet, als daß er dem schönen Wort nicht auch noch da Platz gäbe, wo er dem Grauen, der Bosheit oder dem Schatten des Lebens Platz anweisen will.

Dieses Stück, das – wie so viele Stücke zuvor – von der religiös heroischen Laufbahn und dem kläglichen Flammenende des Bauernmädchens von Orleans handelt, ist auch da noch zärtlich, wo es hart sein will, ist auch da noch rhetorisch schön, wo es grausam sein möchte.

Anouilh will eine neue, liebevolle Gloriole um das Haupt des wundersamen Mädchens malen. Er versteht diese singuläre Erscheinung als eine sehr französische Figur. Sie ist wie die Lerche, wie der Vogel, der hell, klar und silbern in den Himmel fällt, dessen Lied ein Wunder bleibt und dessen zierliche Verschwendung eine Stärkung.

Anouilh läßt den Prozeß ablaufen. Viererlei Klerus auf dem Richtersitz: ein mitfühlsamer Bischof, ein geiler, bigotter Ankläger, ein fast protestantisch sich dem Mädchen zuwendender junger Pater und ein zu Gottes blutiger Ehre den Menschen hassender Inquisitor. Ein elegant berechnender, englischer Kriegsmann wacht, daß die auf französisch richtenden Priester die weltlichen Zwecke Englands verwalten. Der Prozeß rollt ab. Jeanne gibt Auskunft. Fünf sehr verschiedene Stimmen stellen die Fragen und stellen die theologisch, politisch, menschlich getönten Fragen kraß. Shaws Technik – poetischer, zierlicher, schönrednerischer ins Französische gewendet.

Und immer, wenn die »Lerche Frankreichs«, wenn Jeanne über die Stadien ihrer von Wundern durchsetzten Jahre Auskunft gibt, läßt Anouilh den jeweils genannten Abschnitt einblenden. Sie ist wieder daheim auf dem elterlichen Bauernhof. Sie hat ihre »Stimmen« und hat den elterlichen Unsegen davon. Ihr Aufbruch, ihre Begegnung mit Beaudricourt, ihr Einbruch in den Königshof, ihre Lust an der Freiheit und Helle des Soldatenlebens und ihr Fall und ihr brennendes Ende. In die juristisch-theologischen Streitgespräche blendet das ein bei offener Szene – in kühner Überspringung aller Gesetze von Raum und Zeit.

Aber – und das ist des Dichters optimistischer, fast gar patriotischer Trick: das Ende steht nicht am Ende, nicht der Flammentod und ihr Märtyrertum. Anouilh läßt, obgleich der Scheiterhaufen auf der Bühne schon brennt, die sich anbahnende Tragödie aufhalten. Er stellt an den Schluß, da er ohnehin die Regeln der Zeit fortgeworfen hat, die Krönung zu Reims, der Jungfrau hellste und siegreichste Stunde. So klingt diese neue Paraphrase aus mit dem Triumphton des Clairons, mit dem Jubellied für eine gläubige Französin.

Das ist immer am schönsten da, wo die Lyrik Anouilhs hervortritt, doer wo sein leiser, skeptisch quängelnder Witz in Anwendung kommt. Die große Gerichtsverhandlung, aus der das Stück eigentlich nur besteht, wird immer da schön und hält das Interesse, wo der Vorgang zum Gedicht wird, zu Musik oder Witz. Schwerer tut sich's gleich, wenn der Autor Grundsatzfragen anrührt, wenn er mit zwei konträren Stimmen die dramatische Spannung herzustellen versucht. Wo er gedankliche Tiefe betreibt, stellt sich oft die heimliche Banalität ein. Dann verliert der Vorgang seine spezifische Leichtigkeit, den so sanft modulierten Dur-Ton der wissenden Schwermut, den Anouilh sonst oft so rührend trifft.

Leo Mittler, der Regisseur, schien das zu spüren. Er versuchte offenbar, über die trockenen Strecken bemühter Gedanklichkeit hinwegzuwischen. Er gibt Martin Held, der den Inquisitor spielt, noch den rhetorischen Auslauf, den der für seine fürchterlichen Äußerungen des Menschenhasses aus Gottesliebe braucht. Er versucht, die schwierige Einblendung von Jeannes Auftreten beim imbezilen Dauphin zu raffen. Leider machte das charakterschauspielerische Unvermögen Sebastian Fischers, der den kranken König gibt, diese Partie fast ganz wirkungslos. Mittler versucht, der Rede und Gegenrede, wo sie dürr und grundsatzstrebig sind, den langen Atem zu kappen. Trotzdem bleiben Strecken reinen Schönsprechertums. Es liegt am Stück.

Denn immer, wo Anouilh musisch atmet, wo er Musik in seine Worte bringt, klingt die Szene auch hier: In Jeannes Traumgespinsten aus der bäuerlichen Jugend. In der weiblichen Witzigkeit ihrer Überredung des Beaudricourt, den Stanislaus Ledinek sehr massiv figuriert. Oder wenn sie das Morgenglück des Kriegsrittes mit La Hire (prächtig: Franz Nicklisch) träumerisch wiederholt, oder wenn ihre leise, menschliche Bezogenheit zu dem jungen Pater (Hans Caninenberg) angespielt wird, oder wenn die väterliche Besorgtheit des Bischofs (mit verhaltener Umsicht: Erwin Kalser) evident wird. In allen Szenen, da das Stück heimlicherweis Musik wird, ist es schön. Und reizvoll ist es, wo die melancholische Skepsis Anouilhs ihren eigenen Witz entwickelt; so wenn Graf Warwick (leger und genau: Erich Schellow) eine politische Marginalie ins Publikum spricht; oder wenn die Trostlosigkeit der Macht im Angesicht des Glaubens paraphrasiert wird; oder wenn die Überlegenheit weiblicher Intuition über männlich starrsinnige Klugheit gezeichnet ist.

Das Stück steht und fällt mit der Darstellerin der Jeanne selbst. Hier war das (nachdem Hanna Rucker kürzlich in Frankfurt die Rolle für Deutschland kreierte) Hannelore Schroth. Sie hatte die feste Kreatürlichkeit der wundersamen Jungfrau. Sie konnte die kindliche Heiterkeit der Erwählten darstellen und brachte warm und natürlich alle Humore, die Anouilh auch dieser Rolle schenkt. Und zugleich ließ sie den Jubelton der »Lerche« hören, hatte sie den heimlichen Schmelz der gotteskindlichen Fröhlichkeit. Eine schöne Leistung, von vielen Schattierungen und Stimmungen überspielt – und doch ein Guß und ein herzlicher, fester Umriß.

Ihr galt vor allem der heftige Beifall, der am Ende sich erhob.

Mit Mittler und den zwei Dutzend Mitwirkenden mußte sie sich immer wieder zeigen. Die poetische Lektion in Lebensliebe und Menschenzärtlichkeit, die Anouilh da, historisch verbrämt, hatte abliefern wollen, war angenommen worden. Ein geschichtlich blamabler Prozeß war diesmal zu einem guten Ende geführt. Ein erfreulicher Abend. 1. 1. 1954

Arthur Miller »Hexenjagd«
Schiller-Theater

Arthur Miller ist ein Mann der »engagierten« Dramatik. Er will jedesmal einer These dienen. Er sieht, schreibend, die Aufgabe, seiner Epoche den Spiegel vorzuhalten. Die Nutzanwendung steht vorn. Auf der Bühne soll jedesmal die öffentliche Alarmglocke ertönen. Seine Stücke wollen wecken.

In »Alle meine Söhne« ging es um die unerlaubte Verquickung von Geschäft und Krieg. Im »Tod eines Handelsreisenden« wollte Miller den Mißstand, wie ein kleiner, gutwilliger Nebbich im gnadenlosen Sozialgestänge unserer Tage hängenbleiben könne, signalisieren. Hier malt er das Menetekel an die Bühnenwand, wohin Massenhysterie, wohin vorgefaßte Gerichtsbarkeit, wohin das Sichbeugen vor grausamer Meinungsdiktatur führen müsse. Die Welt werde schwarz und blutig davon. Man sei auf der Hut!

Das historische Milieu, schon oft (so zuletzt von Feuchtwanger) ausgenutzt, bot sich an. Die von den irren Hexenprozessen geschüttelten nordamerikanischen Einwandererstädte Ende des 17. Jahrhunderts. Sie waren theokratisch, sie waren in einer Art Gottesdikatur verwaltet. Durch sie raste im Exzeß das Beispiel, das Miller heute, indem er es fast mühelos mit den originalen Figuren, mit den oft wörtlich übernommenen Gerichtsaussagen übernimmt, als Spiegel braucht.

Der Wahn kommt auf, Hexen seien über die Stadt Salem gefallen. Ein Rausch rast über das Land. Man bezichtigt die Nachbarin. Man bezichtigt sich selber. Persönliche Mißgunst, Neid und nachbarliche Arglist schlüpfen lustvoll ein in die allgemeine Sache der Hexenverfolgung und Austreibung. Eine Gemeinschaft, bisher in den strengen Züchten des Puritanertums, in der harten

Arbeit ihres Pionierdaseins bewährt, bricht in Stücke. Vertrauen ist nirgends. Die Menschen, um sich selbst vor falschem Verdacht zu retten, zeigen auf ihren Nächsten. Ein Wahn wird real. Die Gerichte werden krumm. Sie verlangen, feist am Tische des öffentlichen Irrtums sitzend, Opfer um Opfer, bis sie den letzten Redlichen zur Strecke gebracht haben. Eine öffentliche Geisteskrankheit, ein vervielfachter Verfolgungswahnsinn ist sanktioniert. Wo Nüchternheit, wo gesunder Menschenverstand, wo tapferer Protest aus Klarsicht auftritt, wird er niedergemacht. Der Wahn ist stärker. Die Massenpsychose, läßt man sie erst rasen, ist unaufhaltsam. – Menetekel, sagt Miller.

In einem Selbstkommentar (Theatre Arts, Oktober 1953) zieht er die direkte Nutzanwendung dieses direkten Nutzanwendungsstückes. Die Welt, gerade die heutige, liebe es, uniform zu denken. In Rußland sind, sagt er, Prozesse wie dieser historische Hexenprozeß an der Tagesordnung. Aber auch bei uns, wenn die Konformität Fortschritt machen sollte, ist die Gefahr vor der Türe, steht sie im Haus. Der echte Liberale ist in Gefahr. Bekenntnis, Schwur auf die Fahne, Einstimmigkeit der Meinung, Unterwerfung unter die Massenmeinung sind der kommende Fluch des Jahrhunderts, wo er nicht schon über ihm lastet. Obacht! Denkt an Salem 1692! Hier ist der verdammte Vorgang in der Nuß.

Miller knackt sie in fünf Bildern. Die Technik, die er benutzt, ist die des gutwilligen, strikten Thesentheaters. So wurden bei uns in den zwanziger Jahren die zahllosen politischen Moralien gebaut. Kein poetischer Aufschwung. Kein lustvolles Ausweichen in die Atmosphäre, kein Verweilen bei Nebenfiguren, keine dichterische Schraffierung. Miller geht wie bei einem Plädoyer vor. Er rückt zuerst das verworrene Milieu zurecht. Er stellt dann, streng zwischen Schwarz und Weiß scheidend, die Figuren darauf. Er läßt mit kaltem, dramatischem Eifer die Handlung sich in Richtung der Nutzanwendung entwickeln. Der Blick des Schreibenden ist stumpf auf das Ziel seiner Schlußmoral gerichtet. Er liebt die Gestalten nicht, die er benutzt. Er verweilt an keiner Stelle, weil sie schön, weil sie menschlich, weil sie über den dramatischen Zweck hinaus wichtig wäre. Er hat die These. Er konstruiert das Stück nur auf sie zu. Und das macht die Dürre daran, macht die oft fade Lehrhaftigkeit aus. Obgleich dramentechnisches Geschick merkbar am Werke ist – es muß so kommen, wie es kommt. Und das, pardon, langweilt.

Im »Handelsreisenden« noch warf er etwas Dichtertum, warf er spürbare Liebe zur Hauptgestalt über seine These. Hier steht der dürre Zeigefinger andauernd vor der Szene. Und will man um ihn herumsehen, merkt man, daß am Ende jede Figur als verkappter Zeigefinger über die Bühne geht. Sie lebt nicht aus sich selbst. Sie ist nicht Lebewesen, sondern sie funktioniert nur, um der Moral nutzbar zu sein. Die Technik der Thesendramaturgie, die lehrhafte Szene, die achtbare, dramatische Moralspiegelei – wie ist sie vergangen und abgenutzt, denkt man an die Erschütterung, die der Ire Samuel Beckett im »Godot«, die die Dramatisierungen Kafkas vermochten. Ein kräftig realistisches Stück ist hier geboten. Wie wenig Kraft echter Überrredung hat diese alte realistische Technik behalten

Karl Heinz Stroux ließ den Vorgang, wie es der Autor befahl, sicher und fest auf den alten Gleisen dahinfahren. Die Aufführung war angemessen, ausgewogen und redlich in jenem Maße, das so nahe dem Bezirk der Uninteressantheit ist. Caspar Nehers Bühnenbild zeigte zuweilen den schönen Versuch, diesen hier gesetzten Bezirk künstlerisch zu erhöhen. Die Räume, die er baute, hatten den dumpfen, strengen Glanz der amerikanischen Frühzeit. Sonst lief die Moralie düster und sauber. Die Schauspieler lieferten den jeweils in Schwarz oder Weiß gelieferten Charakter richtig und beflissen ab. Friedrich Maurer, der theokratische Eiferer mit der Gewinnsucht hinter dem Gottesglauben. Alfred Schieske, erfreulich trocken und gradlinig, der »Liberale«, der den Fängen der Eiferer erliegt. Gisela Mattishent mit einer oft rührenden Strenge seine redliche Frau. Kraft und Herzlichkeit kamen von Elsa Wagner, wie sie die kleine Rolle einer im Taumel nüchtern bleibenden Alten zeichnete. Ernst Sattler, der kurz zuvor erst die Rolle des richtenden Unterstatthalters, des in Gottes Namen das Recht beugenden Richters übernommen hatte, vermied klug die Kraßheiten, zu denen der Text verleiten könnte. Renate Danz war das Mädchen Mary, das widerstrebend in die Massenpsychose fallen muß. Und Luitgard Im, in dieser Charakterrolle wesentlich überzeugender als in der lyrischen Sphäre, die man ihr bisher zuwies, ist das berechnende Mädchen, das die Verdunkelungen auslöst, die Massenzuckungen bewußt hervorruft.

Das Publikum, wie es sich wohl gehört, einverstanden mit der Moral der dramatischen Moralie, ließ einen Achtungserfolg zustande kommen, gab den Akteuren ihren Beifall. Aber daß hier

mit etwas klamm gewordenen Mitteln eines verspäteten Bühnenrealismus gearbeitet worden war, schien vielen bedenklich zu
sein. Der Zeigefinger, der ständig vor der Szene stand, störte.

12. 2. 1954

– Die Spielzeiten 1952/53 und 1953/54 –
NEUE STÜCKE, NEUE AUTOREN

Rolf Honold »Stoß nach Ssogrebitsche«
Theater am Kurfürstendamm

Was zeigt der neue Autor, Rolf Honold (Jahrgang 1919)?

Er zeigt einen gründlich verlorenen Haufen in den allerletzten
Tagen des letzten Krieges. Die Giftampullen im »Führerbunker«
sind schon lange geleert; aber im Tschechischen treiben ein paar
blutige Unentwegte den Durchhaltewahnsinn zum Äußersten.
Einmal versucht ein junger Offizier aus eigenem Pflichtbe-
wußtsein, den Unfug zu beenden. Er will das Regiment in die Heimat zurückführen. Er gibt es auf, als sein Gewissen der Frage aus-
gesetzt wird, ob man die Kameraden, die, vorne kämpfend, auf
Hilfe und Entsatz warten, im Stiche lassen könne. Ein anderer
nimmt Kontakt mit den tschechischen Widerständlern auf. Er
wird von seinem Kameraden niedergeknallt. Die Lage wird immer prekärer. Der letzte, befreiende Stoß ist nicht gelungen. Es
war sinnlos, daß der verlorene Haufe blieb. Der junge Offizier
versucht, den erschöpften Männern durch Verhandlung mit den
Widerständlern den Abzug zu ermöglichen. Zu spät. Die Tsche-
chen, die ihr Dorf retten wollten, sehen ihre Häuser unter Be-
schuß in Feuer aufgehen. Die Deutschen gehen zugrunde, Mann
für Mann. Der letzte schreit die Klage der Sinnlosigkeit von der
Szene. Nach dem Gesetz, nach dem sie angetreten und in dem sie
erst so gläubig und dann so zaudernd verharrten, verkommen sie,
bluten sie aus.

Warum zeigt das der Autor?

Er zeigt es, um die totale Sinnlosigkeit des totalen Krieges zu demonstrieren. Es kann, zeigt er, in einer Sache, die jeden Anstandes entbehrt, keiner anständig bleiben. Wahrhaft tragisch, daß sich hier einige um diesen Anstand bemühen. Es nutzt ihnen nichts. Ihr Schicksal ist das Verderben – der Tod.

Wie bringt das der Autor zur Evidenz?

Er zeigt es mit einer erstaunlichen Bühnenfaßbarkeit. Figuren gelingen ihm, die schon nach den ersten Worten Gesicht, Charakter, Unterscheidung und Eigenart haben. Er zieht die Handlung mit wohltuender Sicherheit in den Abgrund, in den sie am Ende stürzen muß. Der Klageruf, der erschütternde Schrei aus dem absoluten Nichts, in das die falsche Pflicht und grober moralischer Irrtum diese Menschen führte, steht folgerichtig wie ein düsteres, hohes Ausrufezeichen, wie ein Menetekel aus Brand, Blut und Schutt am Ende der fünf Bilder. Da sind noch manchmal Charakterzeichnungen selbst fragwürdig. Hin und wieder kommt da, zumal in der Figur des Obergefreiten und Cheffahrers, ein etwas heikler Kommißhumor auf. Oder wenn Honold im Dialog nach großen Begriffen greift, tut sich's noch reichlich melodramatisch; dann geht er, der sonst sich so streng und fast naturalistisch an den Frontjargon oder die sterile Befehlssprache hält, in eine weiche Abstraktion. Manches ist auch charakterlich schief oder übervereinfacht, wie die Wandlung des »Kettenhundes« von der Feldgendarmerie vom Tier zum Menschen. Da zeigt sich mancherorts noch eine gewisse Dürre im Menschlichen. Aber gleichviel: hier ist doch ein Schauspiel mit echtem, tragischem Lauf, ein redlicher, begabter und sauberer Versuch an der jüngsten Vergangenheit. Ein Autor, endlich, mit einem Thema und dem Bewußtsein, zumindest, der Form.

Gert Omar Leutner führte hier zum erstenmal Regie, und es kam eine Aufführung immerhin zustande, die das meiste, was man sonst im selben Hause der Volksbühne sah, redlich übertraf. Leutner führte die meist jungen Darsteller angemessen und ohne inszenatorische Drücker an den Punkt, auf den es für jeden ankam. Günther Pfitzmann, der Oberleutnant mit dem schwankenden Gewissen, Otz Tollen, der traditionsverbiesterte Oberst, ehrpusselig auch noch nach Verlust jeder Ehre, Jochen Brockmann, die Type eines verhärteten Frontschweins mit der weichen Stelle im Gemüt, Peter Lehmbrock, die heimliche »Humorbeigabe« aus dem Mannschaftsstand, Curt Lukas – ein Spieß mit mehr Mut, als seine Vorgesetzten haben. Kurt Weitkamp kurz, knapp und mit vollendeter Widerwärtigkeit – ein SS-Mörder. Erich Gühne, ein typischer Reservehauptmann aus dem Lehrerberuf, Dieter Frauboes, der skeptische, interessante Kopf eines denkenden Majors mit Gewissen. Nur zwei Mädchen auf der Szene: Marion Degler und Ruth Hasler.

Das Publikum feierte und genoß das positive Ergebnis solcher Studio-Initiative. Stück und Aufführung gehörten durchaus in die Abendvorstellung des Theaters. Es gab langen Beifall für alle. Und besonders den Autor wollte man sehen. Schon weil man einen neuen deutschen Autor so selten sieht.   11. 11. 1952

Max Frisch »Don Juan oder Die Liebe zur Geometrie«
Schiller-Theater

Das Stück ist besser, als die Aufführung glauben läßt. Eine Heldenfarce. Don Juan ist hier (zum wievielten Male?) nicht der Weiberheld und Sinnenbursche, wie er im alten, spanischen Buche steht. Er ist der Verführte. Die Frauen schaffen seinen argen, schönen Ruf. Halb ziehn sie ihn, halb sinkt er hin. Aber noch im Genuß verschmachtet er nicht vor Begierde. Er schmachtet nach dem Reich der Unsinnlichkeit. Die Geometrie, die Abstraktion, die kühle, unleibliche Wahrheit ist sein Begehr. Er muß seufzen, wo er rechnen will, muß umarmen, wo er mit Zirkel und Lineal hantieren möchte. Die Weiber, die seinen argen Ruhm schufen, sind schön, liebenswert, aber lästig.

So inszeniert er aus Notwehr die eigene Höllenfahrt. Er setzt auf seinen falschen, lästigen Ruhm schon seinen Nachruhm. Er läßt das Geisterbild des Komtur erscheinen. Er fährt mit Gestank und bengalischer Beleuchtung in die Tiefe. Der Don Juan der großen Liebes-Legende ist tot. Der Geometer lebt weiter, rechnet, zeichnet, liest und hört mit geschmeicheltem Erstaunen, daß seine Don-Juan-Figur schon bühnenreif sei. Man spielt ihn schon und webt an der falschen Gloriole des Totgeglaubten weiter. Er selbst gehört der Geometrie und der schönen Miranda, seiner Frau. Er wird Vater und ist Bürger. »Mahlzeit!« heißt das letzte Wort der Komödie.

Sie ist das straffeste, formal rundeste, beste Stück, das der Schweizer Max Frisch bisher schrieb. Die Flucht des »großen

Liebenden« vor der Liebe ist ein komischer Kontrast, der stück-
tragend ist. Einige pralle Figuren um den vor seinem »Heldentum« fliehenden Helden, die bühnensicher entworfen und mit zuweilen sehr treffenden Texten versehen sind. Und über dem Ganzen die echte Melancholie des Geistigen, der, während er den
Sinnen zu entfliehen trachtet, dem Sinnlichen immer wieder erliegt. Eine Heldenfarce mit ein paar geistreichen Augenblicken in
vielen Etagen des Menschlichen. Eine Komödie, die schnell, federnd, zutreffend gespielt, ihr Glück machen müßte.

Die Berliner Uraufführung litt daran, daß sie im falschen
Hause stattfand. Die gewaltige Bühne des Schiller-Theaters ist
dem Kammerspiel nicht zuträglich.

Der Regisseur Hans Schalla hatte sich von Helmut Koniarsky
ein Dauerbühnenbild bauen lassen, das den Vorgang in eine lust-
lose Niemandswelt legte. Stukkatur. Blasse Farben. Deckenge-
hänge. Alles wie von Sarotti selbst entworfen.

Das Tempo, bedingt durch die Weite dieser Bühne, lief viel zu
langsam.

Unter den Agierenden zwei Frauen, die den angemessenen Ton
trafen und im vollen Saft der Komödie standen: Berta Drews, die
mit praller Direktheit die Kupplerin gab. Und Roma Bahn, der
eine schöne, alternde, wissende Verderbtheit gelang. Waren diese
beiden Frauen am Zuge, so schmeckte man die Heiterkeit, die der
Autor gewollt hat.

Bei Peter Mosbacher, der die Hauptfigur tragen mußte, kam sie
nur streckenweise auf. Das Grübelnde, die Neigung zur Abstraktion noch in der heißen Umarmung, die heikle Zweiteilung seiner
verkannten Natur – das gelang ihm nicht oft. Herbert Hübner
machte den gefoppten Komtur durch eine störrische Sprachhem-
mung komisch. Edith Schneider, die liebende Dirne und endlich
die Eroberin des Bürgers Juan, blieb sonderbar blaß und profillos
diesmal. Auf der Leporelloliste sonst noch: Johanna Wichmann,
Marianne Prenzel, Gudrun Genest, Hannelore Minkus, Ali
Wonka, Elisabeth Wegener. Kurz und sprühend: Walter Tarrach
als der Leporello selber. Erwin Biegel brachte für den verderbten
Geistlichen Pater Diego nicht ganz die schauspielerische breite
und dialektische Pfiffigkeit mit. Paul Wagner, Sebastian Fischer
kurz und kaum auffällig die erst gehörnten und dann erstochenen
Gattenopfer auf dem Wege des scheinbar exemplarisch Liebenden.

Eine Komödien-Uraufführung (gleichzeitig mit Zürich) ist so selten, daß man gewünscht hätte, sie wäre besser zubereitet worden. Der Beifall am Ende war merklich matt.   7. 5. 1953

Claus Hubalek »Der Hauptmann und sein Held«
Theater am Kurfürstendamm

Hier ist vorerst ein Talent und ein Fortschritt zu konstatieren. Claus Hubalek hat Theatergefühl; in dieser Studioaufführung war das Publikum merkbar animiert; es ging mit, es genoß die gelungenen Heiterkeiten ungemein, und es hielt mit seinem Einverständnis nicht hinter dem Berge, wenn Bitternis, wenn zielstrebige Kritik in den Text kamen. Hubalek hat deutlich Komödiensinn; das beweist seine Typenzeichnung und beweist die feste Fertigkeit, mit der er kontrastvolle Typen gegeneinanderzustellen weiß, um aus der Konfrontierung des Unangemessenen seinen Teil Komik zu ziehen.

Es gibt da mehr als eine Szene, die den glücklichsten Beweis für solche Begabung gibt. Aber die, da der kleine Schwejk, sein düpierter Hauptmann und ein kalkiger General am Tische sitzen, um die erfundene Heldentat zu feiern – wie da das Mißverständnis sozusagen auf drei Gleisen gefahren wird, das allein hätte genügt, die Aufführung des Stückes zu probieren. So schreibt nur einer, der es im Sinne der Komödie schon dick hinter den Ohren hat. Hubalek arbeitet, hört man, jetzt an einer direkten Komödie. Das ist sein Feld. Hier kann man hoffen.

Aber das vorliegende Stück ist schon deshalb ein Fortschritt, weil hier zum erstenmal das leidige Kriegs- und Fronterlebnis aus dem Bereich der direkten, der bitteren, der aufschreienden Anklage herausgerät. Jetzt ist Distanz gewonnen. Die Wirkung kann endlich satirisch gespiegelt werden. Nun, da fast neun Jahre zwischen dem leidigen Kriegserlebnis und uns liegen, ist der indirekte Weg wieder gangbar. Die entlarvende Würze der Komik ist anwendbar. Hubaleks Stück ist das erste, das von diesen Möglichkeiten Gebrauch macht.

Er ist eine Schwejkiade, eine Eulenspiegelei in Feldgrau: wie ein armseliger Rekrut in Gefahr kommt, über den Zappen zu hauen. Wie er aus Angst sich einen Blankoschein zunutze macht, ein gesiegeltes und zackig gezeichnetes Papier, in das er nur noch seinen Namen zu setzen braucht, um als Held dazustehen und mit dem EK ausgezeichnet zu werden. Wie sich mit einem komischen Ruck sein militärischer und menschlicher Status kraß verändert, er herumgereicht wird, und wie sich an seinen erschwindelten Ruhm gleich auch die Karrieren seiner Vorgesetzten heften. Ein Würstchen wird versehentlich auf ein Podest gestellt; und indem das geschehen kann, ist das System, in dem das geschah, komisch gerichtet, sind heitere Verzerrungen hergestellt, die der Autor klüglich ausnutzt und weiter verdichtet. Das Vergnügen bis zur Pause ist enorm. Die Nutzanwendung von der Sache bleibt auf der Hand. Bis dahin stimmt es genau.

Im zweiten Teil dann gerät der Vorgang dem Verfasser nah an das kalte Grausen. Er wollte, hört man, in der ersten Fassung den Schluß überhaupt tragisch ausgehen lassen. Die Zusammenarbeit mit dem Regisseur und Betreuer dieser Studioaufführung, Oscar Fritz Schuh, hat ihn überzeugt, daß man den Zuschauer nicht erst kitzeln könne, um ihn dann tragisch zu schlagen. So ergibt sich jetzt nach einer halb grausigen, halb komischen Kriegsgerichtsverhandlung, die ein starr preußischer Hauptmann noch in der Kriegsgefangenschaft mit dem entdeckten, armen Teufel von Eulen-echter Spannung, ein lyrisches Ende, ein achselzuckender, fast versöhnlicher Schluß. Die Moral von der Sache kommt um so besser an das Bewußtsein der Leute. Ein Beweis für die These Professor Schuhs, daß der neue Autor immer nur mit der Bühne und auf der Bühne lernen könne. Aber daß da am zweiten Teil noch getüftelt worden ist, daß die Konzeption nicht durchläuft, bleibt zu merken, ein Einwurf, der beim nächsten Mal schon nicht mehr zu machen sein wird. Hubalek selbst wird merken, wie die so glücklich geweckte und gehaltene Anteilnahme am Ende nachläßt. Und da er offenbar ein denkender Autor ist, wird ihm das zu denken geben. Der Versuch ist gelungen. Wir haben ein brauchbares, zuweilen verblüffend treffendes Stück. Und wir hatten eine ausgezeichnete Aufführung.

Professor Schuh läßt Nachwuchs auf der Bühne sein. Er hat die »Stachelschweine« geplündert und sich überhaupt seine Akteure aus dem munteren Bereich der Kabarettisten geholt. Jo Herbst spielt den neuen Schwejk mit einer Unbeweglichkeit, mit der Pfiffigkeit des Gestoßenen, die sehr lustig ist. Nur ein angstvoller Griff in die Heldenkiste – dann rollt seine Rolle, die groteske Militärmaschine besorgt den Ablauf. Herbst brachte die komische Lethargie, das ständige Erstaunen vor den Folgen solcher Übertretungen wunderbar. Ob er nun auch ein guter Schauspieler ist, bleibt offen. Die Rolle paßt ihm so gut.

Wolfgang Neuss macht den Spieß. Günther Pfitzmann einen flotten Frontoffizier mit Skepsis und Herz. Wolfang Müller ist sehr komisch und mit leichtem Anflug von kreatürlicher Angst der frontängstliche Schreibstubenbulle. Wolfgang Gruner und Walter Stassner sind zwei unwillig parierende Frontschweine. Robert Müller macht mit kalkig skeptischen Tönen einen wunderbar komischen Etappengeneral. Und wie Walther Suessenguth den Hauptmann, der zuerst in der Groteske sich bewegen muß und zum Schluß hin dann in die Sphären des kalten Grauens hinüberrutscht, doch zu einer festen Figur faßt und bei beidem nicht in die Gefahr der Übertreibung kommt, das hielt im Grunde die leicht verschobenen Teile des Stückes erst zusammen.

Ein großer Erfolg. Man ließ es den Autor merken, der sich mit den vielen, jeder an seinem Platz erstaunlich funktionierenden jungen Darstellern immer wieder zeigen mußte. Ein Schritt vorwärts ist hier getan. Man sollte die Aufführung bald auch in den Abendspielplan setzen. Sie und der Autor verdienten es wohl.

19. 1. 1954

Harald Zusanek »Die Straße nach Cavarcere«
Tribüne

Man kann mit der Nachwuchsförderung, wie sich zeigt, auch zu weit gehen und sogar Schaden tun. Dies Stück des 32jährigen Harald Zusanek ist nicht aufführenswert. Es ist wirr. Es führt zu nichts. Es zeigt auch nichts. Und was es sich zu zeigen bemüht, ist so, wie es gezeigt wird, unzutreffend und trostlos uninteressant.

Überschwemmungskatastrophe in Norditalien. Und wie nun die einzelnen Menschen auf die feuchte Apokalypse reagieren. Ein Mädchen wird irrsinnig. Ein Polizist wird zum Mörder. Ein junger Mann wird zum Dieb. Ein Kaufmann wird fromm. Ein alter Adliger hält, auch wenn das Wasser ihm bis zum Halse steht, Contenance. Eine Kellnerin verliebt sich. Ein Radioreporter schnoddert in all dem Schicksal herum. Ein junger Tierliebhaber jammert einem versoffenen Karnickel nach. Und eine alte Bäuerin wird für eine Hexe gehalten.

Acht Bilder ungefügten und sinnlos dahinlaufenden Schicksals, daß man hinterher nicht mehr weiß als zuvor. Nur das Wasser rauscht, das Wasser schwillt – kein Dramatiker sitzt daran. Den ungefügten und verwässerten Dialogen zuzuhören, ist schmerzhaft, zumal wenn Zusanek noch eine Unterströmung von Tiefsinn beizugeben versucht. Dann schwimmen ihm die Felle vollends weg, und die Langeweile schlägt um in Ärgernis. Man tat ihm keinen Gefallen, dies aufzuführen. Auch Nachwuchsförderung kann zu weit gehen.

Die Aufführung selber war leider dem Stück angemessen. So ungefügt, so sprunghaft und ungeformt sah man selten etwas über die Bühne der »Tribüne« gehen. Und man soll es den Darstellern, vor deren Talent man in einigen Fällen doch Achtung hat, nicht entgelten lassen, daß sie hier fast alle wie grimmige Dilettanten wirken mußten.   5. 3. 1954

– Die Spielzeiten 1952/53 und 1953/54 –
GLÜCK UND UNGLÜCK MIT KLASSIKERN II

Schiller »Maria Stuart«
Schiller-Theater

Nach vier Stunden ging ein herzlicher Jubel für Fehling hoch. Man hatte auf ihn gewartet. Seine kräftige Handschrift, die auf so vielen ruhmreichen Seiten der Theatergeschichte dieser Stadt erkennbar bleibt, hatte man drei Jahre entbehrt. Das Publikum bereitete ihm, als er mit seinen Schauspielern sich zeigte, schönste Ovationen. Dankbarkeit, Anhänglichkeit und ein gutes Gedächtnis hatten dieses Publikum schon immer ausgezeichnet. Eine Welle herzlicher Sympathie schlug dem großen Regisseur entgegen.

Was hatte man gesehen? Es war, wie mit Druckwerk und Pumpen, eine schwere, zuweilen klotzige, langwierige und ausführliche Darstellung des Schillerdramas vorübergegangen, das zu den in sich spannendsten – wenn der Ausdruck erlaubt ist –: reißerischsten, erregendsten Stücken dieses Dichters gehört. Hier hat Schiller, übersichtlicher und durchschaubarer als sonst, bewiesen, welch ein eminenter homo politicus er war. Dies sollte als Vorgang und erregende Kontroverse zwischen zwei Prinzipien der Macht mit schneller Zündung und heißer Beweisführung über die Bühne gezogen werden. Am historischen Beispiel ein Exempel der Gnadenlosigkeit, der weiblichen Rivalität in den Bezirken, wo Erotik und Politik sich berühren. Die große Staatstragödie mit den vielen Mündungen im Psychologischen. Das festeste von Schillers späteren dramatischen Werken.

Fehling baut in den Ablauf immer wieder inszenatorische Bremsklötze ein. Er ist hier ein Mann der Deutlichkeit, der Überdeutlichkeit, als vertraue er der Tragfähigkeit der Schillerschen Diktion zuwenig. Da wird immer wieder etwas inszenatorisch unterstrichen. Schon wenn der Paulet nur die verborgenen Briefschaften aus dem Seitenschrank zu nehmen hat, verschwindet er bis zur Hälfte darin. Wenn Maria ihre große Abschiedsszene hat, macht Fehling immer wieder Bewegung, Schluchzen unter den Hoffrauen, fegt er ihre weiten schwarzen Kleider über den hellen Gang, läßt er den Melvil (Ernst Sattler) große und übergewichtige Gänge anstellen, bis es endlich zu Beichte und Abendmahl kommt.

Die Inszenierung hakt sich immer wieder an solchen Einzelheiten fest, daß der Fluß des Verses dadurch unziemlich gehemmt und unterbrochen wird. Sie läßt jeden Darsteller schnell und laut in den überbetonenden Ausbruch gehen. So laut hörte man lange nicht auf einer Bühne deklamieren. Andererseits läßt Fehling die Maria ihre letzten Szenen so gezerrt langsam sprechen, so sehr geht er da in ein Zeitlupentempo, daß selbst die große Joana Maria Gorvin hier ihre besonderen Töne hinziehen muß, bis die, anstatt gestaltet zu sein, das leichte Nebengeräusch der Unnatur gewinnen.

Dann wieder kommen Effekte von Brillanz auf. Wie Martin Held den Leicester agiert, fasziniert und hat die schöne, verwerfliche Größe, die man selten an diesem Part dargestellt findet. Wenn Fehling die sonst hier erstaunlich leer bleibende Parkszene mit der großen Auseinandersetzung der Antagonistinnen schließlich von schwarzen Kriegern durchlaufen läßt, ist plötzlich Atem, Natur und Echtheit auf der Szene. Oder wie die Gefangennahme des Mortimer arrangiert ist, wie sich da das Unheil zusammenzieht – das kommt über die Rampe und hat den bedrängenden Atem, der einem aus den großen Fehlingschen Aufführungen in Erinnerung geblieben ist.

Sonst ging diese Aufführung, so geschlossen sie in sich war, so durchdacht sie (auch in den klugen Streichungen) wirkte, fast so etwas wie ein schöner, schwerer Anachronismus vorüber. Als wäre die Epoche der überdeutlichen, der wuchtig illusionierenden Theaterspielerei schon vorüber. Und bei Schiller ließe sie sich am wenigsten wiederholen. Es wäre richtig, würde man einem so barocken und ausführlichen Regisseur eher eine Shakespeare-historie, einen romantischen Kleist, einen Raimund oder einen Barlach anvertrauen. Schiller war eigentlich seine Stärke nie. Und so wurde auch dies eine Kraftanstrengung, die man wegen ihrer Geschlossenheit bewundern mußte; überreden, hinreißen konnte sie nicht.

Dabei bewies Joana Maria Gorvin wieder, eine wie anrührende und sichere Gestalterin in ihr steckt. Wenn sie durch das Übermaß der gestischen Überanstrengung nicht gehindert war, brachte sie das Gesicht der leidenden, der jungen, der mit schönem Stolz begabten, unglückseligen Königin herrlich zur Wirkung. Ihr gegenüber hatte es Elisabeth Flickenschildt mit ihrer etwas harten Diktion schwer. Die große Szene der Konfrontation der beiden Rivalinnen blieb da erstaunlich spannungslos. Walter Suessenguth machte, sehr statuarisch, den Burleigh, Erwin Kalser – den Shrewsburry, Wolfgang Kühne – den Sekretär, Wilhelm Krüger – den Kent und Peter Mosbacher, fest und erregt, den Mortimer.

Die wuchtigen, die Bühne nach vorn verkleinernden Bühnenbilder Heinz Pfeiffenbergers unterstrichen Fehlings offenbare Intention, dies Schillerstück im Stile eines wuchtigen, klotzigen Staatskammerspiels abrollen zu lassen.

Der Beifall, zwischen den Bildern gemäßigt, steigerte sich am Ende aus Freude über die Rückkehr Fehlings zu reinen Ovationen.   30. 9. 1952

Ferdinand Raimund »Alpenkönig und Menschenfeind«
Schloßpark-Theater

Die Reverenz vor dem großen Österreicher war lange fällig. Wie lange hat man ihn hier nicht gespielt! Und wie würdig ist er unserer Kenntnis und Liebe, abgründiger als Nestroy, tiefsinniger als sein strenger, auf dem Parnaß wohnender Zeitgenosse Grillparzer. Das Phänomen eines veritablen Volksdichters, ein Charakter, der die Heiterkeit aus den Höllen des Pessimismus gewann, ein wahrer, redlicher Humorist also, Zauberer im Schnürboden des Vorstadttheaters, ein Realist, der den Ton des Alltags im Blut, im Griff, in der Feder hatte – und mit einem märchenhaften Dreh, mit einem mutigen Aufschwung ins Irreale weiß er immer wieder die Götter, oder doch die Theatergötter, vor das selige Auge zu bringen. In seinen Stücken ist beides: Wirklichkeit und das Bewußtsein des Märchens, Alltag und Zauber, die schöne Muffigkeit der Wiener Biedermeierstraßen und der Goldstaub der reinen, siegreichen Phantasie. Der große Raimund – es hat lange gedauert, bis die Literaturforscher und Schriftgelehrten aufhörten, seinem Vorstadtgenie auf die Schulter zu klopfen. Der Umstand, daß das Volk ihn verstand und ihn liebte, hatte ihn verdächtig gemacht. Sein Genius gehört zu unserem schönsten Besitz.

Und dies »romantisch-komische Märchen« vom Rappelkopf, dem ingrimmigen Menschenfeind, den Astralagus, der Alpenkönig und -gott, sein widerwärtiges Ebenbild sehen läßt, bis eben dieser Stinkstiefel von einem Haustyrannen sich wandelt und bessert, dieses heitere, tiefsinnige, komisch bittere Parabelstück gehört zu seinen schönsten. Jede Figur ein Wurf von fast shakespearischer Statur. Fast jedes Wort, so spielerisch es sich anhören mag, eine grantige Entblößung des Menschen: erst bitter und dann komisch. Ein zutiefst ungemütlicher Poet, ein doch vornehmlich zweiflerischer und galliger Volksdramatiker schafft im Endeffekt immer eine Atmosphäre echter Gemütlichkeit. Einer, der andauernd die fadenscheinige Umwelt durchschaut, flickt sie mit so echten dichterischen Mitteln, daß sie wohnlich, daß sie heiter, wunderlich und daß sie auf ihre Raimundsche Art schön wird. Der Mann war ein Zauberer.

Ihn spielen ist immer eine Frage der Kongenialität, annäherungsweise. Oscar Fritz Schuh, der Spielleiter, ist mit Vorsicht zu Werke gegangen. Er historisierte. Er ließ Caspar Neher sozusagen die wacklige Soffitenbühne der Wiener Vorstadt nachbauen. Er nahm die einzelnen Figuren jeweils, wie sich's hier gehört, mit einer leisen schauspielerischen Überdrehung in die Distanz. Sie kommentieren sich ja bei Raimund schon, ehe sie ihren Charakter noch entwickelt haben. Die demonstrative Art des Schauspielens, die vorzeigende Manier, die seit Brecht wieder modern geworden ist – bei Raimund ist sie schon vorgezeichnet und von ihm selbst wahrscheinlich schon praktiziert. So gewinnt der Abend an Zierlichkeit, kommt eine denkende und denkenmachende Atmosphäre auf. Die Freude an der Distanz. Das Sublimat der Heiterkeit. Der Genuß der indirekten Wirkung.

Kurt Meisel ist für den Rappelkopf noch vergleichsweise jung, aber er hielt den trockenen Stil der Aufführung erstaunlich. Wenn sein Misanthropentum auch etwas monoton schien und die galligen Ausbrüche nicht ganz die Kraft hatten, die man der Rolle wünscht – er zog doch immer einen intelligenten Charme über sein Spiel, beließ es in der Parabelfunktion, die da angestrebt war, daß am Ende ein gut Teil des Beifalls ihm galt. Sein Gegenspieler, Fritz Tillmann, hat den Vorzug der größeren Rollenvariation: als Alpenkönig war er von einer schönen, statuarischen Kirmes-Göttlichkeit; und als Doppelgänger des Rappelkopf gab er eine Meisel-Parodie, die hinreißend war. Ganz und gar lieblich: Käthe Braun als das dummliche Kammerkätzchen. Aribert Wäscher, ölig, penetrant, ein Stockfisch in Livree – der Habakuk mit dem Dienerdünkel. Maria Schanda – auffällig in der ganz kleinen, skeptisch komischen Kleinleuteszene. Lu Säuberlich, mit Stockschnupfen, war eine rührsame, später Fromme Helene, tatsächlich wie von Busch entworfen. Marianne Prenzel und Robert Dietl, das verhinderte Liebespaar, als sei es direkt von einem Wiener Bilderbogen kopiert. Mit der Sprache gab man sich keine allzu wienerische Mühe. Eva Bubat ließ man dreist aus Frankfurt sein. Die Braun verleugnete ihr Münchnertum nicht. Meisel und Dietl, hauptsächlich, hielten den Raimundschen Ton. Und es war gut, die Mundart nicht zu erkrampfen. Ein Schelm, wer mehr Wienerisch gibt, als er hat.

Das Publikum goutierte den Spaß mit Tiefsinn sehr und feierte am Ende Schuh und die Seinen herzlich, lange, mit Rufen und Applaus immer wieder. Einbegriffen war die Musik, die Kurt Heuser nach den zeitgenössischen Originalmusiken zärtlich arrangiert hatte.   15. 11. 1952

Ohne Zweifel wirklich der lustigste, poetischste, gelungenste, sympathischste Theaterabend dieser Spielzeit, bisher. Wie, fragt man, kam er zustande?

Die eine gute Vorbedingung für das Gelingen solch guten Theaters ist paradoxerweise, daß eigentlich in diesem Hause die Vorbedingungen für das Theater zur Zeit schlecht sind. Hierher fließt keine Subvention, obgleich sie immer wieder versprochen wurde. Wer hier spielt, spielt vorerst aus Lust am Spiel. Wer sich auf diese Bühne stellt, gehört zu denen, die es nicht lassen können. Wer sich an diese Rampe meldet, bringt vorerst Opfer.

Zweitens: Kurt Meisel, der die junge Truppe um sich gesammelt hat, ist ein denkender, ist dabei ein musischer Inszenator. Das brachte ihm am Lehniner Platz mit seiner ungestümen und gezügelten »Räuber«-Inszenierung den ersten Erfolg. Das ließ ihn aber auch im Hebbel-Theater mit dem »Nathan« fehlschlagen. Jetzt ist das Gleichgewicht gefunden. Diesmal trifft Meisel auf Anhieb die weise, heitere, zärtliche und robuste Melodie des großen Shakespeare-Textes sofort. Das klingt schon von der ersten Minute, wenn er den Orsino (Dietrich Frauboes) einsam auf der blanken Bühne stehen und ihn aus einer verzückten, pantomimischen Bewegung heraus die ersten göttlichen Worte der Komödie intonieren läßt. Und die Melodie verklingt und verschwindet auf der ausdunkelnden Szene, wenn der Narr, wenn Wolfgang Neuss, den Abgesang, »hoppheißa, bei Regen und Wind«, langsam und mit einem melancholisch-ironischen Schlenker auslaufen läßt.

Die Tonart stimmt. Sie verschiebt sich während des Abends an keiner Stelle. Die Melodie bleibt hörbar und bleibt durchsichtig, auch dort, wo sie mit dem närrischen, handfesten, dickeren Kontrapunkt draller Komik versehen ist. Dies bleibt Pastell. Und es bleibt, während man den Genuß von der Sache hat, immer der doppelte Genuß der vollen Durchsichtigkeit. Man sieht, während man verzaubert wird, warum man verzaubert wird. Theater der Transparenz. Ehrliches Theater. Man wird nicht geblufft, wird emotionell nicht hintergangen. Man bleibt immer der Mittel ansichtig und bewußt, mit denen man, je länger je lieber, in diesen milden poetischen Rausch gerät. Eine musische Nüchternheit teilt sich mit. Ein sehr modernes und in Wahrheit erst heiteres Phänomen. Das Parkett atmet mit der Szene. Uns wird nichts »vorgemacht«. Die Vorstellung wird, sozusagen, an zwei Plätzen hergestellt diesseits der Rampe und jenseits von ihr. Aktives Theater. Das war das Schöne daran.

Dazu bedarf es keiner Requisite, bedarf es keines Umbaus. Die fröhlich bewegte Imagination des Zuschauers erstellt alles. Meisel hat H. U. Thormann ein gestuftes Praktikabel erbauen lassen mit einer Segel-Andeutung als Hintergrund. Darauf gehen die Szenen ineinander über, überlappen einander, geht es Schlag auf Schlag. Eine Kindertrommel, drei alberne Hockerchen, vier splitternde Holzdegen. Mehr ist nicht vonnöten. Es wird gespielt. Im Spiel werden die Dinge erstellt. Pompöser Hintergrund ist nicht vonnöten, wo man das Wort läßt stahn und wo das Wort von der Art ist, der Phantasie alle Nahrung zuzureichen. Vertrauen zu Shakespeare. Es zahlt sich aus.

Die Spieler waren unter solcher Leitung alle zu loben. Die störrische Anmut, die knabenhafte Grazie der Ursula Lingen, die die Olivia war. Stampfend vor Männerverstellung und gleich umkippend in die Schwächen weiblicher Liebe. Sie umriß die Figur immer noch einmal mit leichten Konturen der Ironie. Sie »spielte« immer und ließ es merken, sie blieb in der Gestalt und blieb doch in der Distanz davon. Das machte es im doppelten Sinne reizvoll.

Nicht anders die liebliche Hanna Rucker, die die »Vorstellung« einer liebestollen Prinzessin gab. Und dann, jedesmal, wenn die göttlichen Verse echter Liebeswehmut zu sprechen sind, wenn es voller Ernst wird, wenn der Gesang in Prosa anhebt, siehe, dann verströmt sie die großen Worte mit unverstellter und undistanzierter Empfindung. Ich ertappte mich dreimal dabei, wie ich im Parkett vor Rührung und Wohlgefallen schluckte.

Hilde Volks resolutes Talent zur festen Kicherkomik konnte sich endlich einmal wieder voll auslaufen. Die Maria, in der Nähe der derben Narrengestalten immer eine heikle Aufgabe, gelang ihr bezaubernd. Ihre reizvolle Altstimme zieht die heiteren Arabesken des Textes fröhlich nach.

Die Rüpel, die Narren, die direkt komischen Figuren hatte Meisel erfreulich gezähmt. Er ließ sie nicht in Gags exzellieren, obgleich es sehr heitere Regieeinfälle gab. Er hatte den Text gesäubert und gedämmt und ließ ihn genau und wirksam kommen. Derartig wirksam wurde er in solcher Darbietung, daß mehr als einmal Shakespeare für die eine oder die andere göttliche Zeile Szenenbeifall erhielt. Das bleibt zu notieren.

Paul Esser war der Rülp, seinen Dialog mit voller Zunge genießend. Dies Gesicht, diese angeheiterte Lebenslust, Pfiffigkeit und liebe Unverschämtheit prägen sich ein. Alfred Balthoffs Malvolio hatte viele Qualitäten ironischer Zurechtsetzung. Ein vorzüglicher Sprecher und ein gezügelter, rechnender Schauspieler. Wunderbar Klaus Schwarzkopf, der den Bleichenwang hier von der peinlichen Albernheit befreite, die der Rolle oft beigegeben wird. Schon von dem blassen, dummdreisten Antlitz, aus den zaghaftfrechen Bewegungen kam eine sonderbare Komik, als hätte ihn Steinberg gezeichnet. Und Wolfgang Neuss fügte einen Klang frecher, wehmütiger Sicherheit, fügte seine merkbare Persönlichkeit und den oft absurd klingenden Ton seiner Stimme diesem Narrenquartett so wirkungsvoll hinzu, daß man meinen könnte, er hätte nie Kabarett gespielt. 8. 2. 1953

Sophokles »Antigone«
Schiller-Theater

Der gewaltigen Tragödie ging, entgegen antikem Brauch, ein kleines publizistisches Satyrspiel voraus: Heinrich Koch, der Regisseur, hatte hier am Sonnabend in einem Aufsatz »Die unverhüllte Szene« einige Gedanken über das Einraumtheater und die Guckkastenbühne geäußert und sachlich darauf hingewiesen, welche Möglichkeiten eben der freien, der unverhüllten Szene gerade heute innewohnen könnten.

Das brachte den temperamentvollen – wie ja das ihn dauernd schmückende Beiwort heißt – Jürgen Fehling offenbar in Rage. Er tunkte seine Feder in merkbar dicke Tinte, kanzelte seinen Kollegen Koch hart ab und ließ den Ausbruch seines Jupiterzornes schon am nächsten Morgen überraschend im »Tag« erscheinen.

Was warf er Koch vor? Er warf ihm ausführlich vor, daß Koch jünger sei als er. Das wird der auf sich sitzen lassen müssen. – Er warf ihm vor, nicht zu wissen, daß Versuche mit der Einraumbühne schon früher gemacht wurden. Das aber weiß Koch, und das hatte er gerade geschrieben. – Fehling warf ihm vor, daß die

Akustik des Schiller-Theaters mäßig sei. Davon hatte Koch nicht gesprochen. Er hatte es lediglich begrüßt, daß durch die Bühnenbauart in diesem Hause das Einraumtheater praktikabel sei. Das aber ist etwas anderes. – Und schließlich ruft Fehling Koch nach, er wolle einen »Kannibalismus« in unseren Theatern etablieren. Da verläßt ihn die letzte Sachlichkeit. So schade! Gerade von Fehling hätte man gerne genaue und redliche Argumente gehört. Dies aber ist ein wütender Schlag ins Wasser.

Rede, Künstler, schimpfe nicht!

Sah man nun Kochs Inszenierung, so wurde der Wunsch nach ernster, sachlicher Klärung nur deutlicher. Vieles wirkte, vieles gelang, wie es Koch geplant. Anderes wieder schien sich störrisch seinem kargen Stil zu verwehren. Wahr ist, daß die von allen Bühnenutensilien entleerte Szene das Wort deutlicher in die Mitte reißt, daß nun jede Geste ihre Bedeutung tragen muß. Scharf konturiert bleibt alles erkennbar. Der Zuschauer ist gehalten zu einer Mitarbeit, die ihm im Unterhaltungs- und glatten Bildungstheater sonst nicht zugemutet wird. Koch stellt die notwendige künstlerische Distanz allein durch Lichteffekte her. Der Mensch in theatralischer Aktion ist gegeben. Himmel und Erde, Vorder- und Hintergrund hat die geweckte Imagination des Publikums zu erstellen. Oder soll es doch wenigstens.

Das gelingt immer, wenn monologisiert wird, wenn Antigone, beispielsweise, ihren großen Klageruf erhebt. Es gelingt, wenn in hartem Dialog die Stimmen aneinanderklirren, wie in dem bösen und von menschlichen und politischen Untergründen hallenden Streitgespräch zwischen Kreon und Haimon oder in dem zwischen Kreon und Teiresias, dem Seher. Da steht Größe auf sich selber. Da lebt in bewegter Rezitation jeweils die tragische, blutige Welt der Antike.

Es gelingt nicht, wenn größere Geh-Passagen zu bewältigen sind, wenn nicht das kräftige Wort, sondern wenn die Geste den Raum füllen muß. Dann bleibt ein Rest von scheinbarer Improvisation ärgerlich. Oder wenn der Chor auf der völlig unbestellten Szene einen Stellungswechsel vornimmt, so ist dem Zuschauer die jeweilige Intention des Regisseurs durchschaubar und aufdringlich augenfällig. Kargheit gewinnt dann den Beigeschmack von Kärglichkeit. Das gerade nimmt wieder die Illusion, zu der Koch uns doch zwingen will.

Und eine andere Gefahr ist, daß Koch, da er doch dem Wort

fast allein alles zutrauen muß, das Wort zu schnell und zu häufig in eine bedrohende Lautstärke treiben läßt, die über das Nötige wie über das Erträgliche weit hinausgeht. Da wurde zu vieles zerschrien.

Die große Tragödie, dieses Drama des revoltierenden Menschen, der gegen böse Macht und falschen Befehl aufsteht, dieser exemplarische Vorgang vom Widerstand des Wehrlosen und von seinem tödlichen Sieg über die Gewalt, steckt voller Bezüge auf diese unsere Gegenwart. Nicht ohne Erschütterung sind des Sophokles Verse von der Hybris der Macht und von dem Mut der Rebellion zu hören. Nicht ohne Klärung die Auseinandersetzungen zwischen Antigone, der Rebellierenden, und Ismene, der es an Mut zum Aufstand gebricht und die, als die Tat getan ist, eine Mitläuferschaft erwerben will, und wie Antigone sie da zurückweist: »Stirb du nicht allgemein!«

Der gewaltige Text ist bis aufs Blut erregend und im Bilde heute anwendbar in fast jeder Wendung. Hölderlins großartige Übersetzung, auch wenn sie so etwas wie eine pindarsche Dunkelheit über das gewaltige Ganze wirft, läßt diese erregende Aktualität immer spüren und hebt die klassischen, politischen und menschlichen, ewig anwesenden Fragestellungen in das schönste Deutsch.

Ein aktuelleres, ein würdigeres und kräftigeres Drama wäre gerade für diesen hiesigen und heutigen Anlaß nicht zu finden.

Maria Becker ist Antigone. Das Fach der großen Tragödin füllt sie mit einer Sprache, in der Wärme und Kälte, Schärfe und Zärtlichkeit klingen können. Sie spricht ihre Verse mit einer hohen Intelligenz und bringt schon mit den ersten Worten und Gesten eine tragische Kraft auf die Szene, wie sie heute selten geworden ist. Ihr zuzuhören, zu vernehmen, mit welcher Intuition und mit welch denkender Genauigkeit sie die Strophen formt, ist ein Gewinn. Bedauerlich da, daß sie die Fähigkeiten ihres besonderen Organs zuweilen überanstrengen muß und eine laute Schrillheit nicht meidet.

Wilhelm Borcherts Kreon steht kaum auf der gleichen Stufe schauspielerischer Vollkommenheit. Er legt die Königsgestalt zu sehr ins barbarisch Krasse. Ihm wird die stützenlose Leere der Bühne oft gefährlich. Er, der als der Gewalttätige am Ende vom Schicksal gewalttätig niedergeschlagen wird, läßt die latente Tragik seiner Rolle nur wenig durchblicken.

Dreimal regte sich Szenenbeifall: einmal für Siegmar Schneider und die jugendlich erregte, angriffliche Art, mit der er den Haimon agierte. Einmal für Arthur Wiesner, der den Seher Teiresias mit einer völlig erdhaften, aber doch göttlich diktierten Beredsamkeit sprach. Einmal für Erich Schellow, der die Worte des Boten mit einer strahlenden, bezwingenden, beflügelnden und festen Diktion klingen ließ. Johanna Wichmann – Ismene. Ursula Krieg – Euridice. Eduard Wandrey – der Wächter.

Anordnung und Sprache des Chores waren bei weitem so glücklich nicht wie vieles andere in dieser Aufführung. Gerade der Chor, der doch eigentlich die Einraumbühne verlangt, schien oft heimatlos oder mühsam arrangiert auf den weiten, freien Brettern. Auch schien die sprachliche Aufgliederung des göttlichen Textes nicht immer mühelos und überzeugend.

Das Publikum, sich offenbar erst schwer lösend von der Gewalt und Aktualität des antiken Dramas, gab dann langen und enthusiastischen Beifall, rief die Hauptdarsteller immer wieder und schien erst später diskutieren zu wollen, was hier gelungen und was fragwürdig geblieben. Freundlicher Beifall ins Spiel. Herzlicher Beifall am Ende.   2. 9. 1953

Picard/Schiller »Der Parasit«
Schiller-Theater

Dies ist sozusagen das Skelett der klassischen französischen Komödie. Kein kräftiger, überwachsener Spaß ist das, sondern die ständige Ansicht des Gestänges, an dem sich die komische Wirkung bewegt. Die Abstraktion der Heiterkeit. Es ist die akademische Komödie, in ihren herzlich primitiven Effekten immer durchschaubar. Der Spaß daran ist, daß gerade keine Überraschungen kommen. Alles bewegt sich genau nach dem dramaturgischen Regelbuch. Die Charaktere sind fest in ihr Bühnenfach gestellt und haben sich darin jeweils aufzuführen, wie die klassische Regel es befiehlt. Das heute wieder aufzuführen, bedeutet eine etwas distanzierte Belehrung in Theaterhistorie mehr als einen handfesten Theaterjux. Das Vergnügen dabei ist nicht die Überraschung oder die psychologische Verbrämung, sondern das distanzierende Vergnügen liegt eben darin, die klare Regeldetri der Komödie zwangsläufig und unverschnörkelt sich ergeben zu sehen. Was auf der Hand liegt, von vornherein, sich auf der Hand wieder klar und sofort durchschaubar entwickeln zu sehen – das ist das historisierende Vergnügen daran. Schon Schiller hat es offenbar gekostet, als er dies Lustspiel seines Zeitgenossen, des Bühnenschreibers Picard, für wert genug hielt, in sein graziös glänzendes Deutsch genommen zu werden. Der Vorgang ist kraß gesellschaftskritisch. Ein politischer Streber, ein Tartuffe des ministeriellen Vorzimmers, umgeben von Edelcharakteren aus sieben Bühnenfächern, will auf krumme Weise die Gesellschaftstreppe erklimmen und kommt im letzten Akt böse zu Fall. Verstellung und Entlarvung. Kabale und Sieg der Gerechtigkeit. Man verliert das Gestänge des Komödienbaus nicht aus den Augen, während sich der einfältig klare Vorgang abspielt.

Mit dieser Komödie schloß vor Kriegsende das Staatstheater. Und Gründgens spielte sie damals offenbar bewußt, um die paar kräftigen Sentenzen, die es gegen politische Verlogenheit und Ränkesucht enthält, beklatschen zu lassen. Das Deutsche Theater eröffnete mit der gleichen Aufführung nach Kriegsende, als noch die Rauchschwaden über der ruinierten Stadt lagen und kein Verkehrsmittel uns in die Schumannstraße trug. Willi Schmidts Inszenierung, die man jetzt im Schiller-Theater sieht, ist die beste von den dreien. Schmidt liegt der klare, akademische Effekt. Er tut nichts hinzu. Er verfällt nicht in den denkbaren Fehler, hier auffüllen zu wollen oder Dichte zu geben, wo gerade Dürre und Durchschaubarkeit den Spaß machen. Er schiebt alle Komödienfiguranten mit ironischem Kalkül auf dem vorgeschriebenen Schachbrett der Handlung vor sich her, bis der exemplarische Schurke, bis der streberische Schubjak matt gesetzt ist und aus dem Spiel genommen werden kann. Vielleicht ist Schmidt dabei hin und wieder etwas zu betulich in die Distanz verliebt, geht er dabei um einige Nuancen zu zierlich und bedächtig zu Werke. Aber der etwas abstrahierte Eindruck, das historisierende Vergnügen bleibt angenehm merkbar.

Zumal genau und treffend gespielt wird. Arthur Schröder ist mit grandseigneuraler Geste und Diktion der paradigmatische Père nobel, edel und souverän. Agnes Windeck verwaltet mit einer lieblich herrschaftlichen Dümmlichkeit das Fach der adligen, komischen Alten entzückend. Johanna Wichmann, die Naive mit den Seufzern, mit dem Erröten des Fachs, anzuschauen wie aus einem Gemälde von Watteau. Neben ihr Siegmar Schneider, der exemplarische, jugendliche Held, seine leidenschaftlichen Texte herausschießend, als hätte er schöne, pathetische Platzpatronen verschluckt. Paul Wagner ist der Biederling und das mißbrauchte, echte Herz. Und Clemens Hasse läßt der Regisseur einen echten Rokoko-Bauernlümmel sein, derb und blondschopfig, ein tumbes Hänschen aus dem Blaubeerwald, ausgleitend auf dem Parkett des Pariser Edelhaushalts.

Der Gewinn aber: Aribert Wäscher. Dieser Schauspieler ist so faszinierend, weil er, noch wenn er wie hier in kraß-roter Perücke und mit vielen à parts und vorgeschriebenen Fingerlingsgesten den sofort erkennbaren, naivischen Schurken gibt, immer noch eine Tür zum Unheimlichen aufstößt. Hört man genau hin, verwaltet er eigentlich nur ein und den gleichen öligen, tückischen, sämigen Ton. Aber wie er den in die Höhe und Tiefe, wie er den in die Stärke und in die Zartheit gleiten läßt – immer den gleichen Ton, das bleibt faszinierend und rückt unversehens die Gestalt aus ihrer Simplizität gespenstisch heraus. Am Ende hat man, wie es ja schon die redliche Regel des Kasperle-Theaters will, fast Mitleid mit dem gefoppten Teufel, mit dem zu Fall gebrachten Ränkeschmied. Wäscher hat da in aller schauspielerischen Behutsamkeit eine Gestalt von doppelter Faszination zustande gebracht.

Neben ihm ebenso lustig wie heimlicherweise tragisch Hans Hessling in der Rolle des immer wieder geschädigten Sanguinikers, des düpierten Rechtsfanatikers, der erst zum Schluß seinen schurkigen Gegner entlarven kann. Sehr glücklich, daß Schmidt diese Rolle, die sonst mit brausendem Edelsinn gefüllt wird, einem echten Komiker anvertraute. Und Hessling gab viele menschliche, rührende und echt komische Farben in das Bild.

Das Bühnenbild, das Willi Schmidt sich da gebaut hatte, war in seiner hellen Schönheit, seiner zierlichen Festlichkeit eine kühle Augenweide. Hier stimmte die bühnenbildnerische Umwelt ganz und gar. Und wenn man zuvor gefürchtet hatte, dies geregelte und enge Spiel würde auf der großen Bühne verlorengehen – siehe, es ging auf in seiner klug geregelten Starrheit, in der musischen Berechnung dieser historisierenden, distanzierenden Darbietung.

Das Publikum wertete dies als gelungenen Auftakt, als das zierliche Prélude einer – der Theaterhimmel gebe es! – glücklichen Spielzeit.   6. 8. 1953

DIE ÄRA SCHUH
IM THEATER AM KURFÜRSTENDAMM
BEGINNT

Lessing »Emilia Galotti«
Theater am Kurfürstendamm

Professor Oscar Fritz Schuh, der neue Hausherr im Theater der Freien Volksbühne, scheint mit künstlerischem Bedacht zu Werke zu gehen. Er stellt einen mittleren Klassiker an den Anfang seiner Intendanz, und die Art, wie er diesen Klassiker zu Worte bringt, gibt schon deutlich seine Intention und Handschrift.

Schuh zeigt eine klare, zeigt eine deutlich durchdachte, eine kühl gefügte und denkerisch geprägte Aufführung des Trauerspiels. Schuh gehört nicht in die Gruppe derer, offenbar, die dem »inbrünstigen Theater«, die der »Schlemmer-Bühne« anhängen. Er will sein Publikum nicht mit Wirkung, Farbe und drückenden Effekten überrennen. Er zielt auf den »trockenen« Stil, er drängt auf die Mitarbeit im Parkett. Er reicht dem Beschauer nicht die fertige und so, wie sie ist, unumstößliche »Auffassung« hin. Ihm geht es offenbar darum, auf der Szene Raum zu lassen für die schauende und denkende Mitbeschäftigung vor der Rampe. Eine Art Theater zu machen, die weniger bequem und weniger eingängig sein mag als die bisher akklamierten und gewohnten Stilarten. Aber doch eine, die gegenwärtiger ist und zukünftiger, meinen wir, als die Repetitionen der in den letzten Jahrzehnten vielfach ausgelaugten und leer gewordenen Anstrengungen des Überredungs- und Imponier-Theaters.

Schuh läßt bewußt viele Effekte aus, die sich manch anderer Regisseur der Fülle nicht hätte aus der Hand nehmen lassen. Er verzichtet auf Farbe, wo man gewohnt ist, sie voll aufgetragen zu finden. Er läßt sonst fleißig benutzte Charakterzüge der Tragödienfiguren nur angespielt sein. Er geht nicht vom Effekt an den Text heran, sondern er kann auf manche Effekte verzichten, weil er dem Text, dem Vorgang vorerst dient. Er stellt keine falsche Fülle her, sondern hält das künstlerische Interesse genau und musisch auf dem typischen und furchtbaren Ablauf der Dinge. Eine Art zu inszenieren, die manchen, der den Lärm der Theaterposaunen liebte, dürr und allzu linear erscheinen mag. Wer sich Gedanken macht, wie überhaupt die oft verspielte Klassik wieder für uns zu gewinnen sei, wird mit Schuh übereinstimmen, daß dies wahrscheinlich der ehrlichste, der lebendigste, der klügste Weg zum Ziel ist.

Eine grandiose, in ihren durftigen Farben wunderbar abgrenzende und stilhaltende Dekoration von Caspar Neher, ein klarer, freier Spielraum, auf dem sich der Lessingsche Vorgang ergeben muß. Hier stehen die einzelnen Figuren wie ausgeschnitten auf der Szene, daß das Paradigmatische daran sofort sinnfällig wird und der Einzelfall nebensächlich. Der Akteur muß sich an sich selbst und seinem Partner entzünden. Er kann sich nicht in einer stimmungsvorgebenden, wechselnden Dekoration an die Kulisse lehnen und davon profitieren. Den Umriß sofort und überredend zu schaffen, ist ihm hier selbst aufgegeben. Das ist schwerer als die herkömmliche Art, spielen zu lassen. Es ist aber auch, gelingt es, um vieles herrlicher.

Am schönsten antwortete auf die Intention des Regisseurs die große Maria Wimmer. Ihre Orsina macht dies ehrende Beiwort nötig. Wie sie aus dem schauspielerischen Stande sozusagen, auf einen schönen Ruck die Tragik, das Interessante, das Aufbegehrende und das weiblich Verzichtende dieser Figur griff und deutlich machte, ist eins der Erlebnisse, um derentwillen man das Theater immer wieder lieben muß. Wie sie spricht, wie sie das fahle, strenge Gesicht immer bewegt und überredend sein läßt, wie sie bei aller schauspielerischen Impulsivität doch den hier gewollten »trockenen« Stil der Darstellung hält und am Ende in ihrem einen großen Auftritt eine ganze, große, eigene Tragödie sichtbar gemacht hat, das war des geradezu erschrockenen Beifalls wert, der zuerst ihrem Auftritt und am Ende ihrer Verbeugung immer wieder folgte.

Oder wie Schuh die Nebenrollen ganz zart, und ohne sie überbetonten zu lassen, herausholt: den Maler Conti sah ich nie so gut gespielt wie hier, da ihn Friedrich Joloff mit einer stolzen, nervösen Nachdenklichkeit versah. Oder daß Wolfgang Neuss im Souterrain des Trauerspiels den mörderischen Angelo so zierlich prononcierte und die Komik, offenbar selbst erstaunt, so offenließ, war ehrenwert. Oder wie Schuh mit dem jungen Peter Schiff, als dem bediensteten Mitwisser der Mordtat, gleich eine Nuance der Unterwelt deutlich, aber unaufdringlich kenntlich machte, das ehrte die Akteure wie den Inszenator.

In den Hauptrollen tat es sich da oft schwerer. Judith Holzmeister (Emilia) kommt zugute, daß sie die Schönheit, das »herrliche Frauenbild«, von dem bewundernd die Rede ist, wirklich ist. Sie hat den großen tragischen Zug, wenn auch das zaghaft Mädchenhafte in dieser Darstellung etwas zu kurz kommen mochte. Eine Schauspielerin, die ein Gewinn für Berlin ist. Peter Mosbacher schien dagegen etwas eng und vergleichsweise schmal für die diffizile Figur des Prinzen. Daß er, daß seine Leidenschaft zu der Bürgertochter das furchtbare Debakel auslösen muß, wird so von vornherein nicht recht glaubhaft. Kurt Meisels Marinelli enthielt sich aller sonst in dieser Rolle gesehenen, augenfälligen Schurkereien. Die doch im Grunde sonst lästige und dickschwarze Figur rückte so in die Sphären der Verständlichkeit – ein eleganter Höfling mit leicht gezogenem Gang, böse aus Verdrückung eher, denn aus Lust am Bösen. Hilde Weissner war mit der kühlen Wärme, die sie auszeichnet, die Mutter Galotti. Und Walther Suessenguth, breit, saftig und brav, der Obrist Galotti, die schwere Todesszene achtbar möglich machend.

Dieser erste Abend einer neuen künstlerischen Leistung machte Hoffnung. Man merkte, daß hier ein denkender Künstler am Werk ist, und das ist – um aus dem Stück nach Lessing zu zitieren – noch einmal soviel wert. Das Publikum reagierte auf die ersten Akte sonderbar kühl, so als wollte es sich selbst auf die Intentionen Schuhs einspielen. Am Ende dann langwährender Beifall für alle. Für die Wimmer hörte man kleine Applausorkane.

25. 10. 1953

Büchner »Woyzeck« und Molière »Tartuffe«
Theater am Kurfürstendamm

Solche Theaterabende sind schon im Kontrast anregend und fruchtbar. Oscar Fritz Schuh, der mit dieser zweiten und dritten Arbeit im neuen Hause seine Handschrift, seine Theater-Intention festigt und deutlich macht, wird es gereizt haben, das bisher ungeordnete Ensemble innerhalb von drei Stunden durch zwei ganz verschiedene Aufgaben gehen zu lassen. Ernst Schröder, beispielsweise, ist im »Woyzeck« der breite, dumm behäbige Haupt-

mann, des armen Franz phlegmatisch gemüthafter Deibel. Nach
der Pause ist der gleiche Schröder der gallisch ausgepichte Tartüffe; wenn er zuvor Breite, Dumpfheit und glatte Torheit zu verwalten hatte – jetzt ist er Molières Spottgeburt aus Dreck und
Feuer, ist er mit einer erstaunlich weichen Schärfe das Urbild des
Bigotten, der wilde Umriß des gotteslästerlichen Gottesmannes.
Ein Mann und zwei bestechende Gesichter. Erstaunlich!

Kurt Meisel hat seine »große« Rolle vor der Pause. Er ist der
Woyzeck. Er legt die Figur vorerst ganz demütig, ohne jede
dumpfe Übertreibung, ohne alle Mitleidsdrücker an, um sie dann,
zum Ende des empörenden Vorgangs hin, aufbegehren zu lassen
und die Klage der Kreatur, der die Stimme von Gott versagt ist,
doch in den Weltraum zu schreien. Eine Leistung von fast quälen-
der, stiller Überredsamkeit. – Und nach der Pause, im »Tartüffe«,
holt er sich in der kleinen Rolle des gerichtsvollziehenden Beamten durch ein paar süßlich-komische Töne, durch eine ganz zart
schraffierte Charge lauten Sonderbeifall. Erstaunlich!

Am erstaunlichsten wird das Doppelspiel bei Ursula Lingen.
Die Marie in Büchners Fragment wäre, dachte man, weit jenseits
ihres Rollenfaches. Man irrte. Sie gibt plötzlich eine kreatürliche
Heftigkeit, sie bewältigt plötzlich dramatische Gewichte, sie holt
Töne der reinen Natur heran, die man außerhalb ihrer Möglichkeiten glaubte. Der bare Volkston steht ihr zur Verfügung. – Und
nach der Pause ist sie mit spitzer, frecher Schnute, fast tänzerisch,
verdrallt und verkichert das lieblichste Barock-Kammerkätzchen,
das denkbar.

Professor Schuh legt beide Stücke mit der vorbedachten Kühle
an, die sein Stil und seine Intention ist. Den Büchner läßt er auf
der Drehbühne und in den klug aussparenden Bühnenbildern
Caspar Nehers tatsächlich fragmentarisch spielen. Er reißt die
Szenen, die ohnehin Fragmente sind, nur an. Er wischt wie mit genau gesetztem Pastell über die Bühne. Er setzt sich auf keinen Effekten fest. Und gerade die Verhaltenheit, die der stöhnende Vorgang dadurch bekommt, gerade die künstlerische Scheu, die
Schuh walten läßt, gibt dem Ganzen eine strenge Nähe und eine
schaudernde Schärfe, die man bei breiterer, bei »brünstigerer«
Darstellung sonst nie empfand. Das von Büchner ungeordnet ge-
lassene Szenarium hat Schuh in einigen Teilen umgestellt und anders geordnet als gewohnt. Auch daran mag gelegen haben, daß
ein Teil des Publikums sonderbar trocken auf die intelligente Dar-

bietung reagierte.

Allseitiger Jubel dann bei Molière! Da ging die musische Strategie, mit der dieser Regisseur vorgeht, allen ein. Wenn er vor der Pause den Mollton, den deutschen, wie unter einer unheimlichen Sordine hatte erklingen lassen – jetzt hob die französische Melodie im puren, durchschaubaren Dur an und klang hell bis zum Ende durch. Glänzende Heiterkeit strahlte von der kostbar geordneten Szene. (Bild: wieder Caspar Neher.) Des argen Tartüffe, des überteufelten Teufels exemplarisches Schicksal lief ab wie ein Präzisionsuhrwerk, bis am Ende dem entlarvten Schubjak im lästerlichen Gotteskleid die Stunde der Vergeltung schlägt und Komödienkummer sich in helle Komödienheiterkeit wendet. Das ist mit vielen schönen Leistungen durchsetzt. Neben Schröder, Meisel und Lingen machte Klaramaria Skala die Entlarvungsszene mit Tartüffe zu einer noblen Pikanterie. Tilla Durieux, herrlich aufgeputzt, die rechthaberische Fregatte von Großmutter Pernelle, Wolfgang Neuss, umwerfend komisch anzuschauen, ist der Gott aus der Maschine und in der Uniform des Sonnenkönigs. Alfred Balthoff, eigenartig unpräzis diesmal, ist der getäuschte Orgon, Maria Seebach, mit komisch gekräuseltem Backfischschluchzer, dessen Tochter. Und Harald Juhnke, mit netter Festigkeit, ihr Anverlobter.

Ein Theaterabend von vielfachem Gewinn: Schuhs Stil der erfüllten Kühle, der geordneten Leidenschaft, des szenischen Understatements zeigte sich in zwei ganz verschiedenen Sphären anwendbar und erfolgreich. Die Schauspieler, angehalten, durch zwei ganz verschiedene dramatische Reifen zu springen, erheitern schon durch den artistischen Reiz, der solch nah aneinandergestellter Doppelverwandlung innewohnt.

Die Volksbühne ist auf dem Wege, Berlins Theaterleben einen Akzent von strenger Schönheit und durchdachter Modernität zu geben, den man bisher vermißte. Dies war ein großer, vielfach reizvoller Theaterabend.   25. 12. 1953

Hofmannsthals »Der Schwierige«, diese heiter melancholische, verkappt kritische, dann wieder liebevolle, verschnörkelte, zärtliche Darstellung eines Adelsanachronismus, dargestellt von zumeist aus Wien authentisch hergereisten Kräften. Eine Aufführung – großstädtisch, in fast jedem Punkte souverän. Ein ausgewogen abgeschmeckter Theaterabend.

Hier war ein Regisseur zu merken. Rudolf Steinboeck, der mit einer ganz zarten Trottel-Komik auch eine Rolle spielte, hatte mit merkbarem Geschmack, oft etwas langsam vielleicht, aber doch mit viel Glück und Fingerspitzengefühl eingerichtet. Ein bestechend schönes, die arg große Bühne raffiniert aufteilendes Bühnenbild von Wilhelm Reinking hörte in drei schnellen Verwandlungen nicht auf, dem Auge wohlzutun.

Das wurde eine zierlich zärtliche Lustbarkeit, ein Vergnügen am Vergangenen, das nicht sterben will. Hofmannsthals Komödienlust an den Verwirrungen, die ein Unentschlossener, die ein Zaghafter, die ein Schwieriger in eine leer dahinlaufende, heimlich schon gespenstisch und komisch gewordene Gesellschaft bringt. Das ist nur unter der Sordine spielbar. Und so wurde es gespielt. Geschmack diktiert alles. Und wo die Komik, wie bei dem Darsteller des Stani, zuweilen etwas kräftiger genommen wurde, klang der verschleierte Dur-Akkord dieser Aufführung schon nicht so wie sonst.

Man hat eine Reihe ausgezeichneter Akteure von der Donau zu diesem Zwecke importiert, zu denen sich Hilde Volk (sehr belustigend in dem Part der Bildungstratsche) und Ursula Lingen (reizvoll und töricht kapriziös als die Hechingen) gesellten. Walther Suessenguth macht mit kräftigem Umriß den Vetter aus dem Norden. Sonst aber triumphieren die Zugereisten. Leopold Rudolf legt den Schwierigen selber mit großer Intelligenz an, die Waldau-Figur auf eigene und äußerst sympathisch verhaltene Weise neu füllend, souverän und hilflos. Aglaja Schmid erweist sich in den halben, zarten, lyrischen Partien ebenso sicher und bestechend wie in den bewußt halbkomischen. Sie ist ein bedeutendes Talent, und wie sie am Ende den Schwierigen zähmte, das hielt genau die Mischung von Rührung, Distanz und Heiterkeit, die Hofmannsthal wollte. Elisabeth Markus, so markant und damenhaft ihre Erscheinung wirkte, mag ein paar Nuancen über die Grenzen ihres Parts hinausgegangen sein. Viele kleine, bestechende, genau gesetzte und genau gebrachte Leistungen noch (Joe Furtner, Jo Herbst, Ernst Stahl-Nachbaur, Christa Fügner, Ilse Markgraf, Bobina Zeller, Hugo Werner-Kahle, Harry Langewisch, Peter Schiff) machten den klaren, süßen und mild heiteren Effekt dieser schönen und ausgeglichenen Aufführung.

Wien zu Besuch am Kurfürstendamm. Man behält die molligunterlegte Dreivierteltaktmelodie dieses sonderbaren und geistvoll vielschichtigen Stückes im Ohr. Und man behält das Glück dieser genau temperierten und in fast allem so angenehm geschmackvoll eingerichteten Aufführung im Blut.

Der Beifall hierfür war schon vor der Pause enorm. Der Dank am Schluß steigerte ihn. 27. 4. 1954

Die Spielzeiten 1954/55, 1955/56 und 1956/57

DIE DUNKLE SEITE

Eugene O'Neill »Ein Mond für die Beladenen«
Theater am Kurfürstendamm

Die Geschichte eines Verfalls. Das Protokoll dreier Unzulänglichkeiten. Eine Studie, eine sehr ausführliche, der Mißlichkeit: wie
den Menschen – obgleich ihr Kern gut ist und ihre Sehnsucht
hochfahrend –, wie den Menschen nicht gegeben ist, über ihre
verdammten Schatten zu springen. Reinigung, Rettung erfolgt
nicht. Nur in der Ahnung sehen sie das Glück. Nur für Sekunden
leuchtet der Mond dieser Beladenen rein über ihrer Zuneigung.
Die Rettung, die dauernde, gibt es nicht. Sie bäumen sich einmal
auf. Sie versuchen den Griff in die Sterne und in die Freiheit.
Dann sinken sie zurück. Sie machen weiter. Ihr Leben bleibt, was
es war: ein trübes Gemisch aus Lüge, Verschlagenheit, Schmutz,
Arbeit, Sehnsucht und Angst.
  O'Neill läßt grimmige und krude Humore über diese böse Feststellung spielen. Das naturalistische Melodram, mit vielen psychologischen Finten und Findigkeiten durchsetzt, entläßt am
Ende die drei Leidenden wenig getröstet. Auch dem Beschauer
wird kein Bonbon verabreicht, der ihm den Nachgeschmack der
Trostlosigkeit nähme. O'Neill bleibt konsequent in aller psychologischen Ausführlichkeit: Ein Säufer wird wieder in seinem Suff
versinken. Ein Farmer-Mädchen krempelt die Ärmel hoch,
schmeißt ein heimliches Idol fort und fällt zynisch zurück in die
Welt, die sie abzustreifen hoffte. Der Vater und Farmer, ein Rauf-
bold und grantiger Späßemacher, ein undifferenziertes Stück
dumpf vegetierenden Daseins, bleibt, der er war.
  Die Welt ist, wie sie war. Nur ärmer um eine Hoffnung, nur leerer um einen verspielten Versuch der Rettung und Liebe.
  Das Drei-Stunden- und Drei-Personen-Stück (ein Bruder –
Gerd Martienzen –, ein Nachbar – Günter Pfitzmann – bleiben
nur Minuten-Chargen) zeigt die werkversunkene Rücksichtslosig-
keit gegen das Publikum, die O'Neill auch bei seinen anderen gro-

ßen Dramen an den Tag legte. O'Neill will es genau wissen. Er wendet die verfaulte Psyche des jungen Jim, der das Bild seiner toten Mutter schändete und der über diesen Knacks nicht hinwegkommt, nach allen Seiten. Er läßt keine Folge dieser bösen und lebensstörenden Tat ununtersucht. Mit ausführlichem Mitleid weidet er sich geradezu an der unheilbaren Seelenhemmung seines negativen Helden.

Er lotet ebenso ausführlich, neugierig und liebevoll den Charakter des kräftigen Mädchens aus, das sich stellt, als kennte es alle Laster der Welt, und das heimlicherweise nichts als Sehnsucht und verschämte Reinheit ist. Eine Hauptmann-Gestalt, der noch die findige Kenntnis der Psychoanalyse vom Autor aufgesetzt ist, daß diese Figur Kraft und Tiefe gewinnt. Ein dichterischer Wurf wirklich.

Die dritte Figur, die des grantig verschlagenen Farmers und Vaters, legt O'Neill fast hamsunhaft an. Hier kommen kräftige Humore hervor. Ein Kerl wie ein Schrank, der sein Ungenügen hinter Derbheit, hinter Tricks und Finten verbirgt. Auch er ein Umriß, der die feste Hand, der die dichterische Fertigkeit seines Autors beweist.

Das in seinem konsequenten Naturalismus zu spielen, fordert Mut. Das Publikum wird hier nicht poussiert. Es muß gezwungen werden, strikt in die drei Fälle der Trostlosigkeit mit einzusteigen. Kurt Hirschfeld, als Gastregisseur vom Zürcher Schauspielhaus geholt, hielt das Interesse weithin. Viele inszenatorische Nuancen sind dem Stück, das nur immer zwei Grundakkorde abwandelt, kaum abzugewinnen. Zu fragen bleibt, ob nicht einige Striche im dritten Akt, da der Text selbst monoton wird, statthaft gewesen wären. Es dauert zu lange, ehe bewiesen wird, was jeder im Grunde schon ahnt. Aber das sind Fragen am Rande. Hirschfeld zeigte eine sehr saubere, ehrfürchtige und taktvolle Arbeit vor. Daß das Publikum bei der Sache blieb, bei der kaum verlockenden, ist ihm zu danken und der klaren und sachlichen Art, wie er die drei Theaterstunden fügte.

Drei Schauspielerleistungen bleiben ein Gewinn: Judith Holzmeister, die dem O'Neillschen Hauptmann-Mädchen soviel Kraft und heimliche Gebrechlichkeit zu geben wußte, die so schön ist, so herrisch und heimlich so verloren sein kann, daß man den Blick keinen Augenblick von diesem Gesicht wenden möchte. Sie kommt nie in die Gefahr der Wehleidigkeit. Sie bleibt Kraft und

Herrlichkeit, auch wo sie die Brechungen der schwierigen Gestalt zu zeigen hat. Eine verderbte Madonna, deren Reinheit trotz allem leuchtet. Wenn der wienerische Sprachton zuweilen auch einen Anflug von unangebrachter Weichheit in das Bild brachte – im ganzen hat diese schöne und begabte Person den Abend zu halten. Sie hielt ihn.

Auch daß Fritz Tillmann die gebrochene Säuferfigur so erträglich werden ließ, war ehrenvoll. Das könnte höchst degoutant sein, würde es nur eine Nuance weniger kompetent dargeboten. Tillmann hielt die torkelnde, die immer wieder delirierende und leidig gefährdete Gestalt in der Waage.

Eine Erstaunlichkeit: Hermann Erhardt als der Vater. Woher kommt der? Er hat legitime Klöpfer-Töne in der Stimme. Er holte aus der Figur des väterlichen Stinkstiebels, Raufboldes und heimlichen Kümmerers sicher die Humore hervor, die dort liegen. Und er läßt eine Portion Weisheit hinter all der Grantigkeit erraten, wie es O'Neill wohl erhoffte. Der Mann ist ein Gewinn für unsere Bühne.

Das Bühnenbild, den Bau der gottverlassenen Farm, die der Mond für diese Beladenen bescheint, hatte Wilhelm Reinking schön und brauchbar gestaltet. Wenn das Publikum das Stück in seiner ganzen Ausführlichkeit wahrscheinlich auch nicht liebte – der Beifall für alle Beteiligten war groß und berechtigt. 28. 9. 1954

Eugene O'Neill »Trauer muß Elektra tragen«
Theater am Kurfürstendamm

Eugene O'Neill, das wird sich beweisen, bleibt der große amerikanische Beitrag zur dramatischen Weltliteratur. Neben seiner natürlichen, tragischen Kraft verblassen die vielgespielten Nachläufer europäischen Szenengutes alle, die heute, so eifrig akklamiert, auf unseren Spielplänen fast übermäßig im Schwange sind. O'Neills »Trauer muß Elektra tragen«, diese kühne, in ihrem formalen Mut geradezu übermütige Transformation des antiken Atridenstoffes in eine psychologisch umgepflügte, amerikanische Erde der Sezessionszeit, dieses Stück bewußter Anwendung archaischer Tragik auf eine Zeit, die unserem Bewußtsein noch genau erreichbar ist, gehört zu den Wundern in O'Neills großem Werk.

Berlin, seltsamerweise, hat es nie gespielt. Die Aufführung, die nun im Theater am Kurfürstendamm davon stattfand, wird denkwürdig bleiben. Sie setzt in der allgemeinen Nivellierung der Ansprüche endlich wieder Maß. Dieser Theaterabend hat den Zug, hat den Geist, hat die natürliche Größe, hat den Anspruch der Vollendung, wie man Darbietungen nur aus der besten, fast schon sagenhaft gewordenen Epoche in Erinnerung hat, da in dieser Stadt das Theater, fast möchte ich sagen, für den Kontinent gemacht wurde. Hier endlich verblaßte das Einerlei des mittleren Niveaus, auf dem sich auch Berlins Bühnen sonst bewegen. Es kam endlich wieder der große Sog von der Szene. Einfalt, Schicksal, geistige Durchdringung, formale Verläßlichkeit und ein Sinn für die Schönheit des Schrecklichen machen diese Aufführung faszinierend. Sie ist jede weite Reise wert.

Professor Oscar Fritz Schuh hat sie gefügt. Er hat die Unform der ersten szenischen Vorlage um schier die Hälfte gekürzt, daß jetzt die ungeheuerliche Trilogie von der Verkettung des Bösen in knapp drei atemlosen Stunden ablaufen kann. Schon das Bild, das einheitlich gefügte und immer wieder schnell wandelbare, das Caspar Neher ihm gebaut hat, ist so raffiniert wie einfach und einleuchtend: die hellen ionischen Säulen des verfluchten Hauses in seiner amerikanisch-klassizistischen Schönheit umstehen die Szene. Im Optischen schon sind da Tradition und Moderne gegenwärtig. Das Auge genießt den doppelsinnigen Wohlklang der Proportionen zuerst.

Dann läßt Schuh das Spiel beginnen. Und genau den Stil hat er gefunden, der diesem Vorwurf unmenschlicher Menschlichkeit angemessen ist. Er versucht nicht den großen Faltenwurf der Tragödie zu verdecken. Hier wird die Furchtbarkeit der Schicksalsverstrickung nie unterspielt. Der Versuchung zu einer falschen »Moderne« wird nicht nachgegeben. Und trotzdem bleiben die Figuren porös, atmend, enden sie nicht auf dem Piedestal marmorner Unantastbarkeit. Der atmende Schmerz ist gegenwärtig. Die Lust und Furchtbarkeit der Schuld teilt sich in jeder Figur völlig mit. Wie das scheinbar Widersprüchliche da von ihm zur Deckung gebracht wird, ist bewundernswert. Man atmet mit dem Schicksal, das – furchtbar und schön – seinen Lauf nimmt. Das alte Atriden-Menetekel kommt in neuer Gestalt uns faszinierend vors Auge.

Denn eine so treffende Besetzung, ein so schauspielerischer

Hochklang war seit langem nicht wahrnehmbar. Weit muß man zurückdenken, ehe man Vergleiche für die übermäßige und maßvolle Leistung der Maria Wimmer findet, die hier mit ausgefüllter, moderner Tragödinnengeste die heikle, blutige, vielfach gefaltete Rolle der Christine-Clytemnestra erfüllt. Sie hat Sinnenkraft in jedem ihrer tönenden Worte. Sie hat eine gezügelt leidenschaftliche Gestik. Sie ist das Verderben und die Lockung, und sie kann mit einem kalkulierten Lächeln, kann mit einem kleinen Spiel der Hand, einem erschrockenen Verhalten oder einem verdeckten Ausbruch, kann in einem souverän gemäßigten Gang die Szene verwandeln. Wenn man nicht wußte, daß diese Frau zu den großen, modernen Tragödinnen der Bühne heute gehört – hier konnte man es lernen. Dergleichen sieht man in einem Leben nur wenige Male. Die Wimmer war königlich in ihrer Furchtbarkeit, war lockend in ihrer schrecklichen Schönheit. Eine Bühnengestalt, mit echtem Genie geprägt und von nun an unverlierbar.

Neben ihr steht Annemarie Düringer. Man kennt ihr zartes Gesicht hier nur aus dem Film. In der Elektra-Rolle der jungen, gefährdeten und gefährlichen Lavinia, die, das grausame Schicksal ihrer Mutter endend, das gleiche Schicksal fortträgt, überraschte ihre tragische Kraft sehr. Zuerst verdrückt, verkümmert, wie die Rolle es befiehlt, zuerst ungelöst und auf eine falsche Weise herrisch, geht sie dann, da die Würfel der Tragödie immer furchtbarer fallen, fast herrlich in die Vernichtung und Resignation. Man erstaunte, welche Stärke des Ausdrucks diese junge Schweizerin parat hatte, daß sie die schauspielerische Gewalt der Wimmer nicht übermochte.

Die Männer in diesem mythisch-modernen Kampf der Weiber sind nicht aktionstreibend. Bei den Atriden wie bei O'Neill sind die Frauen der furchtbare Motor der Schuld. Paul Hartmann spielt mit sonorer Fertigkeit den gemordeten Heimkehrer aus dem Kriege. Das hat Würde und eine stimmende Getragenheit. Ernst Schröder, obgleich im Typ kaum die Rolle deckend, ist ein fast lyrischer Aegisth, dessen grausame Rachsucht nur gedämpft, aber um so wirksamer aufloht. Hans Putz macht die erneuerte Orestfigur um einen Grad zu schmuddelig, unkonturiert. Aber auch er, wenn er mit psychophatischer Gewalt den Schmerz seiner Herkunft und den Fluch dieser urbildlichen Familie aufdeckt, fasziniert und beteiligt ungemein.

Ein großer Abend des Theaters. Das Berliner Publikum

schmeckte seine Würze und seine Vollendung sofort. Es gab den jubelnden Beifall, den nur der Schock innerster Beteiligung auslösen kann. Vor allem die Wimmer kam nicht von der Bühne, so wurde sie gefeiert. 10. 11. 1955

Eugene O'Neill »Eines langen Tages Reise in die Nacht«
Theater am Kurfürstendamm

Dieses fast vier bedrückende Stunden lang nach der Schuld bohrende Familiendrama, dieser Rachegesang am Wohnzimmertisch in vier grübelnd schweren Akten wurde 1940 geschrieben. O'Neill hat aus guten Gründen das Stück unterdrückt: zu deutlich ist die Herkunft des Stoffes erkennbar. Der Dichter hat das Dilemma seines eigenen elterlichen Hauses abgezeichnet. Ein titanischer Versuch der Selbstbefreiung von dem häuslichen Übel seiner Jugend wird unternommen.

Vier Personen werfen sich schmerzlich, liebend, verachtend, bösartig, dann verzeihend und gleich wieder mit vernichtendem Haß die Schuld an der irreparablen Verfahrenheit ihres Lebens zu. Vier Zerbrochene leben weiter. Das Stück will ergründen, warum diese Menschentrümmer am Ruin ihres Daseins stehen. Und es will ergründen, wo Erlösung sei.

Die Erlösung wird nur signalisiert, angedeutet, hoffend vorbereitet. Gegeben wird sie nicht. O'Neill geht, unerbittlich wie die griechisch-klassischen Tragiker, bis in die Hölle der menschlichen Selbstvernichtung. Kaum ein Lichtstrahl fällt am Ende in die düstere Landschaft der Auflösung. Die vier leben weiter. Die Hölle wohnt unvermindert in ihnen.

Die Protagonisten der Verzweiflung sind, für Wissende leicht erkennbar, O'Neills elterlichem Hausstand nachgezeichnet. Die Mutter ist über ihre Enttäuschung süchtig geworden. Sie ist Morphinistin. Der Vater, ein mittlerer Schauspieler, hat sich zum Geizhals und Haustyrannen entwickelt. Sein herrischer Schatten verdunkelt das Leben aller.

Zwei Söhne vegetieren lichtlos in einem Kain-Abel-Verhältnis dahin. Der ältere ist ein Tunichtgut, Nichtsnutz und glatter Versager. Die Freudenhäuser sind seine Tempel. Der andere ist von der Schwindsucht befallen. Er sieht sein Leben ausgelöscht, sieht sich

235

verlassen und der Verderbnis anheimgegeben.

Saufen tun sie alle. Und im Suff steigt in bösen Blasen der Haß hoch. Hemmungen, wo sie noch sein sollten, fallen. Diese vier sitzen sich dauernd an der Gurgel. O'Neill läßt sie sich in aller menschlichen Furchtbarkeit und Not verlautbaren, um herauszuhören, wo die überdeckten Anfänge ihrer Verzweiflung liegen mögen.

Der Zuschauer erblickt diesen Stafettenlauf der Schuld mit der Faszination des Grauens. O'Neills Drang zur Wahrhaftigkeit ist wirklich von ähnlicher Unerbittlichkeit wie der der klassischen Tragödie. Man kann natürlich fragen, ob diese Anhäufung des Übels zu etwas »führe«. Man kann bezweifeln, ob die Freilegung noch der letzten Gedankensünden notwendig sei und die bohrende Unersättlichkeit so weit gehen müsse wie hier.

Aber die Frage stellen, heißt auch schon den »Ödipus« verneinen oder den Sinn der Tragödie überhaupt in Frage stellen. O'Neill – man merkt es hier wieder mit staunender Bewunderung – war ein großer Dichter. Seine Sorge um den Menschen läßt nicht nach, den Vorhof der Bequemlichkeit immer bald hinter sich zu lassen. Er dringt vor, wo des Menschen Geheimnis und letzte Furcht wohnt. Die Konventionen der gemütlichen Wohlanständigkeit gelten nicht für ihn. Sein Griff in die Brust seiner Figuren ist titanisch und von schmerzender Wahrhaftigkeit. Ein böses Stück. Aber eine bedeutende Tragödie.

Um so bewundernswerter, als O'Neill dem Unheil die Stätte ganz realistisch bereitet. Er bedient sich keiner Symboltricks. Er weicht nie in eine bequeme »Überhöhung« aus. Die Tragödie wächst auf der nackten Hand der Realität dieses vermufften Familienzimmers. Der Kampf der Vernichtung spielt sich ständig am Familientisch ab. Einheit des Ortes wie der Zeit werden gewahrt – genau wie beim klassischen Vorbild.

Die Figuren werden abgetastet. Welche Hölle hinter jeder von ihnen steht, wird noch nicht ruchbar. Daß diese nervös liebende Mutter ein Lebensbruch in die Sucht und an das Gift getrieben hat, blättert O'Neill erst Zug um Zug auf. Aus welchen Abgründen Haß kommt, mit dem die vier da sich gegenseitig zu vernichten trachten, läßt er erst ganz vorsichtig andeuten.

Aber dann steigt das Stück bald in die Höllen ein. Ob die Ausführlichkeit, mit der O'Neill da zu Werke geht, nicht hin und wieder geradezu Züge eines flagellantischen Seelensadismus habe, bleibt zu fragen. Daß der lange und unersättliche Text (O'Neills Witwe hat es untersagt!) doch durch Striche annehmbarer gemacht werden müßte, ist unbedingt zu bejahen.

Trotzdem spürte man bald, wie die Anziehungskraft der Wahrhaftigkeit sich bemerkbar macht. Des Horatio ausweichende These: die Dinge so betrachten, heiße, sie zu genau betrachten, gilt hier nicht. Die Neugier nach immer dem letzten Rätsel hinter dem Geheimnis, die Unergründlichkeit der bohrend-quälenden Wahrheitssuche wird faszinierend und saugt den Zuschauer, auch wo er sich vorerst sperren mochte, unwiderstehlich an.

Wenn dann im letzten Bilde die Höllen schon voll ausgezeichnet sind, geschieht es, daß heimlicherweis so etwas wie eine Gemütlichkeit im Purgatorium aufkommt. O'Neill läßt zwischen dem Vater und den Söhnen jene Annäherung in der Qual statthaben, die für Momente etwas wie Glanz und heimlich auch wie Humor auf die Szene gibt. Sie haben sich in der Verdammnis eingerichtet. Sie grüßen für einen Herzschlag des anderen Qual. Sie verstehen sich – unter das gleiche Joch der Schuld Gebundene, die sie sind.

Erlöst dieses Drama am Ende? Im Sinne einer Moral oder Verhaltungsmaßregel nicht. Aber es erlöst insofern, als hier die Möglichkeit der großen, unverminderten Menschentragödie in unserer Zeit kenntlich wird. Es erhebt, während es dauernd zu vernichten scheint, durch die Ansicht der Qual und der Mühen – der tragisch fruchtlosen – die der Mensch sich gibt, um sich von dem verdammten Übel und dem fragwürdigen Geschenk des Menschenlebens zu befreien.

Gelöst wird die Quadratur der Schuld nicht. Aber daß es sich einer so schwer werden ließ, den Drang nach Erlösung, die Sehnsucht nach der Reinheit zu artikulieren, bleibt erschütternd und beteiligt ungemein.

Es wurde in Berlin ein großer Theaterabend. Professor Oscar Fritz Schuh hatte den Ablauf der Höllenfahrt sehr vorsichtig und zuständig geordnet. Langsam erst und mit einer Art Scheu läßt er die Schauspieler an die Grenzen des Sagbaren treten. Caspar Neher hatte ihm dazu ein wunderbar unheimliches wie unauffälliges Szenarium gebaut. Durch Gazewände wird hin und wieder die Hinterlandschaft der Tragödie sichtbar.

Vier schauspielerische Leistungen, die buchenswert bleiben. Grete Mosheim ist die durch Sucht und Lebensenttäuschung vernichtete Mutter. Das unheimliche Doppeldasein zwischen Verzweiflung und Liebe, zwischen Illusion und böser Erkenntnis pendelt sie herrlich aus. Sie hat rührend hinreißende Töne der Jugendlichkeit, wenn sie sich des Glücks ihrer Jugend erinnert. Und dann hat sie so harte und treffende Töne der Abgestorbenheit, daß einen schaudert. Eine gewaltige Leistung, der große Sieg einer großen Protagonistin.

Neben ihr Paul Hartmanns unterhöhlte Kraftgestalt als der gleisnerische Vater, dessen Schuld – obgleich er sie nicht erkennen will – fast die größte in diesem Teufelskreise ist. Hartmanns Statur gibt Rückgrat auch noch da, wo die Auflösung schon eingetreten ist. Er spricht herrlich. Er nuanciert die Gemeinheiten, die auch er äußern muß, fast naivisch.

Heinz Drache und Hans Christian Blech spielen die Söhne, die ihr Leben, ehe es noch begann, schon vernichtet finden. Zumal Blech, dessen aufgerissen zynisch liebendes Gesicht nicht nachließ zu interessieren und zu beteiligen, vermehrt den Abend noch um einen schauspielerischen Gewinn.

Es entstand – trotz allen Verderbens, das da so gnadenlos ausgebreitet wurde – am Ende heimlicherweise so etwas wie eine Sympathie mit den Höllen. Diese bedeutende Aufführung hat gezeigt, daß die Tragödie – im striktesten Ernst dieser Gattung – heute durchaus noch spielbar und wirksam ist.

Das geschlagene Publikum mußte sich zum Beifall erst wieder sammeln. Dann erscholl er lange und bewundernd.   27. 9. 1956

August Strindberg »Ein Traumspiel«
Theater am Kurfürstendamm

Professor Oscar Fritz Schuh hat recht: in Strindbergs fließend-quälendem »Traumspiel« (geschrieben 1900!) ist schon der halbe Kafka, vieles von Wilder, das Beste von Beckett und Camus enthalten. Vor mehr als einem halben Jahrhundert hat dieser zerrissene Schwede die Urqual des Menschen, immer seines Nächsten Deibel sein zu müssen, um überleben zu können, hellsichtig, mitleidend, form-kühn und am Ende etwas geschwätzig signalisiert.

Mit diesem düsteren Spiel ist die Methode des »Zustandsstükkes« schon genial vorgefaßt. Strindberg gibt keinen Vorgang, keine Handlung. Er beklagt nur in immer neuen, wehenden, überraschenden Traumvisionen das große Elend unserer Existenz: wie zu leben unerträglich schwer sei; wer überleben will, muß der Bosheit opfern. Es sei schade um die Menschen . . .

Wie dieser erste, konsequente Griff in das neue Reich des Bühnen-Surrealismus schon das Unfaßbare faßte, bleibt genial. Die Aufführung, die Professor Schuh davon zeigt, ist die beste, die ihm seit seiner denkwürdigen Pirandello-Inszenierung der »Sechs Personen« gelang. Ein großer Theaterabend voll Intelligenz, Schönheit, Traum und Bedrückung. Das scheinbar so Gegensätzliche fügt sich zu Sinn. Das Widersprüchlichste fließt ein in die große Klage um den Menschen. Der leidende Weg der Gottestochter Indras bleibt bis zur kurzen Pause, die der Regisseur nur gewährt, von überredend qualvoller Schönheit. Wenn später Ungeduld aufkommt, liegt es an Strindberg. Da verläßt er die Sprache in Bildern und Gestalten. Da wird er direkt. Er philosophiert. Er »erklärt«, anstatt bildlich-sinnlich zu zeigen. Redselig wird, was bisher im Traumbilde greifbar war.

In Caspar Nehers kongenialen Bühnenprojektionen bewegen sich die Urtypen des Menschlichen, wie Strindberg sie fließend auftauchen läßt, wunderbar. Eine kühle Chirico-Welt entsteht, deren Perspektiven immer auf eine unerklärliche Weise im Unendlichen verlaufen. Die Bühne selbst fast leer. Bei den Verwandlungen werden die Requisiten im Halbdunkel postiert, während ein waberndes Traumlicht über die ungeordnete Szene geistert. So hört der Druck einer klaren Unklarheit auch während der kurzen Szenenwechsel nicht auf. Nehers bewegliche Bilder mit ihrer bestürzenden Aussicht in die Unendlichkeit sind für sich sehenswürdig. Wir hatten lange keine Bühnenlandschaft wie diese.

Maria Wimmer ist die Tochter Indras, die durch die Welt geht, das Elend zu sehen und zu beklagen. Sie besteigt mit einer ersten kühnen Geste einen gefährlich pathetischen Kothurn. Und wie sie darauf verbleibt und den Ton dieser reinen Höhe hält, verändert und reizvoll durchdringt, ist herrlich zu hören. Eine Schauspielerin, deren Mut zum großen Stil sich selber belohnt. Auch wenn sie am Ende räsonieren muß, statt zu gestalten, bleibt sie noch interessant. Und das ist viel.

Neben ihr die Figurinen des qualvoll Menschlichen: Leopold Rudolf zuerst, der die Unerlöstheit des Liebenden, seine makabre Komik und Tragik oft mit rein pantomimischen Mitteln umreißt.

Claus Holm, der die Jammergestalt des Advokaten und Ehemannes mit grauer Visage und Achselzucken genau kenntlich macht. Tilla Durieux – eine hehre Qualvision des Alters. Karin Evans – präzise und beklemmend in zwei Muttergestalten. Friedrich Joloff – eine kleine Satansgestalt des Alltags. Paul Edwin Roth – die Figur des Dichters, die das Traumstück am Ende ins Geschwätzige bringt. Er hielt sie erfreulich trocken. Sonst: Gerd Martienzen, Georg Gütlich, Marion Degler, Alice Prill, Curt Lucas, Manfred Inger, Hugo Werner-Kahle – sie alle vergegenständlichen die ihnen aufgegebenen Traumfiguren gespenstisch, wehend, unfaßbar-faßbar.

Schuh, der Regisseur – man merkte es –, war hier auf einem Feld, das seinen modernen Regieintentionen besonders zu liegen scheint: der Schönheit der schrecklichen Wahrheit. Wenn das Stück zum Ende in die reine Spekulation steigt und der Bühnensinnlichkeit keine Nahrung mehr gibt, konnte er auch nur stützen und hinhalten. So war denn der Beifall schließlich müder, als der große Abend es verdiente.   8. 3. 1955

August Strindberg »Karl XII.«
Theater am Kurfürstendamm

August Strindbergs, des zerrissenen Schweden dichterische Statur wird vor dem Auge der Nachwelt wachsen. Sein Werk nimmt genialisch fast alle Stilarten schon voraus.

1872 begann er als Historiendramatiker, wie sich das für fast jeden dichterischen Anfang wohl gehört. Dann stieg er in den Naturalismus ein (»Der Vater«) und psychologisierte die Ibsenrichtung beträchtlich. Sein »Nach Damaskus« dann ist schon fertiger Expressionismus. Die Neuromantik exerzierte er in der »Kronbraut« vor. Was Sartre später mit so beträchtlichem Theaterdonner anbot, ist gedanklich und formal im »Totentanz« längst schon vorhanden.

Strindbergs Dichtervolumen ist erstaunlich. Von ihm kommen sie fast alle, die in den letzten 50 Jahren aufgestanden sind. Zu Lebzeiten des tragisch zerrissenen Dichters stand sein »Fall«, standen die Skandale seines unglücklichen Lebens, stand das Erotomanische im Werk seinem wirklichen Ruhm im Wege.

Heute können wir das Persönliche abziehen. Heute können wir Strindbergs überwältigendes Dichterausmaß besser erkennen. Ihn zu spielen, ist fast notwendiger, als die aufzuführen, die aus zweiter Hand sich heimlich von seinem Genie nähren.

Da also ist viel nachzuholen. Zu Quellen ist zurückzugehen, die man in Ansicht der Nachahmer oft vergißt.

Professor Schuh, der künstlerische Leiter des Kurfürstendamm-Theaters, hat das offenbar erkannt. Er hat in der vorigen Spielzeit mit seiner außerordentlichen »Traumspiel«-Inszenierung die Maßstäbe der Größe schon zurechtgerückt. Diesmal greift er in das fast vergessene Fach jener Strindbergschen Bühnenwerke, mit denen der Schwede in einem geschichtlichen Vorgang jeweils den Gottesfinger in der Historie sichtbar machen will.

Aus dieser Kategorie ist lange nichts mehr auf unseren Bühnen erschienen. Sein »Luther«, sein »Gustav Adolf«, sein »Sokrates«, »Moses«, »Christus« oder die »Königin Christine« sind kaum mehr auf der Szene erprobt worden.

Oscar Fritz Schuh versucht es mit dem »Drama einer Katastrophe«, versucht es mit »Karl XII.«.

Ein Stück, durchleuchtet von Genieblitzen. Strindberg interessiert sich nicht für den herrischen Aufstieg, nicht für das übermütige Gloria dieses Erobererlebens. Er setzt erst an, wenn der Absturz bevorsteht.

Das dicke Ende wird verdeutlicht. Die Rache des Schicksals an königlichem Übermut. Eine Katastrophe wird aufgeräufelt und mit fast hämischer Kälte vorgeführt.

Dramatisch ist das nur in einem bedingten Sinne. In fünf Akten der Schlußakt eines hybriden Lebens. Dies Schauspiel ist ein langer, böser Schlußstrich, der unter ein irriges Dasein gesetzt wird. Keine Höhepunkte, kaum ein Aufbäumen mehr, nur die dichterische Registratur, wie Gewalt von der Gewalt aufgefressen wird und alles Böse sich auf Erden rächt.

Die Kurve dieses Dramas fällt nur immer. Einmal eine heuchlerische Hoffnung, wenn der König wider besseres Wissen dem Inflationisten, Doppelspieler und Scharlatan Graf Görtz auf den Leim geht. Später noch einmal ein Versuch in die Rettung des Abenteuers, wenn der König – schon von seinem Schicksal eingekreist – in den Krieg auszubrechen sucht.

Aber Spannung in landläufig dramatischem Sinne bringt das

nicht mehr. Der Zuschauer weiß ohnehin, wie es ausgeht. Strindberg beobachtet hier immer nur mit einem heikel-hämischen Interesse die Maus, die schon lange in der Falle sitzt. Wie sie zappelt, das lockt ihn. Wie Karl leidet und der Glanz seines Königtums langsam zerbröckelt, sieht er mit einem hellsichtigen Beteiligtsein an. Ein grundböses Stück, durchsetzt von psychologischen Herrlichkeiten, von einer kalten Dämonie, einem bitteren Haß, der fasziniert. Aber Lockung, Wärme, Glut kommt davon nicht.

Das Publikum fröstelt beim Anblick dieser Verfallsstudie. Oder es langweilte sich gar. Die erneuernde Wirkung, die das Theater sich von dieser Ausgrabung wohl versprochen hatte, fand nicht statt.

Lag das an der Aufführung? – Wahrscheinlich. Sie war ehrenvoll im Detail. Siegreich im ganzen war sie nicht. Sie zeigte einige schauspielerisch und inszenatorisch höchst reizvolle Passagen. Dann fiel das Interesse immer wieder ab. Den großen Sog des Schicksals nach unten, den Strindberg da zeigen wollte, konnte sie nicht geben. Der große Fall in das Nichts und das Verhängnis fand nicht statt, oder doch nicht so, daß einem geschwindelt hätte, während man in den Strudel der Vergänglichkeit sah.

Auf der großen Bühne hatte Caspar Neher ein Szenarium der Leere aufgebaut, grau in grau, nur immer Andeutungen eines entleerten, staubig und brüchig gewordenen Glanzes. Darin hätte sich gerade dies schon spielen lassen.

Aber Professor Schuh blieb zu ausführlich. Er arrangierte die einzelnen Auftritte wohl richtig und nicht ohne Reiz. Aber was jeweils geschah, blieb so sonderbar ohne Anschluß an das Vorausgegangene. Man merkte im Detail viel inszenatorische Absichten und hieß sie gut. Aber das Tempo war verschleppt. Ausführlichkeit hockte auf der Szene. Überdeutlichkeit wurde betätigt. Was dem Abgrund zustürzen sollte, kam nicht ins Rollen. Das Zeitmaß war verfehlt. Und damit hakte das Interesse im Parkett immer wieder aus.

Manche Bilder trafen dann gespenstisch zu. Wenn der König seinen ersten Auftritt hat vor den zur Revolution entschlossenen Ständen – wie da seine königliche Existenz, wie da der Glanz, der ihm auch im Unglück noch anhängt, die Rebellen schweigend in die Knie wirft –, das hatte seine kalte Überredungskraft. Oder wenn Karl XII. zwei seiner Offiziere empfängt und seine Umgebung schon wie ein Gespensterspuk ist und eine Gruft, in der die Leiche seines früheren Ruhms noch einmal zu leben versucht, auch das rührt kalt an und macht seinen menschlich grausigen Effekt.

Aber dann immer wieder Partien der Leere. Karls späte Neigung zum anderen Geschlecht, wenn Strindberg also sein eigenes Schmerzensthema dem König zuspielt, das ging ganz ohne Wirkung über die Rampe.

Und der Schluß, wenn der König sich in das feindliche Feuer begibt und Selbstmord vor den Kanonen der Norweger begeht – auch das war so schleppend, so fußgängerisch und ohne den fatalen Sog einer Zwangsläufigkeit des Schicksals eingerichtet, daß man am Ende die Worte, mit denen Swedenborg dann gen Himmel weisen muß, dem hier so vorgezeigten Schicksal fast unangemessen empfindet.

Schade. Denn das Stück ist zu spielen, wenn nur das Tempo richtiger geschaltet wird, als an dieser Stelle geschah.

Leopold Rudolf hätte ein fast idealer Karl XII. sein müssen. Er hat die Glorie der einsamen, der kränkelnden Macht. Er hat die Gefährlichkeit im Wesen, hat Menschenverachtung in der Diktion, und er hat auch jenen vereinsamten Rest Menschlichkeit selber, mit der er den Fall des Mitleidens wert machen könnte.

Aber auch er ist gehemmt. Er zeigt immer nur seine Möglichkeiten vor, ist jetzt ganz sicher und richtig – um dann gleich wieder über Passagen der Leere, selbst entleert, hinzugleiten.

Interessant Christoph Groszer, der mit gründgenshafter Kälte den königlichen Sekretär mit einem Ruck zur Lemure werden läßt, zu einem Einbläser der Macht, zu einer Kröte im Vorzimmer der Herrschenden. Aber auch seine Faszination läßt zum Schluß hin nach.

Die Frauen: Marion Degler, Klaramaria Skala, Ruth Hausmeister, Hanne Hiob, bleiben sonderbar blaß, ohne Eigenwärme, so, als ob sie zuviel Regie gehabt hätten.

Sonst auf dem langen Zettel dieses Schauspiels eines Untergangs: Friedrich Joloff, Gerd Martienzen, Paul Edwin Roth, Richard Lauffen, Karl Ludwig Schreiber, Fritz Wagner, Hugo Werner-Kahle und viele andere. Sie alle treten, obgleich man ihnen die inszenatorische Dressur sehr wohl anmerkt, bezeichnend und voll in ihre Gestalten kaum ein.

So war es eine zwiespältige Erfahrung: Strindbergs Geniepranke war immer wieder zu fühlen. Daß diese Erneuerung versucht wurde, ist ehrenwert durchaus. Daß sie in diesem Falle nicht aufging, soll keinen hindern, zum Wohl unserer Bühnen Strindbergs Größe weiter versuchend nachzuspüren.   9. 3. 1956

Leo Tolstoi »Und das Licht scheinet in der Finsternis«
Theater am Kurfürstendamm

Hier blickt uns das große, tragische, adlige Bauernantlitz Tolstois an. Das Drama des Heiligen wird verlautbart. In diesen naturalistischen Szenen ist unter Seufzern aufgezeichnet, wie es dem Menschen hienieden nicht erlaubt wird, nach den Buchstaben des göttlichen Gesetzes zu leben. Einer nimmt die Bergpredigt ernst. Er will sein Leben danach führen. Er will Gott wörtlich nehmen. Es geht nicht. Man läßt ihn nicht.

Dieses Stück spiegelt das hochpersönliche Dilemma des unheiligen Heiligen von Jasnaja Poljana direkt. Tolstoi brauchte nur die eigenen Qualen sozusagen abzuschreiben, und er hatte den tragischen Konflikt aus dem eigenen Haus, aus der eigenen Brust. Daß wir reich leben, daß wir schmarotzend leben, sagt er, ist Sünde. Daß die Kirche nur aus Konformismen besteht und das unbedingte Wort Gottes für die Herrschenden planiert und ungefährlich macht, ist Sünde. Daß wir Militärdienst leisten, ist Sünde. Sünde ist, daß wir schwören. Wir leben falsch.

Geschrieben steht: Ihr sollt nicht Schätze sammeln! Geschrieben steht: Ihr sollt nicht töten! Geschrieben steht: Ihr sollt überhaupt nicht schwören. Eure Rede sei ja ja oder nein nein!

Einer macht ernst – oder er versucht es doch. Er verteilt seinen Wohlstand unter die Armen. Er streitet eifernd mit den servilen Dienern der Staatskirche. Er treibt das Christentum auf die Spitze. Er stiftet durch seine Unbedingtheit einen jungen Adligen zur Wehrdienstverweigerung an. Er bricht auf, seinem Gott nach den Buchstaben der Schrift zu folgen. Damit reißt er alle menschlichen Bande entzwei. Was ihm heiliger Ernst ist, scheint den Seinen ein Spleen und ein Verrat an den Spielregeln, die das Leben erst möglich machen.

Das wörtliche Christentum ist nicht vollziehbar. Der Held dieses grüblerischen Stückes muß es erfahren, wie es Tolstoi selber erfuhr, dem die letzte Flucht in die Wahrheit und Heiligkeit nicht gelang. Nikolaj Iwanowitsch Sarynzow, dem Latifundienbesitzer und adligen Eiferer in diesem Drama, bleibt nichts übrig, als doch Konzessionen zu machen und seinen Pakt mit den Forderungen des Tages und des Lebens zu vollziehen. Der Heilige müßte auch grausam sein. Das kann er nicht.

Tolstoi hat an dem Schluß und an der Nutzanwendung dieses Stückes lange gearbeitet und sich immer wieder gemüht, wie er in der heißen und mühevollen Realität seines eigenen Daseins den Absprung und die letzte Konsequenz finden könnte. Dieses Drama bleibt ein heroischer Versuch mit dem Unmöglichen. Ein Fragment der Heiligkeit, eine stöhnende Nutzanwendung, wie Gott nach dem letzten Gesetz nicht zu dienen sei, ohne daß man seine Nächsten, die zum Absoluten nicht ähnlich entschlossen sind, quält, verletzt und erniedrigt. Wir sind, sagt Tolstoi, unfrei auch in Richtung des Guten. Mit letztem Ernst die Gebote zu befolgen – es ist auf dieser Welt schier unmöglich.

Ein Gedankenstück also. Eine Moralie mit der Moral, daß der Konsequente am Ende doch inkonsequent werden muß, um weiterexistieren zu können. Einer versucht in den Himmel zu greifen hier auf Erden. Es geht nicht. Die Umwelt zieht ihn immer wieder herab. Er müßte sündigen an seinen Nächsten, wollte er wahrhaft heilig werden.

Dieses hochtragische Dilemma ist in jenes naturalistische Bühnenmilieu eingelassen, in dem Tolstoi auf seine Art Meister war. Das altrussische Landhaus ist mit unterschiedlichen Gestalten vollgestellt, deren Gesichter immer auf den friedlichen Friedensstörer dieser feudalen Welt gerichtet sind und bewundernd, anklagend, spottend oder leidend den Weg dieses Unmöglichen kommentieren.

Die Berliner Neuaufführung des Stückes, das seit Reinhardt hier nicht mehr versucht worden ist, war von vorzüglichen Spielern voll. Lucie Mannheim stellte mit einem sehr anrührenden Realismus die rührig lebensverfallene Gutsherrin dar, die den hochmoralischen Eskapaden ihres Mannes nicht folgen kann, die ihm geistig schon nicht Widerpart halten kann und ihn trotzdem mit ihrer Lebenswärme und durch die Überredsamkeit ihres Schmerzes zurückhält, den Weg zu gehen, den er für notwendig hält.

Neben der sorgenden Natürlichkeit der Mannheim steht das

schöne Gesicht Helene Thimigs. Sie ist die Fürstin, deren Sohn durch den Eiferer in die Militärdienstverweigerung hineingetrieben worden ist. Sie hat Adel in der Erscheinung, hat Größe in der Art, wie sie den heiligen Ruhestörer zur Rechenschaft zieht, und hat am Ende ein paar erstaunte, mütterliche Reflexe, die haften und rühren. Gut, sie nach so langer Zeit wieder auf einer Berliner Bühne zu wissen.

Ernst Deutsch spielt die Mittelpunktrolle. Er ist der Eiferer, ist der feudale Gottesmann, der arm und demütig werden möchte und den seine Umwelt nur immer daran hindert. Vielleicht kam der etwas kühle, sonderbar weggestellte Eindruck des Abends davon, daß er die Rolle zu vornehm ließ, daß er den heißen Eindruck der Qual nie ganz deutlich sichtbar werden ließ, sondern eine Verhaltenheit obwalten ließ, die die notwendige Sympathie nicht sofort auf ihn sammelte.

Er hat Momente, da sein psalmodierender Sprachton sehr anrührend ist. Dann aber wieder Strecken, da die Inbrunst zur Wahrheit, die diese Tolstoi-Gestalten füllen müßte, ausbleibt und das Interesse und der Gerechtigkeitssinn des Zuschauers eher seinen Gegenspielern zufließt. Deutschs noble, unantastbare Erscheinung läßt hier oft kalt, wo Hitze, wo Qual und das Stöhnen des Gewissens beteiligen müßten.

Die klare, vielleicht etwas zu durchsichtige Aufführung in den weiten Bühnenbildern Wilhelm Reinkings stand überhaupt um einige Grade zuwenig unter dem vollen Dampf des drängenden Gewissenskonfliktes. Professor Oscar Fritz Schuhs Regiemethode der vorzeigenden, der sozusagen objektiven Darstellung holte das Publikum nicht nah, nicht heiß, nicht beteiligend genug an die grundsätzliche Sache heran. Man sah die vorzügliche Darstellung eines Grenzfalles des religiösen Gewissens. Selbst hineingerissen wurde man nicht, wie es doch dieses predigende, große Stück Selbstbekenntnis will.

Vorzügliche Randfiguren wieder: Erna Sellmer in gluckenhafter Geschwätzigkeit. Hanne Hiob – sehr überredend in einer fast stummen Rolle. Marion Degler, die in letzter Zeit noch viel an schauspielerischer Wichtigkeit gewonnen hat. Ernst Stankovski als der fürstliche Militärdienstverweigerer. Ursula Höflich, Hans Kwiet, Christoph Groszer, Otto Czarski, Georg Gütlich und einige andere.

Man sah eine sehr ansehnliche, klar und ästhetisch schön geführte Darstellung von hoher künstlerischer Kompetenz. Daß die heiße Grundsatzfrage, die Tolstoi da so bohrend und eifernd aufwirft, sich damit nicht einbrannte – ich glaube, an Tolstoi lag es nicht. 20. 2. 1957

William Faulkner »Requiem für eine Nonne«
Schloßpark-Theater

Der Vorwurf dieses Theaterstückes ist degoutant. Die Handlung ist schon passiert, ehe die Vorstellung noch beginnt. Die Form dieses Dramas ist die Unform. Es bewegt sich nicht. Es greift immer nur nach hinten in die Vergangenheit. Es diskutiert längst Abgeschlossenes und Irreparables. Die Formmethode der Sache ist so unmethodisch, daß sich jedem gelernten Dramaturgen, der dies in die Hand bekommt, die Haare sträuben müssen. Nichts stimmt im Sinne des Lehrbuchs. Es finden Monologe statt, die über Halbstundenlänge gehen. Wenn man glaubt, zurückliegende Sünden wären nun wirklich durch und durch diskutiert, setzt der Autor immer noch einmal an. Dies Theaterstück ist wie vorsätzlich gegen das Theater geschrieben. Trotzdem wirkt es. Wie kommt das?

Es kommt ohne Zweifel daher, daß einer, ist er nur ein wirklicher Dichter, auch Dichter bleibt, wenn er mit der Form der Dichtung wie verächtlich Fußspall spielt, sie zertrümmert, sie auflöst und sie ihrer alten Funktion beraubt und entleert. Das aber nun ist – wehe! – nur einem gestattet, der den Wünschelrutensinn für die Größe und die Wahrheit hat. So oft man sich im Laufe dieses bedrückenden Theaterabends über die penetrante, den Zuschauerraum fast vergessende und mißachtende Ausführlichkeit, über die zuweilen ennuyante Geschwätzigkeit der Personen ärgert – dann doch immer wieder Passagen, da man aufhorcht, gefangen ist, fasziniert. Denn daß sich da eine außerordentliche Autorennatur verlautbart, bleibt gegenwärtig.

Faulkner ist nicht durch Zufall Nobelpreismann. Er gehört zu dem halben Dutzend wissender Köpfe unserer Epoche. Man darf nicht ungeduldig werden, wenn man ihn auf Anhieb nicht »versteht«. Man darf den denkerischen Verkehr nicht mit ihm abbrechen, wenn er zum Schluß das tragische Gewitter, wie es hier aufzog, durch den fragwürdigen Blitzableiter des absoluten »Glaubens« einfach erdet und endet. Faulkner verlautbart eine Qual des Lebens. Faulkner stöhnt sich mit diesem Antidrama den Alpdruck menschlicher Schuld von der schweren Brust. Er bohrt. Er läßt nicht nach. Er setzt die Sonde der dichterischen Erkundung immer wieder quälerisch an. Er ist ein Dichter und ohne viel Rücksicht auf Wirkung und Verständlichkeit im landläufigen Sinne. Auch die alten Griechen boten ja nicht freundliches Zukkerschlecken. Dichtung soll auch quälen. Hier tut sie es sehr.

In einer amerikanischen Schablonewohnung hat sich Greuliches zugetragen. Eine verkommene Negerfrau, Morphistin, Prostituierte, behaftet mit allen Lastern der Neuzeit und von einem jungen Ehepaar aus Mitleid und Vorsatz der Menschenrettung ins Haus genommen, hat das Kind ihrer Herrschaft gemeuchelt. Zum elektrischen Stuhl ist sie verurteilt. Das Stück beginnt mit einem Verdikt des Richters. Damit ist die Handlung schon zu Ende. Faulkner blendet nur noch zurück.

Er setzt eine quälerische Seelenerkundung bei der Mutter des gemeuchelten Kindes an. Er rollt ihre Schuld auf. Man erfährt, daß sie einmal in jugendlicher Sucht, Neugier und Sündhaftigkeit in einem Bordell wohnte. Man erkennt, daß diese junge Frau moralisch kaum über der Negermörderin steht, trotz ihrer scheinbaren gesellschaftlichen Wohlanständigkeit. Im Gegenteil: Die Waage der Schuld verschiebt sich, wenn ruchbar wird, daß die Negerin den Mord aus einer fast perversen Liebe zu dem Kind beging, da sie erkannte, wie die junge Mutter Haus, Familie und ihre Kinder verlassen wollte, von den Mitwissern ihrer Jugendsünde neu gedrängt und verlockt.

Das »Requiem für eine Nonne« (wobei der amerikanische Sprachgebrauch des Wortes »Nonne« doppeldeutig auch den Begriff der Prostituierten gibt) erklingt für die verkommene Negerfrau. Ihr Bild steht vor dem Tode am Ende strahlend. Über die simple Verkörperin der Todsünden legt Faulkner den Heiligenschein. Die junge Mutter, deren Schuld und Verstrickung mit dem Übel im Grunde tiefer, wissender und viel heikler ist, beugt sich vor der Mörderin ihres Kindes. Die Waage der Gerechtigkeit des Herzens senkt sich anders als der Gerichtsbefund erkennen ließ. Die Welt ist ein Urwald von Verstrickung und Sühne. Faulkner weiß keinen Weg, als das Wort »Glauben« leuchten zu lassen. Das Leben, auch wo es abscheulich, dunkel, urböse und fürchterlich ist, sei gut. Der Glaube leuchtet auch über der Hölle.

Verwunderlich und auch bezeichnend, wie gerade solch ein Stück ohne Widerspruch über die Strecke kommt. In Zürich hatte das schon Leopold Lindtberg zum Erfolg geführt. Jetzt nahm sich Erwin Piscator der deutschen Erstaufführung im Schloßpark-Theater an. Seinem politischen Temperament, sollte man denken, kann gerade dieses Stück mit seiner im Metaphysischen endenden Aussage kaum liegen. Trotzdem fertigte er eine bezwingende Aufführung davon. Hier liegt alles bei den Protagonisten der Sünde. Nur aus der bedeutenden Interpretation der Akteure kann das Lasterstück gerettet werden.

In Berlin gelang das Joana Maria Gorvin herrlich. Ihre intelligente Begabung, die nervöse Gespaltenheit ihrer klaren Darstellung, die Zwangsläufigkeit, mit der sie aus der Verruchtheit in die Sphäre der Selbstüberwindung und Rettung kommt, waren großartig zu beobachten. Zuerst noch »macht« sie zuviel, läßt Piscator sie etwas fahrig von der Requisite leben, läßt sie mit Rauchen, mit »Gängen« und abrupter Gestik allzu unruhig sein. Dann aber, als es an den fast unsprechbar langen Geständnismonolog geht, gewinnt das sichere Ingenium dieser bedeutenden Schauspielerin Oberhand und volle Sicherheit. Sie ist es, die das Interesse immer wieder hochreißt. Sie bleibt Siegerin über alle bewußt degoutanten Untiefen und Dunkelheiten des Textes. Der große, der bewundernde Beifall am Ende galt vornehmlich ihr.

Daneben steht Eva Bubat in der bösen Rolle der kindsmordenden Negerin, die am Ende der Heiligenschein der Sünde umgibt. Sie hat Kraft und Einfalt, Wildheit und schließlich die Ruhe des Glaubens. Wilhelm Borchert spielt die dichterische, räsonierende Seitenrolle eines Rechtsanwalts und freundschaftlich lösenden Seeleninquisitors mit sehr viel Takt und Zuständigkeit. Siegmar Schneider ist der Mann der Gorvin. Die Rolle hat im Buch wenig Profil. Sie wurde auch hier nicht weiter kenntlich gemacht.

So sonderbar wieder und widersprüchlich: Amerika schickt uns im Greifbaren das Abbild des lächelnden Fortschritts herüber, die Welt der Eisschränke, Straßenkreuzer, der bleckenden Gesundheit, des perfektionierten Lebens mit gesichertem Wohlstand. Die Dichter aber exportieren das Bild der Hölle, des Zweifels, des Gewissensausbruches und der stöhnenden Unsicherheit. Welches Bild stimmt? 12. 11. 1955

Tennessee Williams' Stücke sind begabte Essays über des Menschen Verlorenheit. Sie sind Paraphrasen über die Verkorkstheit und Ausweglosigkeit der modernen Seele, Szenenetüden aus der Strindbergschule, vermehrt um das Wissen, daß der Dr. S. Freud uns von des Menschen Qual und Seelenpein gegeben hat.

Williams zeigt uns eine Familie. Fast kein einziger Ausblick in dieses reiche Haus in den Südstaaten ist erquicklich. Sie alle haben ihre Miesigkeit und ihren eigenen Lebenskoller. Williams zeigt die feine Familie und sendet immer neue Schocks ins Parkett. Strindberg sagte: »Es ist schade um den Menschen!« Schüler Williams seufzt nur: »Es ist ekelhaft!« Und das zeigt er.

Er zeigt Big Daddy, den reichen Boß dieser unseligen Familie. Ein Kerl wie ein Eckschrank, ein weiß gewordener Konquistador der bedenkenlos kapitalistischen Epoche, ein Ellbogenbulle. Leider hat der Kerl den puren Krebs im Leibe. Williams zeigt uns, wie er sich immer wieder unter Krämpfen windet, wie er sich täuschen will und zuletzt doch die Wahrheit erfahren muß. Ein großes, schweres Tier verendet.

Williams zeigt den älteren der beiden Söhne. Der Kerl ist ein rechtes Stinktier. Er spekuliert nur auf die Erbschaft. Der schwere Vater windet sich noch in Todeskrämpfen, da versucht dieser Lümmel und Gemütsrohling schon das Erbteil zu fleddern. Ekelhaft!

Dieser Bursche hat eine dummdreiste, enervierende Frau, deren aufdringliche Brust das Haus mit Krach erfüllt und die ihrerseits sich wie eine blonde Schmeißfliege auf die noch gar nicht fällige Erbschaft zu setzen versucht. Übel, übel.

Es gibt Big Mama, das ist Big Daddys immer, ach, so lustige Lebensgefährtin und sein heimlicher Alpdruck. Die Person ist aufgedonnert wie ein Zirkuspferd und trägt jene penetrante Gutmütigkeit und Tralalafröhlichkeit zur Schau, die empfindsamere Menschen nur tieftraurig machen kann. Das dumme, perlenbehängte Ding meint es wahrscheinlich gut. Aber sie fällt furchtbar auf die Nerven.

Folgt Sohn zwei. Er ist die Mittelpunktsfigur und nun ein rechter Ausbund an Verkorkstheit. Der Bursche säuft. Er mußt täglich so lange saufen, bis mit einem Knacks sein Denken aussetzt und er den Zustand des großen Schumms erreicht hat. Sein Berufsleben steht leer. Der Bursche ist eine Niete. Seine Ehe ist beim Teufel, denn er kann eine fragwürdige Beziehung zu einem Fußballkameraden nicht vergessen, einen homoerotischen Fehltritt, der sein Bewußtsein und sein Leben verpestet.

Er lallt dahin. Er sehnt sich nach Wahrheit und Erlösung. Unter all dem Dreck ist er nicht übel, läßt uns Williams merken. Aber den Dreck zeigt er uns mit geradezu psychologischer Lust.

Bliebe noch dessen Frau, die Katze, die den Absprung von dem heißen Blechdach dieses Lebens nicht mehr findet. Sie ist in diese Familienhölle verstrickt. Aber, immerhin, sie ist tüchtig, sie ist lebenssicher, sie hat Herz und hat einen gewissen Griff in die Rettung aus dem vielfachen Übel, das hier gehäuft ist. Sie darf am Schluß einige hoffnungsreiche Worte äußern.

Aus ihrer sicheren, sich gegen das geballte Unheil stemmenden Natur ist am Ende doch so etwas wie ein Ja zu dieser Welt zu hören. Am Schluß läßt Williams einen Lichtstrahl der Hoffnung auf die Szene fallen. Ehe man noch bezweifeln kann, ob der wohl hier noch nutzen wird, fällt auch schon der Vorhang.

Das ist Schockdramatik. Der Autor verteilt immer wieder Tiefschläge ins Publikum und bleibt dabei nicht in jedem Falle oberhalb der Gürtellinie des Geschmacks. Merkbar begabt malt er das düstere und verkorkste Panorama, ohne Zweifel. Aber die dramaturgischen Mittel, mit der er eine Art Superspannung erzeugt, sind nicht immer fein. Er greift, wenn's nicht weitergehen will, bedenkenlos zu den verbotenen Mitteln des reinen Schauders.

Er will die Anziehungskraft des Scheußlichen unbedenklich auf die Spitze treiben und bedenkt nicht, daß gerade die Multiplikation des Abstoßenden dem Abstoßenden am Ende die Wirkung vermindert. Der Zuschauer fragt sich: – wozu?! Er bleibt interessiert. Aber angeekelt interessiert. Für wahr und glaubhaft nimmt er diese Welt des Mister Williams nicht. Täte er es, bliebe ihm und den Bühnenfiguren nur die Kugel in den Kopf.

Das muß – soll es überhaupt über die Rampe kommen – perfekt gespielt werden. Es geschah hier weithin. Leo Mittler hat die Gitterszenerie, die Jean-Pierre Ponelle sehr geschickt für die kleine Bühne gefügt hatte, zwingend und handwerklich vorzüglich gefüllt. Diese Hölle wird glaubhaft, und sie ist so sicher getönt, daß sie langsam eine gewisse Faszination gewinnt.

Alfried Schieske spielt den krebsangefressenen Bullen und Millionär. Daß er sehr amerikanisch aussähe, kann man nicht sagen. Er schafft es trotzdem. Er hat eine Kraft und Rührung, hat eine bärbeißige Weichheit unter der Kraftstatur, daß diese Leistung wirkt.

Mosbacher ist sein übel-geliebter Sohn, der Säufer mit dem homoerotischen Knacks und der weichen Seele. Die Kontaktlosigkeit, die er vorsätzlich spielt, ist oft gespenstisch. Die Not der Einsamkeit, die er ausstrahlt, macht diese Figur weitgehend erst möglich. Wo seine Rolle allzuviel des Schreckens fordert, kann er über den Schatten des Fiktiven auch nicht springen. Da hakt es manchmal aus. Aber Mosbacher gewinnt immer wieder den Griff nach dieser qualvoll scheußlichen Figur, daß sie steht und glaubhaft wird.

Höchst sehenswert auch Ursula Lingen. Sie ist die Katze, sie hat den Rest Natürlichkeit und Gradheit zu verkörpern, der in dieses düstere Familienbild eingelassen ist. Sie macht das sehr überzeugend, hat eine reine, unverstellte Ausstrahlung, die in dieser Hölle immer wieder hilfreich ist.

Sonst: Renée Stobrawa. Sie ist mit hinlänglichen Mitteln die penetrante Mama. Edith Schneider, etwas zu intelligent, etwas zu geistig, ist die üble, kinderreiche Schwiegertochter mit dem scheelen Blick auf die Erbschaft. Ganz kalt und schon im Äußeren sehr amerikanisch macht Ricklef Müller ihren hanebüchenen Mann. Paul Günther, mit einer vorgeschobenen Suada, ist ein blasser Geistlicher. Ernst Stahl-Nachbaur ist der Arzt und am Ende der Verkünder des totalen Krebses.

Kein leichter Abend, das! Keine erquickliche Unterhaltung, kein szenisches Zuckerschlecken! Williams, wie er da mit geradezu perfider Lust und Begabung die dunkelsten Ecken der Menschenseele anleuchtet, kommt oft in den Verdacht: das Entsetzen mache ihm Spaß, die Beschäftigung mit dem Ekel schaffe ihm eine ungebührliche Befriedigung. Etwas, das nicht jeder Zuschauer von sich sagen wird.

Dem bleibt dann eine gut gefügte, sehr ehrenvolle Aufführung und die Ansicht einiger Schauspielerleistungen, die durchaus hinsehenswert sind. 27. 2. 1957

... UND DIE HELLERE SEITE

Jean Anouilh »Leocadia«
Tribüne

Des heute erst 44jährigen Jean Anouilh »rosa« Stücke sind so bestechend, weil er darin jeweils ein ganzes, rundes heiter-melancholisches Reich des Absurden aufzubauen versteht. Der Charme des Vorgangs lebt aus der Vernünftigkeit des Vernunftwidrigen. Märchenzüge benutzt dieser späte Nachfahr der Romantiker. Er ist differenziert bis zur Auflösung des Gedankens. Aber er ist auch simpel. Er vermag dem Zuschauer mit einem· zierlichen Feuerwerk alle delikaten Farbbrechungen der Ironie und lächelnden Skepsis zu spiegeln. Gleichzeitig überredet er uns, zu sein wie die Kinder und das Absurde zu glauben, das Wunder anzunehmen, das Leben zu lieben. Schmerz liegt über diesen wahrhaft zauberhaften Theatergebilden – aber auch immer das Lächeln des Einverständnisses mit der unverständlichen Logik des Daseins. Er ist Pessimist. Deshalb ist er ein so superber Ironiker. Aber er ist auch ein moderner Märchenhans aus Notwehr. Die Rettung aus der Phantasie. Die Zurechtrückung der Wirklichkeit mit den Mitteln der ungebundenen Imagination. Die Märchenfarce ist sein Feld in diesen seinen sanfteren dramatischen Hervorbringungen. Der Mann ist klug. Und er ist gläubig. Daher bleibt der Witz denn nie flatternd und losgelöst. Auch wenn er szenische Schaumspeisen anrührt wie diese, haben sie herzliche Nährkraft. Ein Zauberer: er bezaubert.

Wie ist das zu spielen?

H. W. Lenneweits zuckrig-rosa Bühnenbild mit dem zierlich weißen Drahtmeublement darin traf den Stil schon genau: absurd, schön, belustigend und glaubhaft in sich selber.

Die Aufführung, so heiter in Teilen, so richtig in vielem, traf den Stil der zierlichen Farce dann nicht immer. Das müßte durchweg sozusagen auf Zehenspitzen agiert werden. Seifenblasen dürfen nie beschwert werden. Sie platzen sonst. Wegrücken, hochtreiben, heiter verzerren! – hätte hier die Parole zu lauten. Das gewinnt seine Glaubwürdigkeit doch erst, wenn es bewußt und sicher im Absurden wohnt. Souverän verspielt hätte man alles auf den strikten Farcenstil anlegen sollen. Frank Lothar nahm die Sache – so ernst sie ist – zuweilen zu ernst. Aber ihre spezifische Schwere wohnt erst ihrer vollen Leichtigkeit inne. So amüsierte es wohl ungemein. Das ganze Wohlgefallen, das sich hätte herstellen lassen, war nicht gegeben.

Die königliche Hermine Körner spielt die Herzogin. Welch ein Genuß, ihre schauspielerisch superbe Tatkraft zu bewundern! Wie herrlich so souveräne Manier, mit der sie in ein paar Worten und verschlagen ironisierten Tragödinnengesten die verschusselt charmante Figur gleich etabliert! Die Bühne scheint zu klein, sobald ihre große und strahlende Natur sie betritt. Und das Stück manchmal auch. So hinreißend sie die verschrobenen und herrischen Skeptizismen des Textes zu geben weiß, so bewundernswert jeder Tonansatz bleibt, so treffend jede geplante Geste – man wünscht, so sehr man dies genießt, sie bald in einer größeren Rolle zu sehen, die ihrer säkularen Erscheinung mehr und gewichtigeren Auslauf ließe. 30. 9. 1954

Jean Anouilh »Cécile oder die Schule der Väter«
und Molière »Die Schule der Frauen«
Schloßpark-Theater

Jean Anouilh arbeitet hier, wie meist in seinen »rosa Komödien«, mit doppeltem Boden: er führt eine schier schon klassische Lustspielentwicklung mit aller Ernsthaftigkeit durch. Das Stück ist gebaut, wie das leichte Gesetz es befiehlt. Echte Tugend, falsche Tugend, Konflikt, Foppung der Scharlatane und schließlich kleiner Trommelwirbel und Apotheose für die wahrhaft Liebenden. Anouilh läßt es scheinbar laufen, wie (bis hin zur Operette) dergleichen zu laufen hat. Schablone, kunstvoll nachkonstruiert. Das Lustspiel von der alten Stange.

Dann aber der Witz: Er streut Ironie über das Ganze. Er streut sie nicht so kraß und so dicht, daß die Posie davon litte oder das Gefühl dabei welken könnte. Er stellt sich die Komödientypen auf und läßt sie agieren, wie man es seit zwei Jahrhunderten erwartet. Aber während er ihre volle, grundsätzliche Komik von den Uraltkonten der heiteren Dramaturgie abheben läßt, gibt er ihnen jenes kleine Augenzwinkern bei, das den alten Spaß, während er mit emsiger Ernsthaftigkeit hergestellt wird, immer gleich so nett in Frage stellt. Anouilh hat den Trick der doppelten Wirkung: den Spaß als herkömmlichen Spaß. Und auch gleich seine Infragestellung, die ironische Unterhöhlung. Die Sache ganz; und gleich auch ihre zärtliche Parodie.

Dieser Trick ist enorm erheiternd. »Cécile oder die Schule der Väter« erweist es wieder. Eine Fingerspitzenkomödie, ein Jux mit der Nährkraft des originalen Juxes, sublimiert durch seine kunstvolle Verhohnepipelung, die daneben herläuft. Es war äußerst lustig.

Leopold Lindtberg hat es inszeniert, und gewitzter, überlegener und treffsicherer ist das wohl kaum zu machen. Er überdreht den kleinen, absurden Vorgang von vornherein mit lustigster Laune. In kaum einer Stunde schnurrt das sinnvoll-absurde Komödchen so zielsicher ab, daß das Publikum immer gleich doppelt schmunzelt: über die starre Eleganz der alten Komödien-Grundhaltung und dann immer schnell auch über den parodistischen Pfeffer, der über den Urspaß gestreut ist.

Ein graflicher Vater trägt der jungen Gouvernante auf, recht streng über die Tugend seiner Tochter zu wachen. Da ist er für Anstand und Sitte. Er selbst kratzt aber nächtlich an der Tür gerade jenes Lehrfräuleins, dem er die Moral bei Tage so streng in Auftrag gab. Versteht sich, daß der alte Schürzenjäger mit der doppelten Zunge am Ende lustspielhaft gestäupt wird. Anouilh treibt es mit Entführung und gedungenen Räubern im nächtlichen Park, mit Verwechslung und Enttäuschung und endlicher Lösung. Die Komödie wird, während man sie spielt, zärtlich veräppelt. So sehr sie aber geschüttelt wird, bleibt sie trotzdem intakt. Der zierliche Doppelgeschmack geht so reizvoll über die Zunge.

Spielen ließ das Lindtberg souverän. Martin Held ist der Graf. Wie er dessen Umriß und gleich auch davon die heiterste Verzerrung zu geben versteht, ist von wirklichem Humor. Schon in den ersten Minuten schlägt er den schwierigen Doppelton an, daß man munter weiß, wo's hier lang geht. Federnd und mit doppeltem Kalkül geht er an das ironische Geschäft, daß man es schier bedauert, als das kleine, lustige Stündchen um ist. Selten war es besser. Aglaja Schmid ist die süße Gouvernante. Auch sie versieht das doppelte Geschäft der Heiterkeit mit einer hübsch verzogenen Umsicht, Komödie mit der Komödie spielend. Die kleine Renate Danz, ganz liebend schmollendes Töchterlein, Horst Buchholz ihr Galan und verbotener Freier. Die beiden holen die holde Torheit reizend ins Bühnenlicht. Arthur Schröder hat mit Martin Held dann ein Rendezvous im Park, da sie den beiden Liebenden auf die Spur kommen wollen. Was sich in parodiertem Gehabe zwischen den beiden Pères nobles da abspielt, vie sie ins erotische Protzen geraten und fast den strengen Anlaß ihrer Jagd auf die Jugend vergessen, machte ungemeines Vergnügen. Das Publikum bog sich. Eine äußerst heitere Stunde. Fritz Butz hatte ihr ein entzückendes Bühnenbild geschnörkelt. Beifall, Vergnügen und Jubel wie selten.

Dann spielte man nach der Parodie der Komödie eine klassische Komödie. Das war kaum klug getan. Umgekehrt hätte man vorgehen sollen. Denn in dieser Reihenfolge mußte der gute, alte Molière hausbacken scheinen. Seine Wirkung war so fast beschädigt, obgleich auch diese Darbietung der »Schule der Frauen« von Lindtberg wirklich heiter aufgezogen war. Das Bühnenbild von Butz wieder eine Augenweide. Aglaja Schmid spielte die törichte Braut mit hübscher Dusseligkeit und schließlich mit aller Weisheit des Weibes. Erwin Kalser glitt als der scheinbar so kluge und doch so übel gefoppte Arnolphe bekümmert und mit einer fröhlichen Wandelbarkeit über die alten Versfüße. Dieter Ranspach ist der Liebesheld, Clemens Hasse und Eva Bubat verwalten die Etage der Buffos. Es ist nett und richtig und eine beschwingte Darbietung durchaus. Nur daß einem eben zuvor durch die Parodie schon solch klassischer Spaß fragwürdig gemacht worden war.

Umstellen sollte man die Reihenfolge. Der Erfolg, so schön lärmend, wäre noch größer. Dies war einer der hübschesten Abende seit langem.   13. 6. 1955

Jean Anouilh »Ornifle oder der erzürnte Himmel«
Schloßpark-Theater

Kaum drei Monate nach der Pariser Uraufführung in Berlin und Stuttgart die deutschen Erstdarstellungen von Anouilhs »Ornifle oder der erzürnte Himmel«. So schnell schlägt Deutschlands Theaterherz!

Eine Don-Juan-Variation ist das: bei dem witzig-bühnensicheren Anouilh wird die Figur des alten Sinnenbuben und Schürzen-schützenkönigs zu einem – wenn das doppelte Fremdwort erlaubt ist – hedonistischen Existentialisten umgeprägt. Herr Ornifle ist Poet von Geblüt. Aber er setzt sein Talent merkantil um. Er stellt Werbeslogans her. Er liefert Chansons für das Casino de Paris. Und wenn der benachbarte Geistliche um ein paar Weihnachts-verse für die Kinder seiner Kirche vorspricht – bitte, dann liefert er auch die.

Ornifle hat vorsätzlich die Seele ausgeklammert. Die Transzen-denz negiert er. Nur das, was heute und hier greifbar wäre, gilt. Gewissen – eine Erfindung der Schwachen. Sünde – eine übelrie-chende Fiktion der Impotenten. Sünden sind für ihn nur die ver-paßten Gelegenheiten und die schwächlichen Augenblicke des »Danach«, wenn der Liebesakt vollzogen ist und Müdigkeit das Fleisch überkommt.

Ein Hedonist verführerischer und brillanter Prägung, weil der den subtilen Genuß des Lebens in allen Kurven auszufahren ent-schlossen ist. Ein Existentialist, weil er mit dem superben Snobis-mus einer auf sich selbst gestellten Hochfahrenheit nur immer das Greifbare greifen, nur immer das Präsens kräftig ausleben will. Ein Futurum gibt es in der Syntax dieses Hexenmeisters der Liebe im Sakko nicht. Folgen werden nicht bedacht. Was jetzt ge-schieht und hier, nur das gilt. Sorgen wir, daß es lustig, kräftig und heiter geschehe! Das ist Ornifles intensives Einmaleins des Le-bens. Das exerziert er vor.

Anouilh verbrämt diese im moralischen Sinne hanebüchene Er-scheinung nun mit allen Nuancen seiner bühnensicheren Bega-bung. Er macht sich tatsächlich einen Teufelsjux, um die brillie-rende Moral dieser amoralischen Figur blitzen zu lassen. Das Stück ist fast durchweg ein Festessen für alle, die Geschmack an dem doppelt gestaffelten Dialog haben. Auf den ersten Ton ist das nur unterhaltend, ist es auf eine lockende Weise frivol, hat es die volle, schöne Oberflächlichkeit der guten Komödie durchaus. Erst beim zweiten Hinhören werden die tragische Hinterland-schaft und die denkerischen Konsequenzen dieser scheinbar leichten Welt bemerkbar. Und da denn ist auch eine dichterische Subtilität am Werke, die das Stück zu einem der besten dieses blitzbegabten Franzosen macht.

Die Aufführung, die dieses vielschichtige, blitzende, immer hinter einer Wand des Spaßes und Witzes seine Tragik verdekkende Stück hier fand, war vorzüglich. Rudolf Steinboeck führte Regie. Und er hat durchaus im Sinne des Verfassers gehandelt, wenn er die Brillanz, wenn er die verführerische Leichtigkeit, wenn er das Gelächter an der Sache nach vorn stellte. Um so erschreckender dann, sobald er an Stellen, da der Ernst, da die gedanklichen Folgerungen des Leichtsinns merkbar werden, das hurtige Tempo auf Zeit retardieren läßt, wenn er, sozusagen, kurz auf die Bremse der Tragödie tritt und man hinter dem Vordergrund von gefälligem und unterhaltendem Firlefanz immer auf Minuten den Kontrapunkt der Schwermut klingen hört. Dann wieder geht es im Schnellgang der Komödie weiter. Wie sich das ausgleicht, gegenseitig stützt und weiterhilft, das hat Steinboeck vorzüglich auszupendeln verstanden.

In der Titelrolle hier Martin Held. Er war herrlich zu sehen. Er hat die lästerliche Kälte des erotischen Frauenschlächters. Er hat in seiner souveränen Diktion alle Register der Verführung und der detachierten Liebestollheit. Aber er hat auch genau die snobistisch überlegene Denkerattitüde, die dem Ornifle zukommt. Er jagt, er schmeckt, er kostet alle Leckerbissen dieses witzdurchsetzten Dialogs. Aber er kann dabei auch die mephistophelische Einsamkeit, er kann die Hungerkur der gottverlassenen Seele andeuten. Er spielt an der hier gesetzten Oberfläche souverän, unterhaltend, kühl erhitzt bis ans Herz hinan. Und immer ist jener Unterton der Einsamkeit da, das Klingen der Leere. Eine sehr sehenswerte Leistung.

Ihn umvölkern die Frauen, die seinem kalten Herzen anheimfallen. Lu Säuberlich spielt ohne jede Larmoyance die prekäre Rolle seiner Frau. Aglaja Schmid ist die verheulte, hochneurotische Sekretärin, die, sich graulend vor der Liebe des Ornifle, sich doch nach seiner Liebe verzehrt. Amüsant und erschreckend, wie die Schmid diese psychopathische Studie füllt und rundet. Anzusehen wie eine ängstlich flatternde, blonde Fledermaus, holt sie genau den Teil komischer Eigentragik aus der Rolle, der nötig ist.

Ursula Diestel ist das Zimmermädchen, das verwelkt, seit der erotische Nimmersatt sie zwischen zwei Türen beglückte und vergaß. Lore Hartling spielt klar und jugendlich die letzte Liebe und Schwiegertochter des Herrn Ornifle, das letzte Opfer, das er dem eigenen ehrpusseligen Sohn abjagen will. Brigitte Grothum ist die kleine Reporterin, an deren Wohlgestahlt sich der genialische Lotterbube zwischen den Blitzlichtern entzündet.

Sebastian Fischer spielt den Ornifle-Sohn, der unverhofft als potentieller Mörder seines leichtsinnigen Vaters in den dritten Akt knallt. Seine teutonische Blondheit kontrastiert gut gegen die spitzbärtige Überlegenheit seines sündhaften Vaters. Franz Nicklisch muß die Leporello-Figur hier als dicker Schrotthändler variieren und braucht nicht viel mehr als ein Stichwortzuträger seines Vorbildes Ornifle zu sein. Walter Tarrach und Arthur Schröder sind zwei veralberte Ärzte, die, schon im Kostüm zu einem Molière-Ball, das Herz des Sünders leichtfertig diagnostizieren. Zuckrig und leicht stellen sie die beiden Figuren hin. Volles Lob für Hans Hessling, der den souveränen, ebenfalls mit Anouilh-Witz getränkten Abbé spielt. Er öffnet der dunkelumränderten Komödie immer Ausblicke in die Tiefe, ohne selbst »tief«, ohne schwer zu werden.

Fritz Butz' zärtlich-feste Bühnenbilder waren eine reine Augenweide. Da klang schon der doppelte Akkord des Ganzen an. Der Beifall für diesen großen Abend des Theaters war stürmisch.

3. 3. 1956

Jean Anouilh »Die Einladung ins Schloß«
Renaissance-Theater

Was macht die gelungeneren Stücke des Theaterfranzosen Jean Anouilh so reizvoll, so ehrlich, so überlegen in ihrer Heiterkeit, so beschäftigend noch dort, wo sie nur der reinen Bühnenunterhaltung zu dienen scheinen?

Der Mann ist – wie jeder anständige Europäer seit Schopenhauer und gar Nietzsche – Pessimist. Er kennt die Patsche, in der wir sitzen. Aber er setzt das Dilemma voraus. Er protzt nicht mit seinem schlimmen Wissen. Er hält damit hinter dem Berge, aber er läßt uns immer durchblicken, wie genau er Bescheid weiß. Auch wenn er lustig, auch wenn er gar albern ist wie in diesem »rosa« Stück: der dunkle Kontrapunkt einer anständigen Schwermut klingt noch mit.

Anouilh kennt, wie der Untertitel dieses Stückes in unserer Sprache heißt, »die Kunst, das Spiel zu spielen«. Er besitzt die Überlegenheit des Herzens, über alle Dunkelheiten hin die Spielregeln des Glücks zu betätigen, trotz allem dem Lächeln zu Diensten zu sein.

Seine Grundhaltung ist also weise. Und einen weisen Zeitgenossen Späße machen zu sehen, einen Wissenden zu beobachten, wie er am Abgrund noch den Mut findet, elegant zu turnen und durch seine geistige Überlegenheit zu erheitern, das ist sein Geheimnis und hat Seltenheitswert. Seine Erfolge sind berechtigt.

»Die Einladung ins Schloß« – oder wie die Komödie hier heißt: »Schloß im Mond« – kommt vergleichsweise spät nach Berlin. Aber dieses Filigranstück findet eine so zutreffende Aufmachung und gelungene szenische Verpackung, daß man wegen der Verspätung nicht grollt.

Es war zauberhaft.

Der reine, liebe Firlefanz. Die Handlung schon – pure Spielerei um des Spieles willen, formal ganz überlegen aufgeblättert. Nur: Zwei Zwillingsbrüder betreiben die Sache des Herzens unterschiedlich.

Der eine – ein ratloser Melancholiker. Er kann das Glück der Liebe aus eigenen Kräften nicht erreichen. Traurigkeit zieht er noch aus jeder Blüte. Er trägt die ganze Last der Lebenstrauer so hilflos auf seinen Schultern, daß er schon wieder rührend komisch wird. Und der andere – von der Art derer, die ihr Herz ausgeschraubt haben. Ihm fallen daher die Weiber, die sein leibliches Ebenbild so hilflos verehrt, mühelos um den Hals.

Ein Doppelspiel, eine Auswechslung des Gleichen also, wie sie in der Bühnenliteratur ihre Vorbilder schon hat. Aber Anouilh verfeinert den Spaß. Er durchsetzt die Nutzanwendung, wie eben am Ende doch die wahre Liebe allein nahrhaft sei, mit so viel überlegenen Späßen, er geht so elegant zu Werke, die Rand- und Füllfiguren des Spiels sind bei ihm so greifbar, einfallsreich und spielbar geworden, daß das Vergnügen daran einem zuckrig auf der Zunge zergeht.

Willi Schmidt hat das hier im Renaissance-Theater genau richtig abgeschmeckt. Er läßt den Hinterton der Melancholie immer heimlich anwesend sein. Er spielt nicht vom Blatt, sondern erhebt das Ganze elegant immer in die Nähe einer angemessenen, heiteren Stilisierung. Er tupft auch härtere Wirkungen nur an. Er läßt uns gewahr bleiben, daß ja hier nur ein verfeinerter Jux getätigt wird. Er – ein Glück! – beherrscht tatsächlich »die Kunst, das Spiel zu spielen«.

Seine Spielmannschaft folgt ihm auf den leichten Wink. Roma

Bahn in der Rolle der Alten im Rollstuhl, die auf ihrem fahrbaren Throne das Auge auf all der Verwirrung behält und jede Torheit durch das Sieb ihrer verschmitzten Lebenserfahrung gehen läßt, bis sich endlich klärt, was so vorsätzlich verworren war. Eine Parze mit Charme. Eine Leistung nicht ohne gespenstischen Liebreiz.

Harry Meyen in der schwierigen Doppelrolle der Zwillinge mit ihren so widersprechenden seelischen Vorzeichen. Er ist ein Typ des jugendlichen Elegants, wie er sonst seit de Kowa oder Wohlbrück bei uns nur selten nachgewachsen ist: intelligent, überlegen, geistig interessant und von einer modernen Gelassenheit, die nicht auf die Nerven geht oder aufgesetzt wirkt. Er machte beide Rollen auf eine sehr zarte Manier durchaus verschieden, wie es sich gehört.

Daneben ein ganzer Strauß gelungener Bühnengewächse. Friedel Schuster und Boy Gobert – sehr komisch und bewußt überzogen in der Schablonen-Typisierung des ehebrechenden Paares. Sie ironisieren ein ganzes französisches Komödienklischee dabei sehr schön albern.

Fritz Tillmann machte aus dem armen, reichen Millionär ein Kabinettstück kräftiger Charakterisierung und ließ auch keine der halbtragischen Wirkungen aus, die sich da so herrlich anboten.

Blandine Ebinger – was ist sie für eine Meisterin des komischen Piepstons! – strichelte sich ganz himmlisch den Part eines immer zu spät gekommenen, älteren Seelen-Mädchens hin. Ilse Fürstenberg mimte eine ergraute seelische Gartenlaubenbewohnerin – ebenfalls mit viel Humor.

Und Lis Verhoeven und Liane Croon waren die Mädchen, die in die Arme der so schrecklich gleichen und so schrecklich verschiedenen Zwillingsbrüder finden. Da hatte die Darstellung denn manchmal die Dichte und Überredungskraft nicht wie sonst durchweg.

Es war ein bezaubernder Abend. Denn daß ein weiser Autor mit Eleganz und sozusagen aus Daffke einmal herzhaft und nahrhaft albern ist, ist so selten. Und daß das Renaissance-Theater, das sonst mit Stargastspielen und unverblümter Boulevardkost sein Glück zu machen sucht, diesmal so sicher und erfolgreich in eine höhere Schublade des Theaters griff, bleibt hoffentlich nicht ohne Folgen. 30. 12. 1955

Der Titel »Das Dunkel ist licht genug« enthält schon die simpelste Erklärung für die oft verschrobenen Düsternisse dieses poetischen Zierspiels. Fry siedelt die Handlung im Ungarn der 48er Revolutionswirren an. Es begeben sich Krieg, Verfolgung, Verrat, Ehebruch und Tod auf dem Schlosse, in dem die lebensneugierige, alte Gräfin haust. Aber wie abenteuerlich und scheinbar trostlos, wie blutig und voll Ingrimm sich auch das Dasein zu schichten scheint, Fry zieht den puren Honig der Lebensliebe aus allem. Wenn er die Alte schließlich sterben läßt, ehe der Vorhang zum letzten Male sinkt, stellt er eine fast hymnische Traviata-Szene. Herzlicher, zierlicher, heiterer ward das Ja zum Dasein selten artikuliert. Ein Lyriker löst alle Knoten des Dramas im zärtlichen Gesang der Sprache. Das Dunkel wird licht vor dem bejahenden Herzen.

Dies dritte seiner Jahreszeitenstücke ist weniger als die vorige (»Die Dame ist nicht fürs Feuer« und »Venus im Licht«) von schwirrenden Wortkaskaden überschüttet. Es wuchert und blüht nicht wie zuvor. Fry legt etwas wie Rauhreif über seine Verse in diesem winterlichen Stück. Aber Vergleiche heben ihr Haupt, Metaphern beginnen zu leben, verschlungene Sprachornamente fügen sich so zierlich und fest, daß auch hier wieder der Effekt nicht von den Gestalten kommt, nicht von der »Moral« der oft undurchschaubaren Geschichte, sondern aus dem reinen dichterischen Wort. Man wird nicht überredet. Man wird überdichtet.

Zu spielen ist das nicht leicht, da hier der Schauspieler im Grunde zum Schau-Sprecher wird. In der Londoner Aufführung, die ich sah, konnte eigentlich nur die große Edith Evans dem Text volles Maß geben. Hier spielt Käthe Dorsch ihre Rolle, und wo Süße, wo Wohlgeschmack und der volle Dur-Ton auszulösen war, traf sie die Worte herrlich. Dafür fehlten die düsteren Schwingungen zuweilen. Frau Dorsch spielte, möchte man sprechen, Haydn. Und dies ist Mozart. Der tragische Kontrapunkt klang nicht immer mit.

Neben ihr erstaunlich: Victor de Kowa. Er räufelt den Charakter eines heikel Zerrissenen sehr überzeugend auf, die Gestalt eines, der Unheil in die Welt zu bringen verdammt ist und sich schon in dieser Verdammnis wohl zu fühlen beginnt. Er kokettiert mit dem Fluch über seinem klugen Haupte. Er beginnt sich in der Sünde einzurichten und muß am Ende sehen, wie ihm die sterbende Gräfin die letzte, irrtümliche Hoffnung, von der er zu leben meinte, mit leichter Hand unter den Füßen wegzieht. – Das ordnet de Kowa sehr glücklich, dabei immer dem spezifischen Sprachklang dieser verwobenen Partitur nahe bleibend. Ein Beweis wieder, wieviel mehr dieser Schauspieler kann, als man ihm in seinem Bonvivant-Klischee sonst zutraut.

Regie: Karl Heinz Stroux. Ihm mochte hinderlich sein, daß dieses Kammerspiel in der stimmungsfeindlichen Kunsthalle des Schiller-Theaters intoniert werden mußte. Die Dimensionen standen da gegen den Stil, der hätte getroffen werden sollen. So gingen denn viele sprachliche Arabesken nicht ganz auf, und manch Seitencharakter blieb schematisch, wo bei Fry Farbe und Eigenart doch im Texte sind. Irrtümlich auch, daß er sich von dem jungen Jean-Pierre Ponelle eine schwarzausgeschlagene, weißgarnierte Traumszenerie schaffen ließ. Da kam Krematoriumsstimmung auf; das Dunkel war nicht licht genug.

Die Berliner, mit dieser sechsten Fry-Darbietung innerhalb von vier Jahren schon fast zu Fry-Experten geworden, schienen den neuen, herberen Ton des Engländers erst nicht ganz zu fassen. Als dann zum Schluß der erlösende, liebende Hymnus auf das Leben erklungen war, fiel der Bann. Da war der Beifall herzlich.

12. 4. 1955

Thornton Wilder »Die Heiratsvermittlerin«
Theater am Kurfürstendamm

Die Odyssee dieses Stoffes ist an sich schon so lustig: dem Engländer John Oxenford fiel er ein. Nestroy lieh ihn sich von ihm aus und schrieb danach seinen »Jux will er sich machen«. Thornton Wilder sah 1927 in Berlin die berühmte Aufführung davon mit der Bergner und mit Forster und annektierte seinerseits den alten Stoff zurück. Bei ihm hieß das Stück dann »The Merchant of Yonkers« und fiel am Broadway prompt durch. Er ließ nicht nach, arbeitete die Sache für die göttliche Komikerin Ruth Gordon noch einmal um, nannte die Farce jetzt »Die Heiratsvermittlerin« und reüssierte damit im vergangenen Jahre bei den Edinburgher und dann auch bei den Berliner Festwochen mit einer angelsächsisch gemischten Truppe ungemein. Jetzt hat Hans Sahl den Vorgang zum dritten Male über die deutsch-englische Sprachgrenze gebracht. In seiner trefflichen Übersetzung spielt man die Sache nun hier. Der Erfolg war turbulent.

Thornton Wilders Fassung verlegt den Jux in das New York der achtziger Jahre. Er hat dem nestroyschen Vorgang zwei neue Rollen eingebaut, hat den Schluß mit einer veritablen Moral versehen. Er läßt, wo sonst Couplets erklangen, die Spieler aus ihrer Rolle treten und direkt über die Rampe räsonieren. Wo Nestroy sich noch eines reizvoll grantigen Pessimismus bediente, bleibt Wilder gemüthaft, schafft er ein lebensfreundliches, rührendes, wärmendes Klima. Es ist dieselbe Sache. Aber es ist ganz etwas anderes. Beides in sich vollkommen und eine große theatralische Lustbarkeit. Die Leute juchzten hier endlos.

Die Mosheim spielte die Titelrolle. Und küssen hätte man sie mögen für die Lustigkeit, für die Herzenswärme und Pfiffigkeit, mit der sie es tat. Sie betätigte eine, sozusagen, konzentrierte Geistesabwesenheit, die ungemein gelächterhaltig ist. Sie bringt eine verschämte Unverschämtheit so trocken in Anwendung, bleibt immer auf dem buntkarierten Teppich der absoluten Farce und baut sich hinter dem dralligen Vordergrund ihrer Rolle ein heimliches Hinterland des Menschlichen so zärtlich auf, daß die Leute sie liebten. Wenn sie dann aber zum Schluß zu ihrem direkten Soloexkurs über die Rampe ansetzt und über den Vorzug des Geldes, des Lebens und der Menschenliebe sich expektoriert mit halber, zaghafter, verkicherter Stimme, wurde auch alten, abgebrühten Theaterhasen das Auge hinter der Brille feucht. Die Leistung bleibt buchenswert.

Rudolf Steinboeck hatte Regie. Endlich einer, der das gehobene Possengeschäft versteht. Allen setzte er den angemessenen Motor des Komischen so sicher ein, daß die Sache schnurrte, klappte, prasselte, kollidierte und sich wieder fügte. Prompt und prall standen sie durch die komische Bank an ihrem vollen Platz: Paul Esser als der grantige Gemischtwarenhändler und gefoppte Muffelkopf, Jane Tilden und Frances Martin, die lebenshungrigen Putzmacherinnen, Fritz Lehmann und der besonders begabte Helmut Lohner – die rappeligen Kommis. Wolfgang Zilzer in der bei Wilder geschrumpften Melchior-Rolle. Agnes Windeck, umwerfend vertrottelt, in dem hier nun wiederum neuen Part einer gluckenhaften Tante, die – eine Göttin aus der Possenmaschine – am Ende alles Widerstrebende unter den Hut eines bewußt überdrehten Happy-End bringt.

Diese Aufführung könnte klassisch werden. Der Heiterkeitskoeffizient stieg hier höher noch als bei der schon so geglückten originalen Aufführung in England. 5. 7. 1955

– Die Spielzeiten 1954/55, 1955/56 und 1956/57 –
UNZULÄNGLICHES AUF ALT UND NEU

Tolstoi/Piscator/Neumann/Prüfer »Krieg und Frieden«
Schiller-Theater

Schon der Gedanke, überhaupt Tolstois unausschöpfliche, geniale und komplexe Romanwelt des »Krieg und Frieden« zu dramatisieren – oder, wie die Autoren Piscator, Alfred Neumann und Guntram Prüfer es nennen – »für die Bühne nacherzählen« zu wollen, heißt, sich anschicken, das Meer mit einem Eimer auszuschöpfen. Es geht nicht. Nicht einmal eine kärgliche Inhaltsangabe kommt dabei heraus. Hier hat man Tolstoi verfeatured und verhackstückt. Der Effekt bleibt peinlich.

Piscator hat drei Bühnen konstruiert: Hinten eine von unten beleuchtete Schräge, seine »Schicksalsbühne«. Da finden die Weltaktionen statt. Napoleon stampft darüber wie auf einem U-Bahnschacht. Da finden auch, ausführlich projiziert, in Sandkastenmanier und mit Hilfe kniehoher Bleisoldaten, die Schlachten statt. Hier wird Taktik gelehrt.

Davor sitzt der »Erzähler«. Er betätigt einen Gong und gibt die Rahmenconférence. Vor ihm wieder breitet sich die Bühne II, die »Aktionsbühne«, auf der sich dann, in füglicher Verkürzung, die Handlung zwischen Fürst Andrei und Natascha, zwischen Pierre und seinen Feinden, zwischen Marja und Fürst Nikolai, Fedja und den anderen in Blackout-Manier ergibt. Immer nur Tupfer. Kein Schauspieler kommt in seine Gestalt. Er kann nur immer Anlauf nehmen. Dann gongt der Erzähler schon wieder. Bühne II wird bei offenem Vorhang umgebaut, und die Hauptakteure begeben sich auf die drei »Vorbühnen«. Da sind sie zu kommentierenden Auskünften auf weltanschauliche Fragen des »Erzählers« immer bereit. – Nein, es geht so nicht.

Denn was bleibt übrig? Dünnes, dürres Thesentheater. Man lernt (und man lernt es überdeutlich), daß Krieg schlecht und Frieden gut sei. Am Schluß baut Piscator noch in kräftiger Propagandamanier die direkte Nutzanwendung auf das Heute ein. Da stellt er nur noch Wortplakate, und Tolstoi war der Vorwand. Wenn das so weitergeht, wird man nächstens an einem dramatisierten »Werther« nachweisen, daß der Selbstmord schlimm sei. Oder an Hand des »für die Bühne nacherzählten« Kohlhaas, daß Pferdediebstahl böse Folgen habe. Diese Methode des »technisch-epischen Theaters« ist ein sehr alter Hut geworden. Noch als sie neu war, überzeugte sie nicht völlig. Piscator – und darin liegt für ihn eine eigene Tragik – tritt immer noch auf der alten Stelle. Der revolutionäre Impetus, der seine aufsehenerregenden Anfänge hier vor mehr als 20 Jahren immerhin trug, ist hin. Bleibt die entleerte Methode. Und die wirkt getüftelt und konstruiert. So war es ein melancholischer Abend.

Das Publikum des Schiller-Theaters – war es aus Treue?, war es aus Neugier?, war es aus Unsicherheit? – ließ den anfangs dürren Beifall sich an sich selbst zu einer mittleren Ovation entzünden. Der kritische Befund muß weit negativer sein. Es tat einem fast leid, als der elegante Mann mit dem schönen, weißen Kopf sich vor dem wohlwollenden Bürgerpublikum verneigte, das gerade er vor Jahren ausgezogen war, zu epatieren.

Es stimmte ja alles nicht mehr. Dort auf der Bühne nicht. Und im Parkett mit seinem unkritischen Wohlwollen schon eh' nicht. Ein doppelt melancholischer Abend.   23. 3. 1955

Rawlings Stuart Boone »Von Mensch zu Mensch«
Schloßpark-Theater

Rawlings Stuart Boone ist gegen das Radio reizbar wie die Witwe Ludendorff gegen die Freimaurer, wie andere gegen die Radfahrer. Das ist offenbar sein Tick. Das ist die Idiosynkrasie dieses unordentlichen, unbrauchbaren Stückes, das sich mit recht trivialer

Ironie eine »Ideal-materialistische Tragödie« nennt.

Der Sohn wird durch den wildgewordenen Lautsprecher zum Junggangster. Die Tochter rutscht unter Radiomusik moralisch übel aus. Der Vater, ein kläglicher Seelenarzt und Scharlatan zu zweifünfzig pro Sitzung, greift, wenn er nicht gerade seine schmierigen Gemütsbestrahlungen vornimmt, süchtig zum Knopf des Empfängers. Menschliche Beziehungen, meint wohl Boone, finden nicht mehr statt. Auch wenn wir ernsthaft werden wollten, wird uns jedes Wort durch die Tonkonserve zerhackt. Nur ein Paar kann in diesem Stück des Unheils schließlich glücklich werden. Das hat aber auch den Radiokasten zertrümmert. Da herrscht wieder Ruhe, Liebe, Zucht und Ordnung. – So einfach wäre das also!

Das ist naiv, trivial, oft geschmacklos und so ärgerlich unzutreffend, weil es über das Ziel der Satire, die doch wohl angestrebt ist, immer so hilflos hinausschießt. Boone ist mit einigen Auswüchsen unseres technischen Zeitalters unzufrieden. Soll er! Aber sich so simpel und unziemlich-giftig zur Wehr setzen, heißt, auch noch die vernünftigeren unter seinen Argumenten ganz entwerten. Hier muß der arme, mißverstandene Kafka wieder übel herhalten. Zivilisationserscheinungen werden so prädominierend gemacht, so kraß, so giftig kommentiert, daß ich mehrere Leute verstand, die frühzeitig das Theater verließen.

Der zynische Sadismus, mit dem immer wieder Stationen eines mondänen Mißbehagens kundgetan werden, rührt ebenso ziellos wie unerfreulich im Schmutz. Das Produkt dieser Phantasie ist vielfach krankhafter als die Wirklichkeit, die es eigentlich treffen möchte. Die wird verfehlt. Hier wird verzerrt, um zu verzerren. Und das macht so ärgerlich, entkräftet jede Glaubwürdigkeit vollends. Man wird so gereizt, weil so gar kein Sinn in dieser Darbietung ist. Das ganz Simple – auf Tiefsinn geputzt. Hier findet der große Bluff statt. Und sonderbar: das Publikum schien es nicht zu merken. Der Beifall war geradezu hitzig. Da staunte man wieder.

Rudolf Noelte hat es inszeniert. Man kennt, seit er Kafkas »Schloß« so großartig auf die gleiche Bühne brachte, sein Vermögen für die gespenstisch gespannte Wirkung, für die Strichzeichnung vor dem Hintergrund des geheimnisvollen Schreckens. Da paßte es. Damals war eine glaubwürdige Partitur zu illustrieren. Hier mußte Noelte den leeren Bluff noch szenisch hochbluffen. Manchmal gelang ihm das – leider! – so gut, daß man fast die

Nichtigkeit des Anlasses vergaß. Er kann sozusagen eine Romantik des Widerwärtigen verbreiten. Er macht das Abstoßende fast noch ansehnlich und ansehbar. Er führte seine Schauspieler so gedämpft in die Karikatur, daß man am Spiel mehr Interesse nahm als am Gespielten. Die Schießbudenfiguren eines koketten Grauens hat Noelte für den Bühnengebrauch gerettet. Das war eine Kunst. Aber ist Kunst dazu da?

Bernhard Minetti flüstert den schmierigen Seelenarzt, ein Neurotiker, der Neurosen behandelt, ebenso scheußlich wie überzeugend. Ruth Hausmeister muß einer Rolle Herr werden, von der der Autor selbst nicht weiß, wohin sie steuert. Wenn sie tückisch ist, wenn sie eine geschmeidige Ekelhaftigkeit zeigt, bleibt es richtig. Wenn sie später als Rette-Engel in den radiolosen Haushalt einzieht, bleibt der Sinn der Rolle leer, damit auch das Spiel. Heike Balzer schlug sich wacker in der Vernichtungsrolle des jungen Mädchens. Kurt Buecheler pendelt mit dem undurchschaubaren Text durch verschiedene Tonarten. Gudrun Genest macht eine Schauderfigur aus einer Lustspiel-Schablone. Franz Nicklisch muß ein unbefriedigter Erotomane sein. Wolfgang Condrus, mehr Natur als Spielkunst vorerst noch, stellt den Junggangster dar, der ins Kittchen kommt.

Es wurde durchweg so gut gespielt, daß es ein doppelter Jammer war, wie hier ein ernster Aufwand ganz vertan wurde an einem Objekt, das eine arglistige Täuschung mit dem Tiefsinn ist, eine sehr unerfreuliche Scharlatanerie mit Mitteln, die zu Besserem zu brauchen wären.

O heiliger Kafka, womit hast du solche Nachfolge verdient?

5. 10. 1955

Arthur Adamov »Ping-Pong«
Schloßpark-Theater

Arthur Adamow, Franzose russischer Herkunft, Bücherübersetzer, Strindberg-Schüler und Kafka-Eleve, ein Mann mit mürrischem Adlergesicht, der in seiner äußeren Erscheinung der ungebügelten Hose und der offenen Hemdbrust huldigt, weiß, daß nicht nur die Welt aus den Fugen ist; auch die Fugen des alten, planen Theaters sind brüchig. Sie halten die eingleisige Tragik, die Tragödie anhand einer direkten Handlung nicht mehr aus. Er sieht auf seinen Strindberg und holt sich von ihm die Symbol-Technik. Er saugt an seinem Kafa und entzieht ihm die Mittel der – wenn man so sagen darf – diffusen Darstellung. Und in seinem Beckett hat er auch geblättert; von ihm will er die faszinierende, komische Tragik der »Godot«-Welt weiterspinnen. Er schrieb »Ping-Pong«, »ein Spiel«.

Ein Spiel mit einem Zustand. Keine Entwicklung. Die Welt wird wieder nicht fortgeführt, nicht erweitert, nicht zur dramatischen Explosion gebracht. Sie ist am Anfang wie am Ende. Sie ist übel, sagt Adamov, der trotz seiner fehlenden Bügelfalte ein Moralist ist. Aber sie wird übel bleiben. Bleibt uns nur übrig, sie auch komisch zu finden.

Vom Einfall der tragikomischen Schlußszene hat er das ganze Stück, oder wenn man so will, Unstück gebastelt. Zwei Greise spielen Ping-Pong. Zwei kindische Alte haben ihr Leben, ihren Ernst, ihre Karriere, die Liebe über dem Spiel verplempert. Jetzt stehen sie an der grünen Holzplatte und schlagen den Ball mit müder Hand, einmal hin, einmal her. Sie montieren das Netz ab, sie lassen die Spielregeln und lassen die Schläger fallen. Nur noch der nackte Ball (Verstehst du? Symbolik!) fliegt hin und her. Die Leere, das Nichts ist der Gegenstand ihrer kindischen Beschäftigung.

Vorher hatten sie gemeint (Achtung! wieder Symbol!), anhand der Spielautomaten um die ernsten Anforderungen des Daseins herumzukommen. Der lässige Kassierer, der abends nur den Geldkasten, das Herz des Automaten leert, war ihr Idol. Wie man durch immer neue Tricks und lockende Devisen den Groschen aus der Tasche seiner Mitbürger locken könne, danach stand ihr Sinn. »Das Konsortium«, die geschäftliche Instanz und Spielautomaten-Gesellschaft, war der Gott, vor dem sie krochen und dem sie zu Diensten sein wollten. Für ihn zerbrachen sie sich den Kopf, immer neue Bedürfnisse der spielenden Mitwelt einzureden und sie dann zu expropriieren. Darüber wurden sie zu kindischen Greisen, Ping-Pong spielend mit dem Ball der Leere.

Warum ging das nicht auf? Warum teilte sich das im Schloßpark-Theater nicht mit? Weil dies ein Aufguß ist, Inhalt und Form aus zweiter Hand. Wo die beunruhigenden »Godot«-Paraphrasen, wo die Kafka-Stücke immer verschweigen, während sie sprechen, wo dort die Wahrheit immer aufgedeckt in der Hinterhand bleibt, legt Adamov die Nutzanwendung zu fix auf die Bretter. Da langweilt's denn. Da ennuyiert der Aufwand. Zu kabarettistisch verputzten Blackouts werden die repitierenden Bilder. Ungestraft poussiert keiner mit dem Trübsinn.

Daß die Szene mit einer Dramaturgie, die zur Zeit unserer Großeltern erfunden wurde, heute nicht mehr füllbar ist, darüber kein Streit. Kafka, Frisch, Buzzati, Beckett, Dürrenmatt – daß sie eine andere, diffuse, unkonkrete Dramatik anzeigen, für die es an der Zeit ist, darüber kein Zweifel. Aber schütze uns der Himmel vor Kafka-Mode! Behüte uns der gute Geist der Szene vor dem »Godot« aus zweiter Hand! Wo das »Geheimnis« nicht wie unversehens nach vorne drängt, sondern strapaziert und hergestellt werden muß, da macht sich eine neue Art der ambitiösen Langeweile breit, die schlimmer ist als die gute, alte.

Hans Lietzaus Inszenierung war ohne Imagination. Sie tat wenig, das dürre Symbolgestänge des Autors zu stützen und mit Farbe zu behängen. Nur der junge Klaus Kammer fiel auf. Er spielte seinen Schatten mit. Das hatte zuweilen den schwarzgesäumten Clowns-Humor, auf den Adamov doch wohl zielte.

Als die Gardine zum letzten Mal sich schloß, gab es Beifall jener unverbindlich-konformistischen Art, wie er überall und für alles erklingt. Wann wird es wieder aus unseren Parketts schallen, wie man von der Bühne in sie hineinruft?   10. 12. 1955

Carl Zuckmayer »Das kalte Licht«
Schiller-Theater

Der Beifall war eigentlich am herzlichsten, war am wärmsten, bevor die Darbietung begonnen hatte. Als der Autor mit dem schönen Indianerkopf sich langsam seinem Sitz in der ersten Reihe näherte, klatschten die Leute hellauf. Die Wiedersehen werden in dieser Stadt gefeiert, wie sie fallen. Und Zuckmayer macht ein Stück Theatergeschichte Berlins aus. Er war herzlich willkommen und wieder aufgenommen. Dann bekam unsere gute Elsa Wagner noch ein Küßchen quer über die Stuhllehne hinweg und es konnte beginnen. Nach mehreren anderen Städten – nun auch in Berlin »Das kalte Licht«.

Die Herzlichkeit wie zu Beginn gewann der Beifall dann nicht

mehr. Über das Stück selber ist anläßlich der Hamburger Uraufführung ausführlich gesprochen worden. Bei zweiter Sicht stellte
sich das Reportagehafte, die Fragwürdigkeit der szenischen Rekonstruktion eines allen bekannten Falles noch deutlicher heraus.
Und bezeichnend: die eigentlich theatersinnlichsten Szenen, so
die auf dem Kriegstransporter auf dem Wege nach Kanada, so die
unter den Gelehrten in der neumexikanischen Wüste, kamen wieder viel indirekter, wesentlich wirkungsloser heraus, als man sie
sich beim Lesen vorgestellt hatte.

Das lag zum Teil daran, daß das große Haus des Schiller-Theaters dem kleinen, herzlichen, dem nuancierten Ton der Konversation nicht wohlgesonnen ist. Wenn man sich quälen muß, zu verstehen, wird das Verständnis und die Aufnahmebereitschaft allgemein strapaziert und mürrisch. Solche Theaterspeise will mühelos
genossen sein. Hier blieb vieles jenseits der Rampe. Es stand oft
eine Hauswand zwischen Stück und Parkett.

Sie verschwand, wenn es dem Ende der Fuchs-Paraphrase zugeht. Wenn die Gewissensforschung unter Gentlemen, zwischen
Fuchs-Wolters und dem so elegant anständigen Großinquisitor
des britischen Geheimdienstes vonstatten geht, sind Fragen ange-
rührt, die betreffen und erregen. Das, stellt sich heraus, bleibt der
beste Teil des Erfolgsstückes, wenn einem auch die endliche Zu-
fallslösung mit dem Zettelchen, das die heimliche Liebe des
Atomspions über Jahre und Kontinente bei sich getragen hat, um
sozusagen mit dramaturgischem Vorsatz den Schlußstein in das
Gebäude der Anklage zu setzen, – wenn einem diese Konstruktion auch nach wie vor reichlich fragwürdig scheinen mußte.

Kürzlich wurde hier in Ansicht des Frisch-Dramas von der
»Chinesischen Mauer« die Frage gestellt, ob die alte, dramatische
Bebilderungstechnik eines Vorganges, ob die strikte Ibsen-Dra-
maturgie heute noch anwendbar und wirksam sei. Die Frage
wurde verneint. Vielleicht liegt einer der Gründe für die vergleichsweise laue Aufnahme, die das Stück hier fand, in dieser Di-
rekt- und Oberflächentechnik, die für ein so vielfach gebrochenes
und relativiertes Weltgefühl nicht mehr ausreicht. Die Theatersinnlichkeit des Vorgangs, die Farbigkeit der einzelnen Charaktere teilt sich nicht mehr so mit, wie das vor 20, 30 Jahren mühelos
der Fall gewesen wäre.

Es war, als ließe sich mit der vordergründigen Bebilderungstechnik, die Zuckmayer für den heiklen Vorgang gewählt hat, der

eigentlich bedrohliche Kontrapunkt der Sache nicht mitspielen. Eine ganze Dimension setzt aus. Mehr Film als Theater. Mehr Reportage als ausleuchtende Bühnendichtung.

Dabei steht die Einrichtung, die Boleslaw Barlog zeigte, in vielen Teilen weit über der Hamburger Aufführung. Heinz Drache ist vorzüglich als Fuchs-Wolters. Er hat nicht den genialischen Schimmer, den Heinz Reincke der Rolle gab. Dafür ist er weit mehr der glaubhafte Typ des Wissenschaftlers. Martin Held kriecht geradezu wollüstig in die Rolle des reaktionär-bedrohlichen Typs eines Superkonservativen. Das ist brillant gespielt. Fritz Eberth blieb dafür dem Landknecht und Haudegen der Kommune manches schuldig. Auch diese Figur sollte einen Rauhputz-Charme haben. Der blieb aus. Rudolf Fernau machte den liberalen Atomforscher etwas zu weich, zu pathologisch, als daß die Gegenstimme der Vernunft genügend hörbar geworden wäre. Walter Bluhm dürfte eine Idealbesetzung des kleinen, tragischen Nebbich Friedländer sein. Erich Schellow deckt die Rolle des Geheimdienstmannes, der sein Opfer geradezu liebend einfängt, ganz. Das war sehr englisch und ließ trotzdem eine Herzlichkeit merkbar werden, die bestach.

Die Frauenfiguren haben bei Zuckmayer wenig Kontur. Ehrenhaft, wie Hilde Röhling die verhinderte Solveig-Figur der Liebenden umriß. Elvira Schalcher machte mit ein paar heiteren Tönen neugierig. Luitgard Im – redlich in dem ausgeborgten Exotenkolorit, das eine Indianerin herstellen muß. Adelin Wagner hingegen ließ die Rolle des Flittchens am Atommeiler fast ganz verschwinden. Ein Salut für Ilse Fürstenberg, die Putzfrau mit der Philosophie auf der volkstümlichen Zunge.

Eine gut gearbeitete, dem Stück sehr gerecht werdende Aufführung in den sicheren Bühnenbildern von Wilhelm Reinking. Daß sie am Ende nicht viel mehr als einen freundlichen Achtungserfolg auslöste, muß eben wohl doch an der Textvorlage und deren Methode liegen. 6. 10. 1955

Leopold Ahlsen »Philemon und Baucis«
Schloßpark-Theater

So sonderbar: das Theater, doch wohl die präsenteste, wandelbar-
ste, augenfälligste, sinnlichste aller Kunstübungen, stellt sich
auch als die konservativste heraus. Hier sind Stilwiederholungen
möglich und werden vom Publikum erlaubt, die auf anderen Ge-
bieten kaum durchgehen würden.

Denn wer dürfte es wagen, heute, da eine Revolution des Ausdrucks in das Wort gekommen ist und zuletzt Gottfried Benn die
Oberfläche lyrisch aufgestemmt hat, noch so zu dichten, wie – sagen wir – der unbescholtene Schöneich-Carolath vor sechzig Jahren? Oder wer würde heute darauf kommen, so zu malen wie –
nun, der freundliche Wilhelm von Uhde oder der wackere Graf
Kalckreuth? Das würde man einem jüngeren Maler kaum durchgehen lassen, seit Klee, Kandinsky, seit Matisse und Picasso unser
Form- und Weltgefühl ganz neu und betreffend umbrochen haben.

Als Dramatiker kann man aber offenbar sein Glück mit der redlichen Wiederholung des formal längst Überholten machen. Leopold Ahlsen (Jahrgang 1927) komponiert seine drei Akte so
handfest naturalistisch, als hätten alle positiven Stürme der Form
nicht stattgefunden, seit, sagen wir, dem frühesten Gerhart
Hauptmann.

Er will zeigen, daß die Treue zwischen Mann und Frau doch
kein leerer Wahn sei. Er will szenisch formulieren, wie zwei Menschen, die ihr Leben zueinander legen, am Ende und auch im
Tode unteilbar seien. Und er will sagen, daß Krieg, Schmerz, Bedrohung und Trauer nie werden auseinanderreißen können, was
einmal so herzlich zusammengehörte.

Das die lebensfreundliche, die gläubige Mission dieses Ver-
suchs mit alten Mitteln, für den Ahlsen den Hauptmann-Preis
1955 erhielt.

Der Krieg spült Blut und Schrecken über das ärmliche Ge-
mäuer, das dem Philemon-und-Baucis-Paar dort hoch im griechischen Gebirge seit vierzig Jahren als Heimstatt dient. Sie kabbeln
sich. Der heimlich-liebevolle Kampf um die Vorherrschaft unter
den beiden guten Alten ist immer noch nicht abgeschlossen. Aber
auch wo sie zu streiten scheinen, lieben sie. Auch wo sie uneins zu
sein vorgeben, sind sie eine höhere Einheit geworden.

Krieg und Bedrohung kommen von zwei Seiten, und beide Seiten sind nicht fein. Die deutschen Besatzungstruppen sind im Rückzug. Drei Landser unterschiedlicher Menschenqualität suchen bei den beiden Alten Unterschlupf. Und die griechischen Partisanen gehen ein und aus. Als die herausfinden, daß die beiden Alten einem verblutenden Landser Hilfe und Unterschlupf gewährten, während unten im Dorf das deutsche Erschießungskommando die Geiseln wegmähte, müssen sie sterben.

Philemon und Baucis, schuldlos in die arge Mühe von Schuld, Blut und Tod geraten, werden zermahlen. Aber als der Alte schon, gefaßt und entschieden, allein den letzten Gang gehen will, bewirkt seine Baucis durch List, daß sie im Tode bei ihm bleibt. Sie teilen die letzte Kugel.

Das ist ausführlich, redlich, oft redselig und manchmal etwas unbeholfen nach dem alten Schema abgezeichnet. Sprachlich bleibt es ohne Glanz in den Bezirken des Alltagswortes. Nur zuweilen versucht der Autor, die Redeweise der Alten in eine gegenwärtige Archaik zu erhöhen. Das denn hört sich oft wort- und kunstgewerblich an und wird nur durch die Glaubwürdigkeit der beiden Darsteller erträglich, die hier die Titelrollen trugen.

Sie allerdings waren höchst sehenswert: Elsa Wagner und Erwin Kalser. Unsere gute Frau Wagner tut am Anfang noch ein wenig zuviel. Sie drückte etwas auf den Stellen herum, die diese Baucis recht grantig und ihr gutes Herz sehr rauhschalig erscheinen lassen wollen. Da poltert sie zu erheblich. Später dann löst sich diese Härte. Sie hat Momente einer zärtlichen Kraft, die sehr rührend sind. Sie weicht auf, ohne weich zu werden. Sie hat eine unsentimentale Art, noch Sentimentalitäten aufzutrocknen, für die ihr der Autor sehr dankbar sein müßte.

Neben ihr Erwin Kalser. Dieser Mann gehört heute zu den liebenswertesten Erscheinungen auf unserer Szene. Auch er setzt hier wieder dem dürr sprießenden Text eine Elle seiner ruhigen Menschlichkeit zu. Wie er das Kindliche im Greise lässig nach vorn spielt, wie er durch die Tatsache seiner herzlichen Anwesenheit auch dann die Bühne noch füllt, wenn ihm der Autor nicht gerade viel zureicht, wie er noch banale Stellen – so wenn er den Wein und dessen Lebenshilfe zu rühmen hat – spricht, das adelt und erhebt den Anlaß weit über seinen dichterischen Wert. Kalser ist eine Sehenswürdigkeit.

So gab es denn am Ende für den kaum sehr überzeugenden

Text einen Beifall, den vor allem diese beiden hergestellt hatten. Mit Trampeln und Schreien wurde nach dem meisterlichen Paar gerufen, und in seiner Mitte ließ es den Autor Ahlsen geflissentlich von der Zustimmung kosten.

Der Rest der Aufführung, die eine Erstlingsarbeit von Albert Bessler, dem Dramaturgen der Städtischen Bühnen, war, blieb ordentlich, unauffällig – mit Walter Bluhm, Luitgart Im, Herbert Stass, Klaus Herm, Fritz Eberth, Otto Mathies, Herbert Wilk und Edgar Ott. Die Männer in der unterschiedlichen Verkleidung kriegerischen Unheils, die Im in einer leer auslaufenden Liebesrolle.

So sonderbar wirklich: in den anderen Künsten kein Mangel an Umsturz, Formversuch und dem Griff nach neuen Inhalten. Aber auf der Bühne ist es so bestellt, daß das fast altväterlich anmutende Stück eines Jungen, der redlich alten Wein in alte Schläuche bringt, den höchsten Nachwuchspreis für Dramatiker davonträgt.

Ist das ein Irrtum? Oder ist es ein Zeichen dafür, daß die Bühne wirklich die konservativste aller Kunstanstalten ist? Oder beweist es wieder, daß dem Publikum im Grunde und immer nur an einer geraden und handfesten Geschichte gelegen ist, die ihr wohl zeigt, wie schrecklich das Leben sei – die es am Ende aber nicht erschreckt?

Mit diesem Preis-Stück hat die Bühne mehr als eine halbe Meile zurück getan.

Das Theater von heute muß seine Form endlich finden!

23. 2. 1956

– Die Spielzeiten 1954/55, 1955/56 und 1956/57 –
NEUE FORMEN

Max Frisch »Die Chinesische Mauer«
Theater am Kurfürstendamm

Auch der Schweizer Frisch ist zu der Erkenntnis gekommen, daß mit der alten, planen, sozusagen eingleisigen Dramatik nach der Regel diesem diffusen Zeitalter nicht mehr beizukommen sei. Ibsens Technik ist für uns kaum mehr anwendbar. Der Bühnenheld von heute hat nicht mehr die üblichen Gefahren zu bestehen. Die Gefahr ist er selbst. Er steckt voll von ihnen. Die Tragik ist nicht mehr, daß er seinen Beruf verfehlt, daß er schuldig wird, daß er ehebricht oder arm ist. Das alles kommt noch hinzu. Sein Dilemma ist mannigfacher. Seine Ängste sind prekärer. Mit einem Handgriff wäre diese Welt, die aus den Fugen ging, nicht mehr einzurenken. Seit der großen Relativierung, seitdem die neue, heikle Bombe ganze Komplexe unserer alten Gesinnung läppisch und hinfällig gemacht hat, seit Freud, Adler, Jung das Reich des Un- und Unterbewußten aufdeckten, hat das alte Planquadrat des Tragischen eine neue Dimension bekommen. Frisch-fröhlich tragisch zu sein im alten, klassischen Regelverstande, ist heute nicht mehr angängig. Frisch spürt das. Er handelt danach.

Seine »Chinesische Mauer«, 1946 geschrieben, für die neue Aufführung im Kurfürstendamm-Theater unter Oscar Fritz Schuh ganz neu bearbeitet, ist ein komplexes Simultanspiel geworden. Zeit und Raum haben hier ihren alten Wert verloren. Frisch läßt an einer Figur des geistig Verantwortlichen und Geängstigten immer nur wunde Stellen unseres Weltbildes berühren: Wie die Sehnsucht in einer ausgeforschten Welt kein Ziel, keine Heimat mehr habe. Wie der Wissende an seinem Wissen zu leiden habe: die Erkenntnisse der Wissenschaft sind dem allgemeinen Bewußtsein so weit vorausgesprungen. Aber die neuen Voraussetzungen werden nicht angewandt. Die Uhren der Menschheit gehen nach. Sie will nicht wissen, daß die Zukunft schon da ist. Frisch deutet in einem der Handlungszweige das schlimme Dilemma des Geistigen an, der mehr weiß als die anderen. Eingreifen kann er nicht. Er muß leiden, wie große Worte gebraucht werden, um ihr striktes Gegenteil zu decken. Am Ende verstummt die Hauptfigur des »Heutigen«. Ihre Tragik ist ihre Ohnmacht. Die Welt will nicht wissen, was die Stunde schlägt.

Das – und viel mehr – ist mit ebenso besorgter wie frecher Hand gefügt. Frisch läßt die Standardfiguren allgemeiner Halbbildung auftauchen: Napoleon, Brutus, Cleopatra, Columbus, die Unbekannte von der Seine, den spanischen Philipp, Don Juan, Romeo und Julia. Er konfrontiert unser Bewußtsein mit dem Archetyp, den sie jeweils verkörpern. Aus der Reibung, aus dem Kontrast kommen dann Respektlosigkeiten, die sehr amüsant sind, oder Erschütterungen, die treffen. Er läßt den Chinesenkaiser die Große Mauer bauen, Symbol eines, der die Zukunft aussperren will und die Macht der Gegenwart für immer etablieren. Der »Heutige«, dem die Angst vor der Bombe im Nacken sitzt, den die Kenntnis der kommenden Dinge jagt, kann nicht helfen. Die Kommunikation zwischen den Menschen ist unterbrochen. Mitteilen läßt sich das Fürchterliche, das da kommen muß, nicht. Die Welt will die rettende Konsequenz nie ziehen.

So fürchterlich die Nutzanwendung des ausgelösten Spieles ist – Frisch durchsetzt es mit dialogischem Amusement, daß immer wieder Gelächter aufklingt. Er hat sich mit der Technik szenischer Ungebundenheit die Möglichkeit geschaffen, Zeitfragen direkt und unverblümt anzugehen. Er tut es mit einer fröhlichen Unverfrorenheit, die heute fast ausgestorben ist oder sonst nur noch auf dem Kabarett betätigt wird, bestenfalls. Er macht einige der wehenden Gestalten so kräftig und umrißscharf, daß sich die Folgerung aus dem Spiel von der Trägheit des Menschengedankens dem Bewußtsein einstempelt. Wenn bei der vorgefaßten Auflösung aller dramaturgischen Regeln einige Partien schwächer wirken, wenn sich da der Effekt eben des Kabaretts oftmals vordrängt, so ist das schnell zu verwinden. Die Zielrichtung des wahrhaft modernen Stückes ist so sympathisch. Die Unbedingtheit, mit der es zu Werke geht, besticht. Und daß Frisch am Ende nicht auf der langen Bank der Bühnenpessimisten hocken bleibt, sondern der Traumgestalt der Julia einige Liebesworte zum vollen Leben hin – über Shakespeare hinaus – zu sagen aufgibt, rundet das Ganze unendlich. So zwischen Angst und Weltversunkenheit tönt heimlich der Akkord der Epoche.

Schwer ist das spielbar, denn die Bühne muß immer wie aus dem Unterbewußten herauf bevölkert werden. Wie Oscar Fritz Schuh das in dem bestechend komponierten Bühnenbild Nehers gelang, ist hoher Achtung wert. Das wehte herauf, strahlte oder quälte und versank: Ein paradigmatisches Traumgebilde, eine große, drückende, hilfreiche, schöne Revue unserer Ängste, eine sinnlich faßbar gewordene Bestandsaufnahme unseres Weltgefühls.

Erik Frey spielte den »Heutigen«, den handlungsfördernden, handlungsbildenden Conferencier. Achtbar tat er es, aber nicht völlig rollendeckend. Hanne Hiob, die Tochter Brechts, war die Chinesenprinzessin, die allein den geängstigten Mann unserer Zeit zu verstehen scheint und es böse büßen muß. Eine großartige

Leistung, intelligent und erfüllt. Tilla Durieux' schönes Kollwitzgesicht wurde sichtbar. Hans Putz macht sein darstellerisches Genie deutlich. Paul Esser gab breit und bedrohlich den Chinesenkaiser, der die Zukunft einfach verbietet. Fast drei Dutzend Figuren fordert der Zettel. Nicht alle trafen in das Ziel der Direkt-Charakterisierung, die hier zu bewerkstelligen wäre. Aber es klang im ganzen wohl. Es war ein guter, weil kühner, weil im besten Sinne moderner Abend.

Das Publikum gab interessiert, achtungsvoll Beifall. Es war wohl noch zu verdutzt oder durch manche schmerzende Wahrheit zu verwundert, um zu jubeln. Trotzdem hatte man den Eindruck, daß hier – endlich wieder! – das Theater funktionierte. Die Zeit war auf der Bühne.   30. 9. 1955

Friedrich Dürrenmatt »Der Besuch der alten Dame«
Schiller-Theater

Reichlich spät kommt er, doch er kommt: der Besuch dieser alten Dame – auch nach Berlin. An allen großen Theaterplätzen ist die amüsant schockierende Wirkung dieser begabten Zeitgroteske schon erprobt worden. Darstellerinnen wie die Körner, die Giehse, die Flickenschild haben viel Ruhm und groß Ehr' in der bissigen Hauptrolle dieser unverfrorenen Zeitpersiflage gewonnen. Berlin klappt nach. Und daß die Darstellung hier voller Lükken und Löcher war, daß sie das Stück nicht traf und seine kalten Vorzüge nur selten schmecken ließ, ist etwas melancholisch – etwas beschämend, da sich die Städtischen Bühnen gleichzeitig so selbstgefällig im Programm testieren lassen, wie hoch ihr eigener »Rangbegriff« sei.

Das Stück ist eine kalte Pracht! Friedrich Dürrenmatt ist endlich wieder ein Autor, der nicht die Welt mit guten Ratschlägen verkleistern will. Er bietet keine »Lösungen« an. Er redet seinem Publikum nicht gut zu. Er streichelt es nicht. Im Gegenteil: er schlägt ihm ins Gesicht.

Er legt lauter freche Finger auf lauter Verlogenheiten unserer Tage. Er holt sich die absurde Hauptfigur seiner Groteske direkt aus der verschwiemelten Welt, wie sie sich in unseren Illustrierten spiegelt. Diese »alte Dame« ist sozusagen eine jener Spottgeburten aus Dreck und Druckerschwärze, wie sie in diesen Publikationen allwöchentlich an den Tag treten: unvorstellbar reich, unvorstellbar kapriziös, unvorstellbar oft verheiratet, unvorstellbar mächtig.

Die Fabel ist nun, wie diese reiche, alte Klafte in den Ort ihrer Heimat kommt, um Rache zu nehmen. Als junges Ding (damit persifliert Dürrenmatt wieder die Kolportage) hat ihr ein junger Bursch hier ein Kind gemacht. Sie mußte die Stadt verlassen. Sie sank moralisch, wie es im Buche steht, von Stufe zu Stufe. Sie stieg dabei vor der Welt, wie es in den Illustrierten steht, von Mann zu Mann, von Heirat zu Heirat, von Millionen zu Milliarden. Sie ist defekt in jeder Beziehung. Ihre alte Erscheinung besteht gruseligerweise fast nur aus Prothesen.

Sie stellt der verarmten Stadt ihrer Herkunft ein teuflisches Ansinnen. Der Mann, der sie damals schändete und verließ (heute ist er ein wacker verheirateter Gemischtwarenhändler), soll ihr als Leiche ausgeliefert werden. Sie hat schon in ihrem Gepäck den Sarg, ihn davonzunehmen. Wird die Stadt dieses Blutopfer bringen –, bitte, so ist sie bereit, einen Milliardenkredit zu geben und die hanebüchene Armut des Ortes zu wenden. Bekommt sie den makabren Lohn ihrer langatmigen Rache nicht, soll das Städtchen Güllen, dafür hat sie schon gesorgt und wird sie weiter sorgen, ersticken in Armut und Hunger.

Natürlich weisen die Bürger das Ansinnen in allem humanistischen Abscheu zurück. Aber, sagt Dürrenmatt, wir sind Schweine allzumal! Laß nur genug Zeit vergehen, so schläft das Gewissen ein. Laß noch mehr Zeit vergehen, wenden sich sogar die Argumente der Humanisten und »Abendländler« so geschickt um 180 Grad, daß sie die Bestialität und den Mord feinsinnig zu rechtfertigen verstehen! Unser Hang nach dem bißchen Glück geht, wenn's drauf ankommt und wenn's nur lange genug dauert, auch über Leichen. Der Hunger und unsere Sehnsucht nach ein wenig Prosperität und Gemütlichkeit sind abscheuliche, sind sichere Motoren für unsere Bedenkenlosigkeit. Sie machen uns, wenn's darauf ankommt, zu Mördern!

Dieses Stück speit Gift und Galle. Die Groteskfabel und ihre melancholische Nutzanwendung sind immer wieder überspielt von treffsicher kabarettistischen Einlagen, die bitter an unserer Vorstellungswelt kratzen. Die Figur des armen Gemischtwarenhändlers, der langsam merkt, wie seine Nachbarn sich an den Gedanken seines Todes gewöhnen, der erschrocken wahrnimmt, wie sie ihn, während er noch lebt, schon im Sarge sehen und Kredit auf seine Leiche nehmen – diese Gestalt, die bei aller Todesangst langsam selbst in die Opferlüge hineinwächst, hat eine Faszination der Sinnverdrehung, hat eine beschämende Wahrheit in ihrer verängstigten Lügenhaftigkeit, daß da die makabre Komödie einen Stich ins wirklich Tragische bekommt.

Rundherum Groteskfigurationen des Menschlichen, die oft von einer geradezu Wedekindschen Nacktheit und Treffsicherheit der liebenden Verachtung sind. Umrankt das Ganze von immer wieder neuen Absurdeinfällen, die oft über die Stränge des Möglichen schlagen.

Aber sollen sie doch! Unsere Bühnen sind so des direkten Zeitzugriffes entwöhnt, sie sind so der positiven Provokation entleert, daß man geradezu aufatmet, wenn einer daherkommt, der ernsthaft respektlos, der frech, begabt und unverfroren die Bühne nicht zu einer seelischen Wärmehalle, sondern zu einem kühlskeptischen Operationssaal unserer Lebenslügen und Daseinsschwindeleien macht.

Die Aufführung – leider! – nahm das meiste davon wieder zurück. Sie bemühte sich um eine antiquierte Stilisierung, die der Sache die Bitternis und Strenge nahm und die die achselzuckende Traurigkeit auch nicht erreichte, die Dürrenmatt angewandt sehen will. Hans Lietzau stellte Revue. Auf der unselig weiten Bühne de Schiller-Theaters machte er Plakattheater.

Was frech, unverschämt und wie ein Peitschenknall hätte wirken müssen, wattierte er in lauter Monumentalstandbilder ein. Was kompakt, bitter, was böse und radikal hätte klingen können, wurde hier in eine unsichere Distanz gebracht, daß die Provokation ausblieb und die kluge Kälte der Sache lange Strecken fälschlich lau temperiert wurde.   Selbst auf ein Watschenrisiko hin muß man feststellen, daß die Dorsch eine Fehlbesetzung ist. Erstens war sie keine »alte Dame«, war sie nicht die lähmende Schreckschraube von einer rachsüchtigen, klugen Klafte, die sie hätte vorstellen müssen. Sie brachte Lyrik, Süße, brachte ihre hohen Zwitschertöne in die makabre Sache, und die sind hier unangebracht und stehen dem Stück fast entgegen.

Zweitens: Bernhard Minetti konnte die Gegenfigur ihres Jugendliebsten, dessen Leiche die alte Dame fordert und erhält, nicht glaubhaft runden. Er fiel fast aus, und damit blieb ein Kernstück dieser begabten Persiflage unbesetzt, damit gewann die Sache nicht den tückischen Tiefgang, den sie im Text sehr wohl hat.

In der überspektakulären Aufführung fanden sich immerhin einige Bonbons der Schauspielerei: Werner Peters' verlogene Zielstrebigkeit in der Bürgermeisterrolle – Friedrich Maurers wetterwendische Intensität in der vergrämten Lehrerfigur – Franz Nicklischs tumbe Pastorengestalt. Oder nur, wie Reinhold Bernt mit mürrischer Komik einen Stationsvorsteher gibt, oder wie Klaus Miedel mit geschmeidiger Uninteressiertheit einen Radioreporter persifliert. Glanzpunkte gab es. Momente stellten sich ein, da die vorgefaßte Gemeinheit und der besorgte Zweifel am Menschlichen wirksam wurden, wie dieses verkapselte Stück Zeitsatire sie verlangt. Aber im ganzen wurde das Ziel gerade dieser seltenen Klasse der Dramatik nicht erreicht.

Die Bühne war wohl reich und voll bestückt. Ins Schwarze, das dieser Text so bitter und amüsant anstrebt, wurde nicht getroffen.

11. 4. 1957

Dylan Thomas »Unter dem Milchwald«
Schiller-Theater

Jetzt also ist dieses sonderbare, krause, zarte, obszöne, lyrisch wild wuchernde Stück Sprache auch auf unsere Bühnen gekommen. Als es bei den Edinburgher Festspielen zum erstenmal ins feste Fleisch der Szene trat, hatten die Schriftgelehrten zuvor mit dem Kopf gewackelt: dies sei dem Theater konträr! Es könne nicht gutgehen! Das dichterische Hörstück, dieses »Spiel für Stimmen«, sei so lose und direkt auf das Ohr hin geschrieben, es habe so gar keine Beziehungen zu den paar Regeln, die für die Bühne ja immerhin doch noch notwendig seien, daß das nicht gut ausgehen könne. In Edinburgh wurden sie durch den szenischen Erfolg der menschenkribbelnden Ballade zum Verstummen gebracht.

Nur die Sonne wandert über den kleinen, von Käuzen und Liebenden, von Sonderlingen, Kindern, von wackelnden Greisen und Klatschmäulern, von Philistern und Sehnsüchtigen bewohnten Ort Llareggub. Es ist Nacht. Es ist Morgen. Es ist Nachmittag. Es ist Abend. Die einzige Aktion, die vonstatten geht, ist der

Sonne vorbehalten. Sie wandert einmal über den kleinen Flecken, den spießig-poetischen Ort »Unter dem Milchwald«.

Sonst geschieht im Sinne des Dramatischen nichts. Dylan Thomas, der vor drei Jahren kläglich verstorbene Dichter, dieser junge Mann mit dem Kopf eines Cherub und dem Lebenshunger eines Bierkutschers, hatte dies ausdrücklich für das englische Radio geschrieben. Die Hördichtung ist inzwischen zu so etwas wie zu einem nationalen Besitz geworden. Ein zeitgenössischer Poet hat hier eine ähnlich volkstümlich breite Wirkung erreicht, wie sie bisher in England nur einem Burns mit seinen sangbaren Liedern vorbehalten war. Thomas umgibt schon eine Art Mythos, eine sagenhafte Bewunderung für den im Leben hemmungslosen, am Herzen gebrochenen Dichter, den der Suff und die Liebe und die Ungeborgenheit früh zur Strecke brachten.

Sonderbar: denn leicht zu verstehen ist er nicht. Seine Sprache ist oft modernistisch bis zum Exzeß. Er häufelt die Wörter. Er ballt sie zu barocken Gebilden. Er läßt jetzt fast volkstümlich einfache Sprachweisen hören, und dann gleich überschwemmt er das Ohr mit Kaskaden scheinbar absurden Wohlklangs. Er tippt nur immer Figurationen des Menschlichen an. Er läßt den Gestalten dieses realistisch-poetischen Wunderortes seiner Heimat eigentlich nur immer Sekunden, sich zu verlautbaren. Und dann stöhnen sie oder jubeln oder krächzen oder rülpsen oder garren sie ihr Leben hervor.

Sie artikulieren derb dichterisch ihre Seele und tauchen dann wieder fort. Einsam bleiben sie alle. Und vielleicht ist es das, was sie tragisch macht: sie kommen aus der Vergitterung ihrer Herzen nicht heraus. Kontakte sind kaum da. Das Leben, das Leben eines Frühlingstages fließt über den grünen Ort am Meer. Die Gestalten räkeln sich einmal selig und kurz unter dem Anhauch dieser Dichterworte. Aber sie bleiben allein. Sie leiden alle, so dicht und kribbelnd sie beieinander siedeln, unter der Berührungslosigkeit mit dem Herzen des Nächsten. Das macht sie tragisch, und das macht sie komisch. Diese Ambivalenz der Gefühle, dieses Pendeln zwischen den Kontrasten macht dies Stück voller Dichtung so reizvoll, so anrührend, so modern.

Aus Edinburgh ist ausführlich darüber berichtet worden. Wie das hier aufgehen würde, war man gespannt. Denn hier hat man es schwerer. Der singende Dialekt, der Waliser Sprachklang, der große Teile dieser Dichtung trägt, entfällt. Es entfällt weiter das natürliche Einverständnis mit dem Publikum, das man in England nicht erst herzustellen braucht. Thomas brauchte nur immer anzutippen, und dann fallen automatisch, rührend oder komisch, die Bewußtseinsklappen bei den Zuschauern, wo hierorts man sich auf solche Bewußtseinsgleiche nicht verlassen kann. Da muß das Verständnis immer erst hergestellt werden. Er ergibt sich nicht sofort.

Und drittens: hier war die Schwierigkeit, die Bühne so zu ordnen, daß die scheinbar zusammenhanglosen Blitzlichtszenen mit ihren über sechs Dutzend Figuranten des Alltäglichen auch gestaltet werden und am Ende doch ein einheitlicher Bogen über sie geschlagen ist. Boleslaw Barlog hat zu diesem Behufe die ganze ausgebaute und raffinierte Bühnenmechanik arbeiten lassen. Er läßt den Projektionsapparat nicht stille stehen. Vordergrund und Rundkuppel des Hintergrundes werden immer neu mit Innen- und Außenansichten angestrahlt. Der Schnürboden kommt nicht zur Ruhe. Die Bühnenmaschinerie ist in ständiger Arbeit und Bewegung, immer ein Segment des Menschlichen herauszuheben und zu untermalen. Leni Bauer-Ecsy hat da ein tüftelndes Meisterwerk der optischen Untermalung geleistet. In diesem Sinne war die deutsche Erstaufführung der Uraufführung in Edinburgh weit überlegen.

Wenn es aber zu der dichterischen Beglückung wie dort am Ende nicht kam, wenn der warme, humoristische, tragische Regen dieses zärtlichen, lyrischen Wolkenbruchs nicht bewirkte, daß die Gestalten blühten und sich selig räkelten unter dem Anhauch der lockenden Worte, lag das an zweierlei.

So gut die Übersetzung von Erich Fried ist – die schüchterne Kraft des Originals läßt sich nicht erreichen. Und zweitens: die Wahl des Schauspielers, der hier den Erzähler macht und nur immer durch den Wunderort schreitet, die Personen anrührt und ihnen Sprache gibt, sie reden läßt und wieder verstummen – der ehrenwerte Kurt Buecheler reichte dazu nicht aus.

Er konnte nur immer redlich erklären. Er hätte beschwören müssen, in seine Hand wäre gegeben, die heimliche innere Handlung des Stückes zu führen, sie erst herzustellen. Er aber erklärte sie immer nur. Er lief, sozusagen, der Sache hinterher. Er stampfte nicht den realistischen Sagenort Llareggub wie ein Magier aus dem Bühnenboden. Das tat hier der große Aufwand der Szenenmaschinerie. Er stand daneben wie mit dem Zeigestock. Dadurch fehlte die Fülle, die Überlegenheit, fehlte das Zauberische, das dieses lyrische Unstück von einem Stück so nötig braucht.

Unter den Figurationen des kleinstädtisch Menschlichen dann viele einprägsame, komische und herrliche Gestalten. Rudolf Fernau als der orgelversessene Kantor. Berta Drews als das volksliedhafte Kind der Liebe. Franz Nicklisch als der bürgerliche Tausendsassa, in dem die ständige Sehnsucht nach dem Weibe steckt. Walter Tarrach als der Spießer mit den Giftmordträumen an seiner spirreligen Gattin Karin Evans. Arno Paulsen als der lästerliche Metzgermeister, der seine Frau so gern mit Blut und Moral verschreckt. Eva Bubat – die Magd mit dem handfesten Volkslied der Liebe. Franz Stein als der dichtende Pfarrer des Ortes. Julia Costa als die Lehrerin, die unter der Frühlingssonne zuckt . . .

Mehr als siebzig komische, rührende, sonderbare und verständlich dichterische Erscheinungen des Menschlichen. Die Bühne quoll über von ihnen. Links und rechts sitzen beständig die Alten: Eduard Wandrey, der greise, blinde Kapitän, der Zwiegespräche hält mit Gegenwart und Vergangenheit, und Elsa Wagner, die von ihrem Ausblick sorgt, daß das Leben auch hier in seinen Grenzen und Ordnungen bleibt.

Es war ein höchst wunderlicher, interessanter Abend, wenn auch damit der Sieg über die Schwierigkeiten dieses herrlichen Unstückes von einem Stück noch nicht errungen war. Als der Vorhang fiel, ertönten zwei kurze, dumme Pfiffe. Dann kam langer, lauter, etwas verwunderter Beifall.   24. 12. 1956

– Die Spielzeiten 1954/55, 1955/56 und 1956/57 –
BEMÜHUNGEN – WIEDERENTDECKUNGEN

Ernst Barlach »Der arme Vetter«
Schiller-Theater

Die krause Dramenwelt Ernst Barlachs ist ein genialisches Gemisch aus vielen Sphären. Das hat eine grimmige, protestantische Backsteinmystik, hat die Helle der Sehnsucht nach Erlösung immer, hat Biergeruch und Meereswind, hat alle Versuchungen der Nacht, ist überspielt von Gesichtern und spökenkiekerischer Bedrängtheit. Aber auch Humor ist darin von der kräftigen, norddeutschen Beschaffenheit. Und sprachlich hat es eine dunkle, ungezielt treffende Wucht, hat es eine dichterische Stärke, die in einem Augenblick uns erdrückt, und im nächsten dann wehren wir uns schon wieder gegen jugendstilige Ornamente, die den klotzigen Texten anhängen und heute oft schwer leidlich sind.

Barlach ist die niederdeutsch-lutherische Entsprechung zu Claudel. Sein Werk meint nichts als Gott. Und das Tragische darin ist immer die Unlösbarkeit des Menschen von der klebenden, sündigen, ekelnden, leuchtenden Erde. Die Kreatur reckt sich auf in Richtung Gottes. Sie erreicht ihn nicht. Sie findet, so sehr sie sich auch müht, kaum seinen Namen. Immer greift die Hand in den Himmel. Aber der Fuß bleibt schwer und unlösbar auf der verdammten Erde.

Der Schrei nach Erlösung wird verlautbart. Eine Kraftanstrengung des Menschen immer über sich selbst hinaus wird versucht. Barlachs krause Dramenwelt hat titanische Züge. Sie ist in sich unauswechselbar und wahrhaft genialisch. Denkbar und verständlich ist sie im Grunde nur dort, wo sie entstand. Und spielbar ist sie, genaugenommen, auch nur im Tonfall des Niederdeutschen, in dem sie geprägt ist.

Wer heute versucht, dieses Pandämonium eines Gottsuchers für die Bühne wieder greifbar zu machen, wird immer im Schatten Jürgen Fehlings bleiben, der vor dreißig Jahren Barlachs dramatische Gesichte so blutsverwandt ins Fleisch der Szene brachte.

Mit solcher Wucht werden alle späteren Versuche kaum vergleichbar sein. Aber soll man, weil vor einem halben Menschenalter eine Vollendung erreicht wurde, heute davon abstehen, sich dem fatalen Vergleich der Wissenden auszusetzen?

Man soll es nicht! Barlach ist zu spielen. Daß er auch in halber Interpretation noch szenisch lebendig ist, bewies dieser Abend, an dem »Der arme Vetter« zum erstenmal wieder erschien. Das Publikum merkte sofort, wie mit diesem Text das Äußerste versucht ist. Es reagierte unterschiedlich. In der Pause schon gingen die, die nicht gewillt waren, sich dem harten Schmerz dieser Bühnenwelt zu unterwerfen. Der Beifall am Ende war unsicher.

Kaum auch zu verlangen, daß auf Anhieb diese Welt der Gottsucher dem Auge durchschaubar und verständlich wird. Barlach ist dunkel – gewiß; er verschleiert ebensooft, wie er klärt. Wer mit dem Jenseits zu reden versucht, dem ist nicht die Sprache des Alltags abzuverlangen. Wer mit Gott hadert, dessen Zunge kann nicht gezügelt bleiben.

»Der arme Vetter.« Ein Ostertag. Pan an der Elbeniederung. Drei Menschen wirft es aus der Bahn. Sie »verlaufen sich«. Sie rücken tragisch aus der Welt der Wirklichkeit und dieses Sonnentags, der in Gewitter und Verwirrung endet, aus. Der eine, »der arme Vetter«, sozial unbehaust, von vorgeblicher Schuld gepeitscht, von niederdeutschen Erinnyen gejagt, reißt die Welt auf.

Er bewirkt durch seine sehnsüchtige Unbedingtheit, daß ein verlobtes Paar, das sich österlich an der Elbe erging, plötzlich und gnadenlos in eine andere, eine gefährlichere Schicht des Bewußtseins geworfen wird. Unversehens ist Gott auf der Szene. Unversehens wird mit ganz anderen Gewichten gewogen. Unversehens wird die an sich dichte, reale Bauern- und Bürgerwelt, die sie umgibt, schwankend, gefährlich, treibend, substanzlos, gespenstisch und doppeldeutig.

Jener »arme Vetter«, jener unbehauste Vagant, stolpert auf dem Wege zu Gott, und stürzend, lange ehe er ihn noch erreicht, jener Mann der Unbedingtheit verrückt alle Erfahrungen und Begriffe. Die Welt ist durch einen, der – irrsinnig scheinend – über sie hinaus will, fragwürdig und anders geworden. Er stirbt von eigener Hand. Aber die zurückbleiben, sind verwandelt. Und die junge Verlobte optiert an der Leiche noch für seinen Wahrheitsdrang über sich und alle hinaus. Sie küßt seinen kalten Mund und entscheidet sich für ihn gegen den anwesenden Verlobten. Eine Szene von so dichterisch gewagter Blasphemie, wie man sie sonst nur Shakespeare abnehmen würde.

Das wurde hier unter Hans Lietzaus Regie so dargeboten, daß man es ehrenvoll, kompetent, bemüht nennen konnte. Mehr nicht. Einige Szenen, wie die in der Schiffswirtschaft, da eine besoffene Ausflugsgesellschaft den bösen, torkelnden Spießerchorus zu dem Mensch-Gott-Gespräch abgibt, wuchsen zu Barlachscher Dichte. In anderen wieder vermochte Lietzau den Sinngehalt der gefährlich hochgreifenden Dialoge nicht immer verständlich werden zu lassen. Manchmal versuchte er in Gruppierung oder Einzelhaltungen Anleihen bei der plastischen Welt des Dichters zu machen.

Falsch war vielleicht auch, den Vorgang in die Gegenwart zu

verlegen. Er gehört in seine Entstehungszeit, in die Stehkragen-epoche. Da nähme man auch manche sprachlichen Absonderlich-keiten ab, die so unziemlich störten.

Das alles gesagt, bleibt der Ernst des Versuches zu loben. Wilhelm Borchert in der Titelrolle war erstaunlich. Er hatte die schwankende Kraft, die logische Unlogik des Gottsuchenden, war gequält und war heilig, war irre und hellsichtig. Ihm gegenüber Walter Francks knorrige Verläßlichkeit in der Rolle des Siebenmark, der die Erde nicht wanken sehen will. Ein grüblerischer Bürger, dem die Wände seiner Welt stürzen müssen.

Friedrich Maurer, großartig in der Echorolle eines aus der Bahn geworfenen, vagierenden Schulmeisters, gespenstisch und verdeckt humorvoll. Als einzige echt niederdeutsch im Tonfall: Berta Drews. Auch sie auf eine gespenstische Weise komisch, wenn sie, während immer das Höchste gemeint ist, stets das Fleisch und seine Lust verstehen muß. Der lange Zettel der Namen bot viele gute Kräfte aus dem verläßlichen Ensemble des Schiller-Theaters auf. Walter Tarrach, Stanislaus Ledinek, Clemens Hasse wären noch zu nennen, und mit einigen Vorbehalten: Helga Roloff, die – so sauber und ehrlich sie bemüht war – kaum die Idealbesetzung der tragenden und schwierigen Frauenrolle darstellt.

Ein Abend, an dem sich die Geister zu scheiden schienen. Leicht Kirschen essen ist mit diesem kraus-genialischen Autor nicht. Aber wer Ohren hat, zu hören, vernahm, daß diese Stimme Größe hat und Wahrheit hat und daß dieser protestantisch kräftige Szenenmystiker gewißlich immer wieder auf unsere von Dichtern verwaisten Bühnen gehört.   13. 3. 1956

Ernst Barlach »Der Graf von Ratzeburg«
Schiller-Theater

Dieses vielfach verschlüsselte, mit immer neuen Ornamenten einer stöhnenden Glaubenssuche versehene Stück verschließt sich dem, was man gemeinhin das klare Verständnis nennt, spröde. Barlach hat sein letztes Drama (1927) tief eingebettet in Rätsel, er hat den Gang der Handlung so willkürlich immer wieder aus der Realität weggezerrt, hat Sinnbild-, hat Geisterfiguren an den

Rand dieser ungelösten Gottsucherparabel gestellt. Neben Gestalten, die Wirklichkeitswert beanspruchen, steht plötzlich das vergreiste erste Menschenpaar, stehen Adam und Eva. Ulenspiegels leiblicher Sohn taucht als Wortführer des frivolen Spaßes auf. Christopherus und die rührende Legende seiner Gottesträgerschaft gehen durch das Stück. Moses verlautbart die Härte des alten Gesetzes. Marut, der Statthalter Satans auf Erden, macht sich kenntlich.

Es ist ein Mystikerstück, angesiedelt in dem Zeitalter, das dem wehenden, sehnsüchtigen, mystischen Denken in unserem Lande am zuträglichsten war. Barlach stülpt, offenbar ohne überhaupt an die praktische Bühne zu denken, Visionen, Allegorien, Gesichte, Erscheinungen ohne Ordnung in diese Seelenklage hinein: wie der Mensch auf dem Wege zu Gott demütig werden müsse. Der Graf von Ratzeburg verlernt auf seinem Erdenlauf den Geltungstrieb. Er will nicht gelten. Er will sein. Und er weiß am Ende, daß er keinen Gott hat. Aber Gott hat ihn.

Man sieht die quälende Bemühung dieses großen und tragischen Niederdeutschen mit Bewegung, sieht sie mit Achtung. Aber man ist am Ende des langen und düsteren Abends zu der Feststellung gezwungen, daß dieses Stück eigentlich nicht spielbar ist. Es hat immer wieder Momente, da die geradezu rasende und quälende Gottsucherschaft Barlachs uns anrührt, Augenblicke der inneren Schönheit und Qual. Sie werden fortgespült jedes Mal von langen Passagen, die schon sprachlich schwer zu tragen sind, da Barlach sich nur von Wortklang zu Wortklang wiegt, da er mit sonderbar billigen Assoziationen die Wörter dreht, wendet, auslaugt und im Aus enden läßt.

»Der Graf von Ratzeburg« ist, möchte man sagen, ein lallendes Verstummen vor der Sehnsucht zu Gott, ist eine vorsätzliche Verdunkelung der Welt, ist ein Konglomerat von Gesichtern. Ein Stück ist es nicht. Theater ist es nicht. Dichtung ist es auch nicht. Barlach läuft kreuz und quer durch die Ängste der Welt. Er rührt immer neue Möglichkeiten der Qual und Erlösung an. Form, Gestalt, Sinn eigentlich bilden sich nicht. Gerade die Ehrfurcht vor dem Manne Barlach gebietet das zu sagen.

So wird es eher eine Erfahrung der Unerfülltheit, die diese letzte Premiere einer kaum glorreichen Spielzeit im Schiller-Theater auslöst. Hans Lietzau, jüngst mit dem »Armen Vetter« Barlach noch sehr zuträglich, kann insgenatorisch die geradezu wollüstigen Dunkelheiten des Textes nicht klären. Wer könnte das schon? Er läßt vor einem gewaltigen Rundhorizont auf leerer Bühne spielen. Großräumig stellt er die Bilder und requisitenlos. Nur Weiß auf Schwarz werden die Projektionen H. W. Lenneweits an den Horizont geworfen. Das stellt den geschachtelten und logisch immer wieder verwischten Vorgang sozusagen ins Nichts oder ins Irgendwo. Der verführt aber auch dazu, das Ganze unziemlich in einer lauten Symbolik anzusiedeln. Es wird immer wieder lärmend auf der Szene, und die Stimmbänder der Akteure werden arg strapaziert. Der alte Expressionistenirrtum wird wiederholt: laut sei auch deutlich. Das aber stimmt nicht. Eher das Gegenteil ist richtig. Hier spült der Lärm der Worte ihren ohnehin verdunkelten Sinn oft genug hinweg.

Dabei ist die Bemühung Alfred Schieskes um die niederdeutsche Faust-Gestalt des Ratzeburg höchst ehrenhaft. Der Mann ist ganz Kraft und Sehnsucht und Raserei in Richtung zu Gott. Die Passagen der dumpfen Stärke liegen ihm eher als die der Ergebung und des geistigen Sieges in der gewollten, geistigen Niederlage. Aber Schieske spricht die Worte herrlich und trägt sie auch da noch, wo sie in ihrem leichten Dunkelsinn oft leer sind und leicht lächerlich werden könnten.

Sonst tauchen die Gestalten nur als visionäre Schemen auf. Vieles mißlingt. Manches haftet. Zum Beispiel, wie Herta Kravina in dem fast frauenleeren Stück die Stimme der Verlockung kenntlich macht. Oder wie Klaus Kammer mit schlangenhafter Geschmeidigkeit den verluderten Sohn dieses niederdeutschen Hiob zeichnet – eine begabte Leistung in einem öligen Moll. Klaus Miedel wirkt in einer orientalisch grausamen Episode. Clemens Hasse gibt, soweit Barlach da Möglichkeiten hinreicht, schnell und stramm den Umriß einer Ulenspiegelfigur. Wolfgang Kühne wird in einer Geisterrolle für Sekunden gespenstisch, wenn er vom Blute des kräftigen Ratzeburg saugen darf.

Anderes mißlang. Friedrich Maurer, der ausführlich mit dem Moses des alten Buches hadern muß, kann hier Barlachs Bühnenfremdheit nicht steuern. Siegmar Schneider, der Enakssohn, der ewig Dienende und am Ende der den Gott tragende Christopherus, kann die mystisch zugedeckte Bilderbuchrolle nicht retten. Rober Müller und Elsa Wagner, die am Leben gebliebenen und greis gewordenen Adam und Eva, bekommen – und das kann nicht ausbleiben – auch Züge unfreiwilliger Komik.

Vierzehn schwere, sich dem Theater und dem Verständnis versperrende Bilder. Sie sind ganz ohne den sonderbar untergründigen und hilfreichen Humor, den Barlach in anderen seiner Bühnenwerke so glücklich einfließen läßt. Und wo der sein könnte, da hat ihn diese Aufführung nicht entdeckt.

Man sitzt mit Achtung, aber mit Bedauern vor dem Versagen dieses lallenden Gottsucherstückes den langen Abend ab. Barlach und dem Bild, das wir von ihm haben, ist durch die Aufführung dieses antitheatralischen Theaters nicht gedient. Die Reaktion des Publikums war bezeichnend. Kein Pausenbeifall. Zuerst kein Schlußbeifall. Als sich welcher erheben wollte, kamen dämpfende Zischer. Dann kriegten die Spieler doch noch einen, sozusagen, mitleidigen Höflichkeitsapplaus. 13. 6. 1957

George Bernard Shaw »Major Barbara«
Schloßpark-Theater

Ist Shaw passé? Sind nicht viele seiner lustig quengeligen Stücke, in denen er immer nur einer inzwischen historisch gewordenen Gesellschaftsschicht die Maske vom Gesicht reißt, gegenstandslos geworden? Ist der schriftstellerische Trick seines Denkens in Paradoxen, die Dialektik seiner Beweisführung aus dem Gegenteil nicht inzwischen mürbe geworden

Und was die Gesellschaft betrifft, die er in den meisten seiner Stücke auf die irischen Hörner nimmt – ist diese spezifische, englische Gesellschaft nicht längst ein Gegenstand der Vergangenheit? Auf der Bühne muß man die Türen heute oft erst mühsam wiederaufstellen, damit Shaw sie so ungestüm einrennen kann. Das meiste, was er schrieb, gehört tatsächlich der Jahrhundertwende. Der Schock, den seine Ausverschämtheiten damals auslösten, entfällt. Die Provokation, die seine pfiffigen Angriffe, seine rechthaberischen Bemühungen um eine Weltveränderung ausmachten, ist vielfach dahin, geht nicht mehr unter die Haut.

Denn was er so emsig predigte, ist ja jetzt zum großen Teil Wirklichkeit! Der Sozialismus, den er ersehnte, hat selbst in den Ländern, die man heute noch spätkapitalistisch nennen kann, Fuß gefaßt. Und die seligen Folgen der neuen Gesellschaftsordnung, die er erträumte, sie haben sich, andererseits, gerade in den strikt »sozialistischen« Gegenden nicht eingestellt.

Am Beispiel seiner »Major Barbara«, die jetzt im Berliner Schloßpark-Theater wieder szenisch ausgegraben wird:

Da geht es um einen kraß-kapitalistischen Kanonenkönig. Der Mann ist Millionär. Der Mann ist denen, die ihn verabscheuen, so überlegen, weil er in seiner Sphäre auf Shawsche Weise verblüffend konsequent ist. Shaws Trick wieder: er zeichnet den Verdiener am Krieg sympathisch. Der Kerl weiß wenigstens, was er tut, und macht keine pseudomoralischen Sperenzchen. Er liefert nicht Waffen mit der Frage nach kriegerischem Recht oder Unrecht. Er liefert sie platterdings dem, der am besten bezahlt.

Und der Mann ist auf eine zynische Weise sozial. Er gibt seinen Arbeitern alle Freiheit. Er baut ihnen Häuschen. Er macht seine Todesfabrik zu einem Paradies aus dem einfachen Kalkül: wer gut verdient, fragt nicht. Wer satt ist und zufrieden, wird nicht maulen. Dieser Todesfabrikant stiftet sogar der Heilsarmee, der seine religiös-idealistische Tochter beigetreten ist. Warum nicht? Wenn den Armen und möglichen Revolutionären mit einer warmen Suppe der Mund gestopft werden kann, daß sie nicht an den gesellschaftlichen Festen rütteln – das Geld zahlt sich aus. Es ist eine Investition, die innerhalb der kapitalistischen Spielregeln liegt. Die paar Almosen sichern nur die Macht.

Aber die Heilsarmee? Darf sie ihrerseits, wenn sie konsequent ist, Geld, an dem Blut klebt, überhaupt annehmen? Shaw sagt, sie darf es. Sie muß in einer Gesellschaftsordnung wie dieser sogar vom Teufel, wenn ihr der Geld böte, annehmen. Die Verhältnisse, sie sind nicht so, daß die absolute Moral anwendbar wäre. Der Kapitalismus, wie ihn Shaw in diesem Stück vor immerhin fünfzig Jahren zeichnete, zwingt zur Lüge und zum Dilemma.

Nun hat aber die Zeit Shaw selbst ein Schnippchen geschlagen.

Machen Staaten, die den Sozialismus heute in Erbpacht zu haben meinen, keinen Krieg? Sie machen ihn. »Kriege«, sagte Stalin, »wird es immer geben.« Pazifismus ist nirgend so verfolgt wie im Ostblock. Wenn im Nahen Osten Krieg droht, laufen die Waffenlieferungen von der UdSSR. Wenn von den Satelliten sich einer auch nur etwas von der »Heimat des Sozialismus« lösen möchte, rollen die teuren Panzer, krachen die Kanonen des »sozialistischen Friedenslagers«.

Shaws pfiffige Voraussicht hatte Löcher. Seine These, daß erst die radikale Veränderung der Gesellschaft den Krieg unmöglich mache, stellt sich heraus, stimmt nicht. Seine Annahme, daß nur Lust am Privatverdienst überhaupt zu Kriegen führe, ist einseitig und irrig. Sein Stück, dieses eifernde, so brillant argumentierende Stück, argumentiert mit Scheuklappen. Die altmarxistische These, daß nur das Geld der Motor allen Übels sei, ist unzutreffend geworden. Auch für die Macht allein, auch aus gedanklicher Verbiesterung, auch aus weltanschaulicher Verkrustung und ideologischer Rechthaberei macht man Kriege. Wir haben unsere Lektion. Wir lernen sie gerade wieder. So wirkt Shaws einseitig pfiffiger Eifer mit diesem szenischen Schuß gegen eine Welt, die so nicht mehr besteht, tatsächlich etwas ranzig. So amüsant, so überraschend er seine dialektischen Haken schlägt, um zu seiner vorgefaßten Moral und Nutzanwendung zu kommen – am Ende endet er bei einer überholten Wahrheit. Sein Spiel ist abstrakt geworden, so unterhaltend es in seiner Abstraktion noch wirken möge. Shaw, tatsächlich, ist in vielem passé. Dieses, eins seiner bestgebauten Thesenstücke, zeigt es wieder.

Dabei wurde es in Berlin mit viel kennerischer Bravour dargeboten. Hans Lietzau hatte den knisternden Vorgang auf die von Dekorationen fast leere Bühne gebracht. Nur der Spaß der dialogischen Beweisführung sollte gelten, und der stellte sich dann – so unzutreffend und altbacken die Beweise am Ende wirken – auch ein.

Walter Franck hat die trockene Logik, hat die erstaunte Wahrhaftigkeit, mit der Shaws witzige Gemeinheiten zu verlautbaren sind. Roma Bahn – Reverenz zu ihrem sechzigsten Geburtstag! – macht die Dame der englischen Wohlanständigkeit, die die Augen wohlweislich zukneift, wenn die Unanständigkeit einträglicher ist. Anneliese Römer hatte eine schöne faktische Klarheit, wenn sie als die Titelfigur das Dilemma der absoluten Nächstenliebe erfahren muß.

Den dialektischen Kontrapunkt bringt Hans Caninenberg sehr zart auf die Szene. Wie er als der altphilologische Gegenspieler des Todesfabrikanten jenem im Argument schließlich über den Kopf wächst, war sehr hübsch zu beobachten. Neben ihm: Siegmar Schneider als lustiger Gesellschaftstrottel, Lore Hartling als das wohlgewachsene Produkt der Society. Friedrich Maurer, Else Ehser, Klaus Herm und Fritz Eberth als die Typen des Elends mit der Logik der Expropriierten.

Eine so hübsche, handfeste, gedanklich sauber laufende Aufführung eines – nun je! – durch die verdammten Zeitläufte weit überholten Stückes. Was Amüsement daran ist, ist noch da. Was Wahrheit ist, stimmt nicht mehr ganz. Shaw, zu seiner Zeit so impertinent provozierend, so ausverschämt und schockierend – siehe, der Meltau der Jahre hat sich auch über ihn gelegt. Nun ist er wirklich alt geworden. 19. 11. 1956

Walter Hasenclever »Ein besserer Herr«
Schloßpark-Theater

Manche Stücke gewinnen durch Ablagerung. Patina bekommt ihnen. Walter Hasenclevers »Besserer Herr« war, als er 1928 am Berliner Staatstheater ans Licht der Rampe trat, bei weitem nicht von der gleichen Heiterkeit begleitet wie jetzt, da er nach einigen anderen Wiederauferstehungen auch im Berliner Schloßpark-Theater wieder ausgegraben wird.

Damals bemängelte man, wie sehr das aus zweiter Hand gearbeitet sei. Sternheims Telegrammsprache wird da gemäßigt aufgearbeitet. Und was die Konstruktion der fröhlichen Hochstaplergeschichte betrifft, so handelt es sich, könnte man sagen, um einen Georg Kaiser des kleinen Mannes. Die Technik ist übernommen. Aber die Schärfe der Satire ist gemäßigt und gefällig abgestumpft.

Warum herrschen trotzdem Jubel und Trubel bei Ansicht dieses flott dahinmarschierenden Lustspiels? Weil die Zeit inzwischen eine Dimension dazugetan hat. Die Distanz macht so lustig. Wenn die Damen des Ensembles im kniefrei konturenlosen Kostüm der zwanziger Jahre erscheinen, den lächerlichen Topfhut auf dem Bubischädel, kreischen die Leute schon. Wenn die Jimmy- und Tangoseligkeit jener fahrigen Epoche aufklingt, kommt die Belustigung automatisch. Wenn die Herren in ihren ridikülen Sakkos Auftritt haben, ist das Parkett schon angekichert.

Was Hasenclever als Gegenwartssatire schrieb, ist historisch geworden. Die Satire selbst tut nicht mehr so weh. Aber der Rückblick in die lächerlich gestraffte und zappelnde Welt jener »Ausgerechnet Bananen«-Jahre ist von einer neuen, besserwisserischen Komik. Hasenclever hat sie nicht geschrieben. Die Zeit, die inzwischen verging, schrieb sie dazu.

Eins rauf mit Mappe der Spielordner Lietzau, weil er das so gut erkannt hat! Er stellt die vorgefaßt absurde Geschichte von dem Heiratsschwindler und professionellen Herzensbrecher gleich in eine angenehme Abstraktion. Wie auf einem drehbaren Puppentheater begibt sich die absurde Sache. Ist ein Bild abgespielt, dreht sich die Bühne. Die Figuren erstarren wie im Blitzlicht. Die Scheibe bringt die Figuranten des nächsten Bildes nach vorn. Und – hoppla! – weiter geht es im flotten Stechschritt dieses abgehackten Sternheimdialogs.

Der Bessere Herr hat ein Büro für Liebe. Er schmarotzt von der Sehnsucht und Unerfülltheit vieler enttäuschter Frauen. Er liebt nach der Registratur, stellt jedes gewünschte erotische Wunschbild und kassiert dafür. Die Welt, sagt er, will betrogen sein. Und in der Liebe besonders. Warum soll man den Tatbestand nicht kommerziell ausbeuten dürfen? Geschädigt wird ja keiner. Die Damen erhalten, was sie wollen fürs Herz, und er kassiert nur seine Spesen. Beide Teile sind befriedigt.

Bis er durch Zufall und Annonce an die schmucke Tochter eines hochgedrehten Großindustriellen gerät. Der Mann will ihm das Handwerk legen. Aber siehe, ein so großer Unterschied ist zwischen den beiden ja gar nicht! Der eine räubert in Kohle und Stahl. Der andere spekuliert an der Börse der Liebe. Eine Generalversammlung seiner Herzensklientinnen ergibt, daß sie keine Forderungen an ihn haben. Er hat sie auf Zeit glücklich gemacht. Mehr verlangen die Damen ja gar nicht. Der Tausendsasa ist außer Obligo. Er kann die Tangotochter des Magnaten freien.

Und da Hansenclever nach Georg Kaisers Methode ein Konstruktionsspiel liefert, wirft er noch gleich zwei andere Paare in den ironisierten Operettenschluß. Die Freude im Parkett ob dieses hochgedrehten und von der Zeit noch zusätzlich vermehrten Spiels ist ohne Grenzen.

Es wurde aber hier auch vorzüglich dargereicht. Roma Bahn ist mit einem hübschen, beleidigten Nebenton die überkandidelte Kapitalistengattin. Otto Graf schaltet als Börsenherrscher viele Hebel einer motorischen Komik. Walter Bluhm ist allein eine Sehenswürdigkeit, wie er als Registrator, als trockner Bürogehilfe des »Besseren Herrn« grau und mehlig in dessen Liebeskanzlei agiert. Lotte Stein, eine ranzig gewordene Figur aus des Liebesspießers Wunderhorn. Klaus Kammer und Lore Hartling, beide sehr frisch und propper, die beiden jimmy-tüchtigen Kinder aus reichem Hause. Paul Wagner spielt einen knirschenden Detektiv mit dem Gehabe des Offiziers a. D., alle sind sie sehr komisch.

Folgt eine kleine Hymne auf Martin Held: er ist der Bessere Herr. Dieser Schauspieler ist eine Wonne. Sobald er die Bühne betritt, scheint die Szene wie mit Elektrizität geladen. Er zeigt auf eine sehr moderne und unterhaltende Weise immer beides: die zu spielende Figur selber und, gleichzeitig, wie er sie spielt. Er hat eine Art, ganz in der Gestalt zu sein und trotzdem eine vorzeigende Distanz von ihr einzuhalten.

Er hat eine besessene Kühle. Er hat eine prägende Schärfe, wie sie heute und auf andere Weise nur noch Gründgens zeigen kann. Er spricht mit einer kalten Besessenheit, die jeweils scharf und sicher den Punkt der Wirkung trifft. Als habe er einen Motor verschluckt, treibt er sicher und planend die Handlung weiter. Agil, sehr zusammengefaßt, mit einer emsigen Ruhe, ist er ständig in der Aktion und am Ball der Handlung. Immer aufgedreht, niemals überdreht, immer treibend, niemals übertreibend, macht er auch diesen vergleichsweise kleinen Anlaß zu einer schauspielerischen Denkwürdigkeit. Hier ist uns ein großer Schauspieler herangewachsen, dem zuzusehen und zuzuhören eine der Lustbarkeiten im zeitgenössischen Parkett bedeutet.

Wenn er in diesem Hasenclever schon so beglückend sich bewegt, warum gibt man ihm nicht auch bald einmal einen originalen Sternheim zu spielen? Kaum auszudenken, was das dann für ein Vergnügen sein müßte!   21. 12. 1956

– Die Spielzeiten 1954/55, 1955/56 und 1956/57 –
BLICK NACH OSTBERLIN

Jean-Paul Sartre »Nekrassow«
Volksbühne

Nein, dieser Sartre! Ein Jahrzehnt lang erschreckt und fasziniert er die Welt mit seinen saugenden Grundsätzen der Grundsatzlosigkeit. Er wirft den Menschen zurück auf seine allerletzte Verantwortung. Er löst bewußt alle Bande frommer Scheu. Er denkt die Welt vom Gott aller alten Bindungen leer.

Er treibt seine Jünger streng in die Agonien der absoluten Einsamkeit. Er montiert die Altäre der Weltanschauungen ab und reißt am Dasein, bis die nackte Existenz als letzte Instanz des Menschen übrigbleibt. Er treibt die Freiheit so auf die Spitze, daß sie abstrakt, fürchterlich und fast untragbar wird. Der Lebenslehrer vom linken Seineufer zieht seinen Jüngern unbarmherzig alle Stühle altgewohnter Denkweise unter der Sitzfläche fort.

Und dann, ruckzuck, die große Wendung!, tritt er selber, sozusagen mit gefalteten Händen, in die profane Kirche des politischen Materialismus gesenkten Hauptes ein. Er reicht den gleichen Kommunisten, die er in den »Schmutzigen Händen« so dunkel der Machtsünde geziehen hatte, den Kranz. Er bekennt sich zu der großen »Friedenskonferenz« von Wien und kniet vor den Gebetsmühlen der Partei. Der freieste der Freien, für den man ihn halten mußte, nimmt die rote Kutte.

Er schreibt ein Stück, das die komische und furchtbare Tücke der Westwelt gegen die arglose Friedensseligkeit der Kommunisten anprangern soll.

Eine Parteiheilige nur tritt in dieser farcenhaften Handlung auf. Sie ist unantastbar, fällt sofort aus dem Rahmen des Stückes, spricht Plakat, ist Plakat. Die könnte, so unspielbar wie sie da steht, auch aus einem der schon modrigen Propagandastücke des »sozialistischen Realismus« stammen.

Sie ist überwacker, trägt die obligate Lederjacke, glüht vor Gerechtigkeitssinn und Idealismus, hat, versteht sich, überhaupt keinen Humor, ist nur eine Flamme für die Partei, eine Jungfrau von Orleans, das Parteibuch auf der ungenützten Brust. Sie ist auch bei Sartre des Schablonenmonument, wie es die Sowjetdichter immer wieder aufgerichtet haben.

Alles andere ist »westlich«, daher korrupt, getreten, zynisch geldversessen, böse oder grotesk. Sartre nun ist immer noch klug und verschmitzt genug, daß er die Umwelt, die er selber kennt, nicht nun auch im Stil der sonstigen Parteistücke anprangert. Er bedient sich eines Tricks. Er hebt alles in die Groteske. Er sagt nicht: die Zeitungswelt, die ich hier zeichne, ist echt. Er sagt: Ich überdrehe sie euch gleich ein bißchen, daß ihr deutlicher und amüsierter noch seht, wie farcenhaft sie in Wirklichkeit sein muß.

Der Rotkoller der professionellen Antikommunisten – wie absurd ist der doch!, sagt Sartre. Ich zeige euch die Geschichte des Obergangsters und Einbrecherkönigs George de Valéra, der, als er mit seiner Diebeslaufbahn nicht weiterkam, auf Politik umschaltete.

Er gab sich für einen geflüchteten sowjetischen Minister aus. Er verkauft sich hoch als der berühmte Nekrassow an eine kommunistenjagende Zeitung. Der Bluff gelingt. Er schreibt »Tatsachenberichte aus dem Kreml« am laufenden Band. Paris, das kommunistenhysterische Paris, schwelgt in der Täuschung, bis die wackere, rote Johanna in der Lederjoppe an sein Gangstergewissen klopft.

Valéra-Nekrassow verläßt die Gangsterwelt der Politik. Er taucht in die Gangsterwelt der ollen »ehrlichen« Verbrecher zurück.

Das ist in der Manier der alten französischen Vaudeville-Farce angelegt. Und da ist es denn nicht ohne Witz und Pfiffigkeit angerichtet. Es hat Gogols »Revisor«-Technik zum Vorbild. Dort wie hier hängt sich die Korruption an einen Oberkorrupten. Dort wie hier wird in der Überdrehung der Typen, die immer bis nahe an ihre eigene Abstraktion gebracht werden, das Gelächter gelöst. Eine Holterdipolterkomödie mit allen vorgefaßten Wirkungen der alten Klamotte, mit vielen ruchlosen Lacheffekten der stummsten Stummfilmzeit.

Sonderbar, das nun in der Ostberliner Volksbühne zu sehen zu einem Zeitpunkt, da die Wirklichkeit in nächster geographischer Nähe so völlig anders und blutig ernst aussieht. In Warschau und Budapest rauchen noch die Flammenzeichen des Aufstands. Die Funktionäre, die sich hier im Parkett versammeln, wissen nicht, ob ihr Parteistuhl nicht schon angesägt ist, ahnen kaum, auf welche Seite sie sich schlagen werden, wenn der Brand auf ihre »Republik« übergreifen sollte. Ist Pieck, der sich so jovial in der Loge beklatschen läßt, eigentlich noch existent? Man läßt sich eine Westposse vorspielen, während hinter dem eigenen Rücken eine veritable Osttragödie Ablauf nimmt. Gespenstisch . . . ?

Dabei war die Aufführung (Regie Fritz Wisten), die man sah, nicht übel. Munter war sie hochgedreht. Der Spaß reichte immer wieder ins Abstrakte. Drahtbühnenbilder hoben die Sache hübsch ein paar Zentimeter über den Boden der Wirklichkeit, auf dem, direkt, sie unmöglich gewesen wäre. Dies und einige Schauspielerleistungen machten den Abend ergiebig.

Vor allem der junge Alexander Hegarth, der den Doppelgangster Valéra-Nekrassow mit der lässigen Geste des eleganten Gewissenlosen spielt, ist ein Fund. Er hat den Charme der Sünde, er kann seine Pointen setzen, er bleibt beteiligend, auch wo er freischwebend im Bereich des Absurden sich bewegen muß. Eine fast ideale Besetzung.

Franz Kutschera muß den völlig korrupten Chefredakteur spielen, ständig lechzend nach dem antikommunistischen »Knüller«. Er hat Kraft und Überlegenheit genug, ein paar Züge mehr als nur die Karikatur zu geben. Und als ein Schmock des an sich schon überschmockten Zeitungswesens, wie Sartre es da noch überverzerrt, fällt Herbert Grünbaum auf, ein Komiker von Graden, ein Getretener, der seine bezahlten Tritte willfährig im Druck austeilt.

Der Rest der Bühnenmannschaft ist nicht ähnlich gut. Wo westliche Usancen angeprangert werden sollen, fehlt offenbar die Anschauung. Da ist die Darstellung oft leer. Wo die östliche Terminologie – wie in dem Jargon eines zweiten Altrenegaten aus der Sowjetunion, den Albert Garbe ganz effektvoll spielt – aufklingt, ist die Bühne und das Publikum weit besser im Bilde. Da lacht es schallend über das Parteichinesisch, das Sartre dann sprechen läßt.

Ein doppelt gespenstischer Abend: Einmal zu betrachten, wie ein einst fast übermäßig Freier seine Freiheit vor den Wagen eines Systems der Unfreiheit binden läßt. Sartre unter der Peitsche und an der Kandare des »Friedenslagers«.

Zweitens: eine vorgefaßt überzerrte Westposse hier zu betrachten und die Unsicherheit und die Ängste der lachenden Machtträger im Parkett zu bedenken, denen der Aufruhr und die volle, blutige Tragödie an der eigenen, östlichen Schwelle ihres Hauses schwelt.

Theater in Berlin schließt fast immer Politik ein. Selten so unheimlich wie an diesem Abend, da man Sartre in der Ostvolksbühne spielte.   29. 10. 1956

Bertolt Brecht »Leben des Galilei«
Theater am Schiffbauerdamm

Dieser Abend ist eine sehr seltsame, bewegende Erfahrung. Brecht selber hat bis zu seinem Tode noch an der Regie des »Galilei«, seines wahrscheinlich besten Stückes, gearbeitet. Erich Engel, der Bühne allzu lange durch den Film entfremdet, hat sie dann vollendet. Man sieht eine der klarsten, einleuchtendsten, durchdachtesten Aufführungen, die im Theaterdeutschland von heute zu finden sind, eine Arbeit von hoher ästhetischer Wohlgefälligkeit und kühler Überredungskraft.

Man sieht vor allem ein Stück, das, gerade jetzt und hier in Ostberlin gespielt, auf eine beklemmende Weise revolutionär wirkt. Es handelt von der bedrängten Freiheit des wissenschaftlichen Gewissens. Es zeigt das Dilemma, in das Galilei, der geniale Sternphysiker, gerät, da er erkennen muß, wie das alte Weltbild falsch und überholt ist. Die neuen Augen eines neuen Zeitalters strafen den wissenschaftlichen Glauben von gestern Lügen.

Er sieht das Neue. Er kann es beweisen. Aber er darf es nicht. Die Wahrheit will, sagt das Stück, mit List verbreitet werden. Neue Erkenntnisse sind in dieser Welt immer mißliebig gewesen. Die Mächtigen stützen sich, zeigt die ausgebreitete Handlung, immer auf das Wissen von gestern. Unterdrückung ist die Antwort auf den Fortschritt. Keine Gewalt, keine Diktatur kann die denkerische Verwandlung der Welt dulden.

Man sieht das in dieser klaren, pfiffigen, oft ganz warmherzigen und vielfach dichterischen Szenenfolge von dem Manne Galilei, der, weil er mehr weiß als die anderen, mehr leiden muß – der sich zum Märtyrer nicht kräftig genug fühlt und noch auch als er widerrufen hat, den Mächtigen sein Schnippchen schlägt. Er reicht die Wahrheit weiter, auch wenn er es in der Heimlichkeit tun muß. Galilei ist am Ende gebrochen, aber er ist siegreich. Man hat ihm die Sprache verboten. Seine Gedanken reden lauter als er.

Das nun gerade in einem Theater zu hören, das in einer Zone liegt, wo sich die Herrschenden gegen eine Veränderung zum Humaneren hin brutal sträuben, ist erregend. Professoren und Studenten der Ostzone, die das verhärtete Dogma eines längst toten Stalinismus nicht mehr annehmen wollen, sitzen im Gefängnis. Ulbricht hält jeden Ansatz eines liberalen Denkens für Hochverrat und verfolgt ihn unerbittlich. Diesen »Galilei«, dieses kluge und mit revolutionärer Weisheit durchsetzte Stück, gerade an diesem Ort zu betrachten, ist gespenstisch, ist fast so etwas wie eine politische Reinigung Brechts posthum.

Der animierte Bilderbogen wird unversehens höchst aktuell und belebt. Ein Theaterabend greift aus der Sphäre des Künstlichen weit hinaus. Was Brecht immer wollte – hier tritt es ein. Das Spiel wird anwendbar und sitzt voll heißer Bezüge.

Die Aufführung, die man sah, kam der Vollendung nahe. Hier entfallen fast alle Stil-Sperenzchen, denen sich Brecht oft übermäßig hingab. Der Trick der »Verfremdung« ist wohl angewandt, aber er wird diesmal nicht überbetont. Das Prinzip der ständigen Illusionsdurchbrechung wird hier nur mit Maßen angewandt, so daß man ein kühl gezeichnetes, daß man ein bewußt weggerücktes, aber gerade dadurch höchst beteiligendes und gedanklich beschäftigendes Tableau eines exemplarischen Schicksals betrachtet.

Wie mit dem Silberstift sind da viele Szenen gezeichnet. Das »Ästhetische«, das Brecht am Ende durchaus in die Theaterarbeit eingeführt sehen wollte, wird immer wieder beglückend betätigt. Wie schon die einzelnen Requisiten, die historisch genau nachgebildet sind, sichtbar werden, das löst ein hohes, geschmackliches Wohlgefallen aus. Wie Pantomimisches immer wieder eingelassen ist in dieses Exempelspiel von dem bedrohten Weisen, das hat große theatralische Qualitäten.

Engel-Brechts Inszenierung hat keine jener Derbheiten, hat nicht mehr jenen heimlichen Zug zum Häßlichen, das oft fast ein Ausweis des Brecht-Theaters schien. Dies ist schön. Es ist klar. Es ist still. Um so stärker und unaufdringlicher ist die große Wirkung, die von der Meisterinszenierung kommt.

Den Galilei spielt hier Ernst Busch. Er mag nicht das lebensliebende Format eines Charles Laughton haben, der die gleiche Rolle in New York schon gespielt hat. Er mag oft die an sich doch eher joviale, pfiffig-gemütliche Gestalt etwas zu mürrisch und unwirsch machen – trotzdem kann er das grüblerische Ungenügen, kann er die vertrackt Brechtsche Doppelbödigkeit der Figur so kenntlich machen, daß man fasziniert ist. Man sieht ihn denken. Nur selten wischt er diesen schönen Ausdruck durch eine etwas plakathafte Diktion zu.

Das übrige Ensemble ist mit großen, auffälligen Schauspielernaturen kaum gesegnet. Aber Erich Engel hat die einzelnen so klar und übersichtlich genau an ihren Platz geführt, er hat das schauspielerische Prinzip der – möchte man sprechen – lässigen Genauigkeit, der mühelosen Schärfe so akkurat bei den einzelnen angewendet, daß schauspielerische Defekte gar nicht erst recht kenntlich werden. Die Dressur, die beim Berliner Ensemble angewendet wird, kann auch mäßige Schauspieler verwendbar machen.

Auffällig bleiben wieder: Angelika Hurwicz, Regine Lutz, Gerd Schäfer, Ernst-Otto Fuhrmann, Norbert Christian, Benno Besson, Wolfram Handel. Sie spielen mit jener kühlen Betontheit, die die Figuren jeweils wie mit einem zärtlichen Messer aus der Umwelt herausschneidet. Das Phänomen der Klarheit herrscht vor. Das Glück der unaufdringlichen Verdeutlichung wird immer wieder sichtbar.

Ein höchst glücklicher und erregender Abend, mit diesem vielstimmig-einhelligen, mit diesem gedankenvoll und immer wieder von verschlagenen Brecht-Humoren durchsetzten Text, der, wie er da erklingt, geradezu übermütig klingen muß und Brecht selber für manches Schweigen und manches politisch falsche Wort zu rehabilitieren scheint. Er selbst noch und Erich Engel, der damit glanzvoll seine allzu lange unterbrochene Laufbahn als Regisseur wieder aufnimmt, haben dem deutschen Theater eine Aufführung hinzugefügt, die zu den besichtigenswertesten des heutigen Welttheaters überhaupt gehört.

Es gab großen und (wie einem scheinen mochte) sehr betonten Beifall für das Abenteuer und Glück dieses Abends. Ein höchst aktuelles, meisterlich verschlungenes Dichterstück in einer Meisteraufführung. Brecht, zu Lebzeiten schon widersprüchlich und vorsätzlich ärgerniserregend genug – es schien, als wollte er auch nach seinem Tode nicht aufhören, zu beunruhigen und zu überraschen.   17. 1. 1957

– Die Spielzeiten 1954/55, 1955/56 und 1956/57 –
ALTE SPÄSSE WIRKEN NOCH

Grabbe »Scherz, Satire, Ironie und tiefere Bedeutung«
Schloßpark-Theater

Der unglückliche Grabbe ließ das Chaos tanzen. Das vermochte er. Es zu ordnen, es glänzen zu lassen, die Musik der Sphären zum

Klingen zu bringen, war ihm nicht gegeben, dem westfälischen Geniestubben, Sohn eines Gefängnisaufsehers und einer Trinkerin.

Er selbst – tragisch zerrissen. Was er zeichnete, wurde ihm zur Fratze. Liebe, Glanz, Licht, Adel, Anmut, Ordnung kommen in seinem wie mißmutig hervorgestoßenen Werk nicht vor. Ein Zerrissener. Der hungrige Unfriede, in dem er mit sich selbst lebte, geht durch fast jede seiner Zeilen. Eines von den Halbgenies, tragisch, unvollendet, unersättlich, dämonisch umwittert, wie sie in der Historie unserer Dichtung nicht selten sind.

Vier Jahre nach Goethe stirbt er, ausgehöhlt vom Suff, siechend, zu Tode enttäuscht, mit 35 Jahren ein Wrack. Erst 1907 läßt Max Halbe in München diese bizarre, mißmutige, vitriolhaltige Literaturkomödie zum ersten Male auf die Bühne bringen. Man staunt, wie der zerrissene Alkoholiker da das Chaos tanzen ließ. Man schaudert nachträglich vor der Unverfrorenheit, mit der er seinen geniespeienden Pessimismus auf Welt und Umwelt ausgoß. Man bewundert den vorgreifenden Talentsprung, den er da schon zur Auflösung der Bühne und des Dramas tat.

Was hier steht, exerzieren die späten Progressiven heute noch dünn und mit halber Kraft nach. Dieses Stück ist ein Wurf nach vorn gewesen, voll Ungemütlichkeit, Ungeduld, Bitternis und Teufelsgelächter. Das Chaos tanzt.

Am Ende läßt er den Dichter Grabbe mit der Laterne selbst auf die Bühne kommen, einen Kerl, »der auf alle Schriftsteller schimpft und selber nichts taugt«. Er wischt den Literatur- und Lebensspuk fort. Er jagt das Chaos von der Bühne.

Was bleibt? Der Schauder. Die Ungelöstheit sich reckender, aber am Ende nicht zureichender Größe. Es bleibt die Reverenz vor einem Zerrissenen, vor einem, der, weil er die Götter unglücklich liebte, im Chaos wühlte, Grabbe.

Das zu spielen ist heikel. Heinrich Koch führt den wischenden Literaturspuk linearer auf, als man gewohnt ist. Caspar Neher hat ihm die schönen, kargen, witzigen, schnell wandelbaren Bilder gebaut. Mit ruckender Symbolik tanzen Sterne während jeder Verwandlung über die schwarze Szene. Rechts an der Rampe sitzt ein Herr am Schlagzeug (Alexander Zaremba), der auf heitere Weise mit Geräuschen die jeweilige Situation interpretiert. Das hat viel technischen Spaß und ist, gottlob, in Grenzen gehalten. Koch hat Striche nur angebracht (zu Recht!), wo literarische Bezüglichkeiten heute nicht mehr aufgehen wollen. Einmal – und das stört – läßt er die Marlitt und Eschstruth erwähnen. Ein Anachronismus, der desillusioniert. Weg damit!

Vieles gelingt ganz grabbisch. Die große Saufszene, da der versackte Dorf-Steißtrommler, der lila Poet und der gnomige Liebhaber ins wild-blöde Schwärmen geraten, ist herrlich. Das schwingt, ist gefährlich und von genau der bitteren Komik, die im Text steht. Wie Koch den Schluß auflöst, zeigt fast eine brüderliche Einfühlung in den Dichter und in die Dichtung. Da lebt Grabbe wieder. Ein Schicksal schreitet durch die Tür auf die Straße.

Die Szenen alle, in denen Fritz Tillmann mit einer torkelnden Fülle und Gequältheit die geplanten Ungereimtheiten des Schullehrers hervorstößt, sind groß und berühren. Dieser Schauspieler hat hier seinen großen Text und seine große Stunde. Wir sahen ihn selten so gut, so deckend, so das ungebärdige Wort adäquat erfüllend.

Von fast zierlich sinnloser Komik aber auch, wie mein Friedrich Maurer die Figur des Dichters Rattengift prägt. Sein Lehnstuhlmonolog, da er, sonetten-schreibend, eine ganze weiche Unverbindlichkeit des Poetischen parodiert, ist kostbar. Oder was Walter Bluhm in der doppelt parodierten Gnomenrolle des Liebhabers und Romanhelden treibt, ist seinerseits wieder so durchtrieben, komisch, lieb und gespenstisch, daß auch da diese Dichtung zu schwingen beginnt.

Schwerer tut sich's an anderen Partien. Peter Mosbacher wirft zwar eine kokette Dämonie in die gefoppte Gestalt des Theatersatans. Wenn da vieles nicht mehr wirkt, liegt es auch am Buch. Uns sind manche böse Bezüglichkeiten, die er sprechen muß, nicht mehr heiß. Wie die medizinischen Experten den erfrorenen Teufel examinieren, das war Koch wiederum nicht ganz gelungen. Dieser Teil ist sonderbar leer geraten. Auch in der Sphäre des vergackeierten Rittertums stellte sich oft Vergangenheit ein, obgleich Edith Schneider von einer süßen Albernheit, Werner Schott rauh bramabarsierend, Herbert Wilk töricht gnarrig, Fritz Eberth wild und rabaukig ist.

Von umwerfender Pieps-Komik wieder Edith Hancke; und den jungen Peter Pewewsky hatte Koch, mit Schmetterlingsohren und sommersprossenbesät, zu einem kleinen Bonbon in der bitteren Sache werden lassen. Ihm galt mancher Quietscher im Parkett.

Ein bewegender Abend. Der Versuch, Grabbe nicht mit gestemmter Kraft, nicht hemdsärmelig sozusagen, zu inszenieren; sondern das Chaos, in dem er so unglückselig wühlte, nach Plan, mit Richtung, intelligent tanzen zu lassen. Erstaunlich, wie das in Teilen gelang, wie die Unrast, die Unreife der frühen Vollendung, wie das scharfe Gelächter des totalen Unglücks, wie das böse Glück an der eigenen Bitternis da oft richtig klang.

Der Beifall war laut. 7. 1. 1955

Nestroy »Der Zerrissene«
Theater am Kurfürstendamm

Wie wohltuend, wie wärmend ist es doch, wieder einmal einen ausgemachten Nestroy zu sehen! Wie naiv das ist oder zu sein scheint! Wie dieser seltsame Theatermann mit den gesegneten Fingern eines Bühnenhasen und dem Herzen eines Skeptikers so Verschiedenartiges zum Einklang bringt! Die Geschichte, der Ablauf der Sache (die er aus einer billigen Komödie französischer Zeitgenossen einfach annektierte) ist ja rein wie aus dem Kinderbuch.

Nur die Geschichte von dem reichen Mann, der des Reichtums überdrüssig ist, übersättigt, ohne Ziel und Wünsche. Ein »Zerrissener«, der, weil ihn das Schicksal ausspart, sich nach Schicksal zersehnt. Er, der aus lauter Überdruß und Langeweile den Zufall zu Hilfe nimmt, um sich zu vermählen, gerät in ein Handgemenge mit einem robusten Schlosser.

Beide stürzen in die Fluten. Beide glauben, den Gegner ersäuft zu haben. Beide suchen vor der gefürchteten Polizei bei einem Bauern und dessen sanfter Tochter Unterschlupf. Bis sie sich in einer tollen Erkennungsszene wieder begegnen, alles gut ist und der Zerrissene, der Hochgestochene und Gelangweilte an der rührenden Liebe jener Bauerntochter volles Genüge findet.

Das ist fast Kasperletheater, rührend, deftig, ohne Künstlichkeit und geradeweg. Aber das Wunder bei Nestroy: daß er einen leisen Regen der Skepsis über diese simple Menschenlandschaft fallen läßt. Er gewinnt immer eine Dimension dazu. Er läßt die Chargen einen ganzen Menschenschatten werfen. Er läßt sie sich so raffiniert bei all ihrer Naivität artikulieren, er durchsetzt, was simpel scheint, mit so viel Würze des Witzes, daß immer und beglückend beides da ist: Einfalt und Melancholie, Lebensfestigkeit und Trauer, Simpeltum und Wissen. Der Mann war ein Wiener Wunder!

Schon um seiner göttlichen Sprachverbuhltheit war er das. Wie er die Worte dreht, auswringt, aufputzt, veralbert oder ganz neu und verdrallt stellt, daß sie blühen und einen neuen Sinn gewinnen – das anzuhören wird man nicht müde.

Er hat Volkstheater gemacht sein Leben lang. Aber siehe, was dabei entstand, wurde Dichtung, ohne die Nähe zum Volkstümlichen je zu verlieren. Wahrhaftig, ein Wundermann, ein Glück für unsere Bühnen!

Nur müssen unsere Bühnen seinen Tonfall treffen können. Wer ihm mit modernen Mätzchen aufhelfen möchte, bringt ihn zu Fall. Vom puren Blatt muß Nestroy gespielt werden. Volkstheater muß gemacht werden, dann erst wächst natürlich und voll, was mehr daran ist, auch darüber hinaus.

Rudolf Steinboeck hat jüngst den Irrtum begangen, einen Raimund durch eine doppelte, inszenatorische Ironie aufkeschern zu wollen. Dabei ging Raimund selber ein. Diesmal läßt er Nestroy, den größeren Bruder jenes anderen, unverblümt vom Blatt spielen. Er nimmt ihn ernst – und siehe da: das pure Glück kommt von der Szene. Die wunderbare Partitur klingt voll. Es ist, als hörte man einen Wiener Vorstadt-Mozart. Lauter Dur wird gespielt. Aber heimlicherweis klingt das Moll der Tragik mit. Eine wohltuende, eine sehr erwärmende Erfahrung.

Um sicherzugehen, hat man sich wieder die meisten Spieler aus Wien verschrieben. Da ist Lisl Kinast, die das rettende, herzensgute Bauernmädchen sozusagen immer mit halboffenem Munde spielt: so erstaunt scheint sie ständig über das wundersame Leben. Da ist Hilde Volk, die resolut und gemäßigt eine Putzmacherin ist, Männerfängerin und leichte Dame. Rudolf Rhomberg macht den dicken, dummen Schlosser – muskelstark und herzensfeige; die Holterdipolterszenen, die er hat, sind umwerfend komisch. Drei Schnorrer und feine Pinkel des Wiener Biedermeiers sind Georg Gütlich, Ernst Stankovski und E. W. Zipser, ein Trio der schlawinerischen Verruchtheit.

Durch die Bank stehen alle fest und mit der Zierlichkeit, die Nestroy bedingt, auf ihrem Posten. Aber die Erfüllung ist Leopold Rudolf. Einen besseren »Zerrissenen« werden wir wahrscheinlich unser Lebtag nicht sehen. Er bleibt immer eine Handbreit über dem Bühnenboden. Er hat immer einen kleinen Beiton des Spinnerten und Abstrakten. Er spielt die Rolle ganz konsequent, aber unversehens gibt er einen Schuß Unheimlichkeit dazu, einen Beigeschmack des Gespenstischen; eine ganz nestroysche Doppelbödigkeit teilt er mit, die abzuschmecken herrlich ist. Er macht diesen Abend zu einer Denkwürdigkeit.

Schon wie er seine Lieder an die und über die Rampe bringt, wie er sofort Kontakt mit dem Parkett bekommt und den Kontakt mit dem sich fröhlich ergebenden Parkett nie strapaziert, das zeigt eine Kunstfertigkeit und Ökonomie des Schauspielerischen, die sehenswert ist. Er bringt den ohnehin gelungenen Abend vollends zum Leuchten.

Das Ganze spielt sich hier in Dekors von Caspar Neher ab, die ihre künstlerische Herkunft aus dem Wiener Vorstadttheater nie leugnen. Auch daher schon liegt das wunderbare Stück hier in seinem richtigen Bett. Populäre Einfalt und verschmitzte Größe. Nestroy würde diese Aufführung geliebt haben – genau wie das Publikum in den skeptischen Zauber dieser alten Wunderposse einging, daß es sich vor Beifall während des Spiels und nachdem der gemalte Vorhang gefallen war, kaum zu fassen wußte. So ein wohltuender, so ein wärmender Abend! 22. 12. 1956

Niccolo Macchiavelli »Mandragola«
Tribüne

Das ist aber eine lustige, frivole, kleine Ausgrabung! So weit man blickt, hat man bei uns dieses boccaccioartige Spiel bisher nur einmal in einer Übersetzung von – ausgerechnet! – Paul Heyse vor mehr als einem Menschenalter gespielt. Jetzt hat die »Tribüne« den gesalzenen Jux aus dem Italienischen über den Umweg des Englischen neu importiert. Man spielt die Fassung, die Ashley Dukes für sein kleines Londoner Theater hergestellt hat. Die hübsche Mühe lohnt.

Niccolo Machiavelli, der florentinische Staatskanzlist und Staatstheoretiker des 15. Jahrhunderts, dessen unverblümten Maximen der Macht Friedrich II. später eine ausführliche Polemik gewidmet hat, hat mit der linken Hand auch noch die frechen Bühnen seiner Zeit versorgt. Er schrieb den Gauklern diese muntere, unverblümte, höchst offenherzige Komödie, ein Stück Stegreiftheater mit den festen Typen der Komik jener Zeit.

Bloß: wie ein reicher Rechtsgelehrter und seine schöne Gattin ohne Kindersegen bleiben. Ein hübscher junger Sausewind, in Paris auf die Liebe angelernt, reist zu und vergafft sich bis über alle Ohren in die schöne, bisher unergiebige Dame. Ein Liebesmakler und Heiratsvermittler ersinnt eine absurde Kur, wie man der bisher Fruchtlosen zu Kinderfreuden verhelfen könne. Er verschafft dem liebestollen Zugereisten in doppelter Verkleidung Zugang zu dem Haus und der Umarmung der schönen Kinderlosen. Und der alte, schadenfreudige Jux dabei ist, daß der dumme Ehemann und Hörnerkönig sozusagen die Lampe halten muß. Ja, er zahlt sogar noch aus dem geizigen Beutel für die Schofeltat in barer Münze drauf.

Ganz hübsch frech gesalzen ist das; denn der gelehrte und frivole Verfasser scheut vor keiner Deutlichkeit zurück – und vor Zweideutigkeiten schon gar nicht. Die heiklen Dinge werden unverhüllt bei ihrem Namen genannt. Es herrscht hier ein Renaissance-Freimut in den Dingen des Geschlechtlichen, daß man immer wieder staunt. Aber zu seiner Zeit wurde dieses Stück Boccaccio-Theater hemmungslos an den Höfen gespielt und sogar in hohen geistlichen Häusern zum Jux der freisinnigen Kuttenträger munter zur Schau gestellt. Wer wollte da heute prüde sein?

Frank Lothar hat das – nach der Anlage von Ashley Dukes – ganz auf ein distanziertes Stegreiftheater spielen lassen. Er historisiert die anrüchig-lustige Geschichte. Aber er gibt auch das Moment einer modernen Stilisierung hinzu. Die Figuranten der frivolen Sache stellen sich erst in ihren alten Masken vor. Dann spielen sie modernen, freien Gesichts. Am Ende verschwinden sie wieder hinter ihren Masken. Das rückt die Sache fort. Die künstlerische Distanz ist gegeben.

Der Spielregler bemühte sich auch, einen hüpfenden Commedia-del-arte-Ton in den Abend zu bringen und ungefähr so drall und in so lustiger Raserei spielen zu lassen, wie Strehler seine Spieler emsig hüpfen läßt, wenn es am Mailänder Piccolo Teatro gilt, einen handfesten Goldoni aufzumöbeln.

Leider kommt diese lustige Raserei mit dem Text und den gestischen Sottisen hier nicht auf. Die kompakte Verdralltheit wie dort wird nicht erreicht. Manchmal ist es zu etepetete. Der alte, elegante Komödiengestus stellt sich nicht ein bei den Akteuren. Die letzte Spritze Übermut und geplanter Drallerei fehlt.

Trotzdem wird es eine höchst sehenswürdige Aufführung, zumal durch das ganz entzückende Bühnenbild des P. Miglioti. Er hat im Sinne des historischen italienischen Theaters höchst witzige und die Perspektive verkürzende Prospekte gehängt, hat in Farben eine kleine Zauberei betrieben, hat Stil und neue Wohlgestalt in die fünf Jahrhunderte alte Methode der optischen Bühnenbestellung gebracht. Das war erster Klasse.

Die Spieler bewegen sich mit unterschiedlichem Glück in dieser witzigen Augenweide. Rüdiger Renn rappelt den Liebhaber munter herunter. Ilse Kiwiet ist die lockende, bisher unfruchtbare Dame der Gesellschaft, lechzend nach der wahren Liebeskur. Jetzt ist sie störrisch und trotzig, dann gleich schmelzend und jeder Sünde offen. Annemarie Steinsieck – ihre hintertriebene Mutter, die Gestalt der appetitlichen Alten, die noch gern über den Zaun der jugendlichen Liebe blicken würde. Hans Krull macht etwas zu gradlinig den frivolen Vermittler der Sünde. Die Rolle dürfte, unbedenklicher nach Clownsart angelegt, noch komischer werden.

Heinz Spitzner ist ein hanebüchen korrupter und geiler Beichtvater. Man staunt, wie weit sich die geistlichen Herren der Renaissance vor aller Augen mit solchen persiflierten Figuren durch den Kakao ziehen ließen. Für den erkrankten Hans Stiebner übernahm Hugo Schrader die Rolle des sich töricht selbst hörnenden Gatten. Er spielt das mit einem lustigen Quengelton ganz adrett herunter. Helmut Hildebrand in der dummschlauen Dienerschablone.

Ein kleiner, sozusagen theaterhistorischer Abend. Eine quicklebendige Ausgrabung von vor vierhundert Jahren. Sieh einer die alten Italiener! Sieh einer den alten Macchiavelli! Sie hatten es so dick hinter den Ohren, ihr szenischer Freimut war so ungehindert offenbar, daß man heutzutage in Ansicht dieser szenischen Erneuerung nur staunen kann.

Das Publikum hier genoß die Unbedenklichkeit der Sache sehr. Viel erstauntes Gekicher, viel Spaßvergnügen, viel festes Gelächter und am Ende viel Beifall. 4. 5. 1957

KLASSIKER FÜR HEUTE

Lessing »Nathan der Weise«
Schiller-Theater

Abschied von Karl Heinz Stroux, der an diesem schönen Abend seine letzte Arbeit als Hauptspielleiter in Berlin zeigte. Wiedersehen mit Ernst Deutsch, der nach einem bösen Herzinfarkt zum ersten Male wieder auf unserer Bühne stand, herrlich, weise, wunderbar sprechend und gestaltend.

Stroux macht den Abschied schwer. Wenn diese Aufführung, präterpropter so wie sie da ist, auch in Recklinghausen schon gezeigt wurde – man konnte doch wieder bemerken, wieviel künstlerisches Terrain dieser Mann in den letzten Jahren gewonnen hat. So durchblutet, so unauffällig modernisiert, so interessant habe ich dies bei aller Schönheit doch arg lehrhafte und am Ende gar reichlich opernbunte Lessing-Stück nie gesehen. Stroux hebt mit einer kühlen Sicherheit, die neu an ihm ist, jede Gestalt ans Licht. Er hat einen Sinn für Maß jetzt, daß die Wirkungsökonomie, die er bedient, aufs schönste funktioniert. Er verläßt Berlin und macht den Abschied schwer. In seiner Klasse der Regie sind heute neben Lindtberg, Kortner, Gründgens nur wenige aktive Spielleiter zu nennen. Er wird fehlen. Diese schöne und wohlgeformte Aufführung bleibt als Abschiedsgeschenk hoffentlich sehr lange auf dem Spielplan. Sie verdiente, daß alle sie sähen.

Was macht sie so faszinierend? Ihre Durchsichtigkeit und ihre menschliche Dichte. Die sehr demütige Art, mit der sie das Dichterwort bedient und nach vorn bringt. Und das glücklich durchschaubare Arrangement in der Raumgestaltung jeweils, obgleich hier das Bühnenbild des jungen Jean-Pierre Ponelle wieder allzu spielerisch war. Zumal die Damen waren gewandelt, als sollte uns eine Modenschau von 1955 in Erstaunen versetzen. Aber wie Stroux in dem gegebenen Raum die Bewegungen wägt, verschiebt, auswechselt und dem Text unterordnet, war hier bewundernswert. Dies könnte tatsächlich als so etwas wie eine Modellregie für das sonst in seiner gedanklichen Dürre schwer realisierbare Spiel gelten. Die Schwerhörigkeit des Schiller-Theaters war diesmal ganz vergessen. Jedes Wort fand mühelos ins Parkett.

Schauspielerisch gab es eine Reihe von Vorzüglichkeiten. Ernst Deutsch voran. Er hat eine sehr glückliche Art gefunden, der zuweilen doch recht rechthaberisch gütigen Rolle des Nathan jeden übermäßigen Edelsinn zu nehmen. Da geht ein Mensch. Und Deutsch legt eine so weise Schicht von Humor über die Gestalt, er weiß den Ton seiner mit legitimem Pathos versetzten Stimme so klug zu variieren, daß diese scheinbare Einheitsfigur schillert und interessant wird auf eine neue Weise. Dies ist der Nathan unserer Epoche durchaus. Selbst die Erinnerung an die Gestaltung, die der große Paul Wegener der Zentralfigur dieses Sinn-Dramas vor zehn Jahren gab, verblaßt davor.

Sein erster Auftritt setzt schon den Grundton. Schön ist er anzusehen in der weisen Besorgnis seines Alters. Mühelos gliedert er die Verse, unmerklich legt er eine Schicht weiser Heiterkeit in die Worte. Die Ringerzählung läßt er so wunderbar fließen, ohne den didaktischen Zeigefinger Lessings je hervorlugen zu lassen, daß man dieses Kunstwerk rezitatorischer Mühelosigkeit schon sehr genießt. Unvergeßlich aber, wie er die Pogromschilderung gibt. Leise, von einer erschrockenen Gehemmtheit, als taste er an Unsagbarem, beginnt er. Die blutige Vision wird dann bestürzend dicht. Und die Absage an Haß und Vergeltung, die diese Worte krönt, setzt er mit einer heiligen Sicherheit, mit einer so kämpferischen Entschlossenheit zur Güte, daß man dies kaum wieder so hören wird. Ich wüßte nicht, welche Darstellung mich in den letzten Jahren von der Bühne herab mehr erschüttert hätte. Und daß es mit ganz un-schauspielerischen Mitteln geschah, daß es aus einer natürlichen Heiligkeit zu kommen schien, daß man an dieser Kunst die ihr innewohnende große Kunstfertigkeit ganz vergaß, war nebenher nicht weniger zu bewundern. So kann das heute sonst niemand.

Neben solcher überragender Erscheinung holte Stroux die übrigen mit einer guten Ökonomie an ihre Stelle. Hesslings Klosterbruder war eine kleine, verschmitzte Gemme, nie larmoyant, nie aufdringlich in der Komik. Lotte Stein ließ er saftig und von einer unbewußt dummlichen Emsigkeit sein. Sie macht das gut. Sebastian Fischer ließ er richtigerweise fast einen grantigen Opernpart herunterpoltern. Dieser Gestalt wird kaum anders beizukommen sein. Schieske gab dem Derwisch etwas mehr Wurschtigkeit, als man sonst an dieser Rolle zu sehen gewohnt ist. Paul Wagner und Gisela Mattishent, Sultan und Sittah, durften ihren ohnehin nicht sehr fleischigen Rollen immerhin einige fröhliche Würze geben. Fehlbesetzt: Luitgard Im, die man keine lyrischen Rollen spielen lassen sollte. Sie hat in der »Hexenjagd« gezeigt, daß ihre Möglichkeiten auf ganz anderem Felde liegen.

Es war eine schöne Aufführung. Es wurde durch Deutsch, den ärztliche Kunst uns nach einer erschreckenden Krankheit so ganz unversehrt und augenscheinlich gereifter wiedergegeben hat, ein leuchtender Abend.   21. 4. 1955

Schiller »Don Carlos«
Schiller-Theater

Für Schiller zu den Festwochen im Schiller-Jahre und im Schiller-Theater das erste Wort! Der Klassiker vom Dienst, wie immer seine pathetische Hochherzigkeit heuer strapaziert sein mochte, setzte den ersten Akkord in dem Musenkonzert der kommenden Wochen. Sein »Don Carlos« ertönte, jenes schwierige, vielschichtige, eigentlich szenisch nie ganz erfüllbare Jugenddrama, dessen Schicksal es in der Darstellung immer wieder gewesen ist, daß die Übermacht der jeweiligen Interpreten oder der Übermut der Inszenatoren entweder ein Carlos- oder ein Posa- oder ein Philipp-Stück daraus machten. Daß alle drei Handlungsstränge mit gleicher Kraft nebeneinanderlaufen, hatte man selten. Hier hat man es.

Die zweite Arbeit, die Gustav Rudolf Sellner in diesem Theater zeigte, ließ Einwände, die wir gegen seine manchmal auflösende Bewegungsregie bei Shakespeare noch hatten, hinfällig werden und als irrig erscheinen. Eine so im ganzen schwingende, sich fortsetzende, klar fügende, fast möchte man sagen: schlanke Darstellung des szenischen Politikums habe ich sonst nicht gesehen. Sellner läßt vom hintersten Hintergrund der Bühne das Drama immer bis an die Vorbühne schwemmen. Die Gänge, die Auftritte, die gezügelten Abgänge, wie er sie bei sich schon oder noch bewegender Drehbühne anordnet, haben eine gute, dramatische Überredung. Das Drama läuft. Und daher ja auch wohl der Name Drama.

Franz Mertz' Dekors, die wenigen Farben, die er in die Düsternis einläßt, die Verwandelbarkeit des sich gleichbleibenden

Grundbildes der Bühne, helfen dabei sehr. Es wird ein guter Abend in seinem merkbaren inszenatorischen Kalkül. Schiller – anwendbar gemacht, ohne falschen Ehrgeiz zu seiner absoluten »Erneuerung«. Kein großer Abend, aber ein guter, ein wohltuender. Was will man mehr?

Den Carlos spielt hier ein neuer Mann: Rolf Henniger. Seine Ausstrahlung ist modern. Er faßt ein paar psychologische Brechungen der Figur, die den absoluten »Schillerjünglingen« sonst verschlossen blieben. Er hat den großen, schmerzlichen Ruf und hat gleichzeitig eine nervöse Besorgnis vor der Welt, wie sie dem Carlos wohl ansteht. Ihn in anderen Rollen zu sehen, sind wir gespannt. Dies war schon des Hinhörens wert.

Sein Posa heißt: Erich Schellow. Dieser Schauspieler verwaltet das Pathos mit einer bereiten Sicherheit der Intonation und der Bewegung. Die leidig-schönen Zitate spricht er so klassisch wie heutig. Einer, der den Kothurn nicht zu fürchten und bei allem Hochklang doch noch von dieser Welt bleibt. Eine schöne Erfüllung.

Walter Francks Philipp scheint zuweilen zu dicht zugewachsen in Mißtrauen und vereister Vereinsamung. Aber wie er dann die Figur am Feuer des Posa sich erwärmen läßt, wie der Gram sich löst, um vollends wieder in Härte umzuschlagen, war äußerst achtbar, zumal der Versuch, diese Figur zu der dominierenden zu machen, was leicht ist und billig wäre, keinen Augenblick gemacht wird. Francks Ökonomie sichert das Gleichgewicht in der ausgewogenen Aufführung.

Elisabeth: Aglaja Schmid. Vorerst fürchtet man eine österreichische Süße und Weichheit in diesem schweren Part. Dann fängt sie sich, formt dieses Frauenschicksal zwischen Neigung und Pflicht mit einer guten, durchpulsten Menschlichkeit. Manche Verse spricht sie wie zum ersten Male. Auch nach dieser Seite wird das Drama voll.

Die Gorvin gibt der unspielbaren Eboli die ganze Intensität ihrer Begabung. Was da versucht werden kann, gelingt ihr. Etwas zu wenig ungeheuerlich der Alba Paul Wagners. Dafür rundet Friedrich Maurer den klerikalen Managertyp des Domingo mit einer emsigen, kalten Geschäftigkeit. Erwin Kalser, der verehrungswürdige, bleibt für den Groß-Inquisitor zu gutherzig. Da fröstelts einen am Ende nicht.

Das Publikum erhitzte sich zusehends an dem klaren und übersichtlich geordneten Ablauf, wie er da mit intelligent gezügelter Vehemenz vonstatten ging. So ist Schiller tatsächlich spielbar.. Der Beifall ging lange und hoch und holte sich alle Beteiligten immer wieder herauf. Die Festwochen waren mit praktikabler Klassikerdarstellung in so unüberanstrengter Güte nicht unwürdig eingeleitet. Ein wohltuender Abend.   15. 9. 1955

Shakespeare »Hamlet«
Schiller-Theater

Nun ist es also passiert. Tagelang, wochenlang waren die Gerüchte gegangen, ob Fritz Kortners fieberhaft erwartete Premiere stattfinden würde. Proteste vor dem Bühnenschiedsgericht. Hinhaltende Entscheidungen bis zur letzten Minute, ob dieser »Hamlet« auch nur in der Nähe des angesetzten Termins überhaupt über die Bretter des Schiller-Theaters gehen könnte. Kortners großer und ungeduldiger Schatten lag lange über dem Theaterleben der Stadt.

Wer nun gekommen war, eine veritable Theaterschlacht zu erleben, gar einen Skandal, wie sie dieser eigenwillige und künstlerisch hartnäckige Inszenator schon zweimal in Berlin veranlaßte, der wird kurz vor Mitternacht (so lange braucht Kortners »Hamlet«, ehe sich sein ausführliches Bühnenschicksal erfüllt), enttäuscht oder beruhigt davongegangen sein – je nachdem.

Man sah eine sehr eng gesponnene, eine keineswegs provozierend neuartig angelegte, eher oft bedächtige, sozusagen mit dem erklärenden Finger dem großen Text folgende Aufführung. Man sah in fast fünf Stunden Szenensequenzen, die hinreißend waren in ihrer trockenen Eindrücklichkeit, in ihrer sauberen Verzahnung. Daneben Stellen, die unziemlich hochgetrieben, überakzentuiert, geschmacklich sonderbar verfehlt wirkten.

Man sah ein halbes Dutzend sehr überredender Schauspielerleistungen. Daneben wieder Figuranten in diesem voll bevölkerten Drama der, sozusagen, stotternden Gewalt, die sonderbar verfehlt und unzureichend schienen.

Ungleichmäßig rollt das langwierige Schicksal des Helden, der vor lauter Intelligenz und Bedächtigkeit den Degen nicht aus der Scheide bekommt, ab. Eine großstädtische, sehr beteiligende, höchst intelligente Darstellung sieht man. Aber wer sich einer »interessanten«, neuen, eigensinnigen Deutung dieses Urstoffes der Neuzeit versehen haben sollte, wer von Kortner den überraschend inszenatorischen Dreh zur Bloßlegung dieses Zaudererspiels erwartet haben sollte, wird auf seine sensationellen Kosten nicht gekommen sein.

Gottlob! Kortner blättert auf, was im Wunderbuche dieses Dramas steht. Er läßt den Text spielen und spielt nicht mit dem Text. Die extravagante Deutung wird nicht gegeben. Eine hastige Modernität wird nicht hergestellt. Es ist wirklich so, als führe dieser Regisseur nur Zeile um Zeile durch den gedankenüberrankten Text. Langwierig, aber klar, mit einer geduldigen Ungeduld wird (auch dafür Dank!) nach der ja immer noch unübertrefflichen Schlegel-Übersetzung das Wort ins Fleisch der Szene umgesetzt.

Die ersten Bilder fand ich faszinierend, wie denn überhaupt zu merken war, daß zum Ende hin wohl der Zeitdruck manches unfertig gelassen hatte. Aber wie gleich mit der ersten Szene auf der Terrasse von Helsingör eine schleichende Erwartung über die Bühne läuft, wie Kortner da in das beiläufige Parlando der Wachleute schon das Unheil einläßt, wie der erste, fahle Auftritt des väterlichen Geistes geradezu zwangsläufig und durchaus glaubwürdig wird, das zeigte die Meisterhand.

Oder: dagegengesetzt mit ihrer pomphaften Bewegtheit die erste Kennzeichnung der höfischen Welt, da die buhlerische Königin und der schnöde Usurpator der Macht sich mit einer penetrant schwingenden Eleganz in ihrer neuen Macht ergehen – auch das hatte sofort den Akzent des Außergewöhnlichen, schwang und zog und war herrlich zu sehen.

Um bei den Höhepunkten zu bleiben: wie Kortner den ersten Auftritt der Schauspieler arrangiert, die fahle Gruppe der Fahrenden aus dem Orchester heraufführt, wie er den ersten Schauspieler seine antikischen Texte artikulieren läßt und Wilhelm Borchert (»Was ist ihm Hekuba?«) ein eindringliches Sonderpathos für die rückgewandte Darstellung findet, auch das bleibt haften, ist schön und hat Größe.

Am bedeutendsten dann über das entlarvende Spiel im Spiel, jenes Shakespearsche Doppeltheater, da die beißende Analogie des Schauspiels im Schauspiel das Gewissen des schnöden Königs endlich ritzt und verwundet. Das allerdings war meisterlich geordnet, wie da erst eine höfische Larifaristimmung aufkommt mit einer kleinen Sonderpantomime des fahrenden Volkes. Dann – wie Kortner das Interesse von der Schauspielergruppe auf die verbrecherische Zuschauerschaft zieht. Wie da kleine Handbewegungen des erschrockenen Königs zu Großaufnahmen werden. Wie da in kühner Steigerung der Ausbruch gewonnen wird und es plötzlich lodert, die Bühne rast, in wunderbar berechneten, schnellen Läufen die ganze Gesellschaft hochfährt und die wischenden Lichter der stürzenden Höflinge ein geregeltes Pandämonium aufführen, auch das ist einer der Höhepunkte dieses erstaunlichen Abends.

Oder der Einfall, daß Kortner den Geist des Vaters von dem gleichen Darsteller spielen läßt, der auch die Rolle des dekuvrierenden Schauspielers in der »Mausefalle« innehat, bringt einen neuen, inneren Bezug in die Sache. Und wenn Wilhelm Borchert das grausige Zwiegespräch aus dem Jenseits führt, hat er einen hallenden, röhrenden Ton in der Stimme, der ebenso rührt, wie er erschreckt.

Dagegen dann wieder Dinge, die sonderbar befremden. Wenn Hamlet den lauschenden Polonius hinter der Wand ersticht, macht Kortner aus dem Fall und der Abschleppung der Leiche eine Sonderaktion, die nur überflüssig und eigentlich degoutant ist. Des Hofmannes toter Leib (der Schauspieler wird durch eine blutüberströmte Puppe ersetzt) kippt in Donnergepolter erst mit der stürzenden Wand flach auf die Szene. Dann muß Hamlet die Leiche schultern und auf der sich endlos drehenden Bühne durch die Wirrsale der Aufbauten schleppen, bis die Puppenleiche mit verlöschendem Licht eine Art hämisch-grausiger Verbeugung ins Publikum macht. Wozu das? Das ist Spielastik, hält nur auf und dient nicht mehr der Sache. Oder wenn Kortner jenes große Abschiedsgespräch zwischen dem scheidenden Laertes und seinem betulichen Vater Polonius dadurch (wenn hier Filmjargon erlaubt ist – und er drängt sich auf) vergagt, daß ein Koffer immer zwischen den beiden Scheidenden steht und sie trennt und behindert und verwirrt, führt das zu der Komikerwirkung nicht, die wohl bezweckt ist. Ein zu Tode gejagter Klamaukeffekt verdeckt und verschluckt die wunderbaren Ratschläge (»Vor allem eines, bleib dir selber treu!«) ganz. Wie schade!

Auch der dunkle Bombast, in den Kortner dann das Schlußbild hüllt, den mit schwarzen Fahnen auf der sich drehenden Bühne dahinziehenden Leichenzug, der kein Ende nehmen will – das gibt wieder zuviel, ist so, als traue Kortner dem Publikum nicht zu, daß es auch die Andeutung verstünde. Vieles will er zu deutlich sagen. Dadurch verliert es an Deutlichkeit. So geht man, schwankend zwischen Hingerissensein und Bewunderung – und dann immer wieder durch geschmackliche Fahrlässigkeiten und penetrante Überdeutlichkeiten abgestoßen, durch diesen großen Abend. So oft hat Kortner das Haus sicher am Zuge. Dann verschenkt er um einer überflüssigen Pointe willen wieder das Interesse.

Auch was die Besetzung betrifft, stehen Erfüllungen neben Irrtümern. Erich Schellow ist Hamlet, schmal, wunderbar artikulierend, von einer intelligenten Eindringlichkeit, schön zu hören besonders in den Partien jugendlicher Verspieltheit und trotziger Perfidie. Er »bringt« die Monologe nicht. Er spricht sie tatsächlich wie im Grübeln und in der Not. Auch er ist nicht, was man einen »interessanten« Hamlet nennt, einen, der nun auf Teufel komm raus seinen eigenen Tick und Dreh gewinnen will, sondern er blättert klar und mit einer schönen Hemmung der Schwäche den Text auf.

Wenn Martin Held (König) die Szene betritt, gehört sie ihm. Eine bessere Verkörperung dieser Rolle sah ich nie. Er hat eine perfide Faszination, hat die Glätte des Hofmanns und die Schurkerei des Karrierejägers gleichermaßen in Ton und Geste. Ein »schnöder König« – wenn einer das je war, er ist es.

Erwin Kalser – Polonius. Wo Kortner ihm nicht allzu deutliche Komikereffekte abfordert, ist er herrlich. Er verbrämt seinen Text, ist der Konfusionsrat par excellence, ist lästig und beflissen und bleibt doch liebenswert und deutlich. Eine der prägnantesten Leistungen dieses Abends.

Von Wilhelm Borcherts besonderer Stärke in den vorsätzlichen Doppelrollen (Geist und erster Schauspieler) war die Rede. Klaus Kammers Laertes bleibt ein wenig halbstark. Er hat den Adel nicht ganz, den diese Rolle will. Rosenkranz und Güldenstern (Klaus Miedel und Wolfgang Kühne) sind von Kortner wieder zu »komisch« gewollt, als daß sie ehrlich komisch würden. Sonderbar, wie die Totengräberszene – doch sonst einer der sichersten Komplexe – sich nicht regen will (Hans Hessling, Klaus Herm). Horatio (Lothar Blumhagen) war unzulänglich. Durch fast jede seiner Gesten sah man Kortner schimmern. Er spielte zu sichtbar alle Eigennuancen des Meisters nach.

Das gleiche Glück, das in den männlichen Hauptrollen zu Hause war, herrschte unter den Damen nicht. Die große Gorvin muß das volksliedhaft Naivische der Ophelia immer erst herstellen. Sie kann das, denn sie kann fast alles. Aber daß soviel Kunst dabei am Werke ist und nicht die klare Kindlichkeit natürlich strahlt, macht diesen Teil des großen Panoramas etwas artifiziell.

Maria Schanda (Königin) war so verhalten, ging so unsicher offenbar in diese schwere Rolle, daß man sie schon akustisch fast nie verstand. Wie denn das teuflisch gehörlose Schillerhaus immer wieder ganze stille Passagen schluckte.

H. G. Spornitz hatte ein seltsam überladenes, vollgestelltes Bühnenbild errichtet. Diese optische Ausführlichkeit ist doch heute nicht mehr vonnöten. Wir glauben auch, was wir nicht sehen. Hier waren zu viele Ecken und Kanten errichtet, die oft den Ablauf eher hinderten. Gebt uns die Bühne frei!

So wurde dieser Hamlet eine sonderbar faszinierende Erfahrung. Er hatte Größe und Redlichkeit, er blieb so deutlich und ehrfurchtsvoll am Text, wie es heute selten geschieht. Er hatte Passagen, die wahrhaft Eindringlichkeit hatten – daneben sonderbar dünne Stellen und Überzeichnungen, die gerade in der Nähe des voll Gelungenen noch deutlicher wurden.

Das Publikum nahm die Lektion in der hamletischen Unvereinbarkeit von Gedanke und Macht, von Denken und Tat, solange die Monstreaufführung lief, mit zögerndem Zwischenbeifall entgegen. Am Ende lauter Jubel für die Spieler. Immer wieder Rufe nach Fritz Kortner, diesem faszinierenden Beunruhiger, diesem immer noch suchenden Könner. Seinen kräftigen weißen Kopf sich vor der dankbaren Menge verbeugen zu sehen – es war nicht ohne eine harte Rührung, eine schöne Versöhnung mit Berlin, der Stadt, die ihn gemacht hat und der er es letzthin zuweilen selbst nicht leichtgemacht hatte, ihn zu lieben. Beifall der Versöhnung.

15. 3. 1957

Cole Porter »Küß mich, Kätchen«
Komödie

Nun ist es also da, das sagenhafte Musical. Es kam. Wir sahen. Es siegte. Hier wird eine Sphäre des Theaters endlich wieder voll bedient, die lange genug leer stand: das unvermischte, leichte Wohlbehagen, das glucksende Vergnügen im Parkettl, der holde Unfug, die artistisch gepfefferte Unterhaltung. Kein Griff in die Sterne, sondern eher die zeitgemäße Nachfolge der Operette wird angestrebt. Die Eliminierung des Bühnenschmalzes wird vorgenommen und das mit Mitteln, die vom Kabarett, vom Tanz, von der Revue, vom Schlager, vom Schwank, vom Lustspiel und von der alten Operette selbst herrühren. Ein gar hurtig Ding kommt da in unsere Bühnenhäuser, das unsere leichten Bretter auf seine eigene Weise wieder sehr amüsierlich machen kann. Der Zustand, daß es einen juckt vor lauter fröhlichem Geschütteltsein, kommt auf. Das Publikum japste vor Vergnügen. So sehr gelang das auf Anhieb.

Leonard Steckel hat, wohlweislich auf die Bühnenbegrenzung der Komödie Rücksicht nehmend, hier erst mal die Form des Kammer-Musicals gezeigt, die kleine Besetzung mit der Musik an zwei Flügeln (Heinz Riedmüller und Olaf Bienert). Er hat, da es die Klasse des singenden und zugleich tanzenden Schauspielers bei uns leider kaum mehr gibt, viel und sehr erfolgreich gearbeitet. Und das hat zur Folge, daß man nun die hochbegabte Hannelore Schroth einen Haßgesang auf die Männer abfeuern hört: man traut seinen Ohren nicht, so kompetent klingt das, so lustig ist es. Oder Hans Putz, doch eher ein schauspielerisches Schwergewicht, legt seinen Hitze-Song so gummiartig, so nonchalant hin, daß wieder Jubel hochgeht. Oder Wolfgang Preiß, auch eher ein Schiller-Held als ein Dudeludu-Sänger, knallt ein modernes Leporello-Lied so aggressiv ins Parkett, daß das Wohlgefallen groß ist.

Nicht zu reden von den beiden Ganoventypen, die den modernisierten und doppelt geknüpften Shakespeare-Stoff umwerfend komisch durchlaufen – nicht zu reden von Wolfgang Neuß und

Wolfgang Müller, die mit ihrem »Schlag nach bei Shakespeare!« fast das Dach vom Hause holen. Das Publikum gerät mit jeder Zeile des frechen Chansons in Rage. Und wenn die liebliche und graziöse Herta Staal – sie nun wirklich kann tanzen, kann singen und kann und muß hier auch direkte Komödie sprechen – wenn sie ihr prickelndes Buffo-Chanson von der ungetreuen Weibertreue abläßt, dann ebenfalls schwingt das Parkett vor fröhlicher Begeisterung. Hier unterhält, hier stimuliert das Theater wieder. In dieser Sphäre stimmt das völlig. Und daß es an dieser Stelle so zärtlich und sicher gelang, ist dem inszenatorischen Geschmack und der artistischen Sicherheit Steckels sehr zu danken.

Günter Neumann hat Cole Porters Texte verdeutscht. Auch das ist ein Glücksfall. Ich habe die originalen Liederstrophen mit seiner Fassung verglichen, und da stellt sich fast in jeder Zeile heraus, daß er auf einen amerikanischen Schalk immer einen doppelten deutschen gesetzt hat. Besser läßt sich das nicht machen. Es explodiert komisch in jeder Zeile, manchmal doppelt, daß man, ehe man noch die letzte Pointe geschluckt hat, schon die nächste selig in die Kehle bekommt. Äußerst witzig hat Neumann das gemacht, und so hat er es verrührt, daß die Anspruchsvollen dauernd bedient sind und das Wohlgefallen populärer Art auch nicht vernachlässigt ist. Wieder ein Glücksfall.

So schnurrte diese, immer mit einer modernen Handlung durchwobene Shakespeare-Travestie Cole Porters mit einer Frische, einer Gutmütigkeit und einer Fülle der optischen und musikalischen Fröhlichkeit ab, daß man wahrscheinlich von diesem Datum an für Berlin immerhin die Erneuerung einer ganzen, bisher arg brachliegenden Bühnenlandschaft rechnen muß. Wenn man im Theater lustig sein und artistisch voll bedient sein will, wird man in Zukunft gierig nach dieser Art Darbietung greifen müssen. Und wenn sie gleich mit dem ersten Schlage so elektrisierend stimmte, aufging, beschäftigte und die Leute geradezu taumelig vor Vergnügen machte, so ist, wenn an dieser Stelle das Theater wenigstens erneuert und lebendig ist, auch für die anderen Gebiete eine Neubelebung zu erhoffen. Es war herrlich!

Die kleine Tanzgruppe, die die Bühne dauernd munter bevölkert, wird von Rudi Geske und Harald Sielaff geführt. Die Dekors sind von dem hochbegabten Jean-Pierre Ponelle mit der gleichen Heiterkeit errichtet, die von der Musik und von dem göttlichen, lustigen Text kommt. Schauspielerisch keine schwache Stelle, denn da sind außer den schon genannten Protagonisten dieser neuen Gattung noch Maria Sebald, Joe Furtner, Ralf Wolter, Georg Gütlich und Harry Langewisch auf der Szene.

Es war herzerquickend, war großstädtisch, war eines der wichtigsten Ereignisse für das Theater in den letzten Jahren überhaupt. Ich möchte jeden Abend dort verbringen!

Hurra – das Musical ist da! Es kam. Wir sahen. Es siegte!

27. 12. 1955

Die Spielzeiten 1957/58 und 1958/59

DAS SCHOCKTHEATER

Samuel Beckett »Endspiel«
Schloßpark-Theater

Im Thema ist Becketts neue Farce mit dem Nichts womöglich noch abstruser, noch härter, noch extremer. In der Wirkung ist sie dem schönen Schock des »Godot« nicht zu vergleichen. Dies wirkt wie Aufguß, wie eine Repetition des schon ausführlich beim ersten Male Wiederholten. Die erste Schreckwirkung, die Verblüffung an der Beschäftigung mit dem scheinbar Absurden wetzt sich ab. »Das Endspiel« wurde im Schloßpark-Theater in Berlin bei seiner Erstaufführung in unserer Sprache schon mit einer gewissen Gewohnheit am scheinbar Widersinnigen aufgenommen. Das gibt zu denken.

Dabei ist Becketts Ausgangspunkt hier der absolute Endpunkt. Die Erde ist leer, sie ist nicht existent. In einem bunkerartigen Raum hausen, modern, vegetieren vier Erscheinungen, die nur noch Reste des Menschlichen darstellen. Ein gelähmter Blinder, der in dummer Herrschsucht auf einem rollbaren Sessel thront, eine Mumie auf Rädern. Eine clownsartige Dienergestalt, die ihm nur als Wand für seine sinnlosen Reden dient. Und seine beiden Eltern. Die hocken, schon halbvermodert, in zwei Mülltonnen. Menschenabfall alle. Endprodukte. Die Auflösung hat schon längst stattgefunden. Der Planet ist abgemeldet. Die Erde besteht nur noch aus den schwafelnden, dummen, verblüffenden, echolosen Reden dieser vier. Hinter ihnen – nichts als das Nichts.

In »Godot« ließ Beckett seine Figurationen der Verzweiflung immerhin noch warten. Hier stopft er die letzte Lichtquelle der Hoffnung zu. Dies ist ein »Endspiel«, wahrhaftig. Dies dokumentiert immer wieder nur die Sinnlosigkeit im Extrem. Logik ist abwesend, ja, sie wird sogar aus ihrem Gegenteil bestätigt. Wenn Spaß sich mitteilt, so ist es der verblüffend makabre Spaß mit der irregeleiteten Logik, wie er zuweilen dem großen Karl Valentin gelang. Aber wenn Komik aufkommt, ist sie wie zufällig, ergibt sie sich aus bewußten Irrläufern des Quatsches. Beckett macht auf eine sehr schmutzige Weise reinen Tisch. Modergeruch, ein gewisser perverser Reiz der Vernichtung, die leeren Schwaden eines längst ausgebrannten Feuers wehen von der Bühne. Das Stück ist schrecklich. Trotzdem verbreitet es den Schrecken nicht, den eben der »Godot« noch mitteilt. Dies ist schon Aufguß.

Der erwartete Premierenskandal blieb aus. Er blieb aus, obgleich im landläufigen Sinne von Sinn und Verstand hier überhaupt nicht mehr die Rede sein kann. Und die Rede, die da hörbar wird, stellt eigentlich nur das quasselnde Pausenzeichen in der Kommunikation zwischen den Menschen oder den Menschenresten, die hier auftreten, dar. Man hat nichts mehr zu sagen. Doch Reden ist bequemer als Schweigen. Also redet man.

Daß sich das Publikum das anderthalb Stunden mit einer gewissen Faszination am Nichts ansah, spricht immerhin für Beckett. Daß sich die Leute die ständigen Variationen des immer gleich Nichtssagenden so intensiv anhörten und daß sie es am Ende sogar beklatschten, gibt zu denken. Dabei war die Aufführung eher mangelhaft. Bernhard Minetti war viel zu vital, zu aktiv, noch zu lebendig für seine Leichenrolle. Rudi Schmitt war viel zu clowns-munter für seine Variante des leergepumpten Nihilismus. Richtig waren die beiden modernden Alten in ihren dreckigen Betthemden und Schlafmützen, Werner Stock und Else Ehser. Aber die brauchen ja auch nur immer den Kopf über den Rand ihrer Mülltonnen zu heben und zu seiren. Dann kriegen sie den Deckel wieder auf den Schädel gedrückt und verschwinden in ihrem Abfallgrab.

Nach der Pause ist ein »Akt ohne Worte« zu sehen, eine Pantomime, die Samuel Beckett schrieb und sein Vetter John in Musik gebracht hat. Das ist eine recht trocken-törichte Sisyphus-Paraphrase, die ganz ohne das heimliche Gewicht der Leere bleibt, die Becketts Trick und Kunst ist. Da gab es dann ein paar einsame Pfiffe und nur dünnen Beifall. 2. 10. 1957

Eugène Ionesco »Die Stühle«
Tribüne

Eugène Ionesco, der rumänisch-französische Theaterschreiber, bespielt den Innenraum der Seele. Die dramatische Fabel ist weg. Psychologie herkömmlicher Art ist überwunden. Es »passiert« im üblichen Sinne nichts mehr. Die Aktion ist aufgehoben. Ionesco signalisiert, kritisch, anklagend und nicht ohne traurigen Humor, einen Zustand des Verfalls. Er gibt ein Bild der Auflösung, und er macht dabei – wenn man so will – »abstraktes Theater«.

Hier zeigt er ein uraltes Ehepaar. Zwei Menschen, durch die Enttäuschung und Unerfülltheit ihrer leeren Leben zusammengewachsen, wollen Rache nehmen an einer Welt, deren Wirklichkeit sie nicht fassen konnten. Sie flüchten in die Illusion. Sie erstellen sich eine makabre Traumwelt, in der sie nachholen wollen, worum sie das Leben betrog.

Sie laden sich die leere Stube voll Menschen, Würdenträger, Edelpersonen, Presse und große Welt. Die Türen klappen. Immer neue Figurationen ihrer amoklaufenden Phantasie geleiten sie herein, daß sie immer mehr Stühle hereinholen müssen, um diese Fülle geträumter Persönlichkeiten unterzubringen.

Aber die Stühle sind leer. Die beiden führen imaginäre Dialoge mit ihren nichtexistenten Gästen. Der grausige Alte übergibt das Wort dem »Redner«, einer hämischen Gestalt, die ansetzt, jene »Botschaft«, die große, weltentladende Erklärung, von der der Greis träumte, zu verlautbaren. Aber der Redner röchelt nur. Er ist stumm. Er muß zu einer Tafel Zuflucht nehmen, auf der er die Erlösung mitteilen will. Aber siehe: er malt nur unerklärliche Krakel. Er hat nichts zu melden, wenn nicht wieder das Nichts. Die Welt ist leer, sagt Ionesco. Wir erreichen die Wirklichkeit nicht mehr – nicht einmal in der Selbsttäuschung. Wir sind wahrhaft am Ende.

Ein arger Spiegel, in den wir da blicken. Ionesco macht mit bedeutender Kunstfertigkeit das, was man Schock-Theater nennen könnte. Er bedient sich der sinnlichen Verlockung der Bühne, um auf ihr mit moralistischer Strenge die absolute Einsamkeit, die letzte, leere Qual des Gewissens, unser aller Unvergnügen am Aufhören jeglicher menschlichen Kommunikation, um die heillose Unfaßbarkeit dieses unseres Daseins darzustellen. Eine Farce findet statt, ein grausiger Jokus mit der Verzweiflung.

Denn eine Belustigung ist das kleine Stück. Es hat Elemente des Theatralischen, die den an sich unappetitlichen Zustand, der da geschildert wird, immer wieder vergnüglich machen. Wenn die beiden sabbernden Alten in imaginärer Konversation zeigen, wie das Wort, wie die Unterhaltung, wie die Sprache nur noch aus dünnen, dummen Klischees besteht, so hat das Züge einer grauslichen Satire. Wenn sie ihre miese Stube langsam und erregt und in gesellschaftlichem Leerlauf vollstellen mit Stühlen und eine trügerische Fülle herstellen, wo eben absolut nichts ist, so bekommt die Szene eine gespenstische Dichte, kriegt das Stück eine Beigabe des Zauberischen, wie es eben nur echtes Theater hat.

Wenn immer wieder Elemente des Pantomimischen gebraucht werden, so hat auch das seine Faszination. Ionesco, das merkt man, ist ein Mann des Theaters durchaus. Er hat den Griff für die Unerklärlichkeiten der Wirkung. Er mag ein Apostel des Nullpunktes sein und seine Gründe haben dafür. Die Szene als lebendige Handhabe beherrscht er, das wurde erkenntlich.

Es wurde deutlich in der sehr intelligenten und klug steigernden Aufführung, die Hermann Herrey von der schwer greifbaren Sache geschaffen hat. Hugo Schrader spielt erstaunlich phantasievoll und variierend darin den seichenden, greinenden, sabbernden, leidenden, quengelnden Greis. Maria Krasna ist seine Baucis – noch etwas zu aktiv, zu jung, zu fleischig präsent für die grausige Alterslosigkeit, die hier gefordert wird.

Stücke wie diese sind nicht auf Anhieb zu entschlüsseln. Ein Teil des Premierenpublikums wurde ungeduldig und machte vorsichtig sein Unverständnis kenntlich. Stücke wie diese wirken im nachhinein. Die Bilder, die sie prägen, haften, sie erklären sich nicht auf Anhieb. So faßte es auch die Mehrzahl im Parkett auf und gab der ungewöhnlichen, mutigen und gelungenen Darstellung des eigentlich Undarstellbaren kräftigen Beifall. 24. 9. 1957

Jean Genet »Die Zofen«
und Eugène Ionesco »Jacques oder der Egoist«
Tribüne

Hier knisterte es. In beiden Fällen, bei Genets geradezu perfid intelligenter Kurz-Tragödie wie bei Ionescos unsinnig-sinnvoller Burleske – in beiden Fällen stand der Theaterskandal auf der Schwelle. In beiden Fällen ist es starker Tobak, der da angeboten wird. Aber die Leute blieben bei der Stange. Nur zum Schluß knallte vorzeitig die Parkett-Tür, den Rückzug einiger Malkontenter zu signalisieren. Sonst blieb es mucksmäuschenstill.

Die neuen Schock-Franzosen werden hier langsam heimisch. In beiden Fällen begibt sich – und das ist selten geworden – Theater. Die Szene ist wieder gefährlich. Es wird mit Figuren, es wird mit Menschen gespielt, beidemal nahe am Abgrund. Und das macht – wie selten ist das sonst geworden! – heiße Hände im Sperrsitz. Ein faszinierender Abend.

Zuerst gibt's »Die Zofen« von Jean Genet. Man hatte vor, hier seinen skandalösen »Balkon« zu spielen. Das, leider, scheiterte am Kleinmut der Festwochen. So kommt dieses hochintelligente, mit geradezu wollüstiger Menschenverachtung gewirkte 90-Minuten-Szenarium auf die »Tribüne«, »Die Zofen«.

Eine schwelende Etüde in Haß. Ein dauerndes Spiel auf doppeltem Boden. Formal ist das Theater. Ort der schockierend erregenden Handlung: das Boudoir einer dummen, großen Dame. Ihre Domestiken trachten ihr nach dem Leben. Den Herrn des Hauses haben sie schon durch anonyme Briefe ins Kittchen gebracht. Jetzt wollen diese beiden faszinierenden Kellerasseln von Zofen die Herrin, die sie hassen, vergiften. Es gelingt ihnen nicht.

Aber sie spielen ihr Haß-Spiel auf doppelter Ebene. Sie proben die Quälereien untereinander aus – die eine Zofe als Herrin, die zweite als unterkietig aufsässige Bedienstete. Wenn ihnen das Objekt ihres Hasses, die Herrin, entweicht, gehen sie sich gegenseitig an die Gurgel, vernichten sie sich mit Worten, schießen sie mit Gift aufeinander, morden sie sich am Ende.

Das ist geladen mit Bosheit und Qual. Dieser französische Stückeschreiber spritzt Menschenverachtung. Er sagt: Vorsicht, Leute! Die Gemeinheit, die in uns steckt, ist horrend! Unsere Möglichkeiten zur Perfidie sind unbegrenzt! Ich hebe den Deckel von der Schlangengrube unserer Herzen. Seht her! Scheusälig und hinreißend ist, was dort an Gefühlen, Bedrohungen und ungelöstem Haß kreucht und fleucht. Wenn der Mensch Größe hat – dann in der Bosheit!

Darauf nun wäre die Antwort des Horatio am Platze: Die Dinge so betrachten, heißt sie zu genau betrachten. Gewiß. Aber das schöne Schlimme stellte Jean Genet so anreißend, so perfid intelligent, so anziehend hin, daß man den Blick nicht wenden kann von den vielen, szenisch immer neuartigen Wendungen des Übels.

Der Mann macht hanebüchenes Theater. Aber es ist Theater

mit vollen Händen. Die Erinnyen bei den alten Griechen waren auch kein Zuckerschlecken. »Die Zofen« sind moderne Erinnyen im Boudoir. Man sieht ihnen zu, man lauscht ihnen mit Schauder. Sie lösen das Vergnügen und die Trauer an der Bosheit aus. Die Szene knistert dauernd.

Daß sie es tut, ist hier der vorzüglich geschichteten Inszenierung von Hermann Herrey zu danken. Da hängt der Giftfaden keinen Augenblick durch. Geschlaucht, gerädert und von soviel perfekt dargestellter Arglist am Ende wieder amüsiert und erhoben geht man in die Pause.

Denn auch schauspielerisch könnte dies kaum besser sein. Gisela Trowe ist die eine Zofe, von heißer Kühle, bedrohlich, schleichend, dauernd im Ansprung, gefährlich gefährdet, erotisch geladen und zum Unheil wie prädestiniert. Eine großartige Leistung. Claudia Losch gibt ihr vollen Widerpart. Ihr Haß ist von weniger eleganter Art. Sie verlautbart die Qual der auch äußerlich zu kurz Gekommenen. Sie spricht vorzüglich und hat eine eigenartig bestechende Dämonie der Häßlichkeit. Eine große Begabung.

Großartig auch, wie Dorothea Wieck, die Herrin und das Objekt des Hasses aus dem Souterrain, ihre Rolle mit Gefahrenstoff füllt. Eine Aufführung aus einem großen, bösen Guß.

Bei Eugène Ionesco dann geht's burlesk zu. »Jacques oder der Gehorsam« heißt dieser Text, dessen Worte bewußt sich immer wieder von der Logik entfernen.

Jacques, ein junger Mann, soll verheiratet werden. Erst will er nicht. Die Familien hüben und drüben tun ihr Bestes. Dann will er doch. Mehr passiert nicht.

Aber darauf kommt's Ionesco nicht an. Was er dartun will, ist unsere menschliche Beziehungslosigkeit. Der eine redet. Der andere antwortet. Berühren tun wir uns mit Worten nicht. Das große Babylon und seine Sprachverwirrung ist eingetreten. Unsere Einsamkeit ist zementiert, wie sehr wir in ihr zappeln. Wir haben unsere Gefühle, aber wir werden sie nicht mehr los. Das ist, will Ionesco wohl sagen, tief tragisch. Aber es ist auch in seiner absurden Hilflosigkeit burlesk. Wehe, wir sind komisch geworden!

So spielt er eine Groteske. Die Restfiguren des Menschlichen, die er vorzeigt, zappeln in der Konvention. Sie lallen meist. Unverständliches. Der reine Morgenstern wird gesprochen. Der scheinbare Unfug wird verlautbart. Aber – wie bei Morgenstern –

das poetische Wunder: unter der Decke des Blödsinns verlautbart sich der Sinn, wird die Trauer der Kreatur merkbar, fühlt man langsam den Unterton der Logik im Absurden.

Da denn ist der Spaß groß. Man muß immer wieder an den Zauber Chagallscher Bilder denken, auf denen ja auch alles durcheinandergeht und Schwerkraft und Logik aufgelöst sind. Trotzdem stimmen sie eben deutlicher als jeder aufgebrauchte Realismus. Ionesco bewirkt, daß seine gefesselten Gestalten plötzlich fliegen. Das ist das Wunder des Dichterischen im Reich des scheinbar ganz und gar Absurden.

Hermann Herrey hat diese deutsche Erstaufführung mit pantomimischer Akribie eingerichtet. Das erinnert tatsächlich immer wieder an Chagall. Er läßt die Figuren wie in Marionettenfäden hängen. Das ergibt eine höchst reizvolle, ruckende, hölzerne Beweglichkeit. Er hängt Masken vor die Gesichter. Er läßt streckenweise Ballett mit Worten machen. Er wirbelt einen kleinen optischen Zauber auf, der das Verständnis für das scheinbar Unverständliche leichter macht. Er verdeutlicht den Humor, den makabren, an der Sache und verdeckt dabei vielleicht zu sehr die dem Vorgang innewohnende Tragik. Den Jacques spielt Hugo Schrader. Er hat sich schon im letzten Jahre als ein Ionesco-Spieler präsentiert. Er tut es wieder und hat genau die abstrakte Realität, die gebraucht wird. Claudia Losch ist seine Braut mit den drei Nasen. Wie sie mit Worten, die aus der reinen Imagination und nicht aus der Vernunft kommen, den störrischen Liebhaber kirrt, gereicht der aus Konstanz zugereisten jungen Darstellerin sehr zum Ruhme.

Ein sehr beunruhigender Abend. Beide Male aber volles, richtiges Theater.   3. 10. 1958

Jean Genet »Der Balkon«
Schloßpark-Theater

Dieses Stück ist grundböse. Es ist begabt und böse mit der ganzen abstoßenden und attraktiven Faszination des Bösen. Es liebt den Menschen nicht. Es bemitleidet ihn kaum. Es zeigt ihn als den Popanz seiner Illusionen. Dieses Stück treibt immer ein doppeltes Spiel: es schockiert und rührt, es jongliert auf doppelter Ebene.

Es hat jene Doppeldeutigkeit, hat die Ambivalenz, hat in jeder Szene jene vielfach schillernde, vielsagende Bedeutung, die heute fast eine Vorbedingung des Dichterischen geworden ist.

Alles in einem Topf: Obszönität und Heiligkeit, bizarrste Komik und ernstester Ernst, Perversion und Liebe, Gemeinheit und Heldentum. Hier hängt die Welt nicht mehr in ihren alten Haken. Hier schwimmt alles. Auflösung herrscht. Genet, der Poet des Anrüchigen, stellt einen fürchterlichen Tatbestand dar. Alle Werte torkeln. Alles ist auswechselbar. Die totale Relativierung ist perfekt.

Die schlimme, die unleugbare Begabung dieses dunklen Autors hat einen gewiß fragwürdigen Zug zum Unerkietigen, Unterschwelligen, oft Perversen, immer bewußt Provokanten. Sein Garten steht voll von den Blumen des Bösen. Man mag seine Art und seine Geste ablehnen, sogar hassen. Daß hier ein schwarzes Talent am Werke ist, werden auch die nicht leugnen, die während und nach der deutschen Erstaufführung im Schloßpark-Theater mit Pfiffen, Zwischenrufen und Buh-Schreien beschäftigt waren.

Schon der Grundeinfall ist von genialer Unverschämtheit. Das Stück spielt im Bordell. Draußen herrscht Revolution. Die Welt wankt. Fernes Maschinengewehrfeuer und dumpfe Detonationen als realistische Untermalung einer bizarren Szenerie.

Denn dieses Bordell ist das »Haus der Illusionen«. Drei arme Schlucker werden bei der Auswechslung ihrer Persönlichkeit vorgeführt. Der eine spielt in diesem Haus den Bischof. Er steigert sich in die Illusion der Heiligkeit hinein und betreibt eine qualvolle Spaltung seiner Persönlichkeit im Angesicht der leichten Mädchen.

Der andere wird in diesem Ort der Unzucht zum Richter und Wahrer des Rechts, gequält und quälerisch seinen eigenen miesen Traum von der unbedingten Wahrheit des strafenden Richters spielend. Der dritte träumt sich mit schmieriger Unbedingtheit in die martialische Gestalt eines Generals und Machtträgers hinein. Drei Fälle von schlimmer Mischung aus Sex und Illusionssteigerung einer kleinen, muffigen Wirklichkeit ins Monumentale.

Als die Revolution näher rückt, sobald die wirklichen Machtträger des Landes hinweggefegt sind, offeriert der Präsident, ein eifriger Freund der einsamen Stätte, die drei perversen Träumer dem Volk ernsthaft als Bischof, Richter und General.

Und jetzt das Schlimme: die Menge merkt's nicht, als diese drei

Popanze ihr als die neuen Träger der Macht vorgestellt werden. Sogar die Chefin des Hauses akzeptiert das Volk als Königin. Die Umkehrung aller Werte ist vollendet. Schlimmer wurde selten die Unzulänglichkeit der Massenseele gegeißelt, als in diesem Augenblick, da die pervertierten Vortäuscher der Macht auf den Balkon treten und, sozusagen, keiner des neuen Kaisers Kleider erkennt.

Bis dahin stimmt das arge Stück, wenn man seine These annehmen will. Dann gerät es ins Schwimmen und in die Undurchschaubarkeit. Der Präsident, der den argen Hokuspokus leitet und inauguriert, leidet an einer Verdrückung. Er will erst glücklich sein, wenn in diesem »Hause der Illusionen« sich auch ein Kunde einfindet, der er, der »Präsident« sein will. Er ist erst bestätigt, wenn andere in seine Traumgestalt schlüpfen wollen. Er zielt den Terror über die Träume anderer an.

Das passiert. Einer der armen Schlucker von Revolutionären imitiert ihn im Freudenhaus, geht in seine, des Präsidenten, ausgeborgte Gestalt und erlöst und bestätigt damit den wüsten und zynischen Träger der Macht selbst.

Da aber wird's nur noch schwummerig. Da verläßt den argen Autor jene dunkle Luzidität, die sein Text sonst hat. Da auch kommt die dichterische Sprache, der spezifische Eigenton Genets, ins Flattern. Und billig ist die Schlußansprache der resoluten Puffmama, wenn sie, ins Publikum gewandt, uns mitteilt, daß unser tägliches Leben viel unwirklicher, fragwürdiger und illusionsverlogener sei als das, was sich in ihrem Institut hier eben abgespielt hat.

Bisher wurde das Stück nur in London, sozusagen in geschlossener Gesellschaft, gespielt. Es auf die Bretter einer Staatsbühne zu bringen, zeigt Mut, aber bringt es eigentlich doch an den falschen Ort. Dies gehört eher in den kleinen Rahmen einer Experimentier- und Provokationsbühne. An der falschen Placierung litt der Versuch schon.

Er litt weiter unter einer Aufführung, die wenig von der brillanten, bösen Phantastik des Textes lebendig machen konnte. Hans Lietzau kriegte den sonderbar prickelnd provozierenden Schwebezustand zwischen Wirklichkeit und anrüchigem Traumzustand nicht richtig hin. Das Bühnenbild (A. M. Vargas, Paris) ermangelte grundsätzlich der spielerischen Gefährlichkeit, die dies schon für das Auge haben müßte.

Viele gute Spieler waren für die grundsätzlich böse Sache auf den Plan geführt. Walter Franck, Friedrich Maurer, Rudolf Fernau sind die Popanze der Machtträumerei. Aber leider hat ihnen die Regie den erstaunten Doppelton ihrer doppelten Existenz nie richtig beigegeben.

Berta Drews geht da, als die Händlerin in Träumen, ganz anders an die heikle Sache heran. Anneliese Römer hat auch in Ton und Geste genau die schöne, bittere Doppeldeutigkeit einer Freudendame mit der Melancholie im unerfüllten Herzen. Sie auch hat die gleißende Kälte im Dialog, die sonst eigentlich nur noch Gisela Uhlen, als das ausgewechselte Symbol der Revolution, erreicht.

Eigenartig, wie hilflos Bernhard Minetti in seiner Rolle des Präsidenten belassen war. Er verlegte sich aufs Grimassieren, wenn er Dämonie bedeuten wollte. Und Peter Mosbacher traf ebenfalls nicht annähernd die heimliche Tragödie eines Revolutionärs, der sich am Ende selbst im Netz seiner Illusionsträume verfängt und aufgibt.

Als Garnierungen des Erotischen wirkten Lore Hartling, Edith Schneider, Barbara Saade, ohne viel mehr als eine Art koketter Korsettschau geben zu können.

Das begabte, böse Stück liest sich viel besser und richtiger, als es wahrscheinlich überhaupt dargestellt werden kann.

Geteilte Aufnahme. Teils kamen prompt die erwarteten Proteste, die dann wieder den Beifall fast unziemlich belebten.

20. 3. 1959

–Die Spielzeiten 1957/58 und 1958/59 –
UNMUT UND WARNUNG

John Osborne »Blick zurück im Zorn«
Schloßpark-Theater

Was macht dieses Stück Ungeduld, macht diese drei Akte menschlicher Unerfülltheit so sensationell, daß sich ein ganzer Teil der englischen Jugend darin wiedererkannte, als es vor einem

Jahr im Royal Court Theatre erschien? Warum ziehen die New Yorker Kritiker davor den Hut? Warum war jetzt der Erfolg im Berliner Schloßpark-Theater so begeisterungsdurchsetzt, obgleich dieses Panorama jugendlicher Seelen ja doch gerade nichts dartut als das Dilemma der Begeisterungslosigkeit, als die leidige Abwesenheit des Enthusiasmus?

Das Stück reüssiert so, weil es dreierlei ist: wahrhaftig, geschickt und unterhaltend.

Was die Wahrhaftigkeit angeht, so unterscheidet es sich von der letzten Welle der Rebellenstücke, die in den zwanziger und dreißiger Jahren über die Weltbühnen gingen, grundsätzlich. Hier wird nicht mehr eine Anklage gegen einen direkten Mißstand formuliert. John Osborne, der junge, englische Schauspieler-Autor, macht nicht mehr die falsche Gesellschaftsordnung oder die Wohnungsnot oder die Unmoral der Mächtigen verantwortlich wie damals Friedrich Wolf und Lampel und Bruckner und Brecht und Clifford Odets und wie sie alle hießen.

Osborne hat in dem Sinne keinen Gegner mehr. Er gibt nicht vor, eine Moral und Nutzanwendung zu kennen, mit der man die Welt verbessern könnte. Er stellt sich auch keine Gegner auf die Szene, denen er dann jeweils ordentlich eins versetzen könnte.

Sein Rebellentum dort in der englischen Mansarde, darin dies Stück Leben spielt, darin vier junge Leute hausen, sich aneinander reiben, sich kameradschaftlich zugetan sind, sich lieben und quälen – das Rebellentum dieser Generation ist anderer Art.

Diesen jungen Leuten ist grundsätzlich mies. Der salbungsvolle Bildungston der Sonntagszeitungen ekelt sie ebenso an wie der heiße Quatsch der Sensationspresse. Osborne läßt sie die leeren Formen der Monarchie ebenso lächerlich machen wie den penetranten Sozialismus des dicken Mr. J. B. Priestley. Sie ziehen die Kirche ebenso durch den Kakao ihrer respektlosen Reden wie den seifigen Billy Graham.

Sie mokieren sich über das Kulturgetue der »Dritten« Radioprogramme genauso wie über die verlogenen Verlautbarungen der Politiker, und Osborne läßt seine Gestalten mit zielender Frechheit an all diesen Tempeln der Öffentlichkeit kratzen, daß das schadenfreudige Vergnügen daran schon groß ist.

Aber bei Osborne wird nicht mehr gehofft, es würde anders, wenn nur die Verhältnisse anders würden. Seinen Helden ekelt nicht nur vor der Brüchigkeit, Fragwürdigkeit, Verlogenheit der äußeren Welt, die ihn umgibt. Er ekelt sich am meisten vor sich selber. Ihm ist mies, weil er wohl das Ungenügen formulieren kann und seinen Spott loslassen auf ziemlich alles, das ihn umgibt. Er ist ein Perfektionist in der Negation. Er leidet darunter, daß seiner Generation nicht mehr gegeben ist, ein Positives zu finden.

Er formuliert genau und mit wunderbarer Respektlosigkeit die Lächerlichkeit und Fragwürdigkeit dieser Epoche. Gleichzeitig aber ekelt er sich vor sich selber. Weil er über den Zustand des Zweifels und Zerreißens nicht hinauskommt. Ein bißchen Begeisterung, nur ein Funken Enthusiasmus – danach sehnt er sich.

Aber gerade das ist diesen jungen Leuten, diesen Mansardenrebellen nicht gegeben. Sie sind Revolutionäre ohne Revolution. Sie sind Begeisterte ohne Begeisterung, sind Moralisten, ohne daß ihnen eine feste und mögliche Moral gegeben wäre. Ihre junge Zweifelsucht hat schon alles zerfressen. Sie sind Idealisten ohne Ideale.

Wie dieser zutreffende Zustand, wie diese Welt-Malaise einer heutigen Jugend dargestellt ist, ist schon außerordentlich. Osborne läßt sie jenen schnippischen Jargon der jungen Halbgebildeten vorzüglich sprechen, jenes illusionslose Kauderwelsch, das sich heute in allen Sprachen ähnlich findet.

Er liebt die Gestalten, die er darstellt, obgleich sie sich selber und untereinander nicht mehr lieben können. Er bringt genau und oft mit einer komischen Sicherheit den Kabbelton, die Kameradschaft, die verdeckte Herzlichkeit auf, die unter jungen Leute heute allerwärts zu bemerken ist. Und er läßt sie gleichzeitig die Zynismen äußern, die Lust an der Selbstvernichtung üben, jene neurotische Ungenügsamkeit, wie sie dieser Generation allgemein ist.

Ein Generationsbild wird gegeben. Dieser Jimmy Porter ist (wenn der hohe Vergleich gestattet sei) eine Art Werther des mittzwanzigsten Jahrhunderts. Daß er keinen Selbstmord begeht, daß ihm der Gedanke dazu überhaupt nicht kommt, ist wieder bezeichnend und von Osborne richtig beobachtet.

Das Stück hat Wahrhaftigkeit. Es spiegelt die leidige Mentalität einer ganzen Generation unverblümt und ohne Schminke. Wo diese jungen Leute ein bezeichnendes Selbstmitleid zeigen, auch da wieder ekelt sie im nächsten Augenblick schon selber davor. Auch das ist wahrhaftig und richtig.

Das Stück ist so geschickt, weil es mit den alten fünf Akten des Schauspiels wieder fertig wird. Da wird im alten Ibsensinne wieder handfest dramaturgisch gearbeitet. Trotzdem wirkt die inzwischen nur immer zerbrochene Technik nicht antiquiert. Man kann, erweist sich, neuen Wein in die alten Schläuche herkömmlicher Dramaturgie füllen. Man muß nur etwas zu sagen haben. Daran liegt es.

Und das Stück ist so unterhaltsam, weil der Vorgang des Wiedererkennens, auch wo dieses Wiedererkennen wie hier böse und hoffnungslos erscheint, höchst vergnüglich ist. Osborne schreibt einen vorzüglichen Dialog, der, obgleich er literarisch hochgestochen und anspruchsvoll ist, doch immer sprechbar bleibt und die Gestalten, für die er typisch sein soll, sicher typisiert. So auf den Punkt der Wirkung, ohne mit der Wirkung zu poussieren, schreibt in seiner Generation sonst keiner. Das Stück, während es Tragisches zeigt, amüsiert. Lob dem Manne, der dergleichen vermag!

Die Berliner Aufführung war gesegnet mit einer absoluten Erfüllung der Hauptrolle. Klaus Kammer spielt den Jimmy Porter, diesen Schwadroneur und Mansardenrebellen, ohne auch nur eine Lücke in seinem Charakter zu lassen. Er hat eine nervöse Grazie, eine störrische Jungenhaftigkeit, die dem Part sehr zugute kommt. Und er kann jene zerfressende Intelligenz kenntlich machen, die Respektlosigkeit seiner Generation, den Haß auf das Gefühl, während sie sich nach Gefühlen zersehnt.

In der Londoner Aufführung, die ich sah, wurde diese Rolle nicht ähnlich gut dargeboten. Klaus Kammer ist die absolute Erfüllung. Der Beifall galt am Ende, zu Recht, vor allem ihm.

Boleslaw Barlog hatte für die andern Rollen nicht ähnlich gute Besetzungen. Julia Costa war für die Rolle der Frau des revolutionslosen Revolutionärs zu blond, zu blaß, zu wenig belangvoll. Lore Hartling, ihre Freundin und Gegenspielerin, brachte auch nicht genug menschliches Gewicht auf die Szene, als daß man ihr so genau zugehört hätte, wie der Autor wohl will.

Friedrich Siemers spielt den Kumpel und männlichen Ausgleicher in dieser bezeichnenden Hölle unter dem englischen Dach. Rudolf Fernau, der einzige Vertreter der älteren Generation, der in dem Stück zugelassen ist, konnte die rückblickende Wehmut, mit der ein Mann der Vergangenheit seine Lebensenttäuschung mit der der Jugend mißt, nicht ganz kenntlich machen. Auch da steckt mehr drin.

Aber es war ein bedeutender Abend, wenn auch Barlogs Aufführung nicht alle Möglichkeiten nutzte. Man sah ein Stück, mit dem endlich eine Gegenwart sichtbar wird, in dem ohne falsche Fisimatenten ein Zeitgefühl sich ausdrückt. Man sah eine Schauspielerleistung, die ein Glück bedeutet. Man soll dankbar sein.

9. 10. 1957

John Osborne »Der Entertainer«
Schloßpark-Theater

Das Stück ist von fragwürdiger Beschaffenheit. Im Vordergrund zeigt es eine individuelle Studie des Verfalls. Ein »Entertainer«, ein Mann, der in den kleinen Music Halls auftritt und dort mit ein paar Späßen, zweideutigen Liedchen und pseudopatriotischen Gesängen die Leute zwischen einem Kraftakt und den Tänzen drittklassiger Girls unterhält, pfeift auf dem letzten Loch.

Der Mann ist ein moralisches Vakuum. Er säuft. Er hat es mit den Weibern. Steuern hat er seit dreißig Jahren nicht mehr gezahlt. Seine Familie läßt er in Gin und Not absacken. Er tut nur noch so, als sei er immerhin eine »Glanznummer« des Programms. Er spielt weiter, was er ein Leben lang getingelt hat. Aber er ist sich im Grund bewußt, daß er abgesackt ist, eine Nummer von gestern, ein Relikt aus längst vergangener Zeit.

Das das Vordergrundschicksal. An ihm will John Osborne, jung und zornig, wie er sich hat, den makabren, allgemeineren Hintergrund sichtbar werden lassen. Wir Engländer, sagt er, tun ja nur so, als wäre noch alles beim alten. Wir treten noch auf, obgleich wir schon längst abgetreten sind. Wir sind eine Zugnummer von gestern. Es stimmt ja alles nicht mehr, nicht die Melodie, nicht der Text, nicht das selbstsichere Bühnengehabe. Wer's nicht glaubt, macht sich etwas vor – wie dieser miese, kleine Entertainer.

Das ist nun szenisch etwas bedenkenlos zusammengebastelt. Osborne legt die Handlung in das vergammelte Familienzimmer des abgenutzten Varietémannes. Dort sitzt sein redlicher Vater, der noch zur alten, würdigen, funktionierenden Bühnengeneration gehörte und nur noch den Kopf schütteln und von den besseren Zeiten reäsonieren kann. (Merkste was? Er ist die Inkarnation des »good old England«.)

Dort ludert die arme, geplagte Frau des Entertainers, die im unleidlichen Zusammenleben mit diesem Filou die Ginflasche zum Beichtiger ernannt hat und deren arme Seele im Alkohol davonspült. Dort verkehren auch die Kinder, die Vertreter einer illusionsloseren, jüngeren Generation. Sie sehen dem verlogenen Gehabe ihrer Eltern kopfschüttelnd zu. Sie wissen und sie sagen, daß das alte Kling-Klang-Gloria weder auf der Bühne noch im nationalen Leben Englands mehr stimme. Wo die ältere Generation die Augen zukneift, wo sie weitermacht und sich belügt, sind die Jüngeren zornig in ihrer Illusionslosigkeit, öffnen sie ihren Mund und schreien sie ihren Ekel und ihre Erkenntnis den alten Schaustellern einer nicht mehr zuständigen Vergangenheit ins Gesicht.

Das nun ist dramaturgisch allzu bedenkenlos geknüpft. Es weidet sich oft an Effekten einer billigen Melodramatik. Es läßt ganze Figuren (wie die des alten, väterlichen Schaustellers, nachdem die doch immerhin sehr ausführlich eingeführt wurde) einfach, hoppla, wieder von der Szene verschwinden.

Die Wahrheitsreden, die die jungen Zornigen am Schluß ausstoßen müssen, klingen oft schablonenhaft, sind in ihrer sozialkritischen Betulichkeit banal und kaum überzeugend.

Wenn dann schließlich der Entertainer, dieser Miesling des minderen Tingeltangels, mit überdeutlicher Symbolik selbst den Gesang der Verkommenheit und nationalen Schande anstimmen muß, dann repetiert Osborne die billigsten Bajazzo-Effekte. Er ist nicht zornig genug, um wirklich böse zu sein. Ihm ist nur grundsätzlich mies. Und das genügt zu wahrer Opposition und Kritik und Dramatik eben nicht. Der Nachgeschmack des unsicher gebauten Stückes ist ebenso bitter wie fade.

Aber – und das weist Osborne doch als Bühnenbegabung aus – das Unstück von einem Stück hat ein paar spielbare Rollen, die ein Schauspielerfressen sind. Ein schlechter Prediger mag Osborne sein. Mit seiner dramatischen Kunst ist es vielleicht auch nicht weit her. Rollen kann er schreiben. Das bleibt als Plus.

Nur deshalb wird das Stück wahrscheinlich auch allenthalben so emsig gespielt. Die Verfallsstudie des Entertainers selber, diesen Schausteller einer emsigen Leere, diesen Komiker des Unkomischen spielt hier Martin Held. Er ist brillant. Er überzieht die Gestalt mit einem widerwärtigen, gallertartigen Selbstbewußtsein. Ihm gelingt es (ein so guter Schauspieler ist er!), einen miserablen Schauspieler zu spielen, und er macht das so talentiert, daß man die Abwesenheit jeden Talents bei der dann dargestellten Schauspielergestalt erkennen muß. Das zu sehen, allerdings, lohnt den fragwürdigen Anlaß. Held spielt bravourös, sozusagen gegen den Strich.

Erstaunlich, wie redlich und drückerlos Walther Suessenguth daneben die Figur des Schauspielervaters setzt. Der Père noble von vorvorgestern. Der Mann mit dem Anstandsgefühl, das seinem Sohne so gründlich abhanden gekommen ist, ein gepflegtes Relikt aus großer viktorianischer Epoche. Suessenguth spielt das mit Haltung, Herz und einer komödiantischen Noblesse, die sehr angenehm sind.

Leid tut einem hier die so achtenswerte Berte Drews. Sie ist von der Regie offenbar etwas hilflos gelassen und wälzt sich nur mmer monoton in Elend und Suff. Wahrheit kriegt diese Gestalt einer abgerutschten Frau nicht.

Bewundernswert dagegen, wie Krista Keller als die Tochter und Wortführerin der zornigen Wahrheit erst an sich hält. Sie hat wohl bei Hilpert gelernt, wie man die Szene halten kann, auch wenn man nur zuhört und nur aus der Stille aktiv sein darf. Sie hat eine erstaunliche Suggestion, und wenn es dann in den Ausbruch geht, beweist sie schon, wie sicher sie ihre Mittel zur Hand hat. Ein Gewinn.

Sehr amüsant und grauslich zugleich: das ingeniöse, stimmungsmachende Doppelbühnenbild von Jörg Zimmermann. Jetzt ist die Vorbühne Tingeltangel und Vorstandtrampe mit all dem falschen Flitter einer Temps perdue. Und gleich, mit zwei Handgriffen, ist die miese, zugige, gingetränkte, möblierte Stube der ausgelaugten Gesellschaft von vorgestern aufgeklappt.

Regie: Hans Lietzau. Das meiste, was das Stück hergeben mag, hat er herausgeholt. Die Übergänge von einem Schauplatz zum anderen ließen sich vielleicht noch effektvoller machen. Ein paar allzu sichtbar unenglische Details in diesem urenglischen Milieu hätten vermieden werden müssen.

Fazit: Ein fragwürdiges Stück englischer Selbsterkenntnis von unterschiedlicher Unterhaltungskraft und reichlich protziger Moral. Aber ein Stück mit ein paar spielbaren Rollen und einem brillanten, sehenswerten Titeldarsteller. Wer mehr will, hat hier nichts verloren. Das Publikum gab den Spielern vollen Beifall.

19. 4. 1958

Max Frisch »Biedermann und die Brandstifter«
Theater am Kurfürstendamm

Das Stück ist so amüsant, weil es so vielfach auslegbar ist. Sein Humor ist schwarz gerändert: eine Weltanschauungsfarce, in der der Zeitgenosse Biedermann die Brandstifter und Teufel schier selbst ins Haus holt und sich mit Beelzebub an seinen eigenen Tisch setzt. Er leistet dem Schlimmen nur immer Vorschub.

Aus Gemütlichkeit, falschem Biedersinn und Herzensfeigheit reicht er dem ganz offen sich deklamierenden Brandstifter sogar die Streichhölzer selbst. Trotzdem will er's nicht wahrhaben, daß er mitschuldig ist – im Grunde der Schuldigste von allen. Noch in der Hölle negiert er einfach das Unheil: wo er ist, muß ja der Himmel sein!

Eine witzige Kommentierung der grassierenden Bewußtseinsspaltung, vielfach anwendbar. Man kann die Moral dieses »Lehrstückes ohne Lehre« auf die jüngste Vergangenheit anlegen. Man kann bedeuten: wir wußten ja, daß Hitler Krieg, Vorherrschaft, Brand und Ausrottung meinte. Er hat's deutlich genug gesagt. Trotzdem hat man's nicht recht geglaubt: Biedermann als Mitläufer.

Oder man kann (und soll hier wohl) an die Brandstifter denken, die mit dem neuen Großen Feuer, mit der Teufelsbombe kokeln. Wir dulden es. Wir sehen es mit an und finden viele Gründe, es zu tun. Aber die Lunte ist gelegt. Wehe!

Oder man kann an die demokratische Duldsamkeit denken, mit der extreme Brandstifter biedermännisch von uns ausgehalten werden, ganz rechts und ganz links. Die Luntenleger des Umsturzes sitzen an unseren Tischen, kaum verdächtigt. Aus Gründen der öffentlichen Gemütlichkeit schieben wir die Regungen einer besseren Einsicht einfach weg: Ist ja alles nicht so schlimm ...

Max Frisch zeigt: es ist schlimmer, als ihr denkt! Er zeigt im Nachspiel sogar, daß schon im Himmel die »weiche Welle« herrscht. Dort werden, nach kurzer Seelenwäsche, die übelsten und höchsten Brandstifter von gestern rehabilitiert.

Recht hat der Teufel, wenn er da paßt. Wenn der Himmel die alten Spielregeln von Gut und Böse schon nicht mehr einhält, kriegt auch die Hölle nicht mehr ihren Nachschub. Verständlich, daß der Höllenfürst und sein Adjunkt trotzig werden, aufs Fahrrad steigen und auf die Erde fahren. Vorsicht, die Teufel, die

Brandstifter sind wieder mitten unter uns!

Frisch hat dieses Warnungsspiel satirisch garniert. Ein verhohnepipelter antiker Chor tritt auf. Männer in Feuerwehrhelmen gruppieren sich zu klassischen Versen und kommentieren donnernd den exemplarischen Vorgang.

Die Intellektuellen kriegen ihr satirisches Fett, wenn ein eifriger, immer zu spät kommender Brillenträger fleißig seinen Protest und seine Einsicht proklamiert. Aber tun tut er auch nichts.

Die verbreitete Praxis des Kopf-in-den-Sand-Steckens wird im Dialog heiter angeprangert. Das Menetekel ist längst, deutlich lesbar, an die Wand geschrieben. Wir kneifen die Augen zu, weil nicht sein kann, was nicht sein darf. Selbst die Hölle noch, sagt Frisch, versuchen wir uns in unserer dummen Bewußtseinsbelügung umzutapezieren. Wir machen weiß aus schwarz. Und wir wissen, daß wir es tun. Wehe!

Eine Weltanschauungsgroteske mit Ulk, Ironie und tieferer Bedeutung. Ein Stück heimlicher Gegenwart, mit der Schärfe eines bitteren Spaßes sichtbar gemacht. Ein sonst vorsorglich verdeckter Nerv der Zeit, zynisch und besorgt angebohrt. Man sollte denken, das müßte – um in der Brandstiftersprache zu bleiben – zünden, Provokation auslösen oder Schadenfreude oder heimliches Erschrecken oder Unbehagen.

Tat es aber hier nicht. Nach dem Hauptstück kam kaum Beifall. Schon bei den bissigsten Partien, bei ein paar wirklich dekuvrierend komischen Texten, hatte sich Heiterkeit kaum geregt. Das parodistische Pathos des Chores von Feuerwehrmännern hatte überhaupt nicht gezündet.

Erst im Nachspiel schien es, als ob der parodistische Ulk mit seinem offenbaren Doppelsinn besser verstanden und goutiert würde. Endlich kam Resonanz. Am Ende immerhin ein kleiner, sich dann steigernder Beifall.

Was war los? Leonard Steckels Inszenierung war sonderbar farblos. Den Mut, die richtige Lehrgroteske zu geben, hatte er offenbar nicht. Den Moritatenstil, dessen dieses Parabelspiel bedarf, fand er nicht. Die böse Komik des Textes wurde nicht schmeckbar. Die Leute im Parkett schienen die latente Doppelbödigkeit der Sache nicht recht zu fassen. Und was Ulk daran ist, wurde nicht recht ulkig.

Das lag auch an der Besetzung. Karl John ist für die symptomatische Rolle des Biedermanns zu monoton und pofillos. Er trat nie richtig in die Fettnäpfchen, die der Autor dieser Figur hingestellt hat. Seine dauernd aufgebrachte Gestik ist beschränkt, seine Tonart gleichförmig. Die Mittelfigur blieb uninteressant, ohne Konturen der Bezüglichkeit. Damit war schon das Loch in der Sache.

Auch Harry Meyen, der den einen der brandstiftenden Einschleicher gab, spielte mehr eine schmale Figur als die heimtückische Frechheit des Bösen, als die penetrant komische Rechthaberei der Verderbnis. Dafür legte dann Horst Niendorf als einziger so dick auf, wie hier nötig war. Er kriegte immerhin eine satirische Breite. Er stieg in das kräftig gemalte Groteskspiel so ein, wie es sich gehörte. Er pinselte dick und farbig, wo die anderen nur mit Bleistift strichelten. Und das eben genügt hier nicht.

Ich konnte nicht verstehen, warum schon der parodistische Chor der Feuerwehrleute so propper und ohne äußere Verzerrung losgelassen wurde. Hätte man dem äußerlich die Satire etwas anmerken lassen, wäre das Verständnis leichter gewesen. So hörte man nur hohe Verse. Daß sie ironisch verzerrt waren, ging den Leuten erst viel später auf.

Der dunkle Spaß am Grausen, der da herrschen müßte, kam nicht auf. Dies war kein Jux am Abgrund. Es war eine sich redlich und langsam dahinbewegende Parabelspielerei. Die gute Laune, mit der der Text Bösestes sagt, wurde nicht getroffen. Das Stück kam hier nicht in seine Form.   28. 2. 1959

– Die Spielzeiten 1957/58 und 1958/59 –
KUMMER MIT EINHEIMISCHEN

Hermann Gressieker »Heinrich VIII. und seine Frauen«
Tribüne

Der Autor will sagen: man kann auch des Gewissens wegen sündigen. Er will beweisen, wie die Gedankenfreiheit, die die Renaissance brachte, wohl viele Türen öffnete, aber die zur Herzkammer der eigentlichen Welt verstellte. Er sagt: dieser Heinrich VIII. bestätigt die Wahrheit der Lüge (oder wenn man so will: die Lüge der Wahrheit). Es ist ein frühes Beispiel, wie die Kenntnis der Menschheit von Gut und Böse ins Kippen kommt. Der Mann ist nicht nur der Frauenfresser, für den er gemeinhin gilt. Er ist eine tragische, bestenfalls eine tragikomische, intellektuelle Gestalt.

Das zu zeigen, fegt er die Bühne leer. Über Raum und Zeit setzt er sich dramaturgisch hinweg. Nur die sieben Figuranten dieses Spiels kommen auf die Szene. Gesten ersetzen Dekorationen, gelegentliche Musik macht Pomp und Gloria, wo sie gebracht werden müssen. Immer der gleiche Raum ist jetzt Kirche oder Hafen oder Garten oder Thronsaal oder Schlafgemach. Ebenso souverän verfährt er mit der Zeit. Jahrzehnte zieht er durch einen Bühnengang zusammen. Ganze Lebensalter rückt er durch einen Satz aneinander. Nur das Spiel, nur das Wort müssen es bringen.

Diese befreite Darstellungstechnik ist sehr zu loben. Sie zwingt den Zuschauer zum Mittun. Er muß aus seiner beteiligten Imagination am Ball bleiben und die mit Fleiß leer gelassenen Stellen selbst ausfüllen. Das beschäftigt die Phantasie und holt den Parkettsitzer aktiv mit herein. Er ist nicht nur Entgegennehmer. Der Beitrag seiner mitspielenden Phantasie erst füllt die Bühne.

So weit, so gut. Fragt sich nur, ob genug Substanz auf der Szene angesteckt wird, daß die Beteiligung des Zuschauers sich auch entfacht. Gressieker läßt viel laut denken. Er philosophiert, wo unsereins nach dem Vorgang, nach dem Spiel, nach der in Handlung und Aktion verwandelten Idee lechzt. Immer Pausen, in denen der Zeigefinger sichtbar wird, Intervalle der szenischen Leere, da das Dozieren anhebt und der Grübler Gressieker uns direkt belehren will, wie tragisch die Flucht des Renaissancemenschen aus dem festgefügten Paradies des Mittelalters doch gewesen sei.

Die Macht und Selbstherrlichkeit des Denkens werden angezweifelt. Dabei geht es zuweilen recht vereinfachend, geht es hin und wieder – fast hätte ich gesagt – reaktionär zu. Die Verdächtigung des Intellekts ist kürzlich erst so böse modisch gewesen, daß man etwas allergisch gegen die vergleichsweise billige Diffamierung des denkenden Menschen ist. Denn wenn der auch dreist in alle Höllen des Nihilismus schließlich geraten muß, sein Schicksal ist notwendig. Und es entbehrt nicht der wahren Größe.

Vielleicht hat es Gressieker so rückwärtsgewandt, so simpel die schöne, fürchterliche, notwendige Freiheit des Individuums diffamierend gar nicht gemeint. Aber so klingt es, und das schmeckt etwas fatal.

Denn – was wohl geplant war – die mögliche Tragikomödie des frühen »Fortschritts« darzutun, das kommt nur selten heraus, das setzt sich szenisch nicht um.

So bleibt – in dem immer wieder hemmenden und vorlauten Geflecht des Räsonierens – die bekannte Ehestaffette des blaubärtigen Engländerkönigs. Alexander Golling, der hier mehr Vierschrötigkeit als Differenzierung zeigt, holt sich eine nach der anderen, wie's im Geschichtsbuche steht.

Das denn war nicht ohne ein paar kleine Theatersensationen. Man sah endlich wieder die zum großen Pathos, zum vollen Tragödienton ausgestattete Else Steppat. Man genoß den braunen Celloklang ihrer großen Stimme. Man erblickte nach langer Zeit wieder Maria Landrock auf einer Bühne, die bewies, wie sie auch die vergleichsweise episodische Rolle der Anna Boleyn schauspielerisch klarlegen konnte. Erika Dannhoff, ebenfalls lange genug nicht in Aktion, ist Kate Parr. Etwas zuwenig schnippisch und überlegen überlebt sie als einzige und als Königin den frauenverschleißenden Heinrich.

Die anderen Damen sind Irmgard Kleber, Rieke Ramoff und Käte Jaenicke. Die eine elegisch blond, die zweite lyrisch zart, die dritte ziemlich unverdrossen auf die Pauke einiger Humore schlagend.

Frank Lothar hat's inszeniert. Ich glaube, er hätte durch etwas Tempo, hätte durch ein paar Striche und durch gelegentliche Tonverschiebungen und Straffung uns wie dem Autor wohlgetan. Wie es jetzt läuft, läuft es fast zu seriös und monoton.

Aber wie schön, immerhin, das Stück eines Zeitgenossen, eines Landsmannes und zudem eines Mitbürgers abschmecken zu können. Der Beifall bei der Premiere war für Spieler und Autor recht kräftig.   24. 1. 1958

Theodor Schübel »Der Kürassier Sebastian und sein Sohn«
Schloßpark-Theater

Theodor Schübel, zweiunddreißigjährig, Geschäftsführer eines Brauereibetriebes im Fichtelgebirge, Träger des letzten Hauptmann-Preises, will mit diesem Tableau aus dem Dreißigjährigen

Kriege sagen: Dank gibt's nicht. Dank des Kaisers und des Vaterlandes schon gar nicht.

Seht hier den wackeren Biedermann Sebastian! Dreißig Jahre hat er die Knochen hingehalten und sie teilweise verloren. Bei Regensburg in der Bataille hat er sogar die Stadt dem Sturm geöffnet. Man versprach ihm des Kaisers Dank und Entgelt. Jetzt, da der Krieg vorbei ist, will er ihn kassieren.

Aber alle Kassen sind geschlossen. Tor, der er ist, will er vordringen zu den Mächtigen und Großen, daß sie ihm endlich seine wohlverdienten Rechte honorieren. Aber wer Dank will, geht auf die Nerven, zeigt Schübel.

Sebastian verrennt sich in seinen rechthaberischen Irrtum. Man legt ihn in Ketten. Sein Sohn wird von den undankbaren Nutznießern der Macht gekillt. Er selbst steht am Ende da: ein Hiob, dem der Dank, auf den er Anspruch hat, nicht ausgezahlt wird. Wer sich auf Hochherzigkeit verläßt, sagt Schübel, ist am Ende behumst.

Diese traurige Binsenweisheit belegt er in acht Bildern und einem Vorspiel. Er tut dar, wie die Generäle und Hochmächtigen auch nach dem Kriege noch mit langem Löffel aus dem Topf der Allgemeinheit sahnen. Den kleinen Mann lassen sie gar nicht erst ran. Der kriegt auf den Buckel, den er so lange hinhielt, noch hinterher Schläge vom Schicksal. Die armen Schweine bleiben arme Schweine, was immer man ihnen vorflunkert und verspricht.

Nun ist jede Binsenwahrheit dramatisierbar. Es kommt nur darauf an – wie. Schübel wählt eine Methode, die sonderbar unjung, abgenutzt und ermüdend bieder ist. Historische Bilderbogendramatik wie diese wurde nicht viel anders vor fünfzig, vor sechzig, vor siebzig Jahren abgeliefert.

Eine Sprache wird gesprochen, die fränkisch-altfränkisch klingen soll und keinen Eigenton aufkommen läßt. Figuren, die er stellt, werfen kaum Schatten, werden nicht bühnen-interessant.

Einmal gibt es eine Gerichtsszene, da sich dieser Michael Kohlhaas in tumber Verschmitztheit gegen seine Ausbeuter wehrt. Da gibt es denn ein paar dialektisch verblüffende Lichter, daß man schon glaubt, der Autor werde endlich aus der Darbietung des oft Dargebotenen herausspringen, einen szenischen Haken schlagen, uns endlich satt machen.

Aber nein. Redlich, ordentlich, bieder, wie's begonnen ward, läuft es im Bilderbogenstil weiter, mit jedem Bild die bekannte

Moral neu anbietend.

Wie sonderbar! Die Bühne ist in den letzten fünfzig Jahren immer wieder aufgerissen worden mit neuen Versuchen. Die plane, die simple, die eingleisige Darstellung wurde immer wieder überwunden. Dieser junge Autor schreibt, wie's die Vorväter taten. Er tut es redlich. Er tut es besten Willens. Aber die Szene bleibt stumpf dabei. Das Interesse legt sich nieder und schlummert.

Es wird durch ein paar Humore, die der Autor einfügt, nicht ergötzt oder geweckt. Die Welt der Herrschenden lebt in ihren Klischees: der Fresser, der Nutznießer, der Feigling.

Die Welt der Unterdrückten ist konventionell bestückt: der Marodeur, der Kleinrevolutionär, die trübsinnigen Zahler der Kriegszeche. Alles kommt wie aus der Vorlage. Es sind Abziehbilder, die nicht mehr ziehen und kein Abbild mehr geben können. Es sind Klischees, sonderbar unjung und mutlos.

Vielleicht war es falsch, diesem Bilderbuch mit seinen Unbeholfenheiten eine Festwochen-Premiere einzuräumen. Bei einer Studio-Aufführung hätte der Autor schon erkennen können, wieviel da noch fehlt: Hintergrund, Doppeldeutigkeit, die notwendige Ambivalenz der Bühnenfiguren.

Bei Brecht, dem Vorbild Schübels (Pausenbonmot: »Vater Courage«), herrscht auch Simplizität. Aber die ist raffiniert, ist verschmitzt, pfiffig, doppelbödig. Insofern ist Brecht ein schlechter Lehrmeister. Das eine kann man von ihm lernen. Aber wer das andere nicht auch hat, bringt eben nur die halbe Schülerarbeit zustande. Hinc illae lacrimae ...

Wilhelm Borchert gab von sich aus der Einheitsfigur des Sebastian einige Würze. Wie er die Einfalt der Gestalt füllte und hin und wieder ironisch hochzog, wie er dann und wann den Biedersinn seiner Worte humoristisch mäßigte – das muß ihm der Autor sehr danken. Um seinetwillen lohnte der Abend.

Lu Säuberlich, Bruno Dallansky, Arthur Schröder, Sattler, Suessengueth, Miedel, Hellmer, Schaufuß, Wiesner, Eberth und Clemens Hasse gaben die Figuren, wie sie da sind. Groß Ruhm ist da nicht zu gewinnen. Krista Keller konnte die schief angelegte Figur einer Kriegstochter, schwankend zwischen Liebe und Käuflichkeit, auch nicht retten. Hans Bauers Riege spielte den Vorgang in seiner Eindeutigkeit eindeutig ab.

Es wird ein Abend der Halbheit. So viele Hände, schon erhoben, einem jungen Dramenautor auf die Schulter zu klopfen,

zuckten zurück. Es ist doch verdammt schwer geworden, für die
Bühne von heute zu schreiben. Der einfache, der gerade, der wil-
lentlich simple Weg, der hier begangen wird, ist wahrscheinlich
am wenigsten gangbar.

Das Publikum gab den kleinen Routinebeifall, in den die Spieler dann den gutwilligen Autor freundschaftlich einbezogen.

29. 9. 1958

Claus Hubalek »Die Festung«
Theater am Kurfürstendamm

Ein Stück penibler Seelenerkundung. Die Reportage über einen
verkorksten Ehrbegriff und die Windungen eines falsch einge-
schraubten Gewissens.

Claus Hubalek steht mit seinem dramaturgischen Handwerks-
zeug sozusagen kopfschüttelnd immer neben seiner Hauptgestalt:
Wie konnte es angehen, daß ein deutscher General, ein Mann, der
Begriffe wie Pflicht und Recht doch scheinbar in preußischer Erb-
pacht hatte – wie konnte es passieren, daß ein solcher erst vor
dem Unheil strammsteht, dann, als er die Diktatur des braunen
Bösen schon völlig durchschaut, den Absprung zur befreienden
Tat nicht findet, und daß er bis zum blutigen Ende der totalen
Treulosigkeit die Treue hält? Wie konnte das passieren?

Ein Stück sucht die Beweggründe des Irrtums. Es läßt den Frei-
herrn von Kress 1934, als Hitler im Juni die »Langen Messer«
schwang, den ersten Nasenstüber an seinem Rechtsbewußtsein erhalten.

Das Stück zeigt den General 1944. Er bleibt, als im Juli ein Teil
der Armee zur befreienden Tat bereit ist, bei der Stange. Er kann
den Sprung über den Eid, den er dem Tyrannen schwor, nicht
über sich gewinnen. Der Gewissenloseste hat ihn an sein Preu-
ßen-Gewissen gefesselt. Kress macht weiter, ein General des Teufels, ein murrender Befehlsempfänger aus der Hölle.

Er ist – dritter Akt –, als man in Ostpreußen schon mitten im
dicken Ende drin ist, als die Trecks ziehen und die totale Niederlage vor aller Augen besiegelt ist – da ist er zu einem späten Widerstand gegen das gründlich erkannte Böse immer noch nicht bereit. Er hält durch wider alle Einsicht. Er wird die verdammten

Fesseln nicht los. Ein Charakter, durch Charakter zur Charakter-losigkeit verflucht. Eine preußische Tragödie. Eine deutsche Katastrophe.

Hubalek nimmt diesen Fall ohne vorgefaßtes Urteil unter die dramatische Lupe. Er baut drei fast altmodisch penible konstruierte Akte. Er füllt die Umwelt des Generals mit Zeitgestalten. Der kümmerliche Obernazi und Goldfasan ist da. Der Generalssohn mit dem Hang zur Freiheit und Philosophie. Der junge Offizier, der ehrenvolle Konterpart zu des Generals zaudernder Gewissenssturheit. Der halbjüdische Freund des Hauses. Der Stabsoffizier mit der Sergeantenseele und dem nutznießenden Aufstieg in Hitlers Armee.

Es ist alles höchst sorgsam gefügt und nach den Begriffen der Schuldramaturgie ordentlich geknüpft. Trotzdem fehlt das Drama.

Warum? Weil uns heute die seelische Grundsituation eines solchen Militärs fremder ist als der Götterglaube der ollen Griechen. Weil uns die Basis zum Verständnis fehlt. Dieser General wird für uns nicht tragisch, weil seine gußeisernen Grundsätze aus der Epoche des Alten Fritz gar nicht anwendbar sind, wenn die Welt voller Teufel ist und der, dem der Eid geschworen wurde, sich längst als der ruchloseste Eidbrecher der Geschichte erwies.

Die Hauptgestalt wird so nie recht verständlich. Sie wird nie sympathisch. Sie bleibt kümmerlich. Sie wird larmoyant und hinderlich. Sie steht nie mitten im tragischen Sog. Sie beweist in ihrer individuellen Mutlosigkeit nur, wie lästig Charakter aus Dummheit sein kann.

Aber Dummheit ist nicht tragisch, auch nicht die Dummheit aus scheinbar höchsten ethischen Motiven. Dieser Irrtum des so um dramatische Gerechtigkeit bemühten Autors läßt nur eine sehr ansehbare, ehrenvolle, stücktechnisch erstaunlich kompetente Reportage entstehen. Die Tragödie, die ihm vorschwebte, entfällt.

Trotzdem ist der Abend nicht ohne nachdenklichen szenischen Reiz, Hubaleks Sprache ist zwar ohne viel Höhenflug, er bleibt abstrakt und im Ausdruck herkömmlich, wo er den Tonfall und das Idiom der verschiedenen Menschentypen in der allgemeinen Verdammnis verlautbaren müßte. Aber ein spielbares Beweisstück für den Irrtum der Ehre, wenn ringsum Unehre regiert, bleibt das ehrenvolle und ausgewogene Menetekelstück in jedem

Fall. Ein Dramatiker, der, wenn er noch mehr Lust an der Szene, mehr Mut zu der sinnlichen Beweiskraft des Theaters zeigen würde, viel kräftiger überzeugen könnte als jetzt, da er allzu emsig argumentiert.

Die Berliner Uraufführung im Theater am Kurfürstendamm war ehrenwert eingerichtet. Harry Meyen führt Regie mit einer Art von sehr anwendbarem Realismus. Hans Nielsen spielt den General, unehrenhaft aus falscher Ehre. Er stellt diese Mittelpunktsfigur mit einer schönen Kraft der Kraftlosigkeit hin, versucht das Dilemma der seelischen Selbstverstümmelung aus Tradition mit Farbe und Fleisch zu füllen. Oft gelingt das erstaunlich.

Paul Edwin Roth hält die Rolle des Widerstandsoffiziers völlig unpathetisch und schön trocken, dabei hat er Momente echter Glut. Alexander Engel ist ein jovialer Geistlicher mit dem Gestus liberaler Menschlichkeit. Eva Kotthaus, seine Tochter, hat Momente, die auf eine stille Weise rühren.

Dies Stück neuer Dramatik mit penibel eingehaltenen, alten dramaturgischen Mitteln ist eine ansehbare, ehrliche und besorgte Reportage geworden, wie das irrend Gute dem Bösen nur immer Vorschub leisten kann und wie eine irrige Ehre tiefste Unehre auslösen muß. Das Premierenpublikum nahm die Lektion mit einer interessierten Kühle entgegen. Beifall nach allen drei Akten. Am Ende für den so redlich bemühten Autor auch.

18. 11. 1958

– Die Spielzeiten 1957/58 und 1958/59 –
NAHRUNG FÜR DIE SZENE

Jean Anouilh »Der Walzer der Toreros«
Schloßpark-Theater

Anouilh ist ein Mann der Literatur, des Geschmacks, des Gedankens. Aber der Glücksfall bei ihm: er ist vor allem ein Mann des Theaters. Er hat die Szene im Griff. Er scheut sich nicht, alle ästhetischen Bedenken über Bord zu werfen, wenn sich eine gute, wirksame, schlagende Bretterwirkung anbietet.

Er ist anmutig, leicht, hat immer jenen angenehm französischen Anflug des Literarischen. Aber wo er einen Effekt riecht, bringt er ihn. Wo er auch mit Geschmack für einen Augenblick unter's Niveau gehen kann, tut er es unbedenklich. Nicht alle seine Wirkungen sind fein. Aber sie wirken. Darauf kommt es an.

Diese ungemein gelächterhaltige Komödie von dem »Walzer der Toreros«, der einmal vor siebzehn Jahren auf dem Kasinoball einer französischen Garnison der Jahrhundertwende erklang und eine Schicksalsminute dreier Menschen untermalte, ist wieder ein Beweis dafür. Das hat Elemente der reinen Farce. Es werden komische Situationen ausgekostet, wie sie auf dem Pariser Boulevardtheater seit seiner besten Zeit zu Hause sind. Die Komik der Eifersucht. Der Trick des doppelten Ehebetrugs. Der gefoppte Johannistrieb des alternden Galans. Die unzulängliche Treue auch der Treuesten. Und der Griff, schließlich, des doppelte Gehörnten nach dem nächsten, sich zufällig ergebenden zierlichen Objekt der Liebe.

Das alles sind Uralt-Themen des Theaters. Anouilh benutzt sie ruchlos. Aber da er sie mit Poesie überzieht, da seine Komik Geist hat und sein Dialog die hakenschlagende Schärfe des Pessimisten, da er die farcenhaften Vorgänge einbettet in eine mondäne Melancholie, gefallen seine Komödien dem unverbildeten Theatergänger wie dem Feinschmecker und Snob. Der Mann ist eine Wohltat für die lebendige Szene.

Im Schloßpark-Theater gab es immer wieder Juchzer des Wohlgefallens, als dieses »Spiel in fünf Akten« zum ersten Mal auf deutsch in Szene ging. Dialogpointen wurden immer wieder applaudiert. Boshaftigkeiten, die besonders über das weibliche Geschlecht geäußert werden, fanden das unverhohlene Vergnügen der Herren, wie die Ansicht männlichen Wankelmuts und meisterlicher Feigheit in der Liebe augenblicklich die Schadenfreude weiblicher Kenner auslöste.

Das Stück hat Elemente der Bösartigkeit bei aller Komik. Das tut jeweils denen, die es nicht betrifft, immer gut. Und es segelt so sicher an der Grenze des Frivolen dahin, daß der Reiz des Heiklen den Spaß nur noch vermehrt. Ein Theaterfressen.

So wurde es hier auch angeboten. Paul Hoffmann, der Inszenator, tat gut, sich um den »weltanschaulichen« Ballast der leichten Sache nicht allzusehr zu kümmern. Er ließ – im schön geschnörkelt-verstaubten Bühnenbild von Leni Bauer-Ecsy – die Darsteller nur immer kräftig und elegant in ihre Rollen eintreten. Und was hatte er hier nicht für eine Glücksbesetzung!

Martin Held voran. Er ist der graumelierte General, der seit siebzehn Jahren eine unerfüllte Liebe mitgeschleppt und eine eifersüchtig keifende, drohende Frau am Halse hat. Dieser Militär verliert jede Bataille der Liebe mit Pauken und Trompeten. Er steht im Mittelpunkt und führt das Stück. Held macht das süperb. Er hat eine gedeckte Komik, die entzückend ist. Er setzt jede Wirkung so genau und akkurat richtig, daß das Vergnügen an dieser Leistung schon ausgereicht hätte, das Parkett in lautes Wohlgefallen zu versetzen.

Er stoppt immer genau an der Grenze jeden Effekt – und spricht die dichten Pointen seines Dialogs so überlegen und mit dem todsicheren Zeitgefühl der Zündung, daß es ein hoher Jux war, ihm zuzuschauen. Was für ein wahrhaft brillanter Akteur! Und dies ist sein Feld. Man kann die Bombenrolle vielleicht anders spielen. Besser nicht.

Eine Glücksbesetzung auch Roma Bahn als seine nörgelnde, bösartig liebende Gattin, die diesem Don Juan in Epauletten immer wieder die familiären Bremsen ansetzt. Wie sie dabei ihrerseits unverdrossen auf dem Felde der Liebe grast und dabei das französische Haus zu einer Hölle macht, ist so komisch, daß es oft geradezu grausliche Züge der Echtheit hat.

Anneliese Römer spielt das verhältnislose Verhältnis des gehinderten Schwerenöters, das nach siebzehn Jahren angestrengten Wartens mit fliegenden Fahnen zum Sohne des vielfach geschlagenen Generals überläuft.

Otto Graf ist ein Arzt und pessimistischer Mentor des aufgeblasenen Feldherrn. Hermann Ebeling spielt den Sekretär, der sich als der Sohn und Nebenbuhler des glücklosen Strategen entpuppen muß. Noch jede kleinste Rolle ist anmutig und entzückend besetzt. Jean Anouilh könnte lachen.

Der Erfolg war enorm. Die Leute schrien und klatschten noch lange vor Vergnügen. Denn hier wurde endlich wieder dem Theater gegeben, was des Theaters immer ist: Spiellust, direkter Spaß, Verblüffung, Vergnügen am Urelement der Schadenfreude und auch am Klamauk. Aber eben besänftigt durch Grazie, gehoben durch Geist, gesegnet vom Geschmack. Gottlob, das gibt es noch immer!

25. 9. 1957

Ray Lawler »Der Sommer der siebzehnten Puppe«
Schloßpark-Theater

Immer weltläufiger werden unsere Bühnen. Jetzt kommt schon
der erste Stück-Import aus Australien. Ein junger Gegenfüßler,
Ray Lawler, Jahrgang 21, liefert den Bühnen Europas mit seinem
»Sommer der siebzehnten Puppe« realistisches Kraftfutter. Im
Berliner Schloßpark-Theater wird es jetzt auch auf deutsch ver-
kostet.

Formale Fisimatenten macht der australische Stückschreiber
nicht. Er liefert fünf kompakte Akte ab. Was darin passiert, bleibt
immer auf dem Teppich einer ihm bekannten Wirklichkeit. Er
schildert Menschen seines Erdteils, und er stellt an ihnen einen
übernationalen Irrtum dar: den Hang dieser heutigen Menschheit, den Zustand der Jugend strapazieren und unziemlich prolongieren zu wollen. Er schreibt eine Ballade von der Unwiederhol-
barkeit des Glücks, von der Tragik der weitereilenden Zeit.

Zwei Enakssöhne und Arbeiterkumpels rackern sich sieben
Monate des Jahres in der nördlichen Wildnis Australiens ab. Da
verdienen sie sich die Hucke voll. Ist die Saison vorbei, kommen
sie in die Stadt und leben dort von ihrem Geld wie die Könige auf
Zeit. Sie haben ihre festen Mädchen. Sie haben ihr festes Vergnügen. Ist das Geld verpulvert, ist der Spaß vorbei, ziehen sie wieder
nach Norden. Alles beginnt von vorn.

Siebzehn Jahre lang ist das gutgegangen. Diesmal will es nicht
klappen. Mit der Arbeit ging es schon nicht mehr so gut, und jetzt,
da sie zu ihren Mädchen kommen, will sich das alte Spaßvergnügen, will sich der Jux auf Zeit nicht einstellen. Sie alle lernen unter
Schmerzen, daß die Jugend, die Verantwortungslosigkeit, die Zeit
des Schwärmens und des Genusses sie schon überholt hat. Sie
sind schon weiter. Aber sie merkten es nicht. Jetzt merken sie es.
Und das ist schmerzhaft, aber es ist gut.

Das zeigt das Stück. Es zeigt es mit einer gewissen kräftigen
Melancholie. Es zeigt es an fünf sehr spielbaren Figuren, die hier
durch den Reifen der Moral springen müssen: daß eines Tages für
alle einmal der Punkt kommt, da die Jugend vorbei ist und die Bewährung beginnt. Man soll an dieser Stelle nicht störrisch verweilen wollen. Man soll sie mutig überschreiten.

Lawler, der Australier, hat die Nutzanwendung der Sache sehr
geschickt und handfest in der kräftigen Handlung verkapselt. Er

kennt das australische Arbeitermilieu. Er gehörte lange genug dazu. Und er kennt sein Bühnenhandwerk, er ist jetzt selbst Schauspieler und Regisseur. Die Aktschlüsse sitzen und hallen nach. Die Dialoge treffen. Die Gestalten haben Echtheit, Kontur, haben sogar Humor. Das ist selten.

Schade, daß der Text in einer sehr verminderten Übersetzung ins Deutsche kam. Das setzte die natürliche Wirkung der doch ganz kräftigen Sache unziemlich herab. Schade auch, daß Hans Lietzaus Regie zu laut ins Geschirr ging und dadurch die stilleren Partien überdeckte. Dabei waren hier so gute Darsteller am Werke wie Wilhelm Borchert, Alfred Schieske, Anneliese Römer und die gute, alte Elsa Wagner.

Der Beifall für diesen ersten australischen Szenenimport war beträchtlich.   18. 11. 1957

Félicien Marceau »Das Ei«
Schloßpark-Theater

Dies Stück nutznießt davon, daß es keins ist. Eine Handlung begibt sich nicht. Félicien Marceau, der belgische Szenenschreiber, läßt eine Ungeduld der Zuschauer am Stoff erst gar nicht aufkommen. Eine Figur, ein junger Mann erzählt, wie er sich mühte und was er anstellte, um das, was man heute die »Kontaktlosigkeit« nennt, zu überwinden. Ein lustiger Einsamer versucht immer wieder diese Einsamkeit zu durchbrechen. Zuerst mit den landläufigen Mitteln der Gesellschaft und der Liebe, dann – leider – mit Mord und Todschlag. Solange der kabarettistisch lecker aufgelockerte Vorgang im Harmlosen bleibt, erfüllt er seinen amüsanten, pseudophilosophisch aufgeputschen Zweck höchst amüsierlich. Wenn es dann nach der Pause in die Tiefen von Schuld und Verstrickung gehen soll, verrutscht der Spaß in die Nähe eines Tiefsinns, der ihm nicht zusteht. Das ist dann etwas schade. Dann kommen auch Längen, die man zuvor nicht spürte.

Einer plaudert nur immer. Er klappt sein enttäuschtes Innenleben auf. Er spricht ohne Umschweife mit dem Publikum. Wenn er eine Episode aus seinem Leben szenisch belegen will, dreht sich die kleine Bühne. Die Figuranten, die er braucht, erscheinen. Ein Szenenfragment, ein aufschlußreicher Sketch wird gespielt. Der junge Erzähler behält dabei aber immer den Zuschauer im Auge. Er spielt in der jeweiligen Szene mit, aber er kommentiert auch gleich, was passiert. Mit einem Bein steht er hinter der Rampe, mit dem anderen davor.

Also – eine große Solo-Conférence, die sich zuweilen auf der Szene bebildert, wird abgespult. Das Stück hat nur eine Rolle. Alle anderen (und es hat davon dreißig) bleiben Episoden, Kurzbrenner, Minutenbelichtungen eben immer dessen, der da an der Rampe so beflissen und souverän seine Bemühungen um die Menschheit, um ein System, in die Gesellschaft einzudringen und seine private Einsamkeit zu durchbrechen, kundtut.

Richtiges, landläufiges Theater wird es auf diese Weise nie. Aber ein sehr beteiligender, amüsanter Theaterabend. Der listige Autor hat eine Methode gefunden, immer nur anzutippen, uns immer nur Appetit zu machen. Was er treibt, langweilt nicht. Und wie er es treiben läßt, so hat es alle Freuden des Leichten. Marceau ist immer schon beim nächsten, ehe wir über Notwendigkeit, Güte und Wichtigkeit des eben Geschehenen richtig nachdenken können.

Die Hurtigkeit als Methode der Unterhaltung – hier zahlt sie sich einmal aus.

Willi Schmidt hat, spielleitend, genau den Punkt der Sache getroffen. Das fix verwandelbare Bühnenbild hat immer neue, einfache optische Überraschungen bereit. Die Kurzszenen, die jeweils rasch anzuleuchten sind, füllt er prall und kabarettistisch stechend mit immer wieder neuen Typen aus dem großen Darstellerarsenal dieses Hauses. Schmidt bleibt immer deutlich in der leichten Verzerrung.

Er läßt alle Tricks springen. Er bedient sich der Pantomime, der überraschenden Blackout-Technik, er stellt hinreißende Sketches und gibt jedem der dreißig großen Kleindarsteller genau die Tonart, den Typ und den Umriß, der am Platze ist. Schmidts beste Inszenierung seit langem. Man merkt jeden Augenblick, wieviel Spaß ihm der Spaß gemacht hat. Und das steckt an.

Neugierig wird man sein, wie Marceaus Zwirbelstück (das sozusagen im Massenstart an den Bühnen der Bundesrepublik am gleichen Abend Premiere hatte) sich andernorts bewährt hat. Denn auf den Allein- und Hauptdarsteller kommt es hier nur an. Er darf den Faden der Sache nie verlieren oder sich falsch verknoten lassen. Das Stück mit seinen vielen Rollen besteht immer nur aus einer. Wenn die nicht sitzt, rutscht alles aus.

Hier war ein Glücksfall zu verbuchen. Klaus Kammer, der sich in zwei Spielzeiten so ruckartig nach vorn gespielt hat, war drei Stunden lang die reine Wonne. Er ist modern, ist schlenkrig, souverän, immer jungenhaft, pfiffig, musikalisch bis in jede Bewegung. Er biedert sich mit der schweren Rolle nie beim Publikum an, obgleich die Rolle nichts anderes tut. Er hat den echten Charme der Jugend und eine jungenhafte Anmut, die ihn keinen Augenblick langweilig oder geschwätzig scheinen läßt. Und das, obgleich er immer nur schwatzen muß. Fast eine Wunderleistung!

Er überspielt auch noch die unziemlichen Schwergewichte des Endes. Wo es zynisch, wo es grausig und gar vorgefaßt kolportagehaft wird, findet er sogar immer noch eine Nuance, die fasziniert. Eine Bühnenerscheinung, ein Phänomen an Talent und Fleiß und Können, wie wir es lange nicht hatten. Ihm galt der Jubel des herzlich amüsierten Publikums zu Recht. Kein großes Theater. Aber was für ein hinreißender, hochamüsanter Theaterabend!   24. 2. 1958

Ferdinand Bruckner »Verbrecher«
Schiller-Theater

Gerade weil der Theaterruhm der Uraufführung dieses Stückes so zitierbar geblieben ist, war man skeptisch. Mit diesem Schauspiel, dem rigorosen Drama menschlicher Unzulänglichkeit, drangen 1928 Talente auf die Bühne, die mit diesem Anlaß ihren Durchbruch hatten. Hans Albers (diesmal bumsfidel in der ersten Parkettreihe), Gründgens, Wieman, Steckel schlugen sich in jener Theaterschlacht nach vorn. Die große Höflich in der weiblichen Hauptrolle.

Das Stück war wie ein Donnerschlag. Oder war es nur die Aufführung? War es nur der Umstand, daß Bruckner damals dem ohnehin rutschenden Weltgefühl noch einen begabten Tritt versetzte? Oder war das, was Tagesprovokation, was rigorose Skepsis, was Ausdruck einer allgemeinen Malaise war, hier so stark und tagesgebunden, daß die Leute hochgingen vor diesem Text? Und die Juristen (da auf der Bühne und an einem Abend vier Justizirrtümer stattfinden, darunter einmal Todesstrafe) – fühlten sich die Juristen durch die Infragestellung der Rechtsprechung überhaupt und die Verhohnepipelung ihrer reaktionären Richtertypen zu Recht auf den Talar getreten?

Ist das, fragte man sich, nach dreißig Jahren noch anwendbar? Ist es szenisch noch heiß? Kann es in seiner engen Zeitbezogenheit heute noch wirken? Man war skeptisch.

Dies signalisierte vor drei Jahrzehnten sehr genau den Hang zur Auflösung aller Werte. Bruckner gab dem Zug zur Relativierung der Moral sehr begabt und zu willkommenem Zeitpunkt nach. Er reißt, wörtlich, die Fassade von einem ganzen Hause. Er läßt die Zeitgenossen von 1928 in ihren Etagenhöhlen und ihren menschlichen Verstrickungen sehen.

Keiner, der nicht auf seine Art Dreck am Stecken hätte. Keiner, der nicht ein Verbrechen beging oder sich zumindest eines Verbrechens fähig zeigte. Mord, Kindstötung, Meineid, Kuppelei, Bestechung, Nötigung, Abtreibung, Bedrohung und Vergehen gegen den Paragraphen 175 sind nur ein Teil der Sündenregistratur, die Bruckner da aufblättert.

Die Frage, die er gestellt sehen will, ist: Sind wir nicht alle Verbrecher? Wer dürfte den Stein auf den Nächsten heben? Wer hat überhaupt ein Recht, zu richten? Diejenigen, die es jetzt tun, am wenigsten! Niemand kommt rein über den mit Fallgruben gespickten Weg des täglichen Lebens. Man läßt die Armen schuldig werden und überläßt sie dann der Pein. Ob aber alle Schuld auf Erden sich räche – diesen klassischen Nachsatz bezweifelt der Autor. Er beweist, daß gerade die Scheusale siegen. Wer will ihm widersprechen? Was damals so hochsensationell in der Sache wirkte, bleibt heute aus. Man sieht das Stück immer durch den Schleier, den die jüngst vergangene Vergangenheit davor gelegt hat. Und dieser Schleier ist dicht. Die Vorskizzen des Unrechts, die Bruckner da festgehalten hat, sind wenige Jahre später schon durch die Wirklichkeit fürchterlich übertroffen worden. Der Bühnenschock, den dies Stück 1928 auslöste, bleibt heute weg. Der Beigeschmack des Ruchlosen, den es hatte, ist verweht.

Richtig daher, das Stück als junges Historienstück zu inszenieren. Hans Lietzau müht sich um das Air der Jimmy-Epoche. Er beläßt die Fabel im Kostüm ihrer wirren, begabten und bedrohten Entstehungszeit. Dadurch bekommt sie wohl zuweilen eine rückschauende Komik, die der ersten Aufführung fehlte. Dadurch aber wird auch die skeptische Grundfrage nach dem Recht zu richten sinnfälliger. Was man an Schockwirkung verschenkt, kriegt man an Gedankendeutlichkeit wieder herein.

Insofern wird es ein doch noch durchaus wirksamer Theaterabend, wenn er schauspielerisch auch nicht den Anstrich des Sensationellen hat wie einst.

Die kinoartige Verwandlungsfähigkeit, die Bruckner durch das siebenfach nebeneinander und übereinander geschachtelte Arrangement der Schauplätze gewinnt (Szene: H. W. Lenneweit), zahlt sich immer noch aus. Die Fülle der Gestalten, der gefährlichen und gefährdeten Typen aus dem Verbrecheralbum eines einzigen Mietshauses, gibt immer noch eine Menge fester, schauspielerischer Brocken ab. Und die Moral der angezweifelten Moral ist erstaunlich frisch geblieben, wenn auch heute eine Bestandaufnahme dieser Art grundsätzlich anders aussehen müßte.

Das Stück ist noch spielbar, erwies sich. Man muß es mit sozusagen zurückgeschraubtem Zeitbewußtsein sehen. Die Frage, die es stellt, besteht weiter. Die Zeit, für die sie gestellt wurde, und oft die Art, in der sie gestellt wird, ist vergangen.

Lietzau tat recht daran, die Figuranten des alltäglichen Verbrechens alle mit einer gewissen distanzierenden Starrheit an ihre Rollen gehen zu lassen. Dann erst steigen sie voll in das Fleisch ihrer Gestalten ein.

Überragend war da Berta Drews, die der mordenden, liebenden Köchin einen unheimlichen Geruch der Echtheit gab. Sie hatte die Dumpfheit der sinnlichen Besitzergreifung und hatte dann die ganze Qual der trotzigen Reue. Eine sehr kompakte Leistung. Carl Raddatz, als der Hallodri und Sexualprotz, stand fest und mit einer schlenkrigen Kellner-Eleganz neben ihr. Rolf Henniger, sozusagen als männerbündlerischer Vorfaschist und feiger Arrangeur des Unheils, hatte gerade aus der Schwäche der gezeigten Mittel eine sonderbare Kraft und Überlegenheit.

Ursula Lingen reißt ein schnippisch-flapsiges Dienstmädchen reizvoll herunter und holt sich Abgangsapplaus. Tilly Lauenstein, Herta Kravina, Lore Hartling, Else Reuss und Lu Säuberlich geben, jede sehr prononciert, weibliche Typen unterschiedlicher Bedrohtheit und Verkommenseins. Fast drei Dutzend Profile leuchten auf. Fast jedes ist interessant. Selbst in kleinsten Rollen so treffsichere Typenbilder wie Clemens Hasse, der mit vier Sätzen einen phlegmatischen Portier herrlich hinhaut, oder wie Else Ehser, die mit zwei Worten eine unweise »weise Frau« auf scheußliche Art kenntlich macht.

Das Publikum ließ sich von der Datiertheit des szenischen Gegenstandes nicht stören. Es genoß die vielfältigen schauspielerischen Möglichkeiten, die der Text der Bühne gibt. Es stieß sich offenbar nicht an den spätexpressionistischen Kanten gerade dieses Textes. Ob es die Moral, die bittere, noch anerkennen wollte, oder ob es nur den Abglanz eines früheren Ruhmes zu repetieren wünschte, war nicht zu erkennen.

Wenigstens war der Beifall für die Spieler bedeutend. Auch Bruckner konnte sich sehen lassen. 27. 2. 1958

Thomas Wolfe/Ketti Frings »Schau heimwärts, Engel«
Schiller-Theater

Kenner des barock ausschweifenden Erstlingsromans »Schau heimwärts, Engel« von Thomas Wolfe werden erst einmal schaudern, wenn sie hören, daß nun auch dies in fünf strikte Akte zerlegt worden ist. Hier herrscht doch Fülle. Auf den fünfhundert Seiten des Buches wuchert es doch. Das ist jugendlich-amerikanisches Barock. Dergleichen läßt sich, sollte man denken, doch nicht in die Brauchbarkeit eines Bühnenstückes von einhundertzwanzig Minuten komprimieren.

Was, um des Dichter-Himmels willen!, was muß da nicht alles ausgelassen werden, damit ein Drama mit der Fülle zu Rande kommt! Der Wolfe-Liebhaber wird die Einbußen beklagen. Die poetischen Obertöne sind weg. Ganze Komplexe sind beschnitten. Die fleißige, nicht ungeschickte Bearbeiterin, Frau Ketti Frings, hat eine brauchbare dramaturgische Schmalspurschneise in diesen Urwald von Worten gehauen. Es ist ein Stück durchaus daraus geworden, spielbar, nicht ohne Rührung und Effekt, theatermöglich und atmosphärenhaltig.

Aber was man auf der Bühne sieht, ist eben doch nur ein Surrogat. Es könnte auch heißen: »So war Mama« oder »Eugen, mein Sohn«. Es ist plan. Es ist einfach geworden, wo im Buche Vielfalt wuchert. Es ist durchsichtig, wo die schöne ambivalente Undurchsichtigkeit des epischen Wortes herrschte. Statt eines genialen Prosawerkes hat man ein praktikables, oft rührfreudiges, geschicktes Theaterstück. Mehr ist nicht passiert.

Die Bühnen werden sich freuen, es zu haben. Boleslaw Barlog, der den Text aus zweiter Hand im Schiller-Theater zum ersten Male auf deutsch ausprobierte, stellte eine schöne, schauspielerisch wohlschmeckende Aufführung davon her. Durch Atmosphärenmalerei versuchte er, etwas von der komplexen Fülle des Originals wieder ins Bild der Szene zu bringen; dadurch kam dann die Inszenierung oft ins Schleppen. Was er an Dichtung gewann, büßte er am Theater wieder ein. Eher ein ehrenvoller Verlust.

In die Mitte rückte hier Lucie Mannheim. Sie wird das Zentrum des ausgeborgten Dramas. Sie spielt die Mutter dieses verfluchten amerikanischen Hauses, und wie sie die moderne Niobe-Rolle darstellt, war über die Maßen faszinierend. Sie hat Töne, die man einst an ihr nicht kannte. Sie hat die ganze mütterliche Rechthaberei in der Stimme.

Sie ist jetzt ein Aas und eine selbstsüchtige Glucke. Und im nächsten Augenblick hat sie Ansichten weiblicher Verlorenheit zu geben, Wendungen des Humors, komische Seitenlichter des Starrsinns. Sie hört nicht auf, zu faszinieren in einer raffinierten und vollen Sachlichkeits-Schauspielerei, daß man nicht satt wurde, die Wendungen ihres Herzens zu verfolgen. Eine überragende Leistung – direkt in der Nachfolge der großen Lucie Höflich. Jetzt erst ist die Mannheim auf unsere Bühnen ganz heimgekehrt.

Faszinierend auch die sehnsüchtige Krankhaftigkeit von Thomas Holtzmann. Er sieht aus wie das Leiden Christi. Er spricht mit einer fast jenseitigen Poesie. Er setzt dem kargen Bearbeitertext eine eigene bedrohliche Dimension hinzu. Dieser Schauspieler erwies sich als eine neue Vollkommenheit in einer Rolle, wie für ihn geschrieben.

Klaus Kammer, der den Eugene, also eigentlich die Mittelpunktsfigur gibt, hat es da schwer, gegen so viel geformtes Leben den Sehnsuchtston der Jugend zu setzen. Er war auch durch die Weite der Bühne gehindert. Große Gänge machten seine Wirkung diesmal dünner als sonst. Seine Melodie, so ehrlich intoniert, klang nicht recht durch. Er blieb oft in Zaghaftigkeit stecken.

Alfred Schieske dagegen stand im vollen Saft einer Säuferrolle. Er ist der Künstlervater, den Mutti Mannheim unterdrückt und an den Rand der Verzweiflung bringt mit ihrer unmusischen Sparwut und realen Herrschsucht über die Familie. Schieske holt aus seiner gebrochenen Rolle alle Sympathie und Gefährlichkeit. Er ist ein Proteus, ans Schürzenband gefesselt. Ein Titan hinter dem Despotentum der Küche.

Das Familienstück, das aus dem großen Epos herausgeschnitten ist, weist noch eine Reihe praktikabler Rollen auf, die sicher besetzt und komplett gespielt sind. Eduard Wandrey macht den Hausarzt körnig, heimlich, weise und komisch. Gisela Mattishent zeichnet einen resolut vergrämten Tochtertyp mit viel Kunst der unauffälligen Nuance. Kurt Buecheler ist da – als der verschüchterte Schwiegersohn. Berta Drews und Tilly Lauenstein geben zwei gegensätzliche Typen des Weiblichen eindrucksvoll und bühnennahrhaft. Julia Costa ist die junge Liebe, ein blonder Bratschenton.

Die Szene, mit dem Einheits-Bühnenbild von Leni Bauer-Ecsy, ist gut bestellt mit schauspielerischer Wohlgefälligkeit. Die Gefahr des Sentimentalen, des Rührseligen, die bei solcher Vereinfachung des Komplexen immer auf der Lauer liegt, zeigt sich nur selten, wird von Barlog klug umgangen. So daß am Ende der Beifall für diese Darbietung aus zweiter dichterischer Hand trotz aller Einwände der literarischen Puritaner fast triumphal klang.

Man hatte ein brauchbares Stück Gefühlstheater gewonnen. Man hatte die große Lucie Mannheim in einer neuen, wunderbaren künstlerischen Konsequenz kennengelernt. Und man hatte viele vorzügliche Spieler in spielbaren Rollen sich tummeln sehen.

Aus einem genial gefährlichen Roman war brauchbare, spielbare Bühnen-Hausmannskost geworden im Sinne der üblichen amerikanischen Familienstücke. Das enthusiasmierte Publikum focht es nicht an. Der Jubel für den Bühnenraub (die Bearbeiterin, Mrs. Frings, konnte ihn kassieren), für die Mannheim, Holtzmann, Schieske, Barlog und all die anderen war unbedenklich und vehement. Was Wolfe selber gemeint hätte – wer will das entscheiden?   9. 10. 1958

Kleist »Das Käthchen von Heilbronn«
Schiller-Theater

Kleists »großes historisches Ritterschauspiel« hat immer seine inszenatorischen Bedenklichkeiten gehabt. Auf lange, komische Strecken ist es reine Parodie, ist es die geistvolle und zuweilen recht handfeste Verhohnepipelung einer ganzen romantischen Klasse von Ritter-Kolportagen.

Da gibt es eine verzwickte Operettenhandlung, die erst ein ironisch angeknackster Kaiser lösen muß. Es gibt komisch verzerrte Strauchdiebe und Ritter minderer Klasse. Es gibt die recht unbeholfene, dramatische Schießbudenfigur einer mit allen falschen Attributen der Weiblichkeit behafteten Hochstaplerin der Liebe.

Und dahinter hat Kleist, dieses nervöse Sprachwunder, eine Liebeshandlung gestellt, die reinste Poesie atmet. Neben den handfesten, den deftigen und parodierten Effekten der alten Ritterdramatik steht in seiner heiligen Schönheit ein Juwel unserer Sprache, steht der volle, der zärtliche, der ganz ungebrochene Ernst jenes herzlichen Verfallenseins des Mädchens von Heilbronn zu dem Ritter vom Strahl. Eine Orchidee, eingepackt sozusagen in kräftiges Packpapier. Über diesen Widerspruch kommt keine Inszenierung hinweg.

Auch Gustav Rudolf Sellner gelang es nicht völlig. Er half sich dadurch, daß er, was eben Parodie, was direkte Komik, was poetischer Klamauk und dichterische Klamotte ist, nur zart andeutete. Er versuchte offenbar eine Art surrealistischen Rittermärchens zu treffen, eine fast irreale Kunstsphäre, in der Ungleiches wie Gleiches nebeneinander wohnen kann.

Schon das sehr begabte Bühnenbild von Jörg Zimmermann ist so angelegt. Hier fehlt ganz die schnörkelige Verspieltheit, die diesem jungen Meister des Dekors oft so gefährlich ist. Er schafft Räume, die aussehen wie Bilder von Mac Zimmermann, und die zuweilen jene schön verkürzten Perspektiven haben, wir wir sie in den besten Filmen von Olivier fanden. Nicht wuchtig, nicht vollfett, nicht auskostend ergibt sich so schon die Umwelt dieses »Käthchens«. Optisch ist sie in eine träumerische, surrealistische

Distanz verlegt. Das hilft sehr, das Unterschiedliche zu verbinden.

Sellner geht auf die gleiche Linie. Er läßt in Pastellstrichen zeichnen. Er malt nicht aus. Er zieht wie mit dem Silberstift die teils wirren, teils so unendlich wohlklingenden und edlen Linien dieses Schaustückes nach. Und wenn am Ende der Kaiser das sich Widersprechende verbindet, wenn Erwin Kalser in seinem weise zwinkernden Monolog die Auflösung des argen Liebesrätsels gibt, dann eint sich tatsächlich das so schwer zu Verbindende. Es schafft die Einheit, die das sonderbare Stück sonst nicht hat. Er ist herrlich. Ihm gelte die erste Reverenz vor dieser schönen Aufführung.

Erich Schellow – Friedrich Wetter, Graf vom Strahl. Er hat die nervöse Männlichkeit, hat die störrische, klare Ausstrahlung, die die schwere Rolle verlangt. Und er spricht wie ein Gott. Ihm gelingt es mühelos, das verzwickte Pathos der Kleistschen Sprache zu tragen. Er faltet die geschachtelte Klarheit dieser Dichterdiktion in sicherem Schwung auf. Er rührt immer wieder so vorsichtig wie fest an das Sprachwunder, das da statthat, ist wie nicht von dieser Welt und sagt seine Verse doch so, daß sie diese Welt ganz betreffen. Lange war er so vorzüglich nicht.

Das Käthchen ist Johanna von Koczian. Das somnambule Verfallensein des sonderlichen Mädchens hat bei ihr überhaupt keine krankhaften Züge. Sie geht mit einer Kraft des natürlichen Liebreizes durch die schwere Rolle, daß es sehr rührend und erregend ist. Sie folgt so unbedenklich dem Ruf eines reinen Herzens, daß sie – zumal in der göttlichen Holunderbuschszene – mühelos aus der Passivität die Aktion an sich zieht. Zuweilen bleibt sie geziert, gelingt ihr die Transformation des reinen Wunders, das hier verlangt wird, nicht. Das fällt ihr nicht zur Last.

Sellner führt aus dem Schatzhaus dieses Ensembles die anderen Spieler sehr intelligent über die Szene, immer seine Bewegungsregie betonend. Ich nenne Arthur Wiesner und die ganz trocken-künstlerische Art, mit der er den alten Waffenschmied erst poltern und sich dann versöhnen läßt. Ich nenne die drei Radauritter Fritz Eberth, Herbert Stass und Otto Mathies. Ich nenne Kurt Buechelers Sicherheit in einer Doppelrolle, Eduard Wandreys verschmitzte Treuherzigkeit, Werner Stocks spitz gesetzte Komik, die verhängte Intriganz der Kravina und die ehrliche Bemühung der Tilly Lauenstein um die absurde Schießbudenrolle der eklen

Kunigunde.

Es wird ein schöner, erfüllter, klarer Abend, gehindert nur immer wieder durch die Tücken, die verdammten, der schwerhörigen Akustik in diesem Hause. Das Publikum gab schon nach den einzelnen Aufzügen kräftig Beifall. Am Ende war das Wohlgefallen an diesem holden Surrealisten-Kleist groß. Sellner und die Seinen mußten immer wieder kommen. Rufe, Blumen, Applaus. Das Schiller-Theater hat nach langer Zeit seinen großen Abend.

25. 11. 1957

Euripides/Mattias Braun »Die Troerinnen«
Schiller Theater

Was macht des alten Euripides' »Troerinnen« als Anti-Kriegsdrama heute noch so sensationell und erregend? Der dramaturgische Trick, daß die Krieger selbst nie auf der Bühne sind! Nur die Leidtragenden stehen dort in pathetischen Gruppen des Elends. Die Frauen löffeln die bittere Suppe aus. Sie haben ihre Kinder, haben ihre Männer, haben ihre Häuser verloren. Jetzt verlieren sie ihre Ehre. Die zutiefst Besiegten artikulieren immer wieder die Unerträglichkeit, die Schande, aber auch die kommende Möglichkeit einer Überwindung des Niedergangs.

Die triumphierenden Griechen erliegen im Taumel des Triumphs dem alten Irrtum der Sieger: jetzt wäre das Leben nach ihrem mühelosen Willen regulierbar, die Moral sei mit ihnen selber identisch. Euripides hat ein Menetekel an die verrußten Wände des gebrochenen Troja gemalt. Dies Drama, erfüllt und getragen von den Kräften des Mythologischen, ist erfüllt von Moderne, von den interessanten Knifflichkeiten der Seele.

Ein Lob und eine Bewunderung dem jungen Neudichter Mattias Braun (Jahrgang 33), daß er die Zeitbezüglichkeit der alten Sache so sicher herausgearbeitet hat! Er hat ein neues Stück daraus gemacht, hat den Chor gedämmt, hat den Schluß großartig verändert. Er hat die Einzelfiguren des Unheils sehr plastisch werden lassen. Seine Sprache ist von einem sicheren Pathos der Größe, jetzt Hölderlinscher Heiligkeit sich nähernd, dann gleich von der verkürzend-dialektischen Denkfreudigkeit eines Brecht. Das ist ein dichterisch-dramaturgisches Meisterstück, dem verglichen sogar Werfels »Troerinnen«-Bearbeitung uns heute expressionistisch barock und gebläht vorkommt. Die Linien des Schicksals laufen bei Mattias Braun mit einer sicheren Zwangsläufigkeit vom äußersten Elend in die Helle der Hoffnung. Er läßt alle in der gleichen festen Tonart sprechen. Der Vers hält sie. Aber jedem der Protagonisten gibt er doch die eigene Melodie. Eine Hoffnung, ein Lichtblick, ein großes Talentzeichen, das mit diesem hohen, ernsten und sympathischen jungen Mann an unsere Bühnen gekommen ist. Das schon machte diesen Abend bedeutend.

Unvergeßlich machte ihn die herrliche Hermine Körner. Sie war uns Hekuba. Eine königliche Erscheinung mit ihrem beseelten Römerkopf. Sie ordnet das Elend. Sie, die gestürzte Fürstin von Priam, regiert noch die Schande. Die Körner hat als eine der wenigen des deutschen Theaters heute ein natürliches Pathos. Wenn sie die Geste der Verzweiflung macht, ist es Verzweiflung, ohne daß es je Oper würde. Wenn sie ihr sonderbar kräftig-gebrochenes Organ zum Ausbruch rüstet, geht es wirklich wie ein Donnerwetter in den Saal.

Sie kann sich in die Flut des Bühnenschicksals werfen – sie wird nicht davon verschlungen. Sie steht mit einem intuitiven und erfahrenen Kunstverstand dabei immer noch am Ufer und beobachtet, formt die Wirkung. Diese Leistung wird man nie vergessen, nicht die betonte Stille des Leides, nicht die gelungene Kühnheit der Artikulation, nicht die Gebärden des Zorns und nicht die mütterliche Sorge, die sie in ihrem wunderbaren Antlitz versammelt.

Der Beifall für sie war orgiastisch. Noch lange nach der Vorstellung standen Hunderte am Bühnentürl und schrien nach ihr. Die Bühne, das wahrhaft große Theater, lebt mit ihr wieder.

Daneben hatten es die anderen unter Hans Lietzaus Regie, versteht sich, schwer. Daneben verblaßte fast manch andere Vorzüglichkeit. Lietzau hatte weise getan, die ganze Bühne vorzuverlegen. Er hat ein meterhohes Praktikabel bauen lassen, eine hinten wieder abfallende Schräge, nur mit zwei verkohlten Baumstümpfen bestellt. Und plötzlich hatte man nicht mehr Ohrenschmerzen in dem sonst akustisch so unwohnlichen Schiller-Theater.

Man verstand zum erstenmal jedes Wort. Es wurde möglich, mit dem Rücken zum Publikum zu sprechen. Sogar Flüstern teilte sich mit. Endlich, endlich klang der sonst akustisch so verkorkste

Raum. Man hatte einfach die ganze Bühne verlegt. Es geht also. Die Melodie tönte richtig.

Rolf Henniger und Eva Katharina Schulz machen den Auftakt im Mythologischen. Henniger, Poseidon, hat eine schöne, scharfe, tückische Bewegtheit im Statuarischen. Die Schulz als Pallas Athene tut sich schwerer, aus der gereckten Göttlichkeit in den Zorn des Verständlichen zu kommen. Marianne Hoppe: Kassandra. Sie bringt eine nervöse Modernität auf die Szene; Klarsicht, überdeckt von Hysterie, Leiden, umkippend in die Auflösung des Denkens. Zumal wenn sie still wird, wenn sie, wie aus einem zweiten Wissen schöpfend, das Kommende artikuliert, ist sie sehr rührend.

Am besten den Ton einer tragischen Moderne unter den Nebenfiguren des Frauenschicksals trifft Gisela Matthishent als Andromache. Sie ist klar, ist von einer gereckten Traurigkeit, verfällt falschem Pathos nie und führt die Verse mit einer logischen Zwangsläufigkeit an ihren Sinn, daß diese Leistung – auf anderer Ebene – sich neben der der Körner wohl behaupten konnte.

Wenn die Helena-Episode mit Annelieser Römer und Walther Suessenguth auf die Szene kommt, schwemmt leider Oper heran. Suessenguth pustet den Menelaus zu sehr auf und zwingt dadurch die Römer, auf der gleichen Ebene zu spielen Diese psychologisch gewitzteste Szene wird im Sinne des Ganzen nicht wirksam. Fast mischt sich eine falsche Komik ein. Da rutscht die Aufführung für Minuten von ihrem hohen Niveau.

Thomas Holtzmann spielt den Griechenherold, das Exekutivorgan der triumphierenden Hellenen. Der glückliche Bearbeiter hat hier am glücklichsten gearbeitet. Die Figur des Machtausübenden hat er mit vielen bestechend aktuellen Zügen versehen. Er hat sie, ohne sie zu überladen, behängt mit der ganzen Fragwürdigkeit dessen, der handeln muß. Da wird es ganz still im Saal, wenn sich die Gegenwartsbezüglichkeiten immer wieder rühren, wenn das alte Stück eine Aktualität gewinnt, die brennt. Holtzmann, wenn er nicht gelegentlich seinen Text überschreit, ist von einer düsteren, bedrohten Bedrohlichkeit.

Einen Chor zu handhaben, ist dem heutigen Theater immer peinlich. Dankenswert, daß Lietzau die Texte meist in Solostimmen aufgeteilt hat. Sprech-Chor, sage man, was man will, ist gegen die Natur des Ausdrucks und Barbarei. So dient ihm hier das Arrangement der klagenden und räsonierenden Frauen zu einer

Art »Verfremdungs-Effekt«. Er holt den strengen, tragischen Vorgang ständig vom Kothurn und hebt ihn wieder darauf. Nicht immer gelingt das. Das Eingeübte solcher Übung bleibt zuweilen störend. Aber – wie anders soll man den Chor, dem Braun wieder Worte von großer Schönheit, Strenge und Betroffenheit gibt – wie soll man ihn heute bedienen?

Bleibt: ein großer Abend wahrhaft großen Theaters. Die Berliner Spielzeit läuft höchst ehrenhaft aus. Erst hatten wir die Wessely mit ihrer unvergleichlichen Natur in O'Neills »Fast ein Poet«. Dann hatten wir letzhin Wilhelm Borchert als eine Hauptmann-Erfüllung im »Fuhrmann Henschel«. Jetzt als Krönung und Gipfel – die Körner, herrlich über die Maßen, ein belebtes Monument großer, alter Berliner Theaterkunst, eine der letzten Tragödinnen in großer, echter Tragödie.

Oh, Königin, das Theater ist doch schön!   14. 6. 1958

Schiller »Die Räuber«
Schiller-Theater

Fritz Kortner, der Regisseur, liefert den Tribut des Schiller-Theaters im Schillerjahr an Schiller: »Die Räuber«. Als Willi Schmidt diesen zornigen Brocken von einem Drama vor einem halben Jahrzehnt auf die gleichen Bretter stellte, war es eine schlanke, schmale Studie in Sturm und Drang. Kortner geht anders zu Werke.

Er färbt jeden Text kortnerisch ein. Er pusselt. Er ist ein Spielleiter der hitzigen Überdeutlichkeit. Er hat einen genauen, modernen und höchst praktikablen Entwurf von der alten Sache. Er holt das immanent Politische aus diesem Geniestück heraus. Er stößt den Zuschauer immer wieder mit der Nase auf die Gegenwartsbezüglichkeiten, von denen das Buch vollsteckt.

Kortner läßt den kühnen Karl Moor keinen Feuerjüngling, keinen Aktivhelden, keinen Stürmer und Dränger sein. Bei ihm ist er ein malaisenbehafteter Zeitgenosse, einer, den die Miesigkeiten der Welt in die Wälder treiben. Eher ein Hamlet, als ein Karl. Einer, der aus Hilflosigkeit in die falsche Aktion springt.

Kortner läßt Franz, die Kanaille, nicht schon äußerlich die Schofelgestalt sein, die man gemeinhin erwartet. Rolf Henniger übertreibt maßlos, wenn er nach dem Text die Greuel seiner Gestalt schildern muß. Er sieht ganz passabel aus, hat nicht die übliche Maske der Widrigkeit gemacht.

Kortner läßt ihn einen Experimentator des Bösen sein, einen, der mit intellektueller Wollust ausprobiert, wie weit man's treiben kann bei vorsätzlich ausmontiertem Gewissen. Das gibt dieser Figur eine heikel spielerische Komponente, die sich höchst aktuell auszahlt.

Er macht den Spiegelberg zu einem spitzen, kleinen Clown. Curt Bois spielt die Figur, die Piscator einst als den Trotzki der Räuber maskierte. Bois, federnd, durchaus und hinreißend mit den Attributen des Komikers behaftet, spielt nicht die Gefahr und latente Versuchung des Moritz Spiegelberg. Er soll ganz bewußt nur den Moritz spielen.

Ein wippender Knirps, ein Würstchen und Nebbich, der den Aufbruch der Gerechten in die Wälder auslöst. Es steckt ein gut Stück Verachtung darin, einen Clown und Miesnick zum Initiator der Freiheit, zum Wortführer der Anarchie zu machen. Aber das ist gewollt. Kortner versteht es – zum ersten Male, soweit ich weiß –, die doch sonst eher schwindsüchtige Gefühlswelt der Amalia greifbar zu machen. Annemarie Düringer hat sofort eine Kraft des Hassens, hat später eine Intensität des Leidens, hat schließlich eine atmende Schwermut, die die Amalia aus dem Schiller-Klischee wunderbar löst. Hier wird dieses Mädchen endlich wichtig.

Diese Inszenierung interessiert dauernd, auch wo Kortner aus einer gewissen Unterschätzung des Publikums immer wieder überdeutlich wird. Wenn davon die Rede ist, daß die Sonne sinkt, erscheint wirklich eine Sonne am Rundhorizont und sinkt synchron.

Franz muß den ohnehin geschändeten Vater sichtbar würgen. Der Pater (Hans Herrmann-Schaufuß) hat, wenn er vom Strick redet, den Strick prompt in der Hand. Franz schleift Amalia in einem hysterischen Ausbruch über die Bühne. Karl wird, wenn das letzte Unheil über ihm zusammenbricht, zum Kriechtier. Er robbt keuchend über die Bretter.

Kortner bringt mit dieser überpeniblen Art des Vorzeigens oft eher den gegenteiligen Effekt hervor. Man will abwinken: Wir haben ja schon verstanden! Laß gut sein! Wir sind im Bild! – Das Spiel verliert durch Überinszenierung über ganze Strecken Zug und Überredung. Wer merkt, er soll überredet werden, wird eher doch störrisch.

So geht leider auch der Elan des ersten Räuber-Auftritts verloren. Die Libertiner sind so merkbar in der Dressur, sie gehen so erkenntlich in immer neue Stellungen, traben die Arrangements so deutlich ab. Regie teilt sich mit, wo doch der letzte Ausweis der Regie ist, daß man ihrer nicht mehr in jedem Augenblick gewahr wird.

Allein wie Kortner Erich Schellow geführt hat! Der spricht wie ein gequälter Gott. Er blättert den Sinn und die Hitze seiner Schillerworte so modern und gleichzeitig so wahrhaft stürmisch auf, daß keine Silbe des hochgemuten Charakters verlorengeht.

Wie der edelmütige Schluß des Ganzen diesmal still und wie mit einem Achselzucken vor der argen Welt ausläuft! Dieser Karl knallt sein: »Dem Mann kann geholfen werden« nicht triumphierend heraus. Er spricht es abgedreht, in einer Todesruhe, mit einem neuen Wissen. Und geht dann ohne jedes besserwisserische Pathos elegisch tief in den Hintergrund ab.

Wie genialisch Kortner die erste Szene im Walde fügt! Wie da ganz mühelos scheinbar sich Lebenslust und Tatendurst dieser Libertiner mitteilt. Das ist Schau-Spiel besten Formats. Es hat Ungestüm, Freiheit, Schwung und das reine Pathos der Anarchie. Da schon sprang ein frenetischer Beifall auf. Schiller war wahrhaft präsent.

Oder wie klar und vernehmlich die äußerste Szene wird, da Franz, dieser Unhold aus Intelligenz, seinen Disput mit dem Pastor austrägt. Wie vorzüglich die Argumente hier inszenatorisch ausgewogen sind! Wie das arglistig, spielerisch anläuft, daß man seinen intellektuellen Spaß an der heiklen Sache gewinnt. Und wie das dann in aller Strenge und Stille auf den Kothurn der Moral steigt, hier – Henniger in mephistophelischer Klarheit, dort – der herrlich und gemessen widerstreitende Wilhelm Borchert. Meisterhaft in der Szenenführung. Meisterschaft im Spiel.

Die große Kosinsky-Szene ist hier völlig gestrichen. Kortner hat manche klugen Amputationen vorgenommen, verkürzt, gestrafft, dafür übliche Striche wieder aufgemacht. Die einzelnen Räuber treten bei ihm nicht in die deutliche Gestalt. Nur eigentlich Thomas Holtzmann, als Roller, darf sich völlig ausspielen. Die anderen bleiben in der Mannschaft.

Bühnenbild: Teo Otto. Barocke Innen-Andeutungen gibt er, er

drückt vorsorglich das Spiel auf dieser schwerhörigen Bühne nach vorn. Und eine düster verhangene Waldkulisse hat er errichtet, die eine graue Poesie mitteilt in schöner Verhaltenheit.

Ein großer Abend. Vier Stunden Spiel – und keine Sekunde zu lang. Kortners musische Intelligenz, auch wo die Pedanterie sein Genie lästig behindert, Kortners flammender Bühnenverstand hatte Schillers große Tragkraft und Herrlichkeit szenisch erneuert. Der Beifall war immens.   23. 2. 1959

– Die Spielzeiten 1957/58 und 1958/59 –
BLICK NACH OSTBERLIN II

Wsewolod Wischnewski »Optimistische Tragödie«
Theater am Schiffbauerdamm

Die Premieren im Schiffbauerdamm-Theater zu Berlin, bei dem Ensemble, das sich Brecht noch für seine eigenen Stücke und seine eigene Methode des Theaterspielens gefügt hat, sind jedesmal schon im Parkett eine sonderbare Erfahrung.

Hier mischen sich die Welten. Vor dem Theater stehen die Autos mit den Westberliner und den alliierten Kennzeichen. Die ästhetischen Grenzgänger drängen sich. Brecht, in der Welt des Westens viel stärker akklamiert und diskutiert als in der Hemisphäre, die er am Ende zu seiner Heimstatt machte, lockt immer noch die Neugierigen. Man will sehen, wie's weitergeht, seit sein grandioses Theaternaturell nicht mehr da ist, Stil und Form der Bühne selbst zu leiten.

In gemäßigter Zahl sind die Ostberliner Funktionäre der Kunst anwesend. Für sie ist Brecht immer noch ein heißes Eisen, ein Abtrünniger am heiligen »sozialistischen Realismus«, ein begabter Unbequemer, immer noch ein Stachel im allzu festen Fleisch der parteilichen Kunstdoktrin.

Omnibusse voll blutjunger Volkspolizisten werden ausgeschüttet. Sie, alle noch im Halbstarkenalter, füllen ganze Reihen des Parketts und der Ränge. Als vor der Pause von der Bühne herab die Anwesenden aufgefordert werden, sich in die Listen gegen die Atombombe einzutragen, bilden sie sofort eine lange, gehorsame, grüne Schlange im Foyer. Wahrscheinlich haben sie schon oft unterschrieben. Sie tun es wieder mit dienstlicher Selbstverständlichkeit.

Was sich auf der Bühne abspielt, währt in seiner betulichen Ausführlichkeit dreieinhalb Stunden. Man zeigt (zum dritten Male innerhalb von zehn Jahren im Ostsektor Berlins) einen Frühklassiker der sowjetischen Bühnenliteratur: Wsewolod Wischnewskis »Optimistische Tragödie«.

Da herrscht der pathetisch gehobene Zeigefinger. Wischnewski demonstriert, wie sich die Revolution von ihren eigenen Schlakken befreit, wie sich das Chaos und die Anarchie langsam unter der Führung der Partei zur Ordnung und zum Sieg formieren. Ein Stück didaktischer Parteigeschichte rollt ab. Die Kommissarin, zuerst scheel angesehen und angegeifert von den Matrosen, die in ihrer neuen Freiheit Amok laufen, formiert aus den Irrläufern der Revolution das kampfbereite Regiment.

Diese rote, heilige Johanna führt die Männer in die Schlacht gegen die »Interventen«. Sie stößt die Pläne der militärischen Fachmänner um, schlägt den Feind und die Reaktion; sie heftet den Sieg an die neuen Fahnen. Sie selbst trifft die Kugel. Sie stirbt. (»Der Tod ist auch nur ein Teil der Parteiarbeit.«) Sie lächelt im Tode. Optimistische Tragödie.

Um das von einem etwas antiquierten Pathos zu befreien, geht man am Schiffbauerdamm vorerst listig zu Werke. Zehn Minuten lang spielt man es so, wie es gemeinhin bisher gespielt worden ist. Man gibt ein Vorspiel, in dem die alte, die borniert plakathafte und klischeeförmige Darstellungsart des Agitprop-Stils kräftig durch den Kakao gezogen wird.

Dann bricht man abrupt ab. Das Publikum wird gefragt, warum es denn – um Himmels willen! – gegen diesen pathetischen Leerlauf nicht protestiert habe? Die unkritischen Parketthocker kriegen ihren Nasenstüber weg. Dann erst beginnt man richtig, d. h., man spielt nach des Hauses Art, man spielt brechtisch kühl und realistisch trocken. Noch mal von vorn! Jetzt nach der Methode des Meisters!

Was dabei herauskommt (sieht man von der Antiquiertheit des Stoffes und der oft unerträglichen Naivität des Stückes ab), ist von einer sozusagen artifiziellen Schönheit. Zwei Brecht-Eleven,

Peter Palitzsch und Manfred Wekwerth, haben sich in die Regie geteilt. Sie haben teilweise das zustande gebracht, was bei den großen Inszenierungen des Meisters selbst so faszinierte: den Eindruck einer kargen Fülle, eine Ausführlichkeit, die in ihrer ausgewogenen Schönheit nicht langweilt, Arrangements, die haften, weil sie einem sonderbar grauen Schönheitsideal entsprechen. Die Aufführung steckt voller interessanter Details, so sehr die angestrengte und anbiedernde Pathetik des Stücks selber uns heute auch zuwider sein mag.

Es erweist sich, daß die Spielmethode Brechts, also der Stil der vorzeigenden, der »kritischen«, der unsentimentalen Darstellung, in sich wirksam bleibt. Momente auf der Szene, da mit einer kühlen und künstlerischen Berechnung dem Zuschauer immer wieder das Zuendedenken zugemutet wird. Partien, die in ihrer Anordnung so schön und erregend sind, daß man seine Vorbehalte gegen den heute (und besonders hier) völlig veralteten und entlegenen Stoff darüber vergißt.

Das Ensemble, mit großen Darstellern keinesfalls mehr bestückt, muß so deutlich durch den Reifen der Regie springen, daß am Ende doch eine Einheit zu spüren ist, eine einheitliche Spielweise, wie man sie sonst in unseren Theatern kaum erlebt.

Das bleibt zu loben und zu bewundern, so sehr das Pathos der Revolution auch ranzig geworden sein mag, so sehr man sich nachgerade gegen die beiden Matrosen-Sprecher, die als Vertreter des »epischen Theaters« aus den Logen heraus immer wieder die Moral und Nutzanwendung nach jeder Szene uns einbleuen, sträubt. So oft auch gerade das Pathos, das der Brecht-Szene doch konträr sein sollte, aus dem Text leer und lästig in die Aufführung selbst eindringt.

Über drei Stunden dauert die ausführliche Lektion, die jetzt szenisch so überlegen geordnet ist, daß man höchst beteiligt ist, und die dann gleich wieder sich in den Klischees des längst vergangenen und in dieser Form unwahr gewordenen Revolutions-Sentiments ergeht, daß einen der Kummer ankommt.

Brechts Stil, zeigt sich, ist nicht anwendbar auf jeden Stoff. Warum man Wischnewskis alten Revolutionshut aus der Kiste holte, bleibt nur zu ahnen. In Ost-Berlin spielen kulturpolitisch taktische Erwägungen immer eine große, dem Außenstehenden nicht durchschaubare Rolle.

Was man aber erkennen kann, ist, daß diese Theatergruppe,

von einem Genie und schulmeisterlichen Starrkopf der Szene gegründet, geführt und angeleitet, auch jetzt noch funktioniert. Daß hier, allen Widrigkeiten und Anständen zu Trotz, immer noch eins der interessantesten Theater unserer Zeit weiter versucht wird. Auch das: eine optimistische Tragödie. 3. 4. 1958

Wladimir Majakowski »Das Schwitzbad«
Volksbühne

Das »Schwitzbad«, Majakowskis Bühnensatire, die erst jetzt in der Ostberliner Volksbühne gespielt wird, nimmt ihren Verdutzungseffekt aus einem Griff in die Zukunft. Nur gerät der Held nicht in eine aseptische, trockene, seelisch ausgedörrte Orwell-Welt: man gerät in den kommunistischen Himmel. Das Stück endet pathetisch, euphorisch, deklamatorisch und propagandistisch mit Klavier und Geige in der durchsozialisierten Superwelt in hundert Jahren.

Flaggen wehen. Bagger baggern. Bewimpelte Jugend. Blumen. Freude. Hochgefühl. Dazu dröhnt ein Zukunftsmarsch von Hanns Eisler aus den Lautsprechern. Ernst Buschs nachgerade etwas brüchig gewordener Barrikaden-Bariton singt den wippenden, stampfenden Text. »Das Schwitzbad« endet hohl und leer mit den alten, ausgedörrten Effekten des Agitprop. Mit allen Fingern wird auf die rote Tube gedrückt. Eine kommunistische Himmelfahrt in das Eden von übermorgen.

Dabei ist das Stück bis zur Pause geradezu ketzerisch und kühn. Es ist so voll von oft genialer Satire über die Auswüchse eines kommunistischen Leerlaufs, daß die Leute im Ostberliner Parkett aus dem Staunen und Kreischen nicht herauszukommen schienen.

Majakowski läßt hier einen jungen Erfinder die Zeit überrumpeln.

Er bosselt sich einen Apparat, der die Uhren nur immer Lügen straft. Man könnte stracks in die Zukunft fahren. Man könnte Ausflüge in die Vergangenheit unternehmen. Man könnte das Heute auf morgen vertagen. Aber man kann nicht.

Die verdammte Parteibürokratie ist viel zu stur. Und nun stellt Majakowski sich die Spottfiguren aus Dreck und ohne Feuer auf die Rampe. Den roten Aktenwurm im Vorzimmer. Die jämmerlich konformistische Künstlerseele mit den auswechselbaren Idealen. Den Oberfunktionär auf dem Sessel der Macht, großkotzig, dumm, hohlrednerisch und feige.

Die entleerte Gebärde der Revolution. Die Spießerseele als gemeiner Nutznießer des alten Elans. Das ganze Textbuch sozialistischer Phrasen wird zum hellen Vergnügen der Ostberliner Einwohner ausgeleert und saftig durch den Kakao gezogen. Man traut seinen Augen und Ohren nicht: bissiger, treffender, gehässiger könnte kein gelernter »Antikommunist« den roten Alltag treffen. Die Satire hat immer den Beigeschmack beleidigter Genialität. Majakowskis Haß und seine Einfälle sprühen.

Die Verzerrung wird bis auf die deutlichste Spitze getrieben. Die Versammlungssucht, das entleerte Rednerpathos, die Duckmäuserei vor jedem, Marx- und Leninzitat, der Plan- und Koordinierungswahn, das ganze Kauderwelsch der Funktionäre und ihr unleidliches Parteichinesisch – alles wird immer wieder mit zornigen Füßen getreten.

Nicht genug damit: Majakowski nimmt die offizielle Parteikritik schon vorweg. Er dreht die Bühne einfach um. Er läßt hinter der Szene – uns sichtbar – eine Delegation roter Bonzen erscheinen, die sich durch das so bitter Gezeigte getroffen fühlen und die versuchen, die Aufführung selbst zu inhibieren. Aber sie stinken ab. Es geht weiter.

Leider geht es dann, nach so viel Bitternis, Wahrheit und echt satirischem Hohn, konventionell und kleinmütig weiter. Der kommunistische Engel aus der Zukunft erscheint, ein entzückendes, weibliches Wesen in phosphoreszierendem Gewande. Dieser kleine, süße, rote Gott aus der Zeitmaschine hilft den wackeren Erfindern und redlichen Arbeitern ihre verbonzten Hinderer und Widersacher von den hohen Sesseln zu stoßen.

Die Filmprojektion fliegt herunter. Montagen des Aufbaus und des kommunistischen Sieges erscheinen. Der Lautsprecher, jetzt auf »positiv« geschaltet, dröhnt nun mit Aplomb all die Phrasen, die vor der Pause noch zunichte gemacht wurden. Das dünne Ende kommt nach. Was so aufregend wider den Stachel löckend, was so erfrischend kritisch und satirisch begann, wird mit den alten Slogans wieder zugekleistert. Genossen, wartet die Zukunft ab! Die Gegenwart ist vielleicht mies. Aber die Zukunft ist unser!

Ob dieser szenische Rückzieher auf Majakowskis oder auf das

Konto der Aufführung geht, war schwer zu erkennen. Man hatte sich hier vorsichtshalber einen Regisseur aus Moskau direkt geholt. Professor Nikolai Petrow (Volkskünstler und Stalinpreisträger, versteht sich) ist ein Mann, der sein inszenatorisches Geschäft versteht. Zuerst macht er wildes Expressionistentheater mit allen genialen Szenenzuckungen.

Da sieht die Bühne dann oft aus wie beim seligen Dr. Caligari. Verrückte Tänze werden vollführt. Stummfilmgags werden ausgekostet. Jede Art eines lustigen Formalismus wird geschickt getätigt. Alles geschieht für unser Gefühl ein paar Drehungen zu langsam. Aber was der Professor da inszenatorisch treibt, ist nicht von Pappe.

Wenn dann die Fahne der Parteitreue hoch geht, wenn der Himmel des Kommunismus szenisch angesungen wird, ist es so unerträglich wie immer. Edelmut trieft. Zukunftsschimmer leuchtet. Bengalisch angestrahlt steht die Phrase wieder auf dem Podest, von dem Majakowski sie so tapfer und zornig eben noch heruntergerissen hatte.

Gespielt wurde, bezeichnenderweise, im »negativen« Milieu vielmals besser als in der »idealen« Schicht. Franz Kutschera, anzusehen wie der Ostberliner Bürgermeister Ebert, war ein Bonze und Parteihengst von geradezu Sternheimischer Prägnanz, Herbert Grünbaum, als der fette Vorzimmerdiktator, hatte es satirisch nicht weniger dick hinter den Ohren.

Das Ostberliner Publikum, zuerst höchst beteiligt und angespitzt, hatte, als dann das pathetische Zukunftsklischee aufgedreht wurde, sichtbar weniger Pläsier. Alles in allem: mit Majakowski, dem revolutionären Satiriker und Pathetiker, dem Selbstmörder und ein viertel Jahrhundert lang Totgeschwiegenen – gerade hier ein sonderbar amüsanter und am Ende melancholischer Abend.   12. 2. 1959

Bertolt Brecht »Der aufhaltsame Aufstieg des Arturo Ui«
Theater am Schiffbauerdamm

Dies ist ein Stück dichterischer Rache, dramatischer Vergeltung, ist ein Hieb des Hasses. Brecht schrieb es 1941. Sein Ziel: die grotesken Machenschaften der Nazis im Bilde einer Gangstergruppe darzustellen. Die Ruchlosigkeit, die blutige Motorik der »Bewegung« verlegt er in einen komischen Gigantenkampf, der um die Macht im Gemüsehandel einer amerikanischen Handelsstadt der Gegenwart ausbricht.

Hitler heißt hier Ui und ist ein mieser, kleiner Ganove, der durch Lug, Trug und Mord den Karfiol-Trust an sich reißt. Hindenburg erscheint in der Gestalt eines ollen, ehrlichen Kneipwirtes. Goebbels ist ein hinkender Blumenhändler, Göring ein Schlagetot mit der Masche des Jovialen. Röhm ist da und Papen, Dollfuß, van der Lubbe, Strasser. Alle sind erkennbar und sollen es sein. Aber alle wohnen sie listig in der Verkleidung der Parabel.

Dadurch ist schon der Effekt komischer Verschiebung hergestellt. Die Sache, die geschah, bleibt die gleiche. Nur das sie deutlich dahin verlegt wird, wohin sie von vornherein gehörte: in die Gosse, in die Unterwelt, in die Gangstersphäre – dadurch wird sie durchschaubar und zugleich gespenstisch.

Brechts zweiter Trick der satirischen Verschiebung: er läßt diese Gestalten auftreten und reden, als entstammten sie einer großen, bluthaltigen, pathetischen Shakespeare-Historie. Er schiebt ihnen Versfüße unter. Er setzt die Mieslinge auf den Kothurn, daß sie wackeln. Er drückt ihnen ein parodistisches Pathos auf. Er macht sich sogar den pfiffigen Bildungsspaß, diese Gestalten aus Dreck und Feuer in Nachbildungen klassischer Szenen zu verpflanzen.

Einmal schreitet Ui-Hitler mit Dullfeet-Dollfuß tändelnd durch den Garten wie einst Faust mit Gretchen. Und dann steht Ui an der Leiche des gleichen Dullfeet und wirbt um die Witwe, wie es bei Shakespeare der blutige Richard III. tat.

Alles wird erst einmal direkt in die Gosse gesetzt. Und von der Gosse wiederum auf den Kothurn. Diese doppelte Verschiebung einer immer ablesbaren Realität gibt der Sache eine neue, grimmige, oft groteske und augenöffnende Komik.

Zu Brechts großen, dramatischen Hervorbringungen wird man dies nicht rechnen. Dazu ist es zu zeitgebunden, zu sehr auf den Tag und die Stunde gezielt, oft zu krude, zu zweck-dramatisch und in Teilen zu agitprop-artig. Brecht sah nur rot, während er diese zerreißende Persiflage des Braunen schrieb.

Aber die parodistische Sprachkunst, die hier waltet, der Einfallsreichtum, mit dem ein arger Tatbestand erst mal listig hingestellt, klargemacht und dann wütend zerrissen wird, das bleibt herrlich und von großer Kraft.

Meisterlich und eine europäische Sehenswürdigkeit bleibt die Darstellung, die das Berliner Ensemble der heiklen Sache gibt. Alle aufdringlichen Hemmungen des »epischen Theaters« und seiner grauen Theorie sind hier fallengelassen. Peter Palitzsch und Manfred Wekwerth (Regie) lassen den Höllenspaß in einem großen, treibenden Tempo vonstatten gehen.

Das Spektakel ist in dauernder Bewegung. Eine Art wütender Rummelplatzmusik (Hans-Dieter Hosalla) reißt die Schaubilder des Schlimmen aneinander. Eine komische, ruhige Hektik liegt über der Schaustellung, eine vitale Hurtigkeit, die in sich schon amüsiert.

Alles klappt wie am Schnürchen. Bei Szenenwechsel wird der Wechsel der Szene sichtbar getätigt. Im emsigen Laufschritt, dabei mit einer kompetenten Ruhe, ist der Schausplatz jeweils ausgetauscht. Ein Arbeitsvorgang wird optisch schön.

Das Spiel selbst – wie gestochen. Keine Figur wackelt. Alles ist in seine vorgefaßte Kontur gedrückt. Die Effekte sind aus vielen Töpfen genommen. Teils wird Rummelplatzromantik angespielt. Teils wird der Gangsterfilm und die Schießfreudigkeit seiner Gestalten angezogen. Dann wieder sind Shakespeare oder Goethe sichtbar und komisch profaniert. Und gleich daneben pantomimische Vollendungen, die direkt aus den klassischen Stummfilmen von Chaplin oder Ben Turpin oder Harold Lloyd zu kommen scheinen.

Diese Inszenierung ist im wahrsten Sinne des Wortes ein Höllenspaß. Immer beides: grausig und amüsant, bitter und urkomisch, sehr ernsthaften Zieles und dabei doch durchweg von einer kraftvollen, guten Laune. Meisterlich.

Eine Sehenswürdigkeit unter vielen guten Spieldressuren bleibt Ekkehard Schall, der den Ui, die Hitlerpersiflage, spielt. Er kopiert Hitler nie. Er gibt nur immer Andeutungen einer Ähnlichkeit. Sein Ui stammt aus Hitlers Familie. Aber er gibt weislich nie vor, Hitler selbst darstellen zu wollen.

Dabei treibt er dann allerdings Dinge, die ungeheuerlich sind. Er ist zuerst von einer trüben, schmierigen Demut, ehe er die Macht über den Karfiol-Trust errungen hat. Dann wächst er tolldreist in die große Geste, in den Pomp der Macht hinein und spielt dabei mit großer, schauspielerischer List immer noch die Charakterkomponente der Feigheit deutlich mit.

Er hat eine Szene, da er im leeren Hotelzimmer in rhetorischem Irrsinn auf einem gewaltigen Sessel herumturnt und in eine wahnwitzige, rednerische Selbstbefriedigung hineingerät: das ist so böse und komisch und dekuvrierend, daß es Chaplin im »Großen Diktator« nicht besser gelungen ist.

Dies ist, wenn man so sagen darf, raffiniertes Volkstheater. Mit der differenziertesten Kunstfertigkeit wird ein böser Geschichtsvorgang ganz simpel und augenfällig gemacht, daß jeder im Saal die Moral und Nutzanwendung versteht. Brecht ist die völlige Entblätterung falschen Heldentums durch die Mittel der kruden Komödie gelungen.

Schlecht wird einem erst, wenn man das Programmheft aufschlägt und dort die dummen und vorsätzlichen Verallgemeinerungen liest: Bundesrepublik = Drittes Reich, Hitler = Adenauer, alle Richter in Westdeutschland = Freissler.

Dann ekelt einen wieder, und man weiß, wo man ist und warum dies gerade in Ostberlin gespielt wird. Es paßt in den Propagandatrend, ganz Westdeutschland vor der Welt als eine Jauchegrube des neuen Faschismus anzuprangern.

So denn entwertet eine meisterliche Vorstellung gegen die Lüge von gestern sich selbst durch die wissenschaftliche Unwahrheit im Kommentar. So gutes Theater! So am falschen Platz!

26. 3. 1959

– Die Spielzeiten 1957/58 und 1958/59 –
SPASSVERGNÜGEN

Curt Goetz »Miniaturen«
Renaissance-Theater

So ein angenehmer Abend! Curt Goetz, dieser Schalk in Glacéhandschuhen, wartet gar nicht ab, daß ihm das Theater zu seinem siebzigsten Geburtstag huldigt. Der höchst muntere Greis knallt als Gegengabe drei fröhliche, gelungene, komische Kurzbrenner, drei heitere Knallerbsen auf die Szene. Er zeigt, wie sehr er noch da ist. Er beweist dreimal im Handumdrehen, wieviel Kraft und anwendbarer Bühnenwitz seinem lieben Köppchen nach wie vor innewohnen.

Er geht auf kein Podest. Er geht in die Attacke. Genau an seinem hohen Jubeltag klingelte er zur Premiere und dreifachen Uraufführung. So lob ich mir die Greise!

Drei höchst amüsante Kurzkomödien zeigt er vor. Die erste heißt »Rache«. Der Liebhaber tritt in die Stube des Ehegatten seiner Angebeteten und will ihn niederknallen. Und jetzt, versteht sich, bastelt Goetz so lange und so lustig an den Argumenten und Gefühlen beider Männer herum, treibt er triftigen Schabernack mit den Gründen ihres Zorns und ihrer Liebe, daß am Ende alles seitenverkehrt ist.

Eine kleine, hohe Schule der Komödiendialektik, am Schluß mit einem kurzen sentimentalischen Schlenker. Goetz, als der siegreiche, listenreiche Triumphator immer nur elegant hinter dem Schreibtisch Pointen versendend wie Pfeile. Großartig.

Dann eine ironisch überhöhte, kleine Altersschnulze. Im herbstlichen Kurgarten trifft ein lustiger, längst angekalkter Trottel von Intendant seine frühe Liebe. Die Blätter fallen. Der Dialog plätschert munter. Die Pointen platzen leise knallend.

Aber er, der knarrige Greis, hat keine Ahnung, mit wem er da parliert. Hier kommt der Spaß, der leicht melancholisch angefärbte, aus der Ignoranz.

Wie Goetz das serviert, wie er da im trottelig knurrend-knarrenden Simplizissimus-Stil die Gefühle kitzelt und die Komik männlicher Dusseligkeit massiert – zauberhaft! Valerie von Martens spielt die reizvoll angegraute Jugendliebe mit leichten, frechen, klugen österreichischen Tönen, im hurtigen Pingpongspiel des Dialogs dem Meister ebenbürtig. »Herbst«.

Nach der Pause werden die Ärmel zum puren Schwank hochgekrempelt. Ein sächsischer Theaterfrisör in der Menagerie seiner spießigen Familie. Oben liegt wieder mal eine tote Tante. Um deren kläglichen Nachlaß geht es. Es geht um »Die Kommode«.

Das ist eine meisterliche Klamotte. Kein Witz wird ausgelassen. Kein Grund zum Gelächter wird geschont. Goetz dreht und wendet den Stoff der Ehrfurchtslosigkeit so lange und so wendig, daß man immer wieder aufschreit vor Vergnügen.

Seine Schwankmethode wird dabei – und das ist das Feine daran – niemals grob, obgleich auch dicke Pointen nicht ausgelassen werden. Dieses ungezogene Rudiment eines Stückes ist so prima gepusselt, ist handwerklich so herrlich dicht und kennerisch gebaut, daß das Publikum nunmehr völlig aus dem fröhlichen Häuschen geriet.

Goetz als sächselnder Theaterfrisör und pater familias. Die von Martens als seine intrigante, kämpferische Gattin unter dem Dutt der Kleinbürgerlichkeit. Paul Heidemann im Wallebart, Gerd Prager als Vorgesetzter, der in diese komische Räuberhöhle gerät. Kinder und lästige Verwandtschaft. Die Bühne bebt vor Vergnügen.

Es ist ein so grundlustiger Abend! Dreimal im kurzen Handumdrehen beweist Goetz, wie klug man im Komischen sein kann, wie elegant im Amüsanten, wie geschmackvoll und überlegen noch in den fröhlichen Niederungen der absoluten Groteske.

Lange nicht so vergnügt im Theater gewesen. Selten so gelacht. Reverenz vor Curt Goetz!   19. 11. 1958

Becque/Burkhard/Tschudi »Die Pariserin«
Theater am Kurfürstendamm

Das ist ja eine entzückende Darbietung! Paul Burkhard und Fridolin Tschudi haben sich die alte, erotische Klapperkomödie von Henri Becque hergenommen, darin es zugeht wie in der Provinzonkelvorstellung von der frivolen Seinestadt.

Es gibt zuerst natürlich das appetitliche Kammerkätzchen, das, den Staubwedel in der Hand, zierlich die Exposition macht und anschließend vom Hausherrn in den süßen Popo gezwickt wird. Es gibt die obligate grande dame, die elegante Salonschlange, die zu dem Ehegatten, den sie ohnehin hörnt, einen festen Geliebten hat.

Der Spaß hier: die Pikanterie der Untreue findet schon in der nächsten unmoralischen Dimension statt; nicht, daß sie den Gatten betrügt, bringt die dramaturgische Verwirrung. Das versteht sich in diesem Milieu schon von selber. Daß sie dem Geliebten untreu wird und ihn zur Raserei bringt, macht das Pläsier. Davon lebt die hingehuschte kleine Handlung.

Paul Burkhard hebt den an sich vorgefaßt läppischen kleinen Anlaß musikalisch so reizend von der Banalität weg. Seine Musik setzt alles graziös in Anführungsstrichelchen. Schlager, große Nummern werden nicht geboten. Es ist Musik für singende Schauspieler, getupfte Untermalung, zierliche Verhohnepipelung des ohnehin Banalen, geschmackvolle Ironie.

Für so etwas ist Leonard Steckel der richtige Mann. Wie er auf der lästigen Breitwandbühne den zierlich-veralberten Vorgang arrangiert, ist ein kleines Meisterwerk lustiger Strategie. Dreigeteilt ist die Szene. Ein Blick durchschaut Boudoir, gute Stube und den Vorraum der süßen Domestique. Fritz Butz hat das so geschmackvoll und praktikalbel erbaut, daß das Auge ohnehin jauchzt. Und nun kann's losgehen.

Carla Hagen, als die frivol appetitliche Kammerkatze, liefert ihren Eingangssong ab. Sie ist schon eine kleine Wonne, leichtfertig, präzise und von einer dummen-süßen Unverschämtheit.

Loni Heuser tritt auf, der die Titelrolle wie auf den Berliner Leib geschrieben scheint. Sie ist versehen mit allen großen Gesten der großen Welt. Aber sie hat dabei immer einen so kessen Unterton, holt den Text so sicher und eigenlustig in die Sphäre des Augenzwinkerns, sie betätigt eine so amüsierliche Verfremdung den ganzen lieben Abend lang, daß man ihrer klugen Verarbeitung des Banalen lustvoll erliegt.

Sie singt und spielt meisterlich. Aber nebenher immer das kleine Augenzwinkern: Kinder, sind wir nicht schön albern? Sie parodiert die erotische Bestie im gerüschten Salon hintereinander weg. Aber ihre Parodie gibt immer noch den Wohlgeschmack an der eigentlichen Sache auch. Das ist so unnachahmlich bei ihr. Die Heuser hat ihren großen Abend.

Hinreißend auch Boy Gobert. Sein Auftritts-Chanson ist schon ein voller Treffer. Der Lebemann mit Hemmungen, der Dandy mit dem Attribut der Dusseligkeit. Wie auch er die Pointen setzt, wie er nur einen Bewegungstick anbringt und durchführt, wie er den Gestus des Backpfeifen-Heinis dann noch im grasgrünen Radlerkostüm trocken und komisch hält – auch das eine schauspielerische Delikatesse in diesem kleinen Schlemmerspiel des Leichten.

Bruno Fritz macht den dreifach und gern gehörnten Ehemann. Er bringt wiederum seine kleinen Lieder mit einem so umwerfenden Schafsgesicht vor, er hat eine so lustig-törichte Eigenmotorik des Komischen, sein Pariser Gentleman stammt so unverhohlen aus der Ackerstraße, daß auch diese Seite der Sache höchst amüsierlich wird. Kurt Heintel, als der sozusagen legitime Seitensprung, muß nur immer poltern, greinen, heulen und nach Operetten-Strich-und-Faden eifersüchtig sein. Er tut's mit Vehemenz.

Der zweite Akt ist eine Vollendung dieses bei uns leider so selten gewordenen Bühnen-Genres. Da jagt ein Wohlgefallen das andere. Ganz so dicht und lustig geht es zu Anfang und am Ende leider nicht zu. Aber was verschlägt's? Man ist ja schon so selig im Parkett, wenn das heiter Frivole, wenn das schöne Trallala mit Verstand, wenn die Bühnen-Zuckerspeise mit den Gewürzen der intelligenten Ironie so appetitlich angeboten wird.

Dieser Abend ist auf seine seltene Art eine kleine Wonne, großstädtisch, hurtig, künstlerisch perfekt angerichtet und voller kluger Albernheit. Der Beifall war enorm.   24. 12. 1958

Die Spielzeiten 1959/60 und 1960/61

DAS SCHOCKTHEATER II

Samuel Beckett »Das letzte Band«
und Edward Albee »Die Zoogeschichte«
Werkstatt des Schiller-Theaters

Das Berliner Schiller-Theater hat etwas Vorzügliches getan: Es hat sich um ein kleines Haus vermehrt. Ein leerstehender Kulissenschuppen wurde zum Werkstatt-Theater. Ein paar Meter nur von Pomp und Pracht des Repräsentationsparketts entfernt – der Reiz der Kahlheit: leeres, hintergrundloses Podest, Brechtgardine, offenes Scheinwerferlicht, gekalkte Wände, zwei Dutzend Reihen harter Stühle. Nur die Theater-Arbeit soll hier gelten. Gut so!

Man eröffnet den Drill- und Versuchsschuppen mit einer deutschen Erst- und einer Uraufführung. Zweimal werden groteske Endsituationen angepeilt. Zweimal wird Gelächter über das Grauen gelegt und Grauen über das Gelächter. Endspiele beide. Beide auf böse Art faszinierend.

Zuerst: Samuel Becketts »Das letzte Band«. Eine neue Variation seiner szenischen Schlußpanik, seiner Beschäftigung mit dem absoluten Ende.

Krapp, eine schon in der Auflösung befindliche Kreatur, clownsgesichtig, lallend, in jeder Geste die landläufige Logik mit Füßen tretend, hört ein Band ab, das er selbst vor dreißig Jahren besprach. Dann bespricht er ein neues. Es ist sein letztes, sein Abschied, sein Verstummen. Das Leben hört auf. Krapps Welt, die Welt überhaupt artikuliert nicht mehr. Das Band läuft leer.

Mehr passiert nicht. Aber wieder das Groteske an solcher Groteske: es fasziniert zutiefst. Wie im Godot kann Beckett den schönen Sog des Nichts, kann er den Reiz der letzten Reizlosigkeit signalisieren. Beckett schockt nicht mehr wie einst. Die Hartnäckigkeit, mit der er den Nullpunkt anpeilt, hat für uns, beinahe hätte ich gesagt: schon etwas Gemütliches bekommen.

Man bewundert die Volten, die er immer neu um das Loch der

Leere schlägt. Und der Humor, der in solch verbiesterter und einseitiger Beschäftigung mit dem Nichts liegt, tritt klarer hervor. Paradox formuliert: Man amüsiert sich großartig bei Beckett.

Krapp – Walter Franck, anzusehen wie ein tragischer Milchbruder Grocks, fahlen Gesichts mit rot entzündeten Augen, in seiner Endstations-Bude herumtapsend wie ein gelähmtes Tier, lallend, sich verstrickend in Tonbändern, Spulen und Schachteln, hingeneigt zum Lautsprecher, daraus die einzige Gegenstimme (seine eigene) ertönt, das Gehörte mit dem dumpfen Mienenspiel einer imbezilen Intelligenz untermalend. Eine Leistung, auf die im eigentlichen Wortverstande das Wort gehört: phantastisch.

Danach die Uraufführung eines amerikanischen Textes, ein vielfach gepfefferter Dialog: »Die Zoo-Geschichte« von Edward Albee, einem Dreißigjährigen, der aus seiner Kenntnis von Beckett, Poe und Kafka, Freud und Hollywoods reißerischer Tiefschlagtechnik einen in seiner hellen Krankhaftigkeit ebenfalls heikel interessierenden Einakter gemischt hat.

Auf einer Bank im Central-Park wird ein normaler Bürger, ein eher spießiger Charakter, von einem geistig hellsichtigen und gefährdeten Burschen erst angesprochen, dann in ein böses, tiefsinniges Gespräch gezogen. Sein fahrig drohender Partner zieht ihm im Dialog den bürgerlichen Boden – ritsch-ratsch – unter den Füßen fort und zwingt ihn am Ende, ihn, den gefährlich gefährdeten Burschen, zu erdolchen.

Das ist hochgestochener Grand Guignol, ist Schauerdramatik von der superklugen Art, Todessehnsucht in Blue jeans, Götterdämmerung aus der Gosse. Aber hochbegabt und in der Dialektik zum absolut Bösen oft von einem schauderlichen Glanz.

Kurt Buecheler spielt den Spießer, der in Raserei und Mord geredet wird, Thomas Holtzmann, Berlins Spezialist in gefaßter Bühnendämonie, den geistigen Verführer, den armen, intellektuellen Sittenstrolch.

Als der Beifall für diese Etüde dialogisierten Grausens hochging, holten die beiden den Autor auf die Bühne, einen schmalen, höchst propper gekleideten, sympathisch anzusehenden, fast schüchternen jungen Mann. Ihm hätte man so viel szenische Arglist gar nicht zugetraut.

1. 10. 1959

Kummer mit einer deutschen Uraufführung. Wolfgang Hildesheimer ist doch sonst ein respektabler und phantasiereicher Autor, dem wir manch brauchbare und lustige Kapriole ins Reich des Überrealen verdanken. Hier macht er uns Kummer. Sein Stück, in der Tribüne uraufgeführt, ist einfach schlecht.

Es bemüht sich um das sogenannte »Theater des Absurden«. Die Fabel verpönt es. Die Dialoge mischen vorsätzlich Quatsch und Poesie. Was am Ende wohl übrigbleiben sollte, ist eine Verzauberung, eine verblüffende Logik des Unlogischen, sozusagen eine Travestie unserer Tage und Usancen in einem poetisch verzerrten Spiegel. So ungefähr wie Ionesco das gelingt, mag es Hildesheimer vorgeschwebt haben.

Aber dabei, leider, blieb es. Seine Figurationen des Absurden kriegen keine Kraft, werfen keine Schatten, kommen gar nicht in die Gestalt des Komischen oder Tiefsinnigen. Wenn man heute auch auf Handlung, auf strikte, alte Form dreist verzichten darf – verzichten kann man nicht auf die uralten, unauswechselbaren Elemente des Theaters, nicht auf die Grundsatzforderung jeder Bühne: Interessieren muß es! Auf Langeweile steht Todesstrafe!

Dies aber langweilt gründlich. Es kriegt keine Kraft und Ansehbarkeit. Es wird nicht scharf, nicht bitter, nicht sanft. Es findet nicht seine Form der Formlosigkeit. Es geht in seiner penetranten Substanzlosigkeit einfach auf die Nerven. Von Faszination und Leben keine Rede.

Das ist schlimm genug. Schlimmer wird es noch dadurch, daß Hermann Herrey eine ausführliche, verzwickte, überdrehte Aufführung des ohnehin sinnlos Überdrehten herstellt. Er dressiert die armen Mimen auf einen verrückten Expressionisten-Stil. Er läßt sie andauernd durch gestische Reifen springen, für die weder im Text noch im Sinne der Unterhaltsamkeit ein Grund zu finden wäre.

Trude Hesterberg, Hugo Schrader, Paul Edwin Roth sah man nie so gequält im dressierten Leerlauf traben wie hier. Ionesco, zeigt sich, ist nicht imitierbar. Das sogenannte Theater der Formlosigkeit bedarf gerade einer besonders kräftigen, inneren Form, daß es wirke und bestehe. Nur abstrakt ist noch nicht modern. Und absurd allein noch kein Grund, zu langweilen.

Es war ein trister Abend, eine Enttäuschung für alle, die von Hildesheimer immerhin eine kleine Regeneration unseres eigenständigen Spielplans erwartet hatten. Die Armen müssen nun weiter warten. 1. 10. 1959

Günter Grass »Noch zehn Minuten bis Buffalo«
Werkstatt des Schiller-Theaters

Günter Grass' Einakter »Noch zehn Minuten bis Buffalo« ist ein so hübsch schwereloser, surrealistischer Scherzartikel für kleine Bühnen. Grass, dessen Roman zu den interessantesten Früchten des literarischen Jahres gehört, schweift hier zierlich im Absurden.

Ein Maler sitzt auf der Wiese und pinselt nach dem Modell der Kühe, die er vor Augen hat, sinnwidrigerweise eine Fregatte. Er spricht dazu mit hochgezogenem Munde Kunst-Quatsch in schöner Gestalt.

Ein Lokomotivführer und sein Heizer betätigen eine alberne kleine Lok. Das Ding ist von absurder Unbrauchbarkeit und Verspieltheit. Es kommt nicht vom Fleck. Aber die phantastischen Eisenbahner haben lauter Schmetterlinge der Imagination unter der Dienstmütze. Sie spielen christliche Seefahrt. Und die Lok bewegt sich doch nicht.

Dann rauscht mit abrupter, poetischer Motivierung eine personifizierte Fregatte auf, ein Weibsbild, redend wie eine saftige Gallionsfigur, fluchend wie der Klabautermann selber.

Aber die dumme kleine Lok auf der Wiese, so sehr sie mit Phantasie auch geheizt wird, bewegt sich immer noch nicht. Bis ein simpler, lieber Kuhhirt, einer, der nicht spintisiert, sondern nur ist, wie er ist – bis der auf den Führerstand der kleinen, unbeweglichen Draisine tritt. Und siehe, puff, puff, sie setzt sich in Bewegung, sie zuckelt davon. Vorhang!

Das ist sicherer Surrealismus von der lustigen Art. Das hat natürlich, bei seiner scheinbaren Sinnwidrigkeit, doch seine gesunde Moral in der Verteidigung der praktischen Welt gegen den hohen Wahnsinn der Phantasten. Aber die Moral schwebt. Die schöne Albernheit glüht poetisch. Die Argumente sind bei Grass völlig schwerelos geworden.

Diese kleine, zwecklose, aber heimlich sinnreiche Fisimatente führte man in der Werkstatt-Bühne des Schiller-Theaters mit zu wenig szenischer Anmut auf.

Berta Drews war die verkörperte Fregatte, Karl Hellmer der schweigende, grinsende, wortlos siegende Kuhhirt, Franz Nicklisch und Rudi Schmitt die wie von Saul Steinberg erfundenen Grotesk-Eisenbahner. Ihnen hatte H. W. Lenneweit aber auch eine so verschnurkelte, kleine, puffende Drecksdraisine gebastelt, daß das Kind im Kritiker am liebsten heimlich auf die Bühne gekrochen wäre, um auch mit dem dummen Dings zu spielen.

Rolf Hädrichs Regie ließ Leichtigkeit, Spaß am Absurden, die rechte Romantik am Abstrakten vermissen. Schade, denn Günter Grass, das war deutlich zu erkennen, ist durchaus ein Mann der erfindenden Bühnen-Imagination. Er wurde gerufen. 11. 12. 1959

Günter Grass »Die bösen Köche«
Werkstatt des Schiller-Theaters

Die gute, alte Oberlehrerfrage: »Was will uns der Dichter hier sagen?« – sie ist auf Anhieb nicht zu beantworten. Günter Grass geht sehr spielerisch, geht mit geradezu wogender Phantasie zu Werke. Er baut bei aller scheinbaren Formlosigkeit durchaus seine fünf Akte nach dem alten Schema des Dramas. Er bleibt dramaturgisch bei der Stange. Inhaltlich schweift er selig ab. Er gibt ein Parabelstück, ohne die Parabelwerte kenntlich zu markieren, ein Symbolspiel bei vorsätzlich verschleiertem Symbol. Der Spaß (und ein großer Spaß ist es!) liegt in seiner Rätselhaftigkeit.

Was sieht man? Den Aufstand der Köche. Grass holt sie aus dem hurtigen Hut des Zaubertheaters. Einer entspringt dem Schlund einer Posaune. Der andere wird auf offener Bühne aus einem Ei geschlagen. Der dritte entspringt einem Schneegestöber in der Küche. Die Herkunft der Dramenpersonen ist vorgefaßt absurd und phantastisch. Die Logik macht fröhlich Handstand. Der Ahnvater Nestroy winkt von fern. Das Skurrile betritt den doppelt geschichteten Szenenboden.

Die Gilde der Köche ist in Unrast. Die bleichen Mützenmänner verlangt es nach einem geheimnisvollen Rezept. (Kafka-, Beckett- und Ionesco-Kenner werden automatisch hellhörig: »Aha! ›Rezept‹, das ist ohne Zweifel das Schlüsselwort für Lebenslösung, Weltanschauung, ist die Geheimziffer, durch die dieser Gleichung mit vielen Unbekannten beizukommen wäre!«)

Ein falscher Graf, auftretend in der Grass-Maske und mit des Autors tragischem Hängeschnurrbart, besitzt das Rezept der »grauen Suppe«, nach dem die Gilde der bleichen Mützenmänner giert. Er gibt es nicht her. Es foppt die organisierte Welt der Salzverwalter. Er widersteht ihrer immer neu gruppierten und gemanagten »kompakten Majorität«. Er weidet sich an ihrer Hilflosigkeit jetzt und bedauert sie auch gleich und liebt diese aufgeregte, sich immer neu gruppierende Kochlöffelkolonne.

Er entflieht ihren Klauen in eine von Grass sarkastisch übersteigerte Idyllik zu zweit. Da zeichnet er zärtlich und bitter beides: die Echtheit und zugleich den Kitsch der Liebe. Aber die Köche brechen ein in diesen parfümierten Rosengarten liebender Einsamkeit. Sie zertrampeln die Blumen. Der »Graf« erschießt sich und seine Geliebte, die süße Karbolmaus und Krankenpflegerin, bumbum!

Einer der Köche glaubt jetzt das Geheimnis, das Rezept der grauen Suppe zu erahnen. Die Rotte der Mützenträger setzt ihm nach. Jetzt ist er der Gejagte. Die Masse ist wieder auf dem Trab nach dem Geheimnis. Sie wird es immer sein, scheint Grass zu sagen.

Dies Stück (und das ist sein Reiz, seine Begabung und seine moderne Interessantheit) ist auf listige Weise vieldeutig. Es jongliert mit der Ambivalenz der Werte. Es schiebt dem Zuschauer immer neue, oft konträre Deutungsmöglichkeiten zu. Man rätselt auf den angemessen harten Sitzen des Werkstatt-Parketts. Und das tut wohl. So bleibt das Interesse listig am Kochen.

Und dies Stück steckt so voll müheloser Phantastik. Es hat so viel Komik aus der reinen Imagination. Grass handhabt das Absurde mit einer fröhlichen oder bitteren Frechheit. Manchmal denkt man von fern an Grabbe, dann wieder an die Klabautertechnik unserer Romantiker, dann an Raimund, Nestroy und zugleich an die zielenden Hampelmänner des »absurden Theaters« von heute. Grass steht in dieser Linie deutlich auf Vordermann. Aber daß er eigenartig blieb, unverkennbar »grassisch«, das ist so Mut machend. Eine Uraufführung mit eigener Kontur. Wann hatten wir das zuletzt?

Sprachlich ist das schon ganz sicher abgeschmeckt. Man hört

die Deftigkeit, die Bilderfreudigkeit und auch die positive Maulfaulheit, die Lust an der Satzverkürzung heraus, die Grass aus seiner ostpreußischen Herkunft mitbringt. Und aus der Mützenmasse der Köche macht Grass sprachlich Individualitäten kenntlich. Er kann mit dem Munde charakterisieren und gleichzeitig den Typ, der sprachlich so entsteht, wieder ironisieren. Auch da arbeitet er mit dem Doppelschlüssel. Wie ihm das gelingt, ist schon vieler Ehren wert.

Die Uraufführung, die Walter Henn dem raffinierten Rätselspiel bereitet, fand ich etwas zu sanft, zu betulich, so pflegsam sie war. Dies erinnerte oft an Disneys süße Welt der »Sieben Zwerge«, wenn die Köche miteinander raunzten. Dabei kam die schöne Bösartigkeit, kam die Herbheit, die Bitternis, der gesunde Sarkasmus der Sache etwas zu kurz. Wäre dies weniger lieblich – würziger, richtiger würde es schmecken.

Lothar Blumhagen schreitet als falscher Graf in der Grass-Maske einher. Carsta Löck liegt komisch aufgebahrt im Sterbebett neben einer permanent krähenden Kuckucksuhr. Ursula Gütschow regiert in der symbolgeschwängerten Wäscherei. Von der Decke hängen auf der Leine zahllose Kochuniformen, leere Pappkameraden einer verkochten Welt.

Gisela Stein, blond und zuckrig, ist das Karbolmäuschen, die süße Norne aus der Diätküche. Karl Hellmer (tranig herrschend), Rudi Schmitt (intellektuell feurig), Walther Bluhm (tragisch-komisch aufbegehrend), Werner Stock (skurril kriecherisch), Moritz Milar (unbekümmert jung) und Hans Schwarz (kraftdämonisch und dumm) schmecken die Eintopfwelt der Köche mit eigenem Darstellergewürz jeweils kompetent ab. Sie blieben Masse. Und waren doch identifizierbar.

Lustig – das konnte man feststellen, immerhin – findet Grass unsere Welt nicht. Aber ihm ist gegeben, sie trotzdem lustig, phantasiebehängt, skurril und mit einer Art bitterer, guter Laune auf der Bühne Bocksprünge tun zu lassen. Er kann wirkliche Szenenfaszination erwecken, hat Theatergefühl, hat ganz offensichtlich den kleinen Zauberstab für das skurrile Spiel in der Tasche.

Ein paar Buh-Rufer nahmen ihm offenbar übel, daß er keine Thesen verkaufte, daß er nicht deutlicher ist, sondern vorsätzlich schöne Verwirrung manipuliert. Die Mehrzahl schien gerade das zu genießen. Sie hatte viel lauthals gelacht. Sie hatte ein paar Symbolnüsse geknackt, einen ganzen Haufen auch nicht öffnen können. Man grämte sich darum nicht und holte Grass auf die Bühne, wo er nun neben seiner eigenen szenischen Maske stand und sich verneigte.

»Die bösen Köche« schrieb er vor vier Jahren. Er soll weitermachen. Er hat Spaß, Kraft und Bosheit. Ach, davon kann ja die einheimische Bühne gar nicht genug bekommen!   18. 2. 1961

Jean Genet »Wände«
Schloßpark-Theater

Ein Drama herkömmlichen Sinnes ist dies beileibe nicht. Es ist eher eine poetische Wucherung. Die faktische Hölle dieser Welt – geschichtet und geschachtelt vor und hinter Paravents, Wänden, die sich auf der Bühne gespenstisch kasteln und den Irrgarten des Daseins optisch signalisieren.

Jean Genet (»Die Zofen«, »Der Balkon«) gilt als der Poet des Unflats. Er trompetet den Glanz der Verworfenheit. Er rührt im Absud. Er verurteilt und verkündet den Glanz der Hölle. Und die Hölle ist hier. Wir haben uns im Inferno schon eingerichtet. Genet zeigt die Faszination der Verdammnis.

Seine Sprache (diesmal von Hans Georg Brenner in ein adäquates, bestechendes Deutsch gebracht) ist gewoben aus Brokat, zerschlissenem Alltagsgerede, Pathos, Argot, elegischer Hochpoesie und dann absichtsvoll bespritzt immer wieder mit Schmutzworten aus den Pfützen des Fäkalischen.

Genet rührt fasziniert (und faszinierend) mit langem Löffel im brodelnden Topf des zerkochenden Lebens. Die Dämpfe, die aufsteigen, sind wohlriechend nicht. Die Blasen, die da an die Oberfläche springen, sind kaum appetitlich. Ein böser Koch. Aber einer, der noch die minderen Gewürze zu Wohlgeschmack bringen kann neben dem Hautgout, das dauernd schmeckt, während es auf der Zunge brennt. Hier wirft er lauter Hände voll Leben in einen großen Topf. Eine dünne Fabel, kaum erkennbar, zieht sich durch das sämige Gebräu, wie Said, der ärmste verachtete Sohn des armseligen, mit Schmeißfliegen bedeckten Araberdorfes, die häßlichste Tochter der gleichen miesen Siedlung heiraten muß. An ihnen hält sich die Umwelt schadlos. Die Mindersten sind am Ende die Heiligsten. Sie werden geopfert und opfern sich für die

Sündigen. Die Schuldlosesten – die Sündenböcke, die heimlichen Erlöser.

Doch solche Moral, solche »Handlung« ist nur angedeutet und geradezu beflissen von Genet immer wieder verwischt und versteckt. Er schachtelt die »Wände«. Und vor jeder Wand eine neue, poetisch bösartig angetippte Wirklichkeit.

Die Welt der Bordelle, in der das Fleisch der königlichen Hure verfault. (Ruth Hausmeister stellt sie dar mit einer babylonisch adligen Verworfenheit und Trauer.) Die Welt der Militärs im Siebenjährigen Kriege von Algier. (Rudolf Fernau in einer bestechenden Soloskizze, Dieter Ranspach als ein bizarrer Zitterrochen von schniekem Offizier, im Einsatz mit ängstlich hochpoliertem Stiefel.)

Die Sphäre der Siedler, der pratschig ausnehmenden Kolonialclique wird mit geradezu schmähender Wut gezeichnet. Angst und Profit, Menschenverachtung und Kleinmut. Vor der nächsten Wand die korrupte, gedrückte, stinkende Sphäre der Araber. Neber der Hochzivilisation menschliche Trostlosigkeit, von Fliegen übersät. Und doch mit der Kraft des Animalischen und der List der schmutzigen Natur. Hier brilliert Elsa Wagner, ein Klageweib mit dem triumphierenden Gelächter einer verdreckten Norne.

Der komische Spuk des Bürgerlichen vor der nächsten, sich heranschiebenden Wand. Gudrun Genest und Werner Stock dekorieren einen Popanz, eine Puppe in der guten Stube über und über mit Orden. Krabbelnde Dummheit verteilt ranzige Dekorationen. Genet wischt satirisch kurz und treffend auf im Juste-Milieu.

Er holt sich die angegangenen Symbole des »Abendlandes« vor den nächsten Paravent. Der »Akademiker« speit im Angesicht des Fürchterlichen eine Fontäne ziselierter, hoher Worte (Kurt Buecheler). Der »Vamp« (Ursula Gütschow) vampt mit leerem Sex am Abgrund. Ein Photograph (Herbert Grünbaum) fixiert das blöde Chaos idiotisch auf Postkartenformat. Der Missionar, in edler Borniertheit, versucht mit tragischer Verbissenheit die berstende Welt zu kitten (Herbert Wilk).

Genets neuer, abendfüllender Bühnenversuch sprengt andauernd die Bühne. Er wuchert seine dunkle Poesie vor immer neuen Wänden des Menschlichen heran. Jede Gestalt, obgleich deutlich, ist auf morderne Art viel-deutbar. Jetzt erkennt man genaue Anspielungen auf die permanente Hölle von Algier, Fremdenlegion,

Krieg, Insurgenz, ungesteuerte Rache, Blutgier, »Rote Hand«. Und gleich entzieht Genet uns die angetippte Wirklichkeit. Er zieht das scheinbar völlig ungeordnete Spiel mit poetischer Kraft vom Boden weg, holt es sicher auf die Höhe des Beispiels, des Symbols, des vieldeutigen Inbilds.

Das macht den Reiz und die beständige Rätselwirkung dieses »phantastischen Schauspiels«. Es fasziniert, es beschäftigt auf eine rätselhafte Weise immer neu. Es bezeugt, sooft man sich gegen des verdammten Autors, dieses Poet maudit, Hinneigung zum Auswurf, Absud und Ekel auch sträuben mag, – es bezeugt den reinen Sog der Poesie. Auch wo Schmutz, geradezu wühlerisch, bevorzugt wird. Er macht aus Dreck Reinheit. Er ist doch wohl ein Dichter.

Spielbar war das bisher in Frankreich nicht. Genet schlägt hier zu schmerzlich auf das algerische Schlimme. So rutschte eine rare Uraufführung aus Paris, wo sie hingehörte, unversehens nach Berlin-Steglitz.

Hans Lietzau hat diese genialische Wucherung von einem Stück fast um die Hälfte gekürzt. Das war nötig. Es hat fast das halbe, großartig eingestimmte Ensemble der Städtischen Bühnen in die schönen Wirrsale dieses Irrgartens angewandter Phantasie losgelassen.

Genets Anweisung, die Spieler nur in Masken auftreten zu lassen, hat er nicht verwirklicht. Nur Leila, die heilige Häßliche (stark in der Stille, schwach, wenn sie laut wird: Heidemarie Theobald) trägt die kleine Lederblende vorm Gesicht. Die anderen werden aus dem Schminktopf kräftig abstrahiert. Hinreißend vital – Berta Drews als die Mutter, erstaunlich prägnant und gehalten – der junge Gerd Baltus in der verwischten Hauptrolle des armseligen Heilands.

Ein Abend, der unendlich beschäftigt. Ein Stück Theater, das gerade durch seine Undurchschaubarkeit, durch seine poetischen Finten so reizt, das wuchernde Panorama des faktisch Phantastischen, abgestoßen und fasziniert, zu betrachten.

Am Schluß durchbrechen Genets Figuren aus Dreck und Feuer die Wände. Wie die Reiter im Zirkus springen sie durch die Wand aus Papier in die Leere der Ewigkeit, drücken sie die bisher so harte, hindernde Wand des Zeitlichen ein. Mit einem erlösten »Na also!« treten sie über die Schwelle der Endlichkeit. Die Weiber stimmen das große Gelächter an. Die Männer, alle den auslöschenden Strich des Todes über dem Gesicht, beginnen, mit heiterer Negation philosophisch über die noch wuchernde Welt unter ihnen zu palavern.

Genet, auch wo er die herkömmlichen Gesetze des Theaters dauernd zu verletzen scheint, hat große, wuchernde, theatralische Kraft. Diese französische Uraufführung in Steglitz ist ein Hoffnungsschein im europäischen Theaterjahr.   24. 5. 1961

– Die Spielzeiten 1959/60 und 1960/61 –
RAUH, HANDFEST, BITTER

Willis Hall »Das Ende vom Lied«
Schloßpark-Theater

Dies hat mit Literatur nichts zu tun. Es ist krasses, gut gemachtes, ruchloses Spannungstheater. Ein Anti-Kriegsreißer. Die minuziöse Darstellung einer Menschengruppe kurz vor ihrer Liquidierung durch das Tacktack der feindlichen Maschinengewehre.

Einheit des Ortes: eine halbverfallene Hütte im malaiischen Dschungel. Einheit der Zeit: ein paar Stunden vor der Vernichtung. Personen: ein Unteroffizier, ein Obergefreiter, fünf Mann. Dazu ein japanischer Gefangener als stumme Person. Mehr braucht der englische Autor Willis Hall (Jahrgang 1929) nicht.

Erst läßt er die Figuren seiner kompakten zwei Akte langsam »kommen«. Er stellt sie vor. Er läßt sie sich in verschiedenen Dialekten und Abarten des Landserjargons expektorieren. Helden, stellt sich heraus, sind sie alle nicht. Sie haben alle ihre eigene Art von Angst und Humor. Sie haben untereinander ihre Landserquerelen und Stänkereien. Sie haben ihre törichten Sehnsüchte und Ticks und ihre Art von Sentimentalität, die der geschickte Autor frei laufen läßt.

Ein Spähtrupp ohne Verbindung zurück. Ein einzelner Japaner fällt ihnen in die Hände. Zum ersten Male werden sie da eines »Feindes« in der Nähe ansichtig. Wenn sie ungeschoren in die eigenen Linien zurückwollen, werden sie den kleinen, verängstigten gelben Mann umlegen müssen, daß er sie nicht verrate. Mitschleppen können sie ihn nicht. Sie werden gezwungen sein, einen Gefangenen zu killen.

Hier nun setzen die bitteren, harten Dialoge ein. Teils fassen die Briten eine Art rührender Zuneigung zu diesem verbiesterten, kleinen »Feind«. Teils sind sie stur entschlossen, die böse Konsequenz ihrer ausgesetzten Lage zu ziehen. Teils drücken sie sich um die wahrhaft dramatische Entscheidung. Vor der Frage: extreme Menschlichkeit oder scheinbar folgerichtige Grausamkeit, öffnet der Autor weiter die Charaktere seiner Figuren, die er so hart in der Zange der Bewährung hält.

Wie er das macht, ist theaterwirksam bis zum äußersten. Wie er die tragische Lösung vorlegt, ist geschickt und treibt die Spannung fast an die Unerträglichkeit.

Am Ende gehen sie alle vor die Hunde. Der kleine, verzagte Japaner wird aus reiner Hysterie von dem Feigsten der Spähtruppler niedergeknallt. Der ganze Spähtrupp wird, als er den Durchbruch zurück wagen will, niedergemäht. Nur der Kommißkopp und Widerling aus dieser Gruppe Verdammter bleibt übrig. Er, der den Mund zuvor so voll nahm, bindet den weißen Fetzen an seinen Karabiner und will sich ergeben. Aber auch er verreckt. Die Bühne ist menschenleer. Vorhang.

Ein reißerisches Drama der Anständigkeit. Ein Stück unverhohlener Theaterei, wie sie nach dem Ersten Weltkrieg mit Sheriffs »Anderer Seite« auf die Szene kam. Nur daß hier alle Hochgefühle vollends entfallen. Der Krieg ist restlos entheroisiert. Eine »Sinngebung« wird gar nicht mehr versucht. Acht Personen zappeln im Todesnetz. Sie entscheiden nicht mehr. An ihnen vollzieht sich nur etwas unsagbar Schreckliches.

Was macht das trotzdem so ansehbar und spannend, daß man immer wieder beteiligt ist, daß man oft genug herzlich lacht und dann wieder nasse Hände vor Erregung bekommt?

Der Umstand, daß diese Figuren so verdammt echt in ihrer Verlorenheit hingehauen sind. Man kennt sie alle: den redlichen, phantasielosen, väterlichen Vorgesetzten, den Streithammel und Aufsässigen, den kleinen Clown in Feldgrau, den Streber und Feigling, den Nachdenklichen und Tragiker in der Gruppe und die Figur des gemütlichen Familienvaters, als Kriegsmann verkleidet.

Willis Hall gibt keine Lösung. Er zeigt nur das einzig mögliche

Ende, das tragischste, fatalste. Er bietet kein Pathos an. Er interessiert sich nur für diese kleinen Figuren der Verdammnis und wie sie vor der Wand des Todes wachsen oder schrumpfen.

Oft wälzt er sich da allzu behaglich im Landserhumor. Hin und wieder gibt er einem törichten Zug zur Sentimentalität nach. Zuweilen hört man Muschkoten-Dialoge, die man minderen Ortes so auch schon gehört hat.

Trotzdem reißt er die Spannung immer wieder hoch. Trotzdem macht er szenisch immer wieder wett, was er im Dialog zuweilen vergibt. Selten sah man ein Publikum so angespannt, so beteiligt, am Ende so gründlich verschockt und betroffen in einem Parkett. Pures Theater frißt geradezu die Spannung.

Boleslaw Barlog hat das aber auch so atmosphäredicht und drückend inszeniert, daß der Zuschauer keinen Augenblick aus dem Sog der Szene entlassen wird. Seine Spieler: Wilhelm Borchert, Carl Raddatz, Edgar Ott, Klaus Herm, Horst Bollmann, Peer Schmidt, Herbert Wilk und der stumme Kenji Takaki dampfen geradezu vor Echtheit. Besser ist das gar nicht zu spielen. Und wenn hin und wieder die mißmutige Heiterkeit unter Männern ihren oft billigen Effekt machte – im nächsten Augenblick lag genau und bleischwer wieder die Spannung über dem Publikum.

Am Schluß ein einsamer, scharfer Pfiff. Dann dröhnender, erlöster Beifall für alle, die an diesem krassen und geschickten Anti-Kriegsreißer mitgewirkt hatten.

Warum wohl der Pfiff? Verargte es der Pfeifer dem Autor, daß er im Theater die schweißtreibende Spannung des Kinos möglich gemacht hatte? Dann, finde ich, irrt er. Denn die lebendige Bühne wird immer wieder Stücke von so direkter und aufregender Machart dringend brauchen.

Pfiff er, weil die Anti-Kriegsthese nur im Fleisch der Handlung verpackt war und nicht deutlich und direkt noch am Schluß herausgeschrien wurde? Dann irrt er auch. Denn dies ist wirksamer, ist künstlerischer auf alle Fälle. Oder protestierte er mit seinem harten Pfiff gar gegen die gerechte und realistische Darstellung der Menschen im Feuer? Dann soll er das Pfeifen, bitte, unterlassen. Der Krieg ist immer noch schlimmer, als es das Theater je zeigen könnte. 29. 9. 1959

John Osborne und Anthony Creighton
»Epitaph für George Dillon«
Berliner Theater

Hier spielt sich ansehnliches, spannendes, kompetentes Theater ab. John Osbornes frühes Stück ist keine weithergeholte Konstruktion und Erfindung. Es gibt Autobiographie. Es gibt das frühe Drama des Autors selbst. Es schmeckt nach Leben und der Enttäuschung der Jugend. Es ist ehrlich. Es ist geschickt. Es begehrt auf und endet mit dem Achselzucken vor dem Dilemma des Kompromisses.

Einer will hoch hinauf. Aber er muß sich bescheiden. Seine eigene Unzulänglichkeit und die der Umwelt holen ihn von seinen hochfahrenden, hoffärtigen Träumen herunter. Osbornes Theatertalent zeigt sich wieder darin, daß er keine Schurken aufbaut, gegen die er sozialkritisch und mit billigem Effekt donnern könnte.

Er legt nur die allgemeine Misere dar, wie der Alltag den Edelmut nicht zuläßt. Er hadert mit den Verhältnissen. Er malt nicht schwarz, er zeichnet nicht weiß. Er schraffiert, geschickt und ehrlich, das verdammte Grau der Gewöhnlichkeit, in dem wir am Ende ersticken.

Mit einem Schauspielerkollegen, Anthony Creighton, hat er dieses Stück noch vor dem »Blick zurück im Zorn« geschrieben. Ein Ausweis seiner dramatischen Besonderheit ist es durchaus; es ist im ganzen fast runder, unrhetorischer, mehrgleisiger als jenes Stück mit dem berühmten Titel. Ein Drama des Mißmuts.

Ein junger Tagedieb, arbeitsloser Schauspieler, Musensohn im Dufflecoat, wird in einem belanglosen, kleinbürgerlichen Hause aufgenommen. Er glaubt an sein Talent, aber er ist ein Lüderjan. Er verwirrt und schröpft die Familie. Er hat den Hochmut des entwurzelten Intellektuellen und für die Frauen des Hauses die Attraktion des Unbürgerlichen. Er stapelt hoch, aber ihm selbst ist elend dabei. Er träumt von der Kunst und verkauft sich, nur um existieren zu können, an den Kitsch. Die Tragödie des Kleinbeigebens. Das Schicksal eines Halbtalentes spielt sich ab. Und ein kleines Drama der Unerfülltheit.

Aber wie fest und genau sind die Figuranten der Alltäglichkeit da nicht gezeichnet! Rieke Ramoff ist, entzückend und enervierend, der lästige Teenager mit dem Fernsehkoller und dem Pferdeschwanz über dem appetitlichen Nacken. Käthe Braun spielt eine Tante auf der Grenze des Alters, einen genauen Typ englischer Unerfülltheit, der teils im radikal Politischen, teils im spät Erotischen Linderung für alle Unerfülltheiten sucht. Und sie spielt die Rolle aus einer bewunderswerten Stille und verdeckten Gereiztheit.

Hilde Körber (endlich wieder einmal auf den Brettern!) stellt die grau gewordene, die im Kleinkram des muffigen Haushalts abgestumpfte Hausfrau dar – und trifft dabei doch immer noch jene auf die Nerven gehende Gutmütigkeit, die man bei solchen Gestalten immer wieder findet. Gutherzig, lieb und einfältig und am Ende doch die dümmste und die weiseste von allen. Denn sie merkt die Dramen nicht, die sie umgeben. Auch das – höchst zuverlässig gespielt.

Curt Lauermann, der seinerseits den muffig-spießigen Vater dieses stickigen, typischen Haushalts darstellt, ist schon wieder amüsant in der Unauffälligkeit, mit der er die spießige Tristesse dieses englischen Muffelkopfes in den Griff kriegt. Der Spaßverderber am Familientisch – schon wieder spaßig geworden durch die Genauigkeit der Zeichnung. Ein kräftiger Farbfleck, gegeben aus reiner Farblosigkeit.

Robert Dietl spielt die Hauptfigur. Er ist George Dillon, dessen Schicksal darin besteht, keines zu haben. Und wie er die Figur zwischen Sympathie, Mitleid, Ekel und Gereiztheit pendeln läßt – wie er, ohne je über die Stränge zu schlagen, das Nervendrama zwischen Hoffart und Depression, zwischen Edelmut und Miesigkeit hält, das ließ nicht nach zu interessieren.

Jede Rolle saß genau. Vera Kluth macht eine weibliche Nebenfigur, wie sie an fast allen Familientischen sitzt, wacker und nutzlos. Hans W. Anders kriegte in einem Kurzauftritt als Wohlfahrtsbeamter in Sekunden die ganze motorische Menschenfreundlichkeit und Leere solcher Funktionäre der Menschenfreundlichkeit hin. Plötzlich roch es deutlich nach Akten und Selbstgefälligkeit. Wolfgang Gruner legte kräftig und wirkungssicher einen dubiosen Theater-Manager hin, ein paar Nuancen zu laut vielleicht, aber komisch und treffend gewiß.

Welch eine gut geführte, gut bestückte Aufführung! John Olden, der sie inszeniert hat, ist zu attestieren, daß er sehr ansehnliche, ausgewogene, feinhörige Arbeit geleistet hat. Das Milieu (Bühnenbild Erich Grandeit) war genau getroffen. Der reinen Unterhaltsamkeit des Theaters war zielsicher gedient. Und die arge Melodie der Unerfülltheit, der immanente Ton der Sehnsucht war immer hörbar – auch wenn mit Recht und Absicht viel gelacht werden mußte.

Das »Berliner Theater« ist mit diesem Abend unter die seriösen Berliner Theater zu rechnen. Wie freut sich da der Berliner Theaterfreund! 23. 9. 1959

Shelagh Delaney »Bitterer Honig«
Berliner Theater

Dieses Stück geschickten dramatischen Mischwerks, das die 19jährige Fabrikarbeiterin Shelagh Delaney schrieb und das Joan Littlewood erst in ihrem »Theatre Workshop« und dann mit steigendem Erfolg in Londons Westend zeigte, ist aus Trotz geschrieben.

Erst einmal aus Trotz gegen eine gewisse Wischiwaschi-Dramatik unserer Tage. Sie sah ein Stück von Rattigan. Sie sagte, das könne sie besser. Sie setzte sich hin, schrieb und bewies es.

Und zweitens wohl aus Trotz auch gegen die landläufige Einspurigkeit unserer Dramenhervorbringung: entweder ist man mit Vorsatz und Bittermiene tragisch, daß die Fetzen des Lebens fliegen, oder man ist um jeden Preis heiter und bühnenlustig, auf daß die Bäuche des Publikums wackeln mögen.

Dieses Stück Lebenserfahrung aber, diese an sich scheußliche Hinterhofballade eines Mädchenschicksals, ist immer fein durchwachsen. Auch wenn einen schaudert, lacht man. Gerade wo man lauthals lacht, würgt einen heimlich die Tragik.

Englands jüngste Dramatiker (Brendan Behan, Arnold Wesker und jetzt dieser schreibende Teenager Shelagh Delaney) sortieren nicht mehr nach ernst und komisch. Sie mischen. Sie verlaufen sich nicht mehr stur nach einer Seite. Alle drei zeigen sie in ihren Stücken jeweils eine Furchtbarkeit. Ihre Stoffe sind alle schlimm und für die Tragik im herkömmlichen Sinne voll gerüstet.

Aber sie sehen auch den Humor an der Sache. Finsterlinge, weltanschauliche Schwarzseher sind sie nicht, auch wo sie nur scheinbar Tiefschwarzes vors Auge bekommen. Sie haben den tröstlichen Ausgleich gefunden. Sie haben die hilfreiche Ambivalenz, die schöne Doppelwertigkeit des Lebens entdeckt.

Sie bohren nicht mehr emsig im Nichts. Sie lassen die Waage der Empfindungen immer wieder kippen. Jetzt graust's einem. Und gleich schmeckt man am gleichen dunklen Anlaß die Komik. Man lacht trotzdem. »Bitterer Honig.«

Das Leben ist über einen Leisten nicht zu schlagen. Englands neue Dramatiker arbeiten mit zweien. Hier kommt – auch in Ansehung der Verzweiflung – ein neuer Ton der Wahrheit auf, auch in der Beschäftigung mit der persönlichen Katastrophe ein ehrlicher Beiklang der Schönheit, ein Lächeln in Schwarz.

Achtung! Ein neuer, höchst zutreffender, frischer, auf seine Art poetischer Bühnenoptimismus zeigt sich an. Man sieht die Miseren genau. Man weicht den Dilemmen nicht aus. Aber man weidet sich nicht nur mehr an ihrer Furchtbarkeit. Man pendelt sie aus mit der Komik, die auch noch dem Tragischsten innewohnt. Achtung! Eine neue Möglichkeit! Ein neuer, anwendbarer Bühnenton!

In Shelagh Delaneys »A taste of honey« geschieht nach obenhin nur Schlimmes. Ein junges Mädchen, Tochter eines höchst gängigen, angegangenen Flittchens von vierzig, verliebt sich in einen Mohren von Matrosen. Der Kerl bereitet ihr Mutterschaft und verschwindet dann auf hoher See.

Auch die gängige Mutter verduftet aus der stinkigen Hinterhofstube, die ihre momentane Heimat war. Sie hängt sich an einen neuen Kerl. Sie läßt die lästige Tochter allein.

Derer nun nimmt sich mit komischer Fürsorglichkeit ein junger Mann, ein rührender Bursche an, der hier Auslauf für seine weibische Veranlagung findet, eine Tunte mit Herz.

Die robuste Mutter, von ihrem Kerl verlassen, kehrt mit Radau zurück. Sie schmeißt den betulichen Besorger ihrer Tochter aus der Stube. Sei wirft sich, eine Lawine von leichtsinnigem Egoismus, über das doppelt verlassene Mädchen. Das miese Leben geht weiter. Aber einen Nachgeschmack von Liebe, einen dünnen Widerschein von Glück hat das Mädchen erfahren.

Ganz scheußlich, ganz verdorben, ganz verloren war ihre Erfahrung mit der trubelnden, der verwirrenden, bösen Welt nicht. Das Stück endet mit einem Lächeln und einem Kindervers. »Bitterer Honig.«

Dergleichen in seiner ständigen Auswechselbarkeit der Werte zu spielen, ist nicht leicht. Man hat sich hier deutlich an das Vorbild der Londoner Inszenierung gehalten.

Vor der Bühne eine kleine Dreimann-Bums-Kapelle, die jeden Auftritt mit ein paar frechen Schlagertakten annonciert.

Die Spieler brechen immer wieder aus dem Vorgang aus, wenden sich direkt an die Zuschauer, monologisieren kurz und keß über die Rampe. Auch dadurch wird eine wohltätige Verfremdung dauernd hergestellt.

Es ist viel Schwung im Spiel. Überlegenheit teilt sich mit. So zwiefach wird der Vorgang schon weggerückt.

Im »Berliner Theater« hatte man für diesen sehr interessanten Import eine kompetente Besetzung gefunden. Berta Drews spielt die gängige Mutter, ein fideles Wrack der auswechselbaren Liebe, ein armes Scheusal mit Herz und von professionellem Leichtsinn, jetzt auf die Nerven und gleich aufs Zwerchfell gehend. Eine saftige Leistung mit doppelten Gewichten.

Dinah Hinz ist erstaunlich in der Rolle der etwas imbezilen, leidenden, kurz den Honig des Glücks schmeckenden Tochter. Wie sie von Dumpfheit zu Albernheit, wie sie von Angst zu Komik, von Lebensbeleidigung zu einem lächelnden Darüberstehen gleitet, ist aller schauspielerischen Achtung wert. Diese junge Schauspielerin kann viel. Wenn das Wagnis mit diesem Stück gelang, ist es vorerst ihrer Art zu danken, wie sie genau die Doppelwertigkeit aller Gefühle merkbar machen kann.

Kurt Weitkamp ist mit etwas landläufiger Attitüde ein Strizzi und Londoner Lebemann der Unterwelt. Ernst Jacobi verwaltet mit dankenswerter Dezenz die schwere Rolle des mütterlichen Homosexuellen. Schade, daß man für die Rolle des schwarzen Romeo dann nicht einen echten Mohren finden konnte. In London gewann durch diesen Part das Stück viel poetischen Reiz, Charme und Wahrheit.

Ilo von Janko hat die immer wieder weit auspendelnden Gewichte erfreulich kompetent verteilt. Es ist eine sehr gute Aufführung geworden, mit der das neue »Berliner Theater« wirklich Berliner Theater macht.

Das Publikum, offenbar auf diesen neuen Ton, auf diese neue Art einer vorsätzlichen Verwirrung und Vermischung der Gefühle noch nicht recht eingespielt, schien mehr verdutzt als begeistert. Jubel herrschte nicht. Schade.   20. 11. 1959

Arthur Miller »Zweimal Montag«
und Edward Albee »Der Tod der Bessie Smith«
Schloßpark-Theater

Vor der Pause steht Arthur Millers Doppelakter »Zweimal Montag« auf dem Programm. In New York wurde dieses realistisch warmherzige Stück zusammen mit des gleichen Autors »Blick von der Brücke« gezeigt. Seit Miller den »Blick« zu einem eigenen Abendfüller gelängt hat, waren die beiden »Montage« sozusagen arbeitslos. Sie hatten keine Stätte mehr auf dem Spielplan. Jetzt koppelt man sie mit einem kalten, bösen, rachsüchtigen Einakter von Edward Albee, »Der Tod der Bessie Smith«. So wird ein kompakter Theaterabend daraus.

Millers »Memory of two Mondays« ist leicht sozial gefärbtes Gemütstheater. Nur, wie an zwei gleichgültigen Montagen die staubige Angestelltenwelt sich komisch, herzlich, mißmutig, verängstigt, frech, stumpfsinnig oder sehnsüchtig in der Versandabteilung einer Ersatzteilfirma für Autos begibt.

Beidemal steckt ihnen das Wochenende tief in den Knochen. Sie kommen besoffen zum Dienst. Sie haben den Schädel noch voll freiheitlicher Flausen. Ein Laufbursche liest Tolstoi und hat in seiner Freizeit, hat in der U-Bahn an den höheren Werten der Menschheit geknabbert. Jetzt trabt er wieder durch den stickigen Lagerraum. Ein Packer, ein Ire, eben erst eingewandert, trägt die lustigen Sperenzchen und Verse seiner Heimat in den verdammten Lagerschuppen.

Die Chefsekretärin schlurft umher und wird ob ihrer säuerlichen Altjungferlichkeit weidlich verhohnepipelt.

Menschen im Betrieb. Menschen, mit vielen genauen Farbflekken auf dem Charakter. Menschen im verdammten Trott des Alltags. Die miese, komische, fragwürdige und doch heimatliche Welt der Angestellten. Miller läßt nur immer das kleine Schicksal fließen. Es führt zu nichts. Das Stück könnte, wie es da ist, noch endlos weitergehen. Kleine Veränderungen finden statt. Aber im Grunde ändert sich nichts. Die Misere, die allgemeine, bleibt dieselbe.

Am zweiten Montag, zwei Jahreszeiten später, hat der irische Zeisig von Packer aufgehört zu singen. Der kleine Kerl hat eine Erkältung am Gemüt weg. Der Buchhalter säuft nicht mehr. Die beiden lebenslustigen Betriebsveteranen waren wieder übers Wochenende auf der Sause. Das Schicksal greift nach ihnen; dem einen stirbt daheim die taube Frau.

Ein bißchen, jeweils, hat sich das Bild verschoben. Aber im ganzen bleibt es, wie es war: stickig, komisch, lebensprall, hoffnungslos und auf seine Art gemütlich. Die Welt der Angestellten.

Nur einer bricht aus. Der Laufbursche, der Tolstoi liest und den Hang zum Höheren hat, hat genug gespart, um auf die Universität abspringen zu können. Man verabschiedet ihn und sieht ihn dabei schon fast nicht mehr. Er blickt zurück in das kleine Pandämonium von Menschlichkeit, das ihm doch eine Art Heimat war und das sich in sich selber so geschäftig weiterdreht. »Erinnerung an zwei Montage«.

Beweisen will Miller hier nichts, wenn nicht den Umstand, daß der Mensch ein liebes und buntes Gewohnheitstier sei. Daß er selbst in Umgebungen, die eigentlich unwürdig sind und skandalös, heimisch werden kann und Menschliches beweisen. Es ist kein Drama. Es ist ein Panorama, geformt aus Erfahrung, aus heiterer Beobachtung und der intensiven Liebe zum »kleinen Mann« in vielfacher Gestalt.

Genauso hat es der junge Walter Henn denn auch mit viel inszenatorischem Kunstverstand aufgebaut und sich heiter bewegen lassen. Er bleibt auf dem Teppich. Er putscht diese Figuranten der Angestelltenwelt dramatisch nicht hoch. Er führt Barlogs prächtig bestücktes Ensemble nur ganz sachte jeweils an die notwendige Wirkung. Das war gut zu sehen.

Trotzdem überragt hier einer der anderen Angestellten alle. Arthur Wiesner spielt den lüderlichen Nestor des Betriebs, den alten Knochen, der sonntags auf die Sause geht aus alter Gewohnheit, und dem darüber die taube Baucis daheim krepiert.

Wie er da eine Gestalt aus Alltäglichkeit und Besonderem mischt, wie er eine ganz unauffällige Type typisch macht, wie er schauspielerisch Dummheit und Weisheit eines alten Betriebsknochens mengt, das Herkömmliche herzlich, das Gewöhnliche außergewöhnlich macht – das war volles, poetisch-realistisches Theater. Dafür diesem wunderbaren alten Kämpen einen kleinen Kranz.

Nach der Pause eine Uraufführung. Edward Albee, den dreißigjährigen Stückeschreiber aus Washington, hat die Werkstatt des Schiller-Theaters vor anderthalb Jahren entdeckt. Jetzt spielt alle Welt seine »Zoogeschichte« nach. Über Charlottenburg fand er so auch in New York Eingang.

Sein Einakter, »Der Tod der Bessie Smith«, ist wieder ein böse begabtes Ding, ein Stück klirrender Menschenverachtung, eine Montage aus zwei Begebnissen.

Eine unmodern gewordene alte Negersängerin soll noch einmal in den Ruhm. Ihr Freund und Manager will ihr dazu verhelfen. Sie verunglückt auf der Fahrt nach New York. Die weißen Krankenhäuser nehmen sie nicht auf. Sie verblutet auf offener Straße.

Zweite Handlung: eine Bisse von schöner, weißer Krankenschwester macht den Assistenzarzt und den dunklen Krankenhelfer ihres Hospitals mit böser Konsequenz verrückt. Die Person schleudert reizvoll Gemeinheit. Sie bringt die beiden Kerle konsequent auf die Palme. Sie treibt ein erotisches Katz-und-Maus-Spiel, jetzt Funken stiebend und gleich Kaltwasser über die angeheizten Anbeter kippend, eimerweise. Eine Studie in extremer weiblicher Gemeinheit.

Beide Handlungen der begabten Unerfreulichkeit fügt Albee erst ganz am Schluß zusammen. Der braune Freund bringt seine verblutete Sängerin vor genau dieses Hospital. Erst der kalte Schock vor der Unmenschlichkeit ihres Todes heilt den aufgeputschten Assistenzarzt von seiner blöden Liebe und Begier.

Der Mensch, sagt Albee mit kesser Sensationsdramaturgie, ist ein Aas! Wehe uns allen!

Ob er recht hat, sei dahingestellt. Nicht zu bestreiten ist, daß er seine böse These, dramaturgisch kalt bis ans Herz hinan, vorzüglich und spannend verficht. Dialoge, die es in sich haben, flirren und erregen. Eine Art stilisierter Realistik in der Methode des Spiels, die böse attraktiv ist und die Walter Henn wieder ausgezeichnet nachschuf.

Hier spielt Anneliese Römer das widerliche Aas auf der Baßgeige, nur immer auf den Herzen der anderen – und eigentlich auch auf dem eigenen – böse herumtrampelnd. Sie macht das bravouös mit einer wunderbar widerlich attraktiven Scheußlichkeit. Claus Holm und Horst Bollmann sind ihre Opfer. Claus Hofer ist der braune Manager und Freund der toten Sängerin.

Nach Millers menschenwarmem Panorama aus der Welt der Angestellten – diese kurze, scharfe, talentierte, kalte Dusche. Zweimal Amerika, dramatisch. Der Abend ist sehenswert.

23. 4. 1960

Jerome Kilty »Geliebter Lügner«
Renaissance-Theater

Der Anlaß zu diesem unvergeßlichen Bühnenabend ist so kurios. Was sich abspielt, ist kein Stück, ist keine Lesung, ist keine Rezitation im Duett, ist mit nichts zuvor zu vergleichen.

Ein Lebens- und Liebesbogen zwischen zwei bedeutenden Menschen wird nachgezogen an Hand der Briefe, die sie einander schrieben. Vor sechs Jahren erschien die Korrespondenz, die G. B. Shaw mit der gefeierten Schauspielerin Stella Patrick-Campbell geführt hat.

Zwei hartnäckige Egoisten führen darin über vier Jahrzehnte den Kleinkrieg ihrer Zuneigung. Einmal geht es um das Geschäft und das Theater. Dann geht es um den reinen Seufzer der skeptischen Herzen. Shaw, dieser seelische Puritaner, schreibt der Dame seiner Seele Sonette und Stammel-Episteln, in denen er nur dreißigmal den Namen der Geliebte hervorstoßen kann.

Die Campbell-Patrick setzt sich mit holder List gegen den Ansturm des Freundes zur Wehr, reizt ihn, beschimpft ihn, sagt ihm Wahrheiten, bewundert ihn, läßt ihn gewähren und ist ihm die streitbare Partnerin, deren dieser hochmütige Romeo bedarf. Eine Kabbel-Liebe, die nur selten und wie mit schlechtem Gewissen die Arme zum vollen Gefühl öffnet.

Stella und Joye, wie Shaw sich von ihr mit dem Clowns-Namen nennen läßt, liegen sich andauernd selig in den Haaren, reizen sich, verwunden sich und streicheln sich wieder mit Worten. Flirt als Kampf. Liebe als selige Reizbarkeit. Treue in der Verkleidung des Hochmuts.

Wie aber das nun szenisch praktikabel machen? Jerome Kilty, der das Wagnis übernahm, sozusagen einen posthumen Theaterabend mit Shawtexten, ein halbes Stück von Shaw herzustellen, das von Shaw durchaus stammt, obgleich es Shaw nie für die Bühne geschrieben hat – dieser amerikanische Bühnenmann Kilty ging mit viel klugem Kalkül zu Werke.

Er erfand da etwas, das höchst reizvoll und gelungen ist. Er machte eine Art Montage. Die beiden Protagonisten dieses gesprochenen Briefwechsels treten vor das Publikum. Jeder hat sein privates Eckchen auf der Szene. O. E. Hasse, der Shaws Briefe dialogisch spricht, kehrt immer wieder an ein Schreibpult zurück oder darf sich auf einem Stuhl mit halber Lehne lümmeln, während er Shaws Unverschämtheiten expektoriert.

Frau Bergner gehört die andere Bühnenhälfte. Dort steht ein zierlicher Sekretär, eine Bank, eine Andeutung eines Fensters im Hintergrund. Sonst kahle Szene.

Sie treten an die Rampe. Sie machen beileibe keine historische Maske. Sie versprechen nur, den großen Bogen dieser eigenartigen und geistvollen Zuneigung über die Jahrzehnte nachzuvollziehen. Sie sprechen – als Stella und Shaw – in Ich-Form, aber sie bleiben durchaus die Bergner und der Hasse. Ein Effekt der Dauerverfremdung, der höchst ergiebig ist.

Sie treten zwischendurch immer wieder aus den Gestalten heraus. Sie geben Überleitungen. Sie spielen zweimal kurz richtiges Theater, wenn Stella unter Shaws Anweisung die Eliza Doolittle lernt, oder wenn er ihr die Gestalt der Orynthia aus dem »Kaiser von Amerika« nahebringt, die Shaw Stellas Erscheinung einfach nachgezeichnet hat.

Ein sehr komplexer, immer wieder überraschender, vielfach geschichteter Theatervorgang ergibt sich so, obgleich doch immer nur diese beiden Figuranten in der Kleidung unserer Tage auf der Bühne stehen.

Eine Melodie wird hörbar, meist in einem schnippischen Allegretto, dann oft sich heimlich elegisch zu einem Adagio weitend. Schicksal fließt von außen immer wieder ein. Die Süße der streitbaren Liebe wird von Paukenschlägen des Schicksals immer wieder untermalt. Am Ende steht das, über das beide so oft spotteten, die Einsamkeit, der holde Nachgeschmack eines gemeinsamen Glücks.

Ein Theaterabend ohne ein Stück. Ein Text von Shaw, nicht für die Bühne geschrieben – und doch durchaus bühnenfertig gemacht. Eine Lesung, in der nicht gelesen wird. Eine Personifikation zweier Liebenden, ohne daß sie in persona gezeigt würden. Ein Unikum – das Ganze. Vor seiner Aufführung in New York, Paris und London, die nächstens angesetzt sind, in Berlin zu einem jubelnden Erfolg geführt.

Das Wunder daran war die Bergner. Zweimal stand sie nach dem Kriege auf unseren Bühnen, einmal in einem Text von Rattigan, einmal in einem O'Neill. Beides waren Rollen der Düsternis.

Diesmal – endlich! – darf sie lächeln. Diesmal kann sie die ganze, unbegreifliche Spannweite ihrer Wunderwirkung spielen lassen. Sie ist zornig, sie ist katzenhaft weich, sie ist verspielt, sie ist schmollend und berechnend, sie ist herrlich albern und hinreißend bockig. Sie darf die Tragik der Einsamkeit malen und die ganze Hingebung eines heiter umwölkten Herzens.

Sie ist über die Maßen herrlich. Sie bestätigt ihre holde Suggestion wie einst und je. Sie ist zierlich und gebrechlich und doch immer von einer unbegreiflichen Kraft in ihrer rührenden Schwäche. Ihr Bergnerton, der berühmte, schleift selig hinab und hinauf. Sie ist komisch, pointiert, frech, selbstsicher und versendet Pfeile schwirrender Unverschämtheit. Und gleich wieder vermag sie nur Rührung, Trauer, Ernst oder die Einsamkeit zu verbreiten.

Dieser authentische Text einer großen Frauenpersönlichkeit gibt ihr endlich wieder die Möglichkeit, alle ihre unbegreiflichen Möglichkeiten zu zeigen. Der Abend stand unter ihrem ständigen Zauber. Die Leute gaben ihr Auftrittsapplaus, jedesmal, wenn sie sich wieder zeigte. Sie stöhnten hörbar vor Seligkeit, wenn ihr holder Charme spielte, sie hielten den Atem an, wenn es in die Bereiche der Größe und letzten Einsamkeit ging. Sie ließen sie am Ende nicht mehr von der Bühne. Eine Sternstunde des Theaters! Dies ist die ganze Bergner. Die schöne Raserei der Bewunderung und Liebe umgab das schmale Wunderwesen. Für den Beifall findet sich kein Vergleich.

O. E. Hasse ist ihr fast ebenbürtiger Widerpart. Wie dezent, wie klug und wandlungsfroh er sich seiner im Grunde so schweren Aufgabe entledigt! Er läßt die gezielten Infamien, die verdeckten Liebeserklärungen, läßt die trotzigen, hochmütigen, verzagten Original-Shawtexte so wunderbar schwirren und klingen, daß man noch jede Gemeinheit und jeden Nebenton des verwundeten Herzens deutlich nachschmeckt. Er hat immer Distanz – und ist doch ganz in der kuriosen, wunderbaren Sache. Er steigert sich an seiner herrlichen Partnerin herrlich.

Ein Abend, da der Kritiker nur Bewunderer und Schwärmer sein darf. Ein Abend, da das Theater über sich hinauswächst und das Wunder der Verwandlung ganz und selig sichtbar wird. Eine Sternstunde im Parkett. Dies wird man nicht vergessen.

6. 10. 1959

Hier hat das Theater bedenklich nah bei der Operette gebaut. Edmond Rostands Rühr- und Bravourstück, dieser alte, offenbar unverwüstliche Theaterhut von dem Nasen-Ritter und gefühlvollen Dollbregen Cyrano ist, praeter propter, so etwas wie das französische »Alt-Heidelberg«.

Will sagen: die Situationen sind prima. Aber sie sind viel zu fett in Sentiment eingelassen. Immer der sicherste Effekt wird ruchlos angepeilt. Ein paar dramatische Situationen sind gefunden, die in sich großartig sind. Aber sie sind rücksichtslos mit dem Öl ungebrochener Rührseligkeit geschmiert. Den Wonnen unbedenklicher Theaterseligkeit wird ohne Scheu und Distanz gehuldigt.

Rostand zeigt mit diesem lyrischen Kulissenreißer eine fast schamlose Kenntnis dessen, was wirkt und theaterkräftig ist, daß die Eilfertigkeit und Hemmungslosigkeit, mit der er die Effekte auf die Szene peitscht, im höheren Sinne anrüchig und verdächtig sind. Kunstfertigkeit und Kitsch reichen sich da schon die Hand.

Mannesmut, ritterliche Prahlsucht, viel Schnetterengteng und Kampfgetümmel. Daneben die unerwiderte Liebe, die Tränen eines unverstandenen Herzens. Edelmut bis zum Exzeß, wenn Cyrano seine Wortfertigkeit und die Ausdruckskraft seines Herzens dem glücklicheren Anbeter seiner Roxane leiht. Verzicht der schöneren Seele bis zum Schluß mit dem Trommelwirbel in Moll, wenn Cyrano in vollem Melodram auf der Szene stirbt. Es ist alles drin. Aber alles eben viel zu hemmungslos.

Wie soll man das (wenn man es schon spielen will) spielen? Sobald man's ironisch überhöht, geht gerade der große Schwung und theaterhafte Wuppdich perdu. Wenn man diese beiden Operettenkomponenten aber schamhaft beschneidet, gehn die schönen Wonnen der Gewöhnlichkeit verloren. Und von denen nährt sich doch das Ganze.

Werner Düggelin hatte völlig recht, wenn er auf Schau und Effekt inszenierte. Jörg Zimmermann hat ihm, diesmal ganz ohne die sonstige Schnurkelei und Verspieltheit, feste, klare, heiter erhebende Bühnenbilder gebaut. Dadurch ist die reichlich tränenfeuchte Angelegenheit schon etwas aufgetrocknet.

Düggelin läßt das an sich betuliche Stück ordentlich mit Tempo laufen, läßt die Textarien schmettern, bringt immer wieder die

Handlung auf Eilschritt, daß man gar nicht recht merkt, wie viele alte Wirkungsklischees sie doch mitschleppt. Und er hat einen ausgezeichneten Cyrano. Rolf Henniger wirft sich mit Caracho in die Paraderolle. Er artikuliert die überladenen Verse mit Elan und schöner Überlegenheit. Hier wird Brillanz verlangt. Und brillant ist er, schönrednerisch, kraftvoll, ironiegesättigt und ohne Hemmung, wenn es gilt, alle Kurven dieser Rechthaber- und Rührungsrolle auszufahren.

Daß er den Schluß nicht recht hinkriegt, liegt am Schluß selber. Da hat Rostand das Schmalz zu dick auf die Szene geschmiert. Aber vorher legt er die lyrische Radaufigur des Cyrano so prächtig und theaterpathetisch hin, daß fast jeder seiner Wort-Arien Szenenbeifall folgt.

Daneben bleiben die anderen alle einen Grad zu blaß. Eva-Katharina Schultens Roxane war zu schüchtern, war künstlerisch zu anspruchsvoll, möchte man sprechen, für diese Art des Krawalltheaters. Peter Arens, der nur aus Männerschönheit bestehen muß, konnte mehr auch nicht geben. Benno Sterzenbach holte immerhin einige zuckrige Komik aus seiner stämmigen Rolle.

Sonst lagen Spaß und Theaterhaftigkeit mehr am Rande. Karl Hellmers kurzer, geistlicher Auftritt war eine zarte Freude. Gudrun Genests Zofentricks verkauften sich reizend und frisch. Dieter Ranspach, in einer mißlichen Unterlegenenrolle, focht und spielte bravourös und sicher. Franz Nicklisch donnerte den Landsknechtston hin, wie sich's hier wohl gehörte. Und Siegmar Schneider trug gefaßt und gut die Komik des Seriösen.

Dieses Stück, das ein halbes hundert Mitwirkende verlangt, war im ganzen ansehnlich und behutsam knallig auf die Szene gekommen. Trotzdem ist es eigentlich ein Ein-Mann-Schauspiel, wird es immer nur von dem Darsteller des Cyrano gehalten.

Daß es am Ende erträglich und gar erfreulich wurde, lag denn vor allem doch an Henniger. Er lieferte mit soviel Instinkt für die Wirkung, mit soviel Bravour die Radau- und Tränenrolle des Nasenhelden ab, daß man sich der künstlerischen Schamlosigkeit der alten Angelegenheit nicht mehr schämte. Ihm galt von dem starken Beifall das meiste.   22. 9. 1959

Molière »Don Juan«
Schiller-Theater

War das ein Jubel! Kortner, bisher in Berlin zumeist ein Regisseur der dramatischen Schwergewichte, federte, sprudelte, jagte einen »Don Juan« über die Bühne, daß man sich die Augen rieb. Keine Überdeutlichkeit hinderte diesmal das Vergnügen. Keine weltanschauliche Aufdringlichkeit tat sich hervor. Dralles, intelligentes, prächtig gezieltes Theater fand statt.

Dieses Stück ist nicht Molières stärkstes. Es ist eher eine dramatische Skizze, das Stück eines Stückes. Zwei Personen gehen, wie Don Quichotte und Sancho Panza, durch die Fabel. Der Herr, der erotische Liederjan Juan, stellte in äußerster Libertinage die Welt der Sitte auf den Kopf. Er sündigt mit unverhohlener Lust an der Lust. Er versucht den Himmel, indem er die Erde und was weiblich auf ihr wohnt sündhaft selig umarmt. Ein Vielfraß der Liebe. Einer, dem, wie Polgar definiert hat, alle zuwenig und dem eine zuviel ist.

Juan stellt die Sittenbegriffe nur immer auf den Kopf. Sein Schleppenträger, sein domestikenhaftes Anhängsel, sein Diener Sganarello trägt das schlechte Gewissen mit, das sein Herr ausmontiert hat. Sonst finden doch die Übergriffe in den unteren Etagen der alten Komödie statt. Hier ist der Diener der sittige, der moralbeflissene, der positive Charakter, der aber doch geprellt ist, wenn sein Herr längst in Rauch und Höllenflammen aufging.

Ein Zwei-Personen-Stück. Molière hat mit der Ausfüllung und Färbung der Nebenfiguren nicht viel dichterische Zeit vertan. Kortner auch nicht. Dabei tut einem etwas wehe, wie larmoyant er die gute Annemarie Düringer in der ohnehin larmoyanten Rolle der verlassenen Elvira bleiben läßt. Sie sagt nur Text auf und gibt ein paar Kortnergesten. Nicht viel besser geht es dem Juan-Vater Rudolf Fernau, der in der Attitüde des greisen Kümmerers blaß und eigentlich überflüssig bleibt.

Kortner holt aus Karl Hellmer einige dümmliche Humore heraus. Er läßt Stefan Wigger und Sabine Hahn, er läßt Ilse Pagé und Max Grothusen, läßt Walter Bluhm, Lothar Blumhagen und Jörg Cossardt bedingt komisch und funktionell komödienhaft sein. Aber es scheint, als hätte er sein ganzes Augenmerk auf die beiden Protagonisten dieses Spiels von der schönen und fatalen Sünde gelegt. Die Ränder bleiben blaß.

Die Mittelpunkte werden um so strahlender. Martin Held hat hier die Rolle seiner bisherigen Laufbahn. Er federt vor Versuchung. Er stolpert geradezu über die eigene erotische Emsigkeit. Jeder Auftritt scheint wie von einem heimlich leisen Trommelwirbel untermalt. Jedes Wort setzt er souverän wie eine neue Note. Er strahlt Schlechtigkeit. Er glänzt Sünde. Seine Suada des Leichtfertigen ist von brillanter Komik.

Held bleibt fest im Geschirr dieser Konzeption. Ein höchst sympathischer Haderlump. Seine helle, selbstbewußte Attitüde kontrastiert herrlich mit der Fürchterlichkeit seines Lebensirrtums. Und wenn er schließlich seinen Entschluß dekretiert, sich der Sippe der Heuchler, der Frömmler anzuschließen, um unter dem falschen Mantel einer vorgegebenen Wohlanständigkeit noch maßloser sein zu können, dann knallt Provokation ins Parkett.

Curt Bois spielt den komisch-tragischen Wurmfortsatz seines sündhaft überheblichen Herrn. Damit ist dieser außerordentliche Komiker erst richtig heimgekehrt. Was er da treibt, ist mit Worten gar nicht mehr einzufangen. Komik mit dem Silberstift. Er läßt viele alte Knalleffekte des Gelächters aus dem Stall. Er fuhrwerkt herrlich unter vielen Handwerkszeugen des grob Heiteren herum. Mehr als eine »Kiste« läßt er ab. Aber – wie zart bleibt das! Wie zärtlich, wie melancholisch bordiert bleibt all der souveräne Jux, den er treibt.

Kortner hat ihm zuliebe das Stück um eine »Arzt-wider-Willen«-Szene erweitert, in der er Unsägliches an komischer Überdrehung treibt. Kortner läßt ihn zeitweise sinnlos und mit gezielter Albernheit mit lauter Stühlen einen so herrlichen Requisitenspaß betreiben, daß man meint, hier habe der heilige Ionesco heimlich seinen Segen gegeben.

Bois gibt der straffen, fulminanten Rechthaberei seines Antagonisten Held immerwährend Kontra. Wenn die beiden tief ins weltanschauliche Argument steigen, treibt Bois seinen geliebten Gegner in devoter Eleganz mit so beschleunigter Logik auf die Palme, daß der Spaß aus solcher Seitenverkehrung der Vernunft einen fast vom Sitz holt. Die beiden sind herrlich, ein genialisches Doppelgespann puren, intelligenten Komödiantentums. Die Szene federt vor Lust an der Freud'.

Kortner hat die gute Hand, sie anzutreiben, sie zu dämpfen und die Gegensätzlichkeit ihrer Erscheinungen wunderbar zu steigern.

Dabei kriegt er unverhohlene Juxeffekte hin, wie sie sonst nur im stummsten Stummfilm erlaubt waren. Kleine Höhepunkte des gekonnten Quatsches, Einfälle absurder Art, mit superber Strategie in die fürchterliche Logik des Ablaufes einmontiert. Niemals drückt er dabei zu fest auf die Tube.

Der Abend bleibt leicht, flirrend, bekommt eine in sich komische Motorik. Den Höllenschluß, den sichtbaren Operneffekt von der Bestrafung des eleganten Sünders, drückt er dabei fast schamhaft weg. Moral und Nutzanwendung sollen gezeigt werden. Aber, bitte!, kurz und knapp. Das Moralische versteht sich – in der Komödie wenigstens – am Ende von selbst. Dabei hält er sich nicht lange auf. Aber lustig und verführerisch, theaterbrauchbar ist die Sünde nur, solange sie siegt und selber attraktiv ist. Dahin legt Kortner die Akzente. Da baut er seine sehr intelligente und vor Theatersinnlichkeit schäumende Aufführung auf.

Der Beifall – jubelnd und endlos. Berlin hatte einen Konstrukteur des Komischen kennengelernt, einen Mathematiker des Gelächters ohne Rechenfehler, einen anderen Kortner, einen höchst intelligenten Manipulator der Komödie, die auf diese Weise ganz frisch, leicht und neu funktionierend aus seinen Händen kam. Dafür liebten ihn die Leute sehr.   15. 2. 1960

William Saroyan »Pariser Komödie«
Schloßpark-Theater

William Saroyan ist ein sympathischer Flausenmacher. Er stellt nicht Lebensabbild, nicht Wirklichkeitsdeutung auf die Bretter. Er phantasiert sich eins. Er treibt Humbug und Tiefsinn mit der Realität. Er schnurrpfeift durch die Akte. Er will nichts beweisen, es sei denn, wie absonderlich, wie kraus, komisch und überraschend, wie rührend und heimlich poetisch die Welt sei. Oder doch zumindest die des armenischen US-Steuerbürgers William Saroyan.

Seine »Pariser Komödie« ist im strikten Bühnensinne auch keine Komödie. Einfälle, Lustigkeiten, geschickte Rühreffekte, gebündelt zu zwei Akten und sechs Bildern. Oft verrennt er sich in Nebensächlichkeiten. An manchen Stellen wäre der Abend besser ohne diese Stellen. Saroyan phantasiert zu ausführlich. Banales steht neben Entzückendem, ganz Dichterisches neben Konventionellem. Wer da streichen dürfte, täte dem Stück wohl.

Offenbar durfte Boleslaw Barlog nicht. So fährt er denn auch die weitgeschwungenen Kurven dieses Szenen-Feuilletons wohlgefällig aus. Er hat sich von Eva Schwarz eine leicht verwandelbare, Dufysche Paris-Kulisse bauen lassen, eine schaumige Augenweide. Und darin begibt sich der liebliche Blödsinn mit ein paar Abschweifungen in wirkliches Schicksal.

Drei Pariser Mutter-Naturen, eine Ur-, eine Groß- und eine einfache Mutter, treten fleißig die bürgerliche Kupplung. Sie wollen das zierliche Mädchen Lily einem sagenhaft reichen Texas-Milliardär zuschieben und dafür von dessen blödsinnigem Wohlstand die ganze verarmte Familie sanieren. Das, scheinbar, gelingt. Der lebenshungrige Cowboy-Nabob beißt zärtlich an. Er hat sein Sam-Dodsworth-Erlebnis und lernt, wie hübsch, wie zierlich, wie filigranhaft und heiter die Welt sein kann.

Aber ehe es tragisch wird, bricht es ab. Die Söhne kommen und locken den Alten zurück. Er weiß, daß dies nur eine Arabeske war in einem strammen Lebenslauf. Er überschüttet die kleine Welt, in der er so zärtlich hospitiert hat, mit dem Märchensegen seines Reichtums, schenkt Schloß, Liegenschaft, Auto, Schofför und Zubehör – und geht, weise entsagend, in seine texanische Wirklichkeit zurück.

Das die Handlung, falls das eine ist. Aber sie ist nicht wichtig. Wichtig sind hier immer die Nebensächlichkeiten, die Methoden, wie Saroyan eine Wirklichkeit lächelnd zum Schweben bringt.

Drei Pudel und ein Dutzend Papageien, links und rechts vom Bühnenrahmen stationiert, machen dazu nach antikischer Weise den Chor. Sie unterhalten sich mit ihrem Tierverstand über die unverständigen Handlungen der Menschen. Damit rückt Saroyan das Ganze schon in eine vorgefaßte Zaubersphäre.

Er zieht die einzelnen Charaktere dann gleich bis ins Groteske hoch. Er übertypisiert die Typen und kriegt damit einen übersteigerten Effekt des Komischen hin. Das dann belustigt sehr. Schauspieler haben lauter prima Rollen.

Die nutzen sie hier unter Barlogs animierender Regie höchst amüsabel. Wie wunderbar spinnös ist, beispielsweise, Käthe Braun als die »foine« Kuppelmutter mit dem strengen Augenaufschlag der Tugend, Meisterkomik, ganz zart und sicher gesetzt. Oder was treibt Elsa Wagner nicht wieder an Herrlichkeiten, wenn sie resolut, verschlagen und körnig in diesem Regiment der Weiber noch die Weiber reglementiert. Man lacht und liebt sie. Wie hübsch pusselt Arthur Schröder einen amourösen Urgroßvater hin, verkalkt bis unter die Hutkrempe, trotzdem vor Poussierlust zitternd. Wie behutsam zeichnet Arno Paulsen einen Supermanager und Belieferer mit Lebensfreuden, ein Herzchen im Cut, einen fetten Mephistopheles mit der Aktentasche aus Saffian.

Wie zärtlich kräftig spielen aber auch Klaus Herm und Jörg Cossardt die Söhne des texanischen Deserteurs in die Lebensfreude. Beider Auftritt färbt die Szene sofort, sicher, herzlich komisch.

Und wie sehenswert, was Carl Raddatz eben aus dem Part des bärbeißigen Liebhabers aus den USA macht. Er hat immerhin, wo die anderen unbedenklich groteskieren dürfen, einen richtigen Charakter auszufüllen, hat Wandlung, er hat Wirklichkeit zu spielen. Hübsch, wie er das traf, ohne die Märchenhaftigkeit seiner Umwelt zu zerstören, ohne auch die Sentimentalitäten, die ihm aufgegeben sind, auszuwalzen. So gut war er lange nicht wie hier.

Luitgard Im spielt den kessen, kleinen Zaubervogel seelischer Verführung, ein Phantasieprodukt mehr als eine nachprüfbare Gestalt. Oft ist sie noch zu starr, zu hölzern für eine solche Verkörperung der bitteren Süße. Aber je länger, um so mehr kriegt sie die schwere Melodie der Schwerelosigkeit in den Atem. Schließlich, in einer Logenszene (Theater im Theater) hat sie genau, was zu treffen war. So wird es denn – nach so vielen Erniedrigungen dieser Spielzeit – ein leichter, schaumiger, lustiger, schweremloser Abend mit Jux, Phantasie, verschlungenem Tiefsinn und einer schönen Portion geformter Albernheit. Der Beifall war enorm.

16. 5. 1960

Moreto »Dona Diana«
Schiller-Theater

Moretos »Dona Diana« ist reines, hartes Schemen-Theater. Der Inhalt ist von der Stange. Drei kecke Granden freien um die Hand der Erbprinzessin von Barcelona. Der schöne Blaustrumpf negiert die Liebe und treibt, widerspenstig und kalt, Schabernack mit den Gefühlen der drei freienden Herren. List kirrt sie am

Ende. Der Bedienstete des heißesten Werbers bläst seinem Herrn listig die Strategie der Eroberung ein: indem er sich kalt stellt, bringt er die Kalte zum Glühen. Schementheater ohne viel Rankenwerk und Lockung.

Das macht Walter Henn zu einer wippenden, zierlich genauen Lustbarkeit. Er füllt die Leere, füllt die Schablone der Handlung immer neu mit munteren Mitteln des Theaterspaßes. Requisiten, werden sie gebraucht, sinken zauberisch vom Schnürboden herab und verschwinden wieder auf einen leichten Wink.

Türen öffnen sich, sobald der Akteur sich ihnen nähert. Requisiten werden selbständig und spielen mit. Alle Verwandlungen werden sozusagen in offener Theaterschlacht getätigt. Nicht was gespielt wird, macht am Ende den Effekt und den Zauber. Der heitere Umstand, daß hier das Spielerische, daß der kluge Jux mit dem Anlaß vorherrscht – das belustigt so schön.

Kalkulierte Leichtigkeit, intelligente Schaumschlägerei, zierliche Präzision werden von Walter Henn ausgelöst. Hier stimmt alles. Durch den gleichen bunten Reifen springen die Figuranten altspanischer Bühnenprägung mit einem ironischen Wuppdich. Sprachlich ist das kunstvoll und differenziert getönt. Optisch ist es eine simpel-komplizierte Augenweide. Und szenisch läuft es so hurtig nach dem Gesetz der Schwerelosigkeit. Sozusagen entfesseltes Theater, aber ohne alle Wildheit, praktiziert mit Fingerspitzen.

Alle machen da, doppelt augenzwinkernd, mit. Anneliese Römer als die kalte, schöne Kluge, die am Ende lustigerweise doch die Dumme ist. Lore Hartling, Ponika Peitsch als ihre zierlichen Trabantinnen. Carla Hagen, wippend, reizvoll und frech, fast einen Schuß bester Operette betätigend. Ernst Sattler stampft einher wie ein griesgrämiger Märchenkönig, komisch in seiner sorgenvollen Emsigkeit. Lothar Blumhagen, Herbert Stass und Dieter Ranspach sind mit füglichen Varianten die Freier der verdammten Schönen.

Aber die Erfüllung ist Walter Bluhm. Was ist er doch für ein echter, herzlicher Komiker! Er bleibt der poetische Motor dieser alten Schnurrpfeiferei und versteht es immer wieder, auch dem Tolldreisten immer noch einen Schlenker von Zärtlichkeit beizugeben. Ein Schatz im Ensemble.

So ein hübscher, so ein gutgelaunt angerichteter und runder Theaterabend, bestehend aus der puren Theaterlust am Theater.

Bühnenbild: H. W. Lenneweit. Kostüme: Eva Schwarz. Musik: Kurt Heuser. Alles fügt sich zum Angenehmen. Wie hübsch, wenn eine Aufführung so hübsch gelingt. 7. 6. 1960

Ostrowski »Eine Dummheit macht auch der Gescheiteste«
Schloßpark-Theater

Der Trick, der geschickte Handgriff des Regisseurs Walter Henn: er läßt Ostrowskis Komödie eines Karrieristen (»Eine Dummheit macht auch der Gescheiteste«) nicht spielen mit der Behaglichkeit, in der sie vor annähernd hundert Jahren geschrieben ward. Den Kern legt er frei. Das komische Gerippe macht er sichtbar. Milieuzeichnung und Rankenwerk schlägt er ab.

Aus Ostrowski destilliert er fast einen Molière, zuweilen gar einen Sternheim. Trotzdem verliert dies nicht eine spezifisch russische Komödienatmosphäre. Ostrowski bleibt's. Aber durchschaubarer, hurtiger, klarer wird's in voller Anwendbarkeit für heute.

Fast alle Auftritte erfolgen wie aus der Pistole geschossen. Türen klappen und speien Überraschungen aus, als sei man in der französischen Boulevardkomödie. Alle Figuranten gesellschaftlicher Misere sind hier auf Anhieb in ihre fragwürdige Gestalt gebracht: der liberale Faulkopp, das reaktionäre Stinktier, die bigotte Reiche, der dusselige, zaristische Simplizissimus-Leutnant, der käufliche Skribent, der ölige Belehrer, das schamlos ehrgeizige Muttertier.

Sie treten auf, äußern sich kurz – und bums! – ist ihr Umriß gezeichnet, ist ihre Komödienfunktion signalisiert, hurtig festgelegt. Henn prägt das schnell und ohne inszenatorische Fisimatenten. Trotzdem wird er nie hastig. Trotzdem verwischt er den Spaß nicht. Das ist so begabt wie präzis.

Einer will Karriere machen. Er ist gewillt, zwecks eiligen Aufstiegs ein Bösewicht zu werden. Wie er's schafft, ist ihm egal. Aber er will nach oben.

Er schafft es durch vorsätzliche Tücke, Fopperei und schamlose Schmeichelhaftigkeit. Dem öligen Onkel gegenüber ist er verstellerisch dumm und devot. Der schönen Tante heuchelt er rücksichtslos Liebe.

Den verkalkten Militär übertrifft er an reaktionärer Gesinnung, den liberalen Beamten gleich an rigoroser Freigeistigkeit. Er geht der bigotten Millionärin schamlos um den Bart, sie mühelos übertreffend an Frömmelei.

Ein rigoros Wetterwendischer schnellt abrupt nach oben. Er sagt allen nur immer, was sie hören wollen. Die Menschheit will getäuscht sein. Die Lüge ist Liebling. Gib der Gesellschaft nur, was sie haben will: schon sitzt du im Fett! – Ostrowskis Moral ist ebenso amüsant wie bitter.

Daß er sie am Ende von der fiesesten Gestalt in dieser Galerie der Unzulänglichkeiten äußern läßt, daß er sie dem Schubbejack Glumow in den Mund legt, macht die Doppelpointe zum Schluß. Der läßt sein Tagebuch liegen. Er wird entdeckt, bloßgestellt und gestürzt. Selbst demaskiert, reißt er nun seinen Opfern die Maske vom Gesicht. Der Effekt der Schadenfreude wird verdoppelt. Die Gesellschaftskritik wird getätigt von dem schlimmsten Halunken und Ausbeuter der Verstellung. Ernst wird die Sache erst im Doppelspaß. Eine gute Komödie!

Und wie gut wird sie gespielt! Rolf Henniger hat hier seinen großen Start als Charakterspieler und eleganter Komiker erhalten. Wie er ein eigenes Tempo vorlegt, wie er durchhält, wie er sechsmal ein ganz anderer ist und doch immer der fiese gleiche, wie hurtig und erfinderisch er immer wieder in eine neue Verstellung einsteigt und sie dann fallenläßt wie eine alte Jacke – das zu beobachten gleicht einem Trommelfeuer der Verwandlung.

Das erheitert schon als Leistung ungemein. Es belebt die Schadenfreude. Es gibt die volle Lust am klug geplanten Bösen. Henniger ist brillant. Einer unser besten Sprecher und jugendlichen Helden tritt damit glorios in sein neues Rollenfach. Man verfolgt es mit Beifall.

Alles, was diesen Glumow, den Karrieremacher, umsteht, was ihm als Trittbrett dient, höher zu schnellen, hat dann seine eigene, scharf konturierte Lustigkeit. Herrlich unsere liebe Elsa Wagner wieder, ein süßes Monument frömmelnder Dummheit. Wunderbar Berta Drews als des Lumpen Mutter und gleisnerische Helfershelferin.

Claus Hofer, anzusehen wie ein verkommener Max Halbe: Skribent im Havelock. Eduard Wandrey – ein törichter Besserwisser. Arthur Schröder knackt geradezu in den Gelenken, so absurd konservativ darf er sich gerieren. Siegmar Schneider – sein blödliberales Gegenstück. Gisela Uhlen, der Lockvogel der großen

Welt, hübsche Augenweide mit einem reizenden Beiton der Ironie.

Alles sitzt und stimmt, steht fest und nur am Ende erschütterlich in dem Szenarium der Lächerlichkeit, das H. W. Lenneweit karg und deutlich baute. Wie ein intelligentes Donnerwetter prasselt die alte Komödie ab. Schon Pausen werden fast durchgeklatscht. Der Beifall am Schluß hat Akzente fröhlicher Tobsucht.

29. 9. 1960

Goethe »Hermann und Dorothea«
Renaissance-Theater

Das Theater hat einen großen Magen. Es verspeist, kaut und verdaut neuerdings Speisen, die für die Bühne gar nicht zubereitet waren. Es frißt Tagebücher, Briefwechsel, Tatsachenberichte, Romane. Und wenn selbst hochbegabte Dramatiker neuerdings ihre Stücke, wie Ionesco, »Anti-Stücke« nennen, wer soll sich da noch mit den Kategorien der Dichtung grämen und auskennen?

Goethe selbst hatte die Absicht, sein hochkonservatives Bürgerepos von Hermann und dem Flüchtlingsmädchen Dorothea, verändert, aber ähnlich, in Bühnenform zu bringen. Zu seiner Lebzeit schon gab es eine »dramatische Bearbeitung« von fremder Hand. Und die unselige Stückeheckerin, die Birch-Pfeiffer, hat vor zwei Menschenaltern ebenfalls ihre flinken Bühnenfinger an der erfolgreichen Sache versucht.

Ludwig Berger, der jetzt seine Bearbeiterhand an diese ruhig und herrlich daherrollende Idylle legt, macht mit ihr an keiner Stelle »Theater«. Zu fast neunzig Prozent ist ja schon bei Goethe der Ablauf Dialog. Geschildert werden die Personen bei ihm kaum. Sie verlautbaren sich in der Rede. Ihr Charakter formt sich im eigenen Wort.

Keine Zeile brauchte Berger also hinzuzufügen. Man kann mit ihm streiten, ob es dramaturgisch überhaupt notwendig war, einen »Sprecher« im Sakko, einen überleitenden Erzähler zwischendurch immer wieder auf die Bühne zu schicken, damit er, das Buch in der Hand, die verbindenden Verse spreche und den Szenenwechsel fülle.

Dadurch, zugegeben, gewinnt die Sache Distanz. Sie behält etwas von der göttlichen, epischen Ironie, mit der Goethe die vollendete Naivität des Stoffes so hochkunstvoll überkleidet.

Aber nötig ist der rezitierende Herr im Sakko eigentlich sonst nicht. Lesend staunt man, wie bühnendarstellbar die schöne alte Sache schon im originalen Buche ist. Und der feinschmeckerische Reiz des Unangemessenen (wie hier behagliches Bürgertum im Versmaß homerischer Helden redet), dieser ironische Doppelreiz wäre auch so gewahrt.

Das Stück Epos ist, staunt man, spielbar. Gerade die Betulichkeit, zu der der Hexameter zwingt, gibt Pläsier und eine reizvoll bürgerliche Farbe. Sprache, ach endlich!, blüht wieder auf. Herz und Rührung klingen in edler Form. Man schmeckt, auch hier, bewundernd nach, wie raffiniert Goethe den Effekt absoluter Naivität erstellte. Der Ablauf ist (scheinbar) völlig simpel und klar. Aber was braust da nicht alles an Zeit und Erfahrung! Was ist da nicht alles gebändigt an Unrast und Zweifel!

Berger macht inszenatorisch keine Faxen. Er hat eine Dauerbühne, die Marktplatz, Gaststube, Weinberg, Brunnenplatz oder Flüchtlingslager sein kann. Rochus Gliese hat jeweils nur einen kleinen Hintergrundvorhang skizzenhaft bemalt. Der wird gezogen. Schon weiß man, wo man ist. Umbauten entfallen.

Darin nun bewegt sich im Hexameter, expektoriert sich in gebändigt-geruhsamer Gangart der Sprache die Spielwelt. Sind Hexameter einen Theaterabend lang erträglich? Man hatte gezweifelt. Dies Versmaß ist episch. Zum Dialog ist es sonst nicht brauchbar. Das stimmt. Aber man staunt, wie man den rollenden Duktus der Geruhsamkeit genießt. Wie der Vers, wenn er nur gut gesprochen wird, dem Ohr eingeht in behaglicher Schönheit.

Aber nicht alle können in der Aufführung des Renaissance-Theaters das göttliche Versmaß halten. Paul Hartmann (Vater) kann's, wenn er auch die humoristische Schrulligkeit des Patriarchen »Zum goldenen Löwen« leider nicht ganz angemessen ausspielt. Käthe Haack (Mutter) steht noch besser und in etwas hurtigerer Gangart im Vers und in der zwischen Vater und Hermann vermittelnden Gestalt.

Karl John (Apotheker im grünen Bürgerfrack) verwaltet das Schrullige, die Neugier des hagestolzen Zaunguckers von Zweifel und Glück. Jochen Schröder (der Pfarrer) wirkt hier etwas jung und blaß. Ich habe mir diese Figur immer weltlicher, ebenfalls etwas humoristischer vorgestellt. Aber er bleibt darstellerisch in

Züchten. So gewinnt er, wenn er Weisheit sprechen muß, vielleicht mehr Nachdruck.

Am schwersten haben es bei solcher Bühnenpersonifizierung natürlich Hermann und seine Dorothea. Bei ihm (Gerd Seid) haperte es leider. Der Vers kommt ihm nicht natürlich, und schauspielerisch war er eher nervös, eher zappelig als jugendlich bockig und von erwachendem, sicherem Eigensinn.

Lieselotte Rau (Dorothea) holte da viel müheloser das helle, tragisch leicht umflorte Bild des Flüchtlingsmädchens herein. Sie hat Festigkeit, klare Töne der Rührung und trägt eine schmale Aureole des Schicksals. Da denn geschah Goethe wieder recht.

Wie verdammt gegenwärtig Goethes Flüchtlingsepos ist, spürbar wurde es, wenn Hans Finohr die Vertriebenenworte des Richters sprach, geruhsam empört, versöhnlich und weise.

Der Versuch, eine hochepische Idylle in skizzenhafte Dramenform zu bringen, schien dem Publikum einzuleuchten und sehr lieb zu sein. Puristen mögen jetzt wieder maulen. Formalfexe mögen klagen. Ich fand das Experiment mit Altbekanntem, mit lieb Vertrautem in neuer Form durchaus gelungen. Schaden kann es nie, wenn man durch die Handfestigkeit der Bühne, durch reine Szenenneugier und den Austausch der Kategorien am Ende doch wieder ans Buch, an die originale Form einer genialen Sache erinnert und geführt wird. Man sollte dies sehen. Und dann wird man »Hermann und Dorothea« auch wieder lesen.

– Die Spielzeiten 1959/60 und 1960/61 –
NOCH FÜR HEUTE?

Sternheim »Die Kassette«
Theater am Kurfürstendamm

Sternheims schnittige Komödien sind Kostümstücke geworden. Das Parkett lacht über den Spießer im Jugendstil. Es erheitert sich mit dem Blick zurück. Der Zorn ist historisch. Verbote, wie einst, sind nicht mehr zu gewärtigen. Aktuelles Ärgernis wird nicht genommen. Man amüsiert sich über den Kritiker des Juste Milieu an der Makart-Portiere. Das Juste Milieu am Nierentisch, der Neuspießer an der Fernsehscheibe wartet indessen noch auf seinen Sternheim.

Rudolf Noelte tut recht, diese Komödie sich in historischer Distanz abstrampeln zu lassen. Das Kostüm rückt weg. Man sieht Fossilien aus der deutschen Bürgerstube. Man wohnt einem Spießertanz um das Goldene Kalb bei. Tante Elsbeth läßt an Hand einer Kassette, in der sie Staatsobligationen im Wert von 140 000 Goldmark hortet, nur immer die Familienpuppen tanzen.

Der Mensch, sagt Sternheim, ist, welche hohen Begriffe er auch immer im Munde führen mag, käuflich. Der Bürger ist, beweist er, sobald man ihm ein paar zinskräftige Aktien um die Nase wedelt, Idealist gewesen, zu jedem Verrat und Sklavendienst erbötig. Hier wird ein patriotischer Pauker rappelköpfig, nur weil er mit der Erbtante auf gutem Zinsfuße stehen möchte.

Eine Charakterkomödie der Charakterlosigkeit. Ein Defekt, ein Loch im Charakter wird satirisch freigelegt. Sternheim gibt die Auflösung schon vor dem Ende preis. Das Biest von reicher Tante lockt die seufzende, willfährige Familie auf den Leim der in Aussicht gestellten Erbschaft. Bevor der Pausenvorhang fällt, vermacht sie den Kassetteninhalt der Kirche.

Nach der Pause erniedrigen sich die bürgerlichen Etagenbewohner, nichtsahnend, immer noch mehr. Aber jetzt kommt Schadenfreude hinzu: das Publikum weiß, daß alles umsonst ist. Für uns hat die Testamentseröffnung schon stattgefunden. Nur die Spießerfiguranten tanzen, nichtsahnend, weiter. Der Effekt ist sehr komisch.

Sternheims Sprache ist der halbe Witz seiner Wirkung. Er betätigt Kurz-Pathos. Seine Figuren wandeln sich nicht. Sie werden fertig, prall gezeichnet, unveränderbar dumm, böse oder komisch auf die Szene geschleudert. Dort bumsen sie aneinander. Das macht jedesmal den Knalleffekt.

Wenn sie den Mund auftun, reden sie nur in Verkürzung, stilisiert. Ihre Sprache ist aller persönlichen Fransen beschnitten. Sie bellen Lyrik. Sie husten Pathos. Sie keuchen Liebe. Alle sprechen, als hätten sie Ekrasit verschluckt. Sie geben sofort und ohne jeden Umschweif ihre Essenz zum besten, dekuvrieren ihren Kern, stehen psychologisch sofort nackt auf der Szene.

Diese Unverfrorenheit der Zeichnung, diese radikale Durchschaubarkeit hat etwas Gnadenloses, einen Grad der Menschenverachtung, der amüsiert. Tatsächlich: Sternheim war so etwas wie der preußische Molière.

Spielt man ihn hier richtig? Ich fand diese Aufführung die weitaus beste unter den mannigfachen Versuchen, die man letzthin mit Sternheim machte. Noelte hat den Sprachmeister der Verkürzung selbst noch verkürzt. Er hat Lyrik, wo Sternheim sich ihrer ironisch bedient, beschnitten. Er hat ein praktikables Spielfeld (Friedrich Prätorius) gebaut mit sechs Türen, aus denen das dumme Schicksal nur immer hervorstürzen kann.

Er hat eine erfreulich sternheimsche Besetzung. Theo Lingen ist der ideale Sternheim-Sprecher, scharf, todernst in der Komik, wippend in der Diktion. Auch wenn er nur immer karikiert – eben nicht nur Karikatur, sondern Person, Mensch, Objekt der eigenen Habsucht mit einem kleinen Schatten von Tragik. Das ist ganz vorzüglich.

Bruni Löbel – so recht herztausig das deutsche Weibchen, innig, mollig, neugierig in der Erotik, mit einem sichtbaren Innenleben aus lauter rosa Plüsch. Völlig rollendeckend auch sie, zumal wenn sie Stacheln der Bosheit zeigen darf.

Hans Putz – der Fotograf, der Pseudokünstler mit dem großen Anspruch und einem Minimum an Gesinnung. Putz preßt die Sternheim-Sätze herrlich falsch hervor. Er hat sich einen Gummigang zurechtgelegt, an dem die ganze wippende Leere dieses Filous ablesbar ist.

Regine Lutz, aus dem Brecht-Ensemble kommend, findet zuerst die mädchenhafte Wehleidigkeit nicht ganz, derer ihre Rolle bedarf. Wenn sie dann aber späterhin die Enttäuschung in der deutschen Vollehe mit nur ein paar Gesten des vollendeten Phlegmas andeutet, ist sie umwerfend komisch, füllt sie dies Familienporträt der Abscheulichkeit prächtig.

Elisabeth Markus, sanfter als man hoffte, stiller als man erwartete, ist die Erbtante mit dem heimlichen Menschenekel in der hohen Brust. Dadurch, daß sie an sich hält, gewinnt sie schließlich fast ein bißchen Tragik. Sie spielt so ein kleines Drama der Unerfülltheit mit, das bei Sternheim gar nicht so steht, aber der Sache ganz gut ansteht.

Käte Jaenicke ist die schnutenziehende Domestique und Egon Brosig ist der Testament machende Notar, der immer nur verdutzt »Aber, aber . . .« zu sagen hat. Er sagt es gut.

Schade, daß Noelte sich auf der schwerhörigen Bühne offenbar akustisch noch nicht richtig eingepeilt hat. Vieles fiel unter den Tisch, blieb halb- oder unverständlich. Gerade bei Sternheim aber muß alles ins Schwarze des Verständnisses treffen, er ist ein Dichter der Deutlichkeit. Wird er nicht geradezu überdeutlich artikuliert, wirkt er nicht. Hoffentlich wird dieser Defekt noch repariert.

Aber auch so war schon das Gaudium groß, der Beifall beträchtlich. 12. 1. 1960

Bertolt Brecht »Die Dreigroschenoper«
Theater am Schiffbauerdamm

Mehr als drei Jahre lang hat man in dem Ostberliner Tempel rechtgläubiger Brechtpflege, hat man im »Theater am Schiffbauerdamm« über diese Neuinszenierung der »Dreigroschenoper« sich die Köpfe zerbrochen, hat geprobt, wieder abgebrochen, neu angesetzt, diskutiert, Bedenken gehabt, getüftelt und gezaudert.

Inzwischen erschien vor zwei Jahren im Westberliner Schloßpark-Theater der alte, rüde Genietext in Hans Lietzaus irriger Regie. Das schlug gründlich fehl. Aber wenn auch die Aufführung nicht so falsch gewesen wäre, wie sie war – auf melancholische Weise merkbar wurde doch, daß auch alte Theaterliebe leider rostet. Ein Mythos der ruppig talentierten zwanziger Jahre war nicht mehr belebbar. Es waren die alten Lieder. Aber das Herz im Parkett hüpfte nicht wie einst. Die alte Stoßrichtung ist perdu. Der Bürger von damals ist so nicht mehr vorhanden. Hinter ihm stehen heute nicht sieben Millionen Arbeitslose. Das schlechte Gewissen, das Snobs und fette Bäuche, das die Nutznießer dieses Bühnenspaßes damals genossen, rührt sich nicht. Der zynische Unterton wird somit belanglos. Der Kitzel entfällt, der den Bäuchen vor dreißig Jahren so angenehm war.

Zudem: der Bürgerschreck, der lustige, wird nicht mehr ausgelöst. Der Bürger von damals ist weg. Der von heute wurde inzwischen schon viel radikaler, grausamer, bösartig pessimistischer schockiert (falls er sich überhaupt als schreckhaft erweist).

Die »Dreigroschenoper« wird heute melancholisch besichtigt. Sie wird, bestenfalls, gespielt, wie man einen Klassiker spielt: mit zurückgeschraubtem Zeitbewußtsein, mit hochgezogenen Bildungsbrauen, mit der Distanz der Ehrfurcht und in der Patina des Plusquamperfekts.

Genauso läßt Erich Engel, der die sagenhafte Uraufführung schon vor 32 Jahren regierte, dies Stück zurückgerutschten Zeittheaters heute spielen. Man sieht eine Aufführung, die vor Perfektion flutscht. Man sieht Arrangements, sieht Bewegungen, sieht Regieeinfälle, daß man nur immer den kritischen Hut zieht.

Wie herrlich er das komische Lumpengefolge des Mackie Messer individuell prägt und sichtbar macht! Wie er das höhnische Bettlervolk regiert und arrangiert! Wie er Regine Lutz, zur Polly kaum geboren, doch so leitet und stützt, daß sie die Rolle schließlich zum Siege führt. Wie er seinen Mackie, Wolf Kaiser, der eher ein Kraft-und-Saft-Schauspieler ist, mit einer Schicht Ironie und rüpelhafter Eleganz überzieht, daß man seine volle Satire mit fast jeder Bewegung selig schlürft.

Wie er sich die Bühne schon durch Karl von Appens Bühnenbild auf schmutzige Weise appetitlich macht. Die Weill-Kapelle schwebt über dem Ganzen, anzusehen wie ein verludertes kleines Kurorchester in einem skrofulösen Badeort. Er läßt Farben frech vor dem grauen Hintergrund flirren. Er bezeugt einen hochgestochenen Geschmack im Arrangement des gewollt Geschmacklosen.

Polierter, superperfekter Arrangiertes sah man selten. Diese Aufführung hat sozusagen jeden Fetzen Staub mit dem Mikroskop genau dorthin praktiziert, wo er sitzen muß. Der beiläufige Rupfen der Gewänder wirkt, als sei er extra für diesen Zweck neu und mit gezielter Kunst ausführlich handgewebt.

Die natürliche Rüdigkeit, Ruppigkeit, Aggressivität versucht man mit äußerstem Kunstverstand artifiziell wiederherzustellen. Der schöne alte Schißlaweng von einst, jetzt wird er in der Retorte inszenatorischer Tüftelei wieder zu beleben versucht.

Was einst wie natürliche Improvisation wirkte, muß nun angestrengt »als Improvisation« inszeniert werden. Man bewundert, wie raffiniert das geschieht. Aber während man es bewußt bewundert, ist man aus der lustigen, direkten Anteilnahme eigentlich schon ausgestiegen.

So kriecht langsam Langweile auf die Szene, wie überall, wo nicht mehr, was gemacht wird, richtig scheint, sondern nur, wie es gemacht wurde. Ein paradoxer Abend läuft ab: Kunstfertigkeit erstickt langsam, was Kunst daran ist. Brechts listige Einfalt wird so perfekt destilliert, bis der Geschmack fast völlig verfliegt. Zuviel Kunstverstand kann am Ende Kunst hintanhalten. Man sieht's mit Erstaunen.

Natürlich versucht man hierorts wieder, mühsam den sozialkritischen Anlaß zu finden, mit Hinblick auf das »faschistische« Westdeutschland eine Aktualität zu konstruieren. Die Aussauger der Armen, die Peachums, gäbe es dort an allen Ecken. Allein auf Düsseldorfs »Kö« zwei Bettler, die Nabobs geworden seien. Mit Carepaketen werde Ausbeutung betrieben, und in Amerika floriere lustig die Prostitution.

Engel selbst tüftelt die Gestalt des korrupten Polizeichefs Tiger Brown zu einem Abbild westdeutscher Nazirichter hin. Und er erklärt, daß man der Gestalt des Mackie Messer jede Anziehungskraft habe nehmen müssen. Man sei durch westliche Schundliteratur gewarnt. Attraktiv dürfe der Schuft keineswegs werden. Dafür handelt er dann aber ein, daß der ganze zweite Teil somit leck wird. Brechts herrlicher Zynismus wird durch die Tugend des Inszenators gestoppt.

Engel akzentuiert aus hergeholt-politischen Überlegungen den parodistischen Opernschluß übermäßig. Wie sich Mackie, der Obergangster, mit dem Polizeichef am Ende wieder findet, wie sie neu gemeinsame Sache machen, das soll wiederum eine ähnliche Verwandtschaft von Korruption und Macht im fernen Westdeutschland hier am Schiffbauerdamm kenntlich machen. Dabei nun entgleitet Engel aus lauter zeitkritischer Beflissenheit das Gleichgewicht. Er tut an parodistischem Arrangement zuviel. Der Opernschluß kippt dadurch aus dem sonst so pfleglichen Arrangement des Ganzen.

»Die Dreigroschenoper« ist ein schönes, vergangenes Ding. Ihr alter, schockierender Rauhputz ist nicht mehr recht rekonstruierbar. Auch dann nicht, wenn es so ausführlich, so reich und so intensiv vrsucht wird wie hier in Brechts eigenem alten Hause, wo jetzt die Schriftgelehrten und Praktikanten des legitimen Brechterbes wohnen. Man beobachtete es mit Melancholie. Und man lernte wieder unter Staunen, wie manches so gut gemacht und arrangiert werden kann, daß es selbst am Ende nicht mehr gut und interessant ist. Der Fluch der Vollendung.   28. 4. 1960

Dem Schiller-Theater zu Berlin ist Barlach-Vernachlässigung wahrlich nicht vorzuwerfen. In der Folge weniger Spielzeiten: »Der arme Vetter«, »Der Graf von Ratzeburg«, die »Sedemunds«, nun »Der blaue Boll«. Vor diesem Stück mystischen Theaters zauderte man bisher. Fehlings grandioser Schatten liegt auf der Szene, wo immer man es versucht.

Seine Inszenierung, 1930, mit George, der Melzer und der Fehdmer, hat Sagenkraft gewonnen. Kombattanten jener Theaterschlacht sitzen noch im Berliner Parkett. Schriftgelehrte kennen ihren Nachruhm und vergleichen. Wer jene Aufführung (wie ich) nicht sah, bewundert sie aus der historischen Ferne noch mehr. Was hat sie, offenbar, inszenatorisch nicht damals alles verdeckt!

Symbolgeschwängert bietet sich heute Barlachs niederdeutsche Szenerie. Es wabert undeutlich, dauernd. Barlach zieht aus jeder Gestalt geradezu versessen den »Hintergrund« hervor. Alle Figuren haben ihren doppelten Rand, metaphysisch. Alles muß sich »bedeutend« gebärden. Jedes soll seinen Schatten bis ins Unendliche werfen.

Boll, Gutsbesitzer, Dollbrägen, Suffkopff (daher »blau«), mecklenburgischer Diesseitsrabauke und Trumm von einem Kerl, hat in Ansicht des Kleinstadtdoms einen Knacks weg, eine Spaltung. Was bisher schön kompakt war, bricht auseinander. Er selbst auch. Er steht neben sich, beobachtet Boll, ist nicht mehr der Gierschlund platten Daseins, sondern betätigt, erschreckt und erleuchtet, so etwas wie ein zweites Dauergesicht. Barlach stellt seine Umwelt schnell voll mit Symbolen.

Eine Hexe quert seinen Weg, eine Besessene, die vor dem Fluch des allzu festen Fleisches flüchtet. Im Glockenstuhl des Doms geht hoch und undurchsichtig das Gespräch mit ihr. Boll lüstet nach ihr und der Sünde. Sie geht ihn um Gift an, ehe sie ihm gehören will. Ihre Kinder, die Produkte ihres Sündenfleisches, will sie ermorden.

Der Teufel tritt auf in der Gestalt eines minderen Gastwirts. Ihm treibt Boll die Hexe zu, ehe er selbst mit ihr sündigen kann. Aber auch der Teufel gewinnt Gewalt über sie nicht. Seine Frau, eine Art erdmythologische Figur, rettet sie aus den Fängen des mecklenburgischen Beelzebub. Erst Boll, der neue Boll, der andere, der verwandelte, wird sie vollends retten ins vage Heil.

Denn Boll hat inzwischen auf dem Markt die Bekanntschaft des Herrgotts gemacht. Der kommt hier einher wie ein idealistischer Wanderprediger, schmalbärtig, im zerrissenen Paletot. Er hinkt. (Aufgepaßt! Einheit Gott – Teufel!) Er redet symbolträchtigen Jugendstil mit dem Munde. Verwandlung predigend, »Werden«, »Erneuerung«, daß »Boll Boll muß gebären« und neues Leben ansetzen auf dem alten Sündenkorpus.

Boll denn hat seine zweite Erleuchtung. Das alte Testament mit seinem strengen »Muß« erfüllt er. Aber nun »will« er auch. Ein Existenzwandel ist passiert, meint Barlach. Jemand hat seinem Dasein mehrere Ellen in Richtung Himmel hinzugefügt. Wie das sich nun auswirkt, ob es sich rein lebenstechnisch bewährt, Barlach läßt's offen – und den Vorhang fallen.

Was für eine rührende Anstrengung ist in diesem Undrama! Wie preßt da nicht einer dunkel in Richtung der Erlösung! Aber wie undurchsichtig, wie unerfüllt, wie verdrießlich bleibt uns nicht das Ganze! Man hört ehrfürchtig hin. Man nimmt immer wieder Ärgernis an der oft billigen Symbolik, die der Dichter da wuchtet. Man ist in Unfriede mit seiner Sprache, die aus ungelenkem Schriftdeutsch, Traktatelementen und dann wieder aus Brokken echter Ergriffenheit Dunkelheiten montiert, Platitüden nicht fürchtet, um dann plötzlich wieder Wendungen der Wahrheit sicher und groß zu treffen.

Es wabert. Die Undeutlichkeit wird um ihrer Undeutlichkeit willen geliebt. Fehling muß damals diesem Stück Untheater so viel Szenenfleisch angesetzt haben, daß man die Dürre der Spekulation, das Verdrießliche solcher Symboldramatik nicht merkte.

Jetzt merkt man's. Nur eine Szene noch lebt im Theatersinne ganz. Der Herrgott im Paletot wird von Boll mit ins Gasthaus zur »Goldenen Kugel« genommen. Dort pokuliert Bolls Vetter Otto, ein ungehobeltes Produkt der Weltlichkeit, ein Rotsponschwadroneur und Herrenmensch. Wie da, von einem spökenkiekerischen Schuster interpunktiert, ein Dialog entsteht, eine Wechselsprache zwischen zwei Lebensbereichen – das plötzlich hat Wahrheit, dialektischen Zug, hat plötzlich auch realistische Humore und eine soziale Richtigkeit.

Diese Szene hat Ordnung, wird durchsichtig, hat Größe. Bezeichnend, daß da das erschlaffte Interesse plötzlich auflebt. Carl Kuhlmann, schon nah dem Rotsponschlagfluß, prahlt grandios, thront auf dem Sofa des Besitzers und läßt die Welt des Reichtums donnern. Wilhelm Borchert, Herrgott im Paletot, setzt seine Argumente leis und sicher. Zwischen beiden wimmelnd Arthur Wiesner, eine liebedienerische Ratte religiöser Beflissenheit. Da ist Barlach spielbar.

Sonst fällt's sichtbar schwer, diesen Szenenexpressionismus heute anwendbar zu machen. Hans Lietzau versucht die Dunkelheiten und religiösen Ausschweifungen in eine mecklenburgisch reale Welt zu betten. H. W. Lenneweit baut handfest anheimelnd Markt, Dom, Gasthaus, Kneipe, Kirchenschiff.

Darin bewegt sich Ernst Schröder als Boll. Lietzau treibt ihn zu schnell ins Extrem und Gebrüll. Das Saulus-Paulus-Erlebnis wird nicht nachhaltig signalisiert. So kommt Schröder schwer vom Start und immer wieder in die Gefahr der Effektwiederholung. Er dampft auch eigentlich nicht, dieser Boll. Er spielt Dampf. Er muß Kraft herstellen. Er ist eigentlich nicht kräftig. Aber wie er das zuwege bringt und schafft, wie er die oft unsprechbare Dunkelheit erleuchtet, ist aller Ehren wert.

Marianne Hoppe ist Frau Boll. Sie bringt den leichten Sprachklang des Mecklenburgischen ein, der (bis auf Kuhlmann und den prächtig hingestrichelten Uhrmacher Herbert Wilks) der Aufführung merkbar fehlt. Die Hoppe kann diesseitig bleiben. Sie macht die Ausflüge Bolls ins Metaphysische nicht mit. Sie spielt das mit einer kräftigen Klarheit. Kommt sie, ist die Szene real. Man genießt ihr Kommen.

Heidemarie Theobald ist die Hexe Grete, die Irre mit dem Fleisch-Komplex, die Kindsmörderin, selbst Teufelin, aus des Teufels Armen am Ende gerettet. Das blieb leer. Lietzau hatte ihre Szene in der Kneipe »dämonisch« aufgeputscht mit Hintergrundeffekten, rhythmischem Gesause und Firlefanz aus Lichtern. Es half nichts. Es macht eher die Undeutlichkeiten, die da im Buch stehen, noch deutlicher und unerträglicher.

Große Wirkungen von einst sind nicht repetierbar, scheint's. Barlachs drückender Dunkelexpressionismus ist nicht haltbar. Gut, es immer wieder zu probieren. Richtig, den Versuch zu unternehmen. Aber Fehling hatte wohl recht, als er sich gleich nach dem Kriege weigerte, Barlach neu zu inszenieren. Es würde nicht mehr stimmen. Es träfe nicht mehr. Es habe seine Zeit, seinen Zeitpunkt gehabt.

Etwas melancholisch die Feststellung, daß der Nachruhm eines bedeutenden Dichters größer bleibt als seine Größe. Und etwas bedrückend, das erkennen zu müssen. Das Berliner Premierenpublikum nahm die Lektion artig entgegen. Der Beifall am Schluß war nur höflich. 25. 2. 1960

Carl Sternheim »1913«
Schiller-Theater

Dies deutsche Schauspiel hat zwiefache Bitternis. Hier ist ein dramatischer Doppellader, losgehend in zwei Richtungen, vorsätzlich bösartig, von radikalem Humor und geradezu strampelnder Intensität.

Sternheims Trick und Tick ist nicht nur seine zuckende Sprache, das Extra-Deutsch, das er die grausigen Puppen aus dem Panoptikum der deutschen Seele hervorschießen läßt. Er führt die Gestalten sofort und unwandelbar in ihr Extrem. Sie entwickeln sich nicht gemächlich. Sie entfalten sich nicht. Bums, sind sie da und jagen aufeinander los.

Sie kollidieren extrem. Der Lärm, den das gibt, macht den Spaß und das Grausen. Sternheim dreht die Puppen nur auf. Er setzt sie auf ihre fatale Bahn. Er bringt sie in die vorgezeichnete Richtung. Sie müssen zusammenrasseln. Sie sind wie tobsüchtige Maschinen, die gegeneinander und in ihr Verderben rasen. Der Humor, der davon kommt, hat deutlich sadistische Züge. Vernichtung wird vorgezeichnet und geliebt.

»1913« ist gewiß nicht die beste seiner Strampel-Komödien. Hier gießt er satirische Säure aus mit doppelter Hand. Die Lauge des Spottes spritzt über die Dummheit der Materialisten, über die Matadoren des Wirtschaftswunders vor dem Ersten Weltkrieg. Reichtum wird madig gemacht. Das Kapital, das heckende, rennt in sein Verderben. Skrupellosigkeit als Programm. Raffsucht als Lebensbewährung, als leerer Daseinsinhalt.

Und dagegen gesetzt und nicht weniger verdammt: der deutsche Lodenidealismus, die schweißduftende Teutonenemsigkeit mit dem falschen, blauen Blick nach oben. Innerlichkeit, rappelköpfig geworden und zu jedem tödlichen Extremismus gerüstet. Hier werden zwei fatale Spielarten unserer »Tüchtigkeit« sozusagen vorskizziert, 1913. Sternheims prophetisches Gemüt roch, wohin der doppelte Hase lief. Das Stück, auch noch wo es Gelächter schafft, macht Gänsehaut. Es gruselt einem vor diesem bösen, klaren Blick.

So ist zu verstehen, daß die satirische Wollust, die dieses Stück deutscher Selbstkasteiung vor fünfzig Jahren haben mußte, heute vermindert erklingt. Die damals genial angelegte Rechnung ist schon aufgegangen, viel fürchterlicher, als Sternheim vorwegnahm. Die Wand, auf die er sein bissiges Menetekel malte, steht nicht mehr. Ein neuer Sternheim müßte die inzwischen restaurierte frisch mit den Anzeichen neuen Unheils versehen.

Man sieht dies mit rückgewandter Empfindung. Es bleibt der Spaß an der Bühnenmotorik, an der geradezu maschinellen Zwangsläufigkeit des zappelnden Ablaufs. Hans Lietzau versucht das zu fördern. Schlagartig verlöscht das Licht im Parkett. Rumms, setzt Kurt Heusers Musik ein. Wie mit einem optischen Knall erhellt die Szene. Das Spiel ist gemacht. Die Minen sind gelegt. Nach Sternheims Bühnenstrategie müssen sie knallend hochgehen.

Woran liegt es nun, daß sie nicht alle, wie geplant, zünden? Ist Sternheims Kompressions-Deutsch nicht doch oft nur manieriert? Wirkt die zuckende Art, in der die Figuren eher Telegramme bellen als Sätze sprechen, nicht datiert und oft unleidlich?

Es brauchte nicht zu sein. Noelte hat bei der »Kassette« den Stil gefunden, wie Sternheim, ohne daß man ihn aufweichte, doch noch sprechbar wäre. Hier gelingt das im gleichen Maße nicht. Und hier steht der Extrakt-Methode des Spiels die unmäßig weite Bühne (von Rudolf Schulz, übrigens, sehr schön und witzig dekoriert) im Wege. Die Anläufe sind zu weit. Sternheim will die kleine Dimension. Hier verläuft sich vieles (auch akustisch) im Raum.

Der Rahmen, der übergroße, steht der Intensität entgegen. Und intensiv muß Sternheim gespielt sein, sonst weicht er an den Rändern auf.

Schauspielerisch gehört der Abend Ernst Schröder. Er kommt in einer Hugenbergmaske heraus. Spießerkopf mit der Attitüde des Wirtschaftstyrannen. Er treibt wunderbare Dinge mit ganz kleinen, stechenden Effekten. Er kann hinreißend lauern und seine Fallen legen. Er spielt George Grosz, hat sich frappierende kleine Gesten ausgedacht, Spießer und Bösewicht in einem. Wenn er laut wird, verliert er nur jedesmal an Schärfe. Da müßte er haushalten. Sonst ist diese Leistung sehenswürdig und voll darstellerischer Intelligenz. Man genießt sie.

Um ihn das Panoptikum deutscher Schrecklichkeit in Komik. Wie Helmut Wildt den Playboy hinstellt, den Polobuben aus schlechtestem gutem Hause, ist vorzüglich. Wie Lothar Blumhagen, in der Figur des kriechenden Grundsatz-Deutschen, zwei Seelen, ach, kenntlich macht, hat ebenfalls Meriten. Seine Rolle ist durchaus die schwerste.

Hermann Ebeling prallt herein und ist als Figur sofort fertig und grausam komisch: Knotenstock, Lodenmantel, seelischer Schweißfuß im Wanderschuh. Gisela Uhlen, als die Tochter, die des Vaters Raffgier übertrumpft und auslaugt, kommt nicht richtig in die Gestalt. Da bleibt die Szene blaß. Neben ihr Claus Holms angeheirateter Nobelmann ist dann nur die Karikatur eines Fatzke. Bedrohlich wird das nicht.

Uta Sax hat ein paar schöne, falsche Töne furchtbarer Wehmut. Die anderen gehen stracks in die Karikatur und bleiben da, gelächterfördernd, aber ohne schmerzende Schärfe.

Schade, daß der Schluß, der bei Sternheim doch doppelten Boden hat, hier etwas in die Weite zerlief. Da hätte die Regie scharf anziehen und die Bosheit der Stille einführen müssen. Jetzt wurde es mehr eine Modenschau in ridikülen Nachtgewändern. Auch der platte Trick, mit Marschmusik zu enden, macht den grausigen Schlußpunkt nicht deutlicher. Eher umgekehrt.

Trotzdem: dies lohnt sich sehr zu sehen. Das Amüsement ist kalt, von sadistischer Schärfe und trotz des fünfzigjährigen Textes noch und wieder erschreckend aktuell in Teilen, daß man's sich betroffen hinter die bundesdeutschen Ohren schreibt. Der Beifall hatte mittleres Ausmaß.   14. 4. 1961

Mattias Braun »Die Perser« nach Aischylos
Schiller-Theater

Bevor der Vorhang sich hebt, schwindelt dem geschichtsempfindlichen Parkettbesucher fast. Was er zu sehen sich anschickt,
wurde vor schier zweieinhalbtausend Jahren geschrieben. Er soll
eine Zeit-, eine gezieltes Tendenzstück sehen, das ein Hellene seinen Landsleuten als patriotisch-menschliches Menetekel nach
der Wirklichkeit aufstellte.

So als ob vier Jahre nach dem Zusammenbruch von 1945 ein
deutscher Autor ein Stück geschrieben hätte, in dem er die realen
Figuranten der gegnerischen Partei, Churchill, Roosevelt, Stalin
und ihre Familien, auftreten ließ, anzeigend mit ihren Irrtümern,
Sorgen und Fehlern, wie schwer und schicksalshaltig es sei, Sieger
zu sein. Und dieses Stück würde nun nach wiederung 2500 Jahren
gespielt. Wie wäre dem Zuschauer des Jahres 4460 bei seinem Anblick zumute?

Es schwindelt dem geschichtsempfindlichen Beschauer. Was
ist Zeit? Was sind Jahrtausende? Des Menschen Element ändert
sich nicht. Kleidung, Ausdruck, Mode, Sprache, Technik mögen
fortschreiten und sich verschieben. Das Elend, der Übermut, die
Grausamkeit, die Todesfurcht und die große Klage über die immer neue Verwüstung, die Hoffart und Krieg unter den Lebenden
anrichten, bleiben dieselben. Da sind die Jahrtausende wie ein
Tag.

Aischylos war der Erfinder des Bühnendialogs. Er führte die individuellen Stimmen aus dem Chor des kultischen Theaters heraus und setzte sie gegeneinander. Mehr als zwei, jeweils, wagte er
noch nicht, sich als Personen artikulieren und miteinander sprechen zu lassen. Das Echo, der Antrieb, der Moralbringer ist bei
ihm immer noch der Chor. Aber welche Kühnheit, schon Personen, Einzelwesen sich so frei darstellen zu lassen! Und welche
frühe Kühnheit, ihnen die Namen der eben erst gefallenen und
besiegten persischen Gegner zu geben: Darius, Xerxes, Atossa!

Dies ist Bühnenarchaik. Und ist schon ganz modern. Es ist um-
weht noch von den Nebeln der Urlandschaft. Und ist schon auf

eine klüftend leidende Art individuell. Geschrieben vor zweieinhalb Jahrtausenden. Den Beschauer schwindelt.

Oft und mit unterschiedlichem Glück ist versucht worden, dieses erste Zeit- und Lehrstück für unsere Szene sprechbar zu machen. Jetzt hat Mattias Braun, der schon die »Troerinnen« und die »Medea« für uns bühnenbrauchbar machte, »Die Perser« in seine dichterische Obhut genommen. Er tat es, schreibt er, vor allem, um der großen Hermine Körner einen Anlaß und eine Rolle für ihr königliches Pathos zu geben.

Er hat den Text montiert. Er hat den Chor in Handlung, oft genug, aufgelöst. Er hat die Geistererscheinung des Darius gemildert. Er hat den Text der klagenden Fürstin Atossa aus Bestehendem erweitert. Er hat ihr die Chorworte des Stückschlusses in den klagenden Mund gelegt. Er ist dramaturgisch kühn umgegangen mit den Urmenschenworten des Aischylos. Aber was er wagte, gelang.

Seine Bearbeitung behält durchaus die Elemente einer kräftigen Archaik. Die Figuren stehen und wirken wie die heiligen Standbilder der Antike. Sie sprechen Kunst. Und zugleich sprechen sie menschlich, reden sie mit den Zungen unserer Zeit. Mythologisches und Psychologisches fügen sich. Zwei Bereiche, die sonst einander feind sind, steigern sich eher. Dieser junge Mattias Braun hat einen komplizierten Geniestreich vollbracht. Man hört es mit Bewunderung.

Leider ist die Szeneneinrichtung, die Hans Lietzau dafür fand, dem nicht adäquat. Ein weites, nach vorn gezogenes Bühnenbild (H. W. Lenneweit), von weißem Netzwerk hinten, seitlich und oben gerahmt. Er läßt den Perserchor mit einer Art Stalinlitewka bekleidet sein. Nur ein kleiner Hocker auf der Szene, der der gebrochenen Königin als Sitz dienen darf. Sonst Leere.

Nichts gegen den Reiz des freien Raumes. Aber er muß für die Phantasie Schatten werfen. Er muß mit Licht geordnet und dramaturgisch durchflutet werden. Er will ständig gefüllt sein. Das geschah hier nicht. Optisch schon blieb der Eindruck der Dürre.

Sprachlich finden sich ebenfalls Kummerecken in diesem großen Abend. Fünf Männer formen den Chor. Aber wenn man den Sprachmantel des Chores schon richtigerweise auftrennt, dann muß doch versucht werden, jedem der Streifen eine individuelle Farbe zu geben. Dann muß die Einzelstimme deutlich sein, sich abheben, glänzen, klingen. Das geschah nicht. Dadurch wurde wieder eine Monotonie erweckt, die diesen großen Worten nicht ansteht.

Und was läßt Lietzau unseren wunderbaren Friedrich Maurer treiben? Ihm, als dem Bürgerboten des doppelten Unheils, gibt er auf, in seinem Bericht jeweils, mit einem sprachlichen Tick, das immer wiederkehrende »und« sinnlos zu akzentuieren. Das wird fast komisch. Aber für Komik, bitte, ist hier gar kein Platz!

Wie herrlich spricht Wilhelm Borchert dann die Geisterworte des Dareios. Hoheit im Irrtum. Glanz im Versagen. Wie vorsichtig macht Thomas Holtzmann (Xerxes) den ersten Psychopathen des Weltdramas kenntlich, sprechend mit einer ausgehöhlten Wildheit. Friedrich Siemers, der den Kampfbericht von Salamis, der Unglücksschlacht, zuträgt, überschreit sich zu oft, kriegt den Ton der verglasten Schrecklichkeit zu selten in die Stimme.

Und dann: Hermine Körner. Ihre Atossa atmet antikische Größe, erweitert um den Barock ihrer hehren Erscheinung und ihres edel brüchigen Organs. Sie hat Momente, da man nur bewundert und liebt. Sie spricht den Schluß so, daß der Atem einem stockt. Sie hat Gesten, hat weit ausgebreitete Attitüden der Tragödie, die ihr heute und auf lange keine nachspielt.

Aber oft steht sie in diesem irrig kargen Arrangement nutzlos, wird ihr kein Hintergrund, kein Halt, kein Raum gegeben, in den sie ihren großen menschlichen Schatten werfen könnte. Und zuweilen – es tut fast weh, das zu sagen – muß auch sie sich überschreien und die natürliche Kraft ihres Ausdrucks sinnlos vergeuden. Die Inszenierung reicht an die Kunst der Protagonistin nicht heran.

Die Regie ist dem Anlaß nicht gerecht geworden. Solche alten, glücklich neu geweckten Menschheitsworte müßten Flammen wecken, Faszination, gemischt mit Ehrfurcht, Schauder und Glück.

Dieser Abend aber läßt, wo er gut ist, eigentlich immer nur ahnen, wie vollendet er hätte werden können. Er lohnt sich, das ohne Zweifel. Aber er ist nicht die Erfüllung, die hier allein genügt.   2. 5. 1960

Leopold Ahlsen »Raskolnikoff«
Schloßpark-Theater

Ist denn das erlaubt? Ist es gestattet, hinzugehen und die Welt-Epik für das thematisch notleidende Theater zu plündern? Ist es zulässig, einen Roman einfach auf Drama umzustöpseln? Ist es überhaupt möglich, aus der furchtbar komplexen Fülle des »Raskolnikoff« für drei Bühnenstunden eine Art Digest-Dostojewski zu destillieren? Ist solche Vermanschung der Sphären statthaft?

Willi Schmidt, der Leopold Ahlsens nicht ungeschickte, dramaturgische Fleißarbeit mit sicherer, sehr sensibler Hand inszeniert, kommt seinen Kombattanten im Programmheft mit einem Goethezitat zu Hilfe. Der sagte: es sei schon unmöglich, die Gattungen des Literarischen genau zu definieren, ihre Grenzen streng zu setzen. »So sind wir genötigt, sie zu vermischen.«

Vor Goethezitaten steht man als Bildungsdeutscher füglich stramm. Man mault nicht mehr. Aber auch ohne Goethe: das Theater hat immer das Vorrecht gehabt, sich seinen Stoff zu suchen, wo es will. Hauptsache: Theater wird daraus, Rollen werden spielbar, Szene und Zuschauer werden bedient. Alles andere ist der Bühne (egoistisch, gefräßig wie sie ist) schnuppe. Nur das gilt.

Dostojewski-Fanatiker werden, versteht sich, den Roman für richtiger, für bedeutender halten. Recht sollen sie haben! Der Theaterfreund, der Kritiker hat nur zu untersuchen, ob Spielbares entstand, ob die Szene bereichert, ob sie gut versehen wird.

Sie wird. Ahlsens Dostojewski-Montage geht mit dramaturgischer Folgerichtigkeit in drei Ebenen auf das tragisch erlösende, schlimme Ende zu. Da ist der pure Kriminalfall, der dem Theater und der Spannung saftig schmeckt. Da ist, zweitens, der psychologisch heikel gewundene Schlängelweg des Menschlichen, gefährlich nah immer dem Abgrund von Genie und Wahnsinn. Da ist, drittens, die Ebene des Religiösen, die plötzlich aufklappt. Der quälerische Weg zu Gott wird beschritten. Dreifach ist der Zuschauer beschäftigt.

Aber ist das auch anwendbar, ist es bühnentüchtig gemacht? Ich fand: ja! Zwei Rollen vor allem, nach denen die Spieler lechzen müßten. Zwei Gestalten, Raskolnikoff und Porphyri, die das reine Schauspielerfressen geworden sind. Sie wurden in dieser Uraufführung herrlich kreiert, Glücksfälle beide in Besetzungsdeckung, darstellerischer Disziplin, Folgerichtigkeit und Beobachtungsgabe.

Klaus Kammers Leistung fordert die Bezeichnung »genial« heraus. Er ist der junge Nebbich von Student, der Gott versucht und die Welt gefährdet, ein metaphysischer Traumtänzer, gedanklicher Bombenleger, der Mörder aus Ethos, Luzifer mit Schwindsucht.

Ähnliches an intelligenter Intensität, Vergleichbares an fast schmerzhafter Verdeutlichung einer Rolle hat man nicht oft gesehen. Er läßt nicht nach zu überraschen. Er findet immer neue Aspekte für die Gestalt, wiederholt sich nicht, verfällt nie in Unleidlichkeit oder Hysterie. Dauernd in höchster Erregung, geht er nie auf die Nerven, zieht er den großen, bösen Bogen klar nach. Er setzt sicher die kleinen, schwarzen Humore der heiklen Figur. Seine Glut, seine Intensität ist jede Sekunde scharf kontrolliert.

Wie er das Komplexe, das dauernd Widersprüchliche des Raskolnikoff zusammenhält, glaubhaft macht, vorzeigt, welche darstellerische Saugkraft er ausstrahlt, wie er trotzdem Distanz hält und Maß –, das ist ein Glücksfall, ist ein intelligenter Geniestreich, eine Sehenswürdigkeit zeitgenössischen Theaters. Wo so gespielt wird, ist das Theater nicht arm, ist jede »Krise« sofort verflogen.

Neben ihm, kaum weniger bedeutend, Walter Franck, sein liebevoller Verfolger, sein Urteilsvollstrecker und zugleich Mitschuldiger, der Polizist Gottes mit den offenen Wunden der Sünde.

Franck, ebenfalls, hält die Figur erfreulich trocken. Er legt nie richtig los. Auch er versucht nicht, »russische Seele« zu agieren, sondern drückt aus der Verhaltenheit hervor, überschreitet nie die Herrengestalt, die er sofort deutlich gesetzt hat. Aber wie dann sein hartes Gesicht sich öffnet, wie er dann Leiden zeigt, Sorge ahnen läßt, wie er seinen Gegenstand der Verfolgung, wie er den Mörder mit Liebe einfängt. Wie die Angst im Gehrock plötzlich dasteht, wie er Vollstrecker eines Weltprinzips wird und am Ende selbst auch das Opfer ist: Franck gab großartig Widerpart. Auch sein Spiel – sehenswürdig. Willi Schmidt ist zu danken, daß er dieses große Doppelspiel so klar regulierte und führte. Sein Szenenbild bleibt vorsätzlich karg, schnell verwandelbar, käfigartig in unheimlicher Tiefe.

Darin läuft das erlösende Verhängnis ab wie ein bedrückendes Uhrwerk. Die Nebenfiguren kommen heran und stimmen: Klaus

Miedels Kommissar, Klaus Herms kleine, stechend komische Schreiberstudie, Else Ehsers wanzenartige Wucherin, Helmut Wildts Skizze eines akademischen Liederjans, Franz Nicklischs Weltanschauung kotzender Winkelanwalt. Die zarten Strichelzüge, die Tarrach dem verschwätzten Arzt gibt.

So viel wäre zu nennen. Alle führt Schmidt behutsam heran. Bis auf die Darstellerin der Sonja. In ihrem ersten Auftritt in Verhaltenheit noch interessant, bleibt sie dann leer. Aber da ist Ahlsen schuld. Diese Schlüsselfigur ist auf der Bühne fast ohne Funktion.

Ein faszinierender Abend. Willi Schmidts musisches Reißbrettsystem der Regie zahlt sich voll aus. Wir haben, wenn auch aus zweiter Hand, plötzlich das spielbare Theaterstück eines deutschen Autors. Wir haben zwei Schauspielerleistungen von absoluter Größe. Wir haben eine klug gerundete Aufführung.

Der Beifall, fand ich, wurde dem dreifachen Glücksfall nicht ganz gerecht. 22. 9. 1960

– Die Spielzeiten 1959/60 und 1960/61 –
GEBRAUCHSTHEATER

Curt Flatow und Horst Pillau »Das Fenster zum Flur«
Hebbel-Theater

Der Qualm aus der Küche von Mutter Wiesner, der Portierschen, ist nicht unbeträchtlich. Vater Wiesner, der ideale Bürger und stramme Straßenbahnfahrer, kriegt den grauen Star. Helen, die ältere Tochter, von Mutter Wiesner mit einem Ami verheiratet, kehrt enttäuscht aus der Neuen Welt zurück.

Ihr anstelliger Sohn soll Mediziner werden. Er hat, glaubt die emsige Portiersfrau, die »goldene Hand«, ist ein geborener Chirurg. Und schön Inge, ihre jüngere Tochter, wollte sie zum Ballett geben. Es wurde nichts daraus. Das hübsche Kind ist in der Espresso-Bar nebenan und serviert in Häubchen und Schürze.

Mutter Wiesner hat den Hang zur Beletage und will die Familie sozial hochpeitschen. Sie hat lauter liebe Flausen im Koppe. Sie tyrannisiert die Familie, aber sie führt sie auch in das kleine Glück. Sie steht auf Anstand in ihrer Portiersloge und ist eine Tyrannin im Souterrain. Aber siehe, ihr Herz ist aus Gold. Ihre Schnauze ist flink wie ein Wiesel und ihre mütterliche Phantasie in Richtung der Sehnsucht nicht zu halten.

Die beiden Autoren dieses Berliner Volksstücks sparen nicht an Ulk oder Sentiment. Wennschon Popular-Theater, sagten sie sich wohl, dann auch richtig. Da rauscht die Wasserspülung humorig, wenn Vater aus Versehen Verdauungspillen anstatt Schlaftabletten eingenommen hat. Da werden Arme weit zu Wiedersehensorgien geöffnet. Da brennt das Schnitzel an, daß sich die Bühne schier verdunkelt. Da gibt es überquer zwei erst tieftraurige und dann prima strahlende Liebesgeschichten.

Andauernd knallt es. Uraltwirkungen des Pantoffeltheaters werden betätigt, daß jetzt das Taschentuch der Rührung unverdrossen sich näßt – und gleich die Leute sich wieder scheckig lachen.

Diese Art Stücke, wie eben dies von Curt Flatow und Horst Pillau, wächst sonst gar nicht mehr. Diese volkskräftige Methode der Unterhaltung war, glaubte man, vollends in den Film oder in die Schölermann-Sphäre des Fernsehens übergewandert. Im Theater sei so etwas gar nicht mehr zu machen.

Ist es aber doch. Hier ist die Bühne auf eine fast befreiende Art aliterarisch. Hier werden nur immer Tränendrüse und Zwerchfell unverhohlen angepeilt. Die Leute schluchzen und lachen wie einst im Mai. Volkstheater, stellt sich noch deutlicher heraus, ist immer noch gewünscht. Im Hebbel-Theater lacht man sich kringelig.

Den Autoren ist ein kleines berlinisches Monument der herzlichen Emsigkeit mit der Figur der Mutter Wiesner aus dem ehrgeizigen Souterrain gelungen. Diese Gestalt steht, atmet und hat die richtige Fülle. Inge Meysel spielt sie denn auch, daß die Fetzen der Heiterkeit fliegen oder die Tränendrüsen im Parkett schwellen. Sie läßt keinen Nebenton aus. Sie fuhrwerkt in allen Stockwerken der Empfindung herum. Sie hat Claire-Waldoff-Nuancen und gleich die große Sentimentalität von »Mein Leopold«. Die Rolle gehört ihr. Und der Abend gleich auch.

Was daneben steht, haben die Herren Schreiber längst nicht so prächtig ausgestattet. Rudolf Platte hat als erblindeter Gatte lange nicht so viel zu tun. Aber auch er hat Momente einer lustigen Mikkerkomik. Dinah Hinz bleibt in der Rolle der kellnerierenden Tochter ziemlich arbeitslos. Bettina Schön, als der aus den Staaten mit Kind, aber ohne Mann retournierte Stolz der Familie, ist fast nur sentimental ausgestattet. Ernst Jacobi ist der junge Arzt wider Willen. Gert G. Hoffmann ist ein so recht prächtiger Klempner, der die Leitungen des Herzens dichtet, und Michael Weichgerber ein polnischer Liebhaber mit Trompete und Suff.

Das Stück hat mit der Portiersloge so einen schön berlinischen Ausgangspunkt und eine so stabile Dauerposition. Da schwemmt das Mieterschicksal vorbei, und leicht können sich die Schreiber immer neue Auftritte vom Flur angeln.

Leider tun sie dabei etwas zuviel. Die Nebenhandlungen geraten zu ausführlich. Sie werden nicht recht rund. Sie bleiben dramaturgisches Beiwerk. Dadurch wird das Ganze um fast ein Drittel zu lang. Die Kompaktheit, deren ein Volksstück bedarf, wird aufgebröselt. Und das ist etwas schade, schade zumal, weil hier Dialoge vor sich gehen, die wirklich berlinisch und von jener trockenen Skepsis sind, daß sich das Publikum immer wieder ausschüttet vor Lachen.

Eric Ode hat's liebevoll inszeniert. Im Theater herrschte bald eine Stimmung wie auf einem gehobenen Bockbierfest. Das Hebbel-Theater hat so lange das handfeste, unliterarische, biderbe Volksstück, das Theater in Hemdsärmeln und Pampuschen gesucht. Also – bitte! 2. 2. 1960

Robert Thomas »Die Falle«
Komödie

Was hat ein Kriminalstück zu leisten? Es hat erst die Nerven zum Flattern zu bringen, indem es einen Fall verbrecherischer Abscheulichkeit projiziert. Dann hat es in logischer Berechnung alle Möglichkeiten der Tataufdeckung durchzuexerzieren. Erst der Schock – dann das rechnerische Vergnügen: wer war's?

Dieses französische Beispiel eines Polizeitheaterstückes ist gar nicht schlecht gewoben. Ein Mann hat seit zehn Tagen seine Frau aus den Augen verloren. Als sie wieder auftaucht, ist sie es gar nicht. Eine höchst üble Verbrecherbande will ihm offenbar eine falsche Frau andrehen, die dann ihrerseits die fällige, große Erbschaft antreten soll.

Schlimme, höchst üble Verwicklung! Denn der Arme kann die falsche Identität der unterschobenen Gattin nicht erweisen. Die Finsterlinge haben es so fein gesponnen, daß, wenn zwischendurch schnell mal gemordet wird, Gift vergossen oder ein flotter Schuß gewechselt –, immer schieben sie es listig in die Schuhe des verzweifelnden Strohwitwers.

Sein Schuldkonto, scheinbar, wächst. Die Eindringlinge mit der falschen Gattin an der Spitze, die Bösewichter, waschen sich immer reiner. Gleich werden sie ihr Opfer killen und dann die fällige Erbschaft einstecken.

Aber da macht der französische Autor, Robert Thomas, den vorzüglichen Knick in der Handlung, schlägt er den erlösenden Haken und verdutzt Fachleute und Laien mit ihren inzwischen zu Berge stehenden Haaren. Es geht natürlich alles ganz anders aus. Ein Hundsfott, wer solche Krimilösung verriete!

Die ersten beiden Akte sind noch ziemlich fußgängerisch in der breiten Exposition des Unheils. Nach der Pause knallt es dann schon öfter. Der Schluß ist für Freunde der rabiaten Spannung geradezu ein kleines Zuckerschlecken, ein Meisterstück in der Strategie aufgelösten Grauens.

Eric Ode hat das recht flüssig inszeniert. Er dreht den Hahn des Übels immer einen Zahn mehr auf, bis der Schluß dann richtig auf die Gänsehaut rieselt. Dietmar Schönherr muß die schwere Rolle des dauernd Verfolgten spielen, den Dolch sozusagen ständig in den seelischen Rippen. Edith Schneider ist überlegen die Verbrecherbraut und falsche Gattin.

Gert G. Hoffmann ist vom »Fenster zum Flur« nur in die erste Etage der Kriminalinspektion aufgestiegen; hübsch trocken hält er sein Pulver. Ernst Jacobi macht einen gleisnerischen Abbé. Und Kurt Weitkamp und Alice Treff nutzen die Farbtöne zweier scheinbar arglosen Nebenfiguren geschickt. Dabei haben's auch sie reißerisch hinter den Ohren.

Sommertheater mit Gänsehaut und der Lust an der dauernd gefoppten Kombination im Parkett. Im Hause des aktiven Theaters sind viele Wohnungen. Der angemessene Krimi, das intelligente Polizeistück ist da nicht zu verachten. Das Ziel war zügig erreicht. Erst atmete man auf. Dann klatschte man fleißig.   27. 7. 1960

VON BRECHT ZU ULBRICHT

Helmut Baierl »Frau Flinz«
Theater am Schiffbauerdamm

Das Brecht-Ensemble am Ostberliner Schiffbauerdamm arbeitet mit kalter Konsequenz. Der Inszenierungsstil, den der Meister noch meisterlich setzte, wird weitergeführt, als wäre jede neue Aufführung ein Stück von ihm. Die – man möchte sagen – gestanzte Manier, mit der die Personen auf die Bühne gedrückt werden, ist geblieben.

Die vorsätzlich detachierte Intensität der Darstellung, der Trick dauernder »Verfremdung« wird eingehalten. Es liegt wie eine helle Glasur über jeder Szene. So lange wird poliert, bis auch offensichtlich mindere Schauspieler auf diesen Glanz getrimmt sind. Hier wird monatelang geprobt, gedrillt, getestet, ausgewechselt, umgeworfen, ständig experimentiert. Erst dann geht man an die Öffentlichkeit.

Diesmal haben Peter Palitzsch und Manfred Wekwerth, Brechts inszenatorische Nachlaßverwalter, ein Stück unter ihren vier Händen, das ebenfalls merkbar in der Gemeinschaftsretorte entstanden ist, obgleich ein Helmut Baierl als Autor firmiert.

»Frau Flinz« ist, sozusagen, eine positive »Mutter Courage« in der Sowjetzone von heute. Agitprop-Theater, gemildert durch Geschicklichkeit und szenische Intelligenz. Die Fabel von einer Landarbeiterin, die gewohnt ist, ihre fünf erwachsenen Söhne gegen Staat und Politik wie eine Niobe zu verteidigen.

Sie will nicht einsehen, daß der »DDR«-Staat nicht mehr ihr Feind sei. Sie wendet gegen die Partei die gleichen Listen an wie einst gegen die Nazi-Partei. Sie will »rausbleiben« aus der Politik und will ihre fünf Lulatsche vor der SED und dem »Sozialismus« bewahren. Es gelingt ihr nicht. Die Jungs verfallen, einer nach dem anderen, dem Sog des SED-Staates. Sie reihen sich ein. Sie reißen sich von Mutters individualistischem Rockzipfel los. Verwundet bleibt Frau Flinz allein.

Bis sie, unmerklich und fast wider Willen, lernt, daß ihre kreatürliche Opposition gegen Ulbrichts Staats gegenstandslos sei. Sie gründet auf dem Dorfe aus eigener Einsicht die örtliche LPG, aus

Trotz gegen den brutalen Großbauern die parteierwünschte Kolchose.

Das Schlußbild bringt die Gloriole. Frau Flinz, einst listig gegen den Staat löckend, ist auf der II. Parteikonferenz der SED die Abgesandte ihrer Landwirtschaftlichen Produktionsgenossenschaft. Erst hat Ulbricht gesprochen. Jetzt spricht sie. Vorhang.

Das ist natürlich schlimm und von einer ganz unrealistischen Abstraktheit in der Fabel. Diese Frau Flinz wäre in Wahrheit mit ihren Söhnen direkt dem Zug in den Westen gefolgt. Im Stück haut nur der schofle Unternehmer dorthin ab, als sein Weizen der Verkommenheit in der DDR nicht mehr blüht. Alle anderen bleiben bei der Stange. Oder sie finden an die Stange der Partei. Und so ist es doch wirklich nicht!

Kritisches darf immer wieder einfließen und wird von dem hellhörigen Parkett am Schiffbauerdamm dankbar bejubelt. Das Partei-Chinesisch wird angestochen. Bürokratismus wird gemäßigt madig gemacht. Die Weltfremdheit einer superidealistischen Materialistin wird vorsichtig verhohnepipelt. Der Quatsch der offiziell anberaumten »Diskussionen« wird auf die komische Schippe genommen.

Das Stück, überall, wo es die Gegenargumente vorbringt, wo es also gegen den offiziellen Parteistrich über die dargestellte Gegenwart streicht, hat Echtheit und sogar eine fast brechtische List.

Wenn es dann immer wieder beflissen einschwenkt in die offizielle Richtung und Diktion, wird es so fad, eingleisig und weltanschaulich ranzig wie ein Leitartikel im »Neuen Deutschland«. Dann wird es sehr schlimm.

Beispiel: Ein Sohn der Flinz hat den Tick der Technik. Er kriegt »aus dem Westen« (Beifall!) unter der Hand Ersatzteile und kann sich so eine alte Radiokiste herrichten. Endlich gibt der Kasten Laut. Was hört man? Das Pausenzeichen des RIAS. (Großer Jubel und Beifall!)

Wie hebt der Autor diese realistische Pointe auf? Die Tür wird aufgestoßen. Ein anderer Flinz-Sohn, er schon FDJ-organisiert, steht mit einem Chor strahlender Parteijugend auf der Schwelle. Sie stimmen ein Kampflied an und übertönen mit zackigem Gesang den krächzenden »Feindsender«. (Im Publikum Schweigen wie nach einer kalten Dusche.)

So pendelt es immer wieder zwischen Momenten der Echtheit und solchen, die in ihrer Gesinnungsbeflissenheit völlig abstrakt sind. Das Publikum schien nur die einen zu genießen. Die anderen nahm es in Kauf bis zum bitteren, fahnenschwenkenden Ende. Agitprop-Theater, in das immerhin ein erstaunliches Maß von Mißbehagen und Kritik am Parteistaat eingelassen sind.

Gespielt ist das, wenn es lustig, listig und spielbar ist, vorzüglich. Alle Typen sitzen exakt. Karl von Appens Bühnenbilder haben Glanz und Schönheit, auch wo sie Häßliches signalisieren müssen. Allein wie ein Dialog auf einem Kartoffelfeld arrangiert ist, wie da – nur durch gelegte Kartoffelreihen – Weite, Komik, Landschaft und Elend des Landlebens angedeutet sind, das sieht man auf Deutschlands Theatern so nicht oft.

Helene Weigel spielt die Komplementärrolle der »Mutter Courage«, spielt die Frau Flinz, den »weiblichen Schweyk in der ›DDR‹« (eine Formulierung, die so naheliegt, daß das Programmheft sie schon beflissen zu widerlegen trachtet). Die Schauspielerin hat jetzt einen so triftigen Humor gewonnen, sie ist so agil, so drahtig und genau im Ausdruck, daß man sie sehr bewundert. Wenigstens so lange, wie ihre Rolle sie in der Lust des »Negativen« beläßt, also solange sie wahrhaftig bleiben kann.

Wenn's dann in den Umfall geht, in die Bekehrung und die Parteibejahung, kann auch ihre Kunst nicht mehr helfen. Dann überschwemmen Verlogenheit und Sentimentalität die ganze Szene ohnehin kniehoch und ekelhaft. Dann weiß man wieder – und es schaudert einen –, daß man nicht bei Brecht ist, sondern in einem Theater Walter Ulbrichts.   19. 5. 1961

Die Spielzeiten 1961/62 bis 1964/65

DUNKLE SPIELE

Harold Pinter »Geburtstagsfeier«
Tribüne

Vorerst ist dunkel des Spieles Sinn. – Ein Strandkorbvermieter frühstückt. Seine schusselige Frau begießt ihn mit nichtssagenden Worten. Sie reden unaufhörlich miteinander; sie sagen sich nichts. Sprechgewöhnung wird geübt. Mitgeteilt wird nur Banales. Klischees einer ehelichen Unterhaltung klappern. Eine Menschenverbindung im Leerlauf ist angezeigt.

Dann tritt ein hängengebliebener Sommergast auf, ein unrasierter Murrkopf. Diese Gestalt hängt sozial in der Luft. Der Mann mit den schlappen Schultern sei, sagt er, früher Pianist gewesen. Die Karriere versackte gespenstisch. Jetzt lebt er hier, ein Außenseiter, ein Troglodyt in der Pyjamajacke. Er schläft bis in die Puppen. Er meidet den Strand und die frische Luft. Er hütet seine Einsamkeit und kapselt sich furchtsam ab. Er ist mit seiner Unzufriedenheit zufrieden. Er fürchtet nur, daß die Außenwelt nach ihm greift, daß sie seine Einsamkeit zerstört, daß sie ihn vergewaltigt.

Da kommt sie schon: zwei Herren in harten Hüten treten über die Schwelle des vergammelten Strandhauses. Sie geben sich jovial und menschenfreundlich. Sie kreisen den Nonkonformisten ein mit klebriger Heftigkeit, mit starrsinnigem Zwang. Sie feiern den »Geburtstag« des trotzigen Einsamen in der Pyjamajacke, obgleich der gar nicht Geburtstag hat. Sie zwingen ihn an den Tisch frivoler Gemeinsamkeit. Sie legen ihre Netze aus, sie fangen ihn am Ende.

Einer wollte nur so sein, wie er ist. Es geht nicht. Seine Individualität wird von der Welt nicht geduldet. Sein Eigenbrötlertum ist für die Masse gefährlich. Sie zerschlagen ihm die Brille und nehmen ihm den eigenen Blick. Sie machen eine kleine Trommel, sein Musikinstrument, zunichte. Sie entreißen ihm das schöne Mädchen, zu dem er aufsah, und schänden deren Reinheit. Sie knicken seinen Stolz und seine sehnsüchtige Hoffart, besonders und einsam sein zu wollen.

Er geht mit den beiden kafkaesken Abgesandten der Normalwelt von dannen. Jetzt ist er rasiert. Er trägt den Bürgeranzug der Konvention. Auch auf seinem Kopfe ein steifer Hut. Eine Tragödie der Nivellierung hat stattgefunden.

Das – wenn man so will – der »Inhalt« dieses modernen Rätselspiels von Harold Pinter. Es wäre auch ganz anders auslegbar. Es verkauft keine deutliche Moral. Es ist von einer aufregenden Vieldeutbarkeit, spielt in mehreren Schichten, es jongliert mit dem »Sinn« und widersetzt sich, bunt, jeder schnellen Parabelgleichung. Damit ist es modern im Sinne Becketts, Ionescos, Audibertis und Kafkas. Es macht klar, aber es versucht nicht zu erklären. Theater der Vieldeutbarkeit, lebendiges Theater der Ambivalenz.

Das Ende ist trostlos. Aber das Spiel ist, so Schreckliches es verkündet, komisch. Es hat lange, helle Flecken reiner Heiterkeit. Es nutzt und parodiert die zermürbte Alltagssprache. Pinter beherrscht die Komik des Trübsinns, er kann mit dem gleichen Griff beide Seiten der Medaille zeigen. Und er hat Theater-Sinn. Er hat, das bemerkt man fasziniert, die Prägekraft des natürlichen Dramatikers. Auch wer nicht auf Anhieb enträtselt, was hier in verdeckter Manier passiert, muß hinhören, muß bei der Stange bleiben. Ihm geschieht, rein theatralisch, voll Genüge.

Die Aufführung, die Wolfgang Spier bereitet hat, ist sehr zu loben. Sie ist ganz fest und ansehnlich und wirft doch immer Schatten ins Geheimnisvolle. Wie er die Dialoge in ihrer doppeldeutigen Banalität schüttelt, abtönt, variiert und bedeutend macht, beweist ein vorzügliches Ohr für genau die Sprachart, die hier in ihrer bösen Leere zu treffen war.

Spier munkelt nicht im Dunkeln, wo sich gerade leicht und effektvoll munkeln ließe. Er hat eine Art magischen Realismus gefunden und getroffen, der sich szenisch auszahlt. Das Stück steht in seiner besten Form.

Paul Albert Krumm ist die gejagte Individualistenfigur, freudlos und nutzlos insistierend auf ihre mürrische Art der Freiheit. Er formt das sehr gut. Paul Esser und Helmut Hildebrand, die Männer im steifen Hut, komplettieren ihre Scheußlichkeit komisch und treffend. Der eine – jovial, ekelhaft gut gelaunt und von fröhlicher, kommuner Bosheit. Der andere – zäh, geheimnisvoll und versetzt mit dürrer Rummelplatzdämonie.

Hugo Schrader macht den ahnungslosen Strandwächter, hinter

dessen Rücken sich das Schlimmste zuträgt. Er sieht's, aber er merkt's gar nicht: Komik der Unwissenheit. Maria Krasna wiederum hängt, ahnungslos, einer dummen Weibersehnsucht nach: Leerlauf der Gefühle bei höchstem Gefühl. Auch von da kommt Komik und Vernichtung. Almut Eggert geht, ein geschändeter Engel möglicher Erlösung, anmutig und sicher durch dies kompakte Spiel mit mehrfachem Boden.

Das Publikum in der renovierten »Tribüne« blieb, wenn auch etwas verdutzt, bei der dramatischen Stange. Auch wenn es am Sinn des Dramas rätselte (aber das soll es ja gerade), blieb es beteiligt. Die vorzügliche Aufführung selbst wurde mit gutem Beifall honoriert. Sie hätte mehr verdient. 6. 10. 1964

Harold Pinter »Der Hausmeister«
Theater am Kurfürstendamm

Harold Pinter hat eine Art gefunden, Theater zu machen, und zwar höchst effektvolles, indem er scheinbar gar nichts machen läßt. Dies ist ein Dreiecksstück der Verbindungslosigkeit.

Ein junger Mann greift einen alten Penner in einer Kneipe auf. Der Kerl hatte Krach. So nahm er ihn mit in seine trostlose Bude und gewährt ihm Quartier für die Nacht. Die Bude ist angefüllt mit Trödelkram. Alte Kleider, Maschinenreste. Vermodertes Mobiliar. Ein Wohnort des Trübsinns.

Jetzt hausen sie hier beide. Zuerst nur für eine Nacht. Dann macht sich der Penner breit. Er ist wie eine Spinne. Er will bleiben. Er breitet sich aus. Er filzt sich ein.

Der Gastgeber hat einen geheimnisvollen Bruder. Der fegt hin und wieder herein. Er eigentlich ist der Meister dieser Bruchbude und stellt den Anspruch des Besitzers. An ihn macht sich der Pennbruder heran. Er will zwischen die scheinbar völlig isolierten Brüder einen Keil des Mißtrauens setzen.

Aber es gelingt nicht. Der herrische Bruder fegt wieder davon. Die beiden, der gefoppte Wohltäter und der ausnehmerische Penner, bleiben allein. Sie hausen weiter in der überfüllten Einöde dieser Bruchbude. Ihr Himmel hängt ständig voller Pläne. Aber sie tun nichts. Sie leben nicht. Sie vegetieren nur. Ihr Zustand der Einsamkeit bleibt unverändert.

Pinter pendelt die Leere zwischen drei Menschen aus. Er bleibt bei der zauberischen Darbietung dieser Ereignislosigkeit immer fest auf dem Boden der Realität. Er schlägt aus dem Umstand, daß hier vollends gar nichts passiert, immer wieder Funken der Wehmut, echter Verlorenheit, der Komik, überzeugenden Humors und letzter Verzweiflung.

In England gilt der Dreißigjährige als eine Art Beckett des kleinen Mannes. Er tüftelt Spannung aus der Ereignislosigkeit. Er zündet Erregung aus dem realen Phlegma des puren Alltags. Er macht Tragik sichtbar dort, wo furchtbarerweise so wenig passiert, daß Tragik sich gar nicht schürzen könnte.

Sie schürzt sich doch. In seiner »Geburtstagsfeier«, die man in der letzten Spielzeit in der »Tribüne« sehen konnte, kokelte Pinter noch mit Symbolen theatralisch herum. In diesem seinem besten Stück läßt er auf der nackten Hand einer leeren Wirklichkeit die furchtbaren und komischen Teufel tanzen, die überall zu Hause sein können. Ein Stück dramatischer Artistik. In London wirkte es noch mehr durch die Art, wie Pinter die Sprache komisch und bedeutsam knetet. Das hat oft die verkürzend stupende Denkart eines Karl Valentin im Jargon. Er macht sich Slang, Argot, Leidenschaft und Komik der Cokneyrede zunutze. Er zwirbelt die Alltagssprache komisch und tragisch auf. Das entfällt hier. Dergleichen ist nicht übertragbar. Um so ehrenvoller, daß der Sinn dieses Stückes mit der Sinnlosigkeit trotzdem aufgeht.

Ernst Ronnecker spielt den Pennbruder und miserablichten Klinkenputzer Gottes als ein Mittelding zwischen Clown und Elendsfigur hin. Er schwingt da oft in die Groteske. Er macht hin und wieder zuviel. Aber im ganzen zwingt er die Figur in eine bekümmerte Komik hinein, in eine sehnsüchtige Tristesse aus der Gosse, die anrührt, erschreckt und immer wieder beteiligt.

Wolfgang Eger spielt, ohne sichtbaren Aufwand, seinen Wohltäter, den scheinbar ganz normalen Troglodyten in dieser Bruchbude des Lebens. Wenn er ansetzt zu seiner dekouvrierenden Erzählung, wenn er berichtet, wie man ihm in der Klapsmühle das Hirn veränderte und am Nerv seines Lebens manipulierte, dann geht Schauder und eine Welle der Liebe ihm zu. Auch er hält seine schwere Rolle wunderbar trocken.

Der dritte in diesem Bunde, der zu nichts bindet, ist Peter Gross, eine trübsinnige, leere Höllengestalt in der Lederjacke der Gewalt. Ein Diktator, der über den leeren Gestus des Diktatorischen nicht hinwegkommt. Ein Kerl wie eine Flamme, nur daß auch er des Feuers wirklichen Lebens tragisch entbehrt.

Ein gewagtes Spiel zu dreien. Wer wie Pinter fast immer nur die Leere anzuklagen und darzustellen scheint, könnte selbst leicht leer erscheinen. Die Aufführung ließ es zu dieser Gefahr nicht kommen. Pierre Léon hat sie nach Franz-Peter Wirths Inszenierung in München kopiert; eine sonderbare Neuerung aus zweiter Hand fürs Berliner Theater. Wenn sie gelingt wie hier, soll man nicht rechten. Das Bühnenbild, vergammelt, komisch abstoßend und trübsinnig wohnlich, hat Hans U. Thormann gebaut.

Der Beifall für diese streckenweise geniale Exerzitie in dramatischer Ereignislosigkeit war erstaunt und groß.   19. 3. 1962

Arthur L. Kopit »O Vater, armer Vater . . .«
Werkstatt des Schiller-Theaters

Dies ist Theater parodistisch gefiltert. Arthur L. Kopit, der junge Amerikaner, führt das »absurde Theaer« ad absurdum. So macht er es, daß durch den Akt lustiger Diffamierung und Ironisierung, sozusagen eine Schraubenwindung höher, doch wieder das gleiche Vergnügen erscheint. »O Vater, armer Vater, Mutter hing dich in den Schrank, und ich bin ganz krank.«

Was sich hier zuträgt, ist nicht zu schildern. Die Handlung geht immer stracks in die Richtung höchsten Blödsinns. Man sieht eine hexenhaft schöne und dezidierte Millionärin durch Luxushotels reisen. Ihren unterentwickelten Sohn führt sie mit, dazu ihren toten Gatten im Sarg.

Sie regiert unter den Pagen des Hotels wie eine antike Furie. Sie treibt mit einem smarten Reeder, einem Millionenfürsten der See, fast tödliche Liebesspiele. Ihr mit Ödipuskomplex überladener Sohn kommt durch eine süße, kleine »Babysitterin« in erotische Bedrängnis und fast in faktische Sünde, wenn nicht zur rechten Zeit die Leiche des toten Vaters aus dem Schrank gefallen wäre.

Schlinggewächse und Blumen greifen ein. Ein Fisch macht sich selbständig. Eine Kuckucksuhr trompetet Moral. Kopit holt alle Märcheneffekte, klaubt ziemlich alle Überraschungsmöglichkeiten aus der Zauberkiste des vorgefaßten Unfugs. Er legt den Mechanismus der Theatermoderne hämisch frei. Er verhohnepipelt die Beckett-, die Ionesco-, die Adamov- und Pinter-Masche.

Aber während er dauernd einen Akt der Enthüllung betreibt (sonderbar!), kriegt er mit den gleichen Szenenmitteln, die er doch nur in Frage stellt, bloßlegt und durchlöchert, selbst ein Stück glänzenden, kleinen Theaters zusammen.

Während er es ruchlos parodiert, setzt sich ihm das Absurde sinnvoll wieder zusammen. Der Spaß kriegt Hand und Fuß. Das Vergnügen fällt nie ins Negative. Das Absurde, nun völlig ausgehöhlt und demaskiert, macht plötzlich wieder einen neuen, fast höheren Spaß. Das Phänomen ist erstaunlich. Der Erfolg zeitigt erst Schreie der Lust im kleinen Werkstattparkett. Dann puren Jubel.

Wolfgang Spier hat die »pseudoklassische Tragifarce in einer pseudofranzösischen Tradition«, wie Kopit sein kleines Bühnenprodukt aus Spott und Talent augenzwinkernd bezeichnet, aber auch mit dem vollen Verständnis für den holden Unverstand eingerichtet. Er selbst spielt, als käme er aus einem Akt von Anouilh, den erotisch überforderten Reeder und Commodore. Anneliese Römer, wunderbar in einer sinnlosen Kälte, herrlich in ihrer sprachlichen Schleuderkraft, spielt die reiche Furie, den hexischen Motor des Stundenstückes.

Wenn Ilse Pagé sich den Rockzipfelsohn (Klaus Rott) vornimmt und zur Verspeisung bereitet, so ist da wieder eine ganze Sphäre des »erotischen Theaters« erst mal durchschaut, veräppelt und dann doch wieder wirkungsvoll getätigt. Man staunt und lacht sich ständig scheckig.

Die »Werkstatt« bebte vor Schadenfreude und gleich doch immer wieder vor reiner Freude am »absurden Theater«. Ein glänzender Parodist einer modernen Theatergattung erweist sich, augenzwinkernd, als einer ihrer besten Verfechter. Ein Doppellader des Genusses geht los. Die Leute jauchzten vor zwiefachem Vergnügen.   17. 12. 1962

Edward Albee »Wer hat Angst vor Virginia Woolf?«
Schloßpark-Theater

Es beginnt im Berliner Schloßpark-Theater wie die ausführliche, begabte Illustration des alten Erich-Kästner-Zitates: »Wenn sich

Leute, die sich lieben, hassen, tun sie das auf unerhörte Art . . .«

Erste Runde: Die Kämpfer betreten die Arena. Er, ein nicht sonderlich erfolgreicher Professor an einer nicht sonderlich ehrenvollen Universität. Sie, einige Jahre älter, starker Haarwuchs auf den Zähnen, seine Geißel und Gattin. Es ist längst nach Mitternacht. Sie wanken von einer Cocktail-Orgie ins miese Heim. Sie gehen sofort in den Clinch.

Sie, wie eine sieghafte Furie der Gemeinheit, treibt lauter Keile in sein Selbstbewußtsein, schlägt hämisch Wunden an seiner Persönlichkeit. Er, mehr aus der höhnenden Stille, aus der gedämpften Hinterlist taktierend, setzt sich kämpferisch zur Wehr und ihr mit kalten Peitschenschlägen zu.

Die Szene gewinnt eine faszinierende Scheußlichkeit praktizierter Ehegemeinschaft, bekommt eine Komik der Schadenfreude, sofort einen schlimmen Stich Genusses am perfekten Bösen. Edward Albee deckt drei US-Kümmernisse auf, die wir durch Tennessee Williams bis zum Überdruß kennengelernt haben: Teufel Alkohol; Hölle des verheirateten Lebens; Impotenz.

Albee geht kälter, geht dialogisch begabter zu Werke. Er bereitet das Schlachtfeld mit geradezu gemütlicher Sicherheit. Wir lachen über die Finten der Bosheit zwischen zwei verbundenen Urfeinden, wir genießen ihren Schlagabtausch. Es findet ein Theaterkampf bester Form und ohne Bandagen statt. Noch aber überwiegt das hämische Vergnügen. Zur Höllenfahrt setzt der Autor erst an.

Er erweitert sein menschliches Bestiarium um zwei Figuren. Die rüde Professorsgattin hat, schon im halben Suff, noch zwei Nachzügler von der Cocktailparty hergeladen im Morgengrauen. Sie erscheinen: ein junger, stämmiger, ehrgeiziger Lektor der Biologie, versehen mit einer weinerlich-doofen jungen Gattin, einem blonden Anhängsel, das Kognak trinkt, wo die anderen in Whisky baden.

Sie werden eingezogen in das Wortgefecht um Tod und Leben. Arge Gesellschaftsspiele der Partnerauswechselung werden gespielt, geduldet und mit offenen Worten genau und hämisch bezeichnet.

Albee, in einer kühnen Wendung, setzt zum Schlimmsten an. Dies Ehepaar in seiner natürlichen Hölle ist kinderlos. Die Kinderlosigkeit hatte verursacht, daß sie in dieser Hölle existieren. Sie hatten sich, sozusagen in heimlicher Hilfestellung ihrer gegenseitigen Verlorenheit, auf ein tröstliches Spielchen geeinigt: sie hatten vorgegeben, sie hätten einen Sohn, und hatten sich mit dieser Hilfskonstruktion geholfen und gegenseitig noch gehalten.

Jetzt sieht der Professor, während er in seinem Haß die Liebe der Verbundenheit aufsteigen fühlt, die Stunde gekommen, diese Hilfskonstruktion zu zerschmettern. Er teilt der geliebten Feindin mit, ihr Sohn (den es gar nicht gibt) sei tot. Es beginnt, nachdem das Stück ganz naturalistisch anhob, sich dann orgiastisch in eine schlimme Dämonie steigerte, eine fast religiöse Ebene sichtbar zu werden.

Während die gebrochene Streiterin sich noch wehrt und den Tod des imaginierten Kindes beweint, während sie selbst mit der ihr entzogenen Illusion zerbricht, weitet sich die Bühne auf eine teuflisch rituelle Art. Er, der Professor, spricht die lateinischen Segensformeln für den Verschiedenen in ihre Wehklagen hinein. Sie jagen diese beiden lästigen Statisten ihres Vernichtungskampfes zur Tür hinaus und zum Teufel. Die beiden bleiben zurück, getrennt wie je. Aber aneinandergelehnt in ihrer Verlorenheit, in Liebe aus Gewöhnung, Haß und Angst.

Ein so wunderbares wie schreckliches Stück Theater. Es hat dauernd, bis auf einige Passagen der Länglichkeit, Szeneninteresse und Faszination. Es hat einen großen, schlimmen Spaß an einer sehr schlimmen, menschlichen Sache. Und es verläßt die Ebene der Wirklichkeit nie. Während es ganz realistisch zu Werke geht, zieht es Himmel und Hölle auf den Boden der Sichtbarkeit. Das ist erstaunlich. Tennessee Williams, dessen Vorbild man zuerst noch in der Kulisse vermutet, kann das nicht.

Boleslaw Barlog hat, das ist ihm sehr zu danken, den originalen Text um ein paar Stellen überflüssiger Drastik vermindert. Es bleibt noch genug. Er führt diese Höllenfahrt mit ihrem Ausblick in einen verhängten Himmel mit großem Takt und einer ganz sicheren Kompetenz vorüber. Eine seiner besten Bühnenleistungen überhaupt.

Maria Becker spielt in dieser deutschen Erstaufführung die Furienfigur der großen Widerspenstigen. Was hat sie für Kraft, welche ständig variierenden Möglichkeiten der Bosheit! Wie bewunderswert behält sie, sozusagen, eine sportliche Freude noch an der letzten Tücke. Und den Schluß des Zusammenbruchs und der trüben Hoffnung bringt sie dann ganz kleinlaut und herzergreifend verloren. Eine große Protagonistin in präziser, herrlich modulierter Aktion.

Ein Wunder der Vielfahlt ist Erich Schellow. Mit dieser verflixten, herrlichen Rolle ist dieser Schauspieler endgültig und meisterlich in ein neues Rollenfach gelangt. Er zeichnet die Insistenz des Hasses mit den Mitteln der Sanftheit, ein Aas auf leisen Sohlen, ein Virtuose der Qual. Und dann am Schluß erspielt er einen Schein gequälter Heiligkeit, der keinen Augenblick aufgesetzt oder versöhnlerisch wirkt. Eine große Leistung.

Zutreffend und hilfreich, amüsant in vielen Nuancen, wie Heidemarie Theobald und Rolf Schult ihre komischen und fatalen Beisitzerrollen in diesem modernen Purgatorium prägen; sie – von geradezu vernichtender Blondheit und herrlich komisch kolorierter Dummheit, er – stämmig, blöd, feige in seiner Kraft, elend in seinem törichten Stolz. Auch das stimmt und fördert den Glanz dieses großen Abends.

Beifall jede Menge. Bosheit bei Ansicht der Höllen und schließlich ein Anschein von Vergebung unserer Sünden kann immer noch großes Theater ergeben. Wie hier. 15. 10. 1963

Tadeusz Rozewicz »Laokoon-Gruppe«
und »Die kleine Stabilisierung«
Werkstatt des Schiller-Theaters

Nach Polen wendet sich unser Blick mit einer fast romantischen Neugier. Dort wachsen Begabungen. Sie sind durch finstere Edikte ideologischer Grabeswächter weit weniger behindert und entmutigt als die Dichter, Maler, Musiker und Filmschöpfer hinter dem Eisernen Vorhang sonst. Sie artikulieren sich immer wieder mit Talent. Sie erkunden neue, ihnen angemessene Formen.

Sie sind Meister des modernen Plakats. Ihre Filme zeigen eine formal kühne Handschrift. Ihre Lyriker, ihre einfallsreichen Satiriker werden übersetzt und gelesen. Ihre Theaterstücke werden gespielt. Polen strahlt künstlerisch aus. Polen ist existent, interessant, künstlerisch merkbar und kulturell aktiv, während aus den Staatsgebilden des Ostens sonst, unter der Polizeiaufsicht der »sozialistischen Realisten«, meist nur Pausenzeichen und Fehlanzeigen herüberklingen dürfen.

Die Werkstatt des Schiller-Theaters zu Berlin hat kürzlich erst das Erstlings-Stück eines polnischen Lyrikers vorgestellt, »Die Kartothek«. Jetzt kommen von dem gleichen Autor, Tadeusz Rozewicz, gleich zwei Szenetüden auf die gleiche Bühne. Die erste ist formal schlagkräftig, ist satirisch scharf, steckt voller lustiger Erfindungen in Ansehung eines eigentlich grundsätzlich tristen Themas. »Die Laokoongruppe« ist ein brauchbarer kleiner Wurf.

Rozewicz' zweite Vorlage, benannt »Die Zeugen oder unsere kleine Stabilisierung«, zielt viel tiefer. Sie verlautbart eine dichterische Sorge. Sie möchte warnen vor der seelischen Verkrustung. Geht es dem Menschen schon vergleichsweise besser, hat er endlich seine »kleine Stabilisierung« der bis dahin schwierigen Verhältnisse, schlägt er die Beine übereinander, wird sein Wille taub, kränkelt seine Sehnsucht, schwindet sein Elan.

»Bleibt lebendig!« will der Moralist Rozewicz über die Rampe rufen. Er tut es mit vier dramaturgischen Mitteln. Zuerst im direkten Song. Zwei Moralvermittler treten vor den Vorhang in modernem Gewand und verlautbaren das Lied von den faul und überheblich übereinandergeschlagenen Beinen (Jörg Cossardt und Beate Hasenau).

Dann pinselt Rozewicz eine kleine, begrenzte Wohlstandsidylle, wie ein junges Ehepaar (Marianne Prenzel, Friedrich Siemers) sich fragwürdig im kleinen Einmaleins des Zweizimmerglücks in Sonnenlage sielt. Und wie sie heimlich merken, daß sie in diesem klein-arrivierten Dasein des besten Teils ihrer Unruhe längst verlustig gingen.

Dann gibt es bei offenem, ruhendem Vorhang ein Filmzwischenspiel. Übergang in einer Zweiergruppe aus dem modernen Tartarus. Zwei kafkaeske Gestalten sitzen sich, Rücken an Rükken, in einem muffigen Café gegenüber. Sie expektorieren über die Verlassenheit, die Gegenwart noch der schlimmsten Vergangenheit, über die Unheilbarkeit des Schmerzes und der Sehnsucht. Das nun sprechen, langwierig und mit ein paar Effekten hektischer Erregung, Herbert Wilk und Erhard Siedel.

Man vernimmt genau, was Rozewicz will, was ihn quält, wogegen er sich stemmt. Aber sein formaler Fehler ist, daß er zu weitschweifig wird. Die Moral wird mit Worten überschwemmt und so vermindert. Das kleine, formal verschachtelte Stück bleibt schwach (Regie: Axel Corti).

Wie anders wirkt da die »Laokoon-Gruppe« auf uns ein. Hier macht die Moral den Stückschreiber nicht wehleidig und falsch gesprächig. Sie schärft ihn satirisch an. Sie macht ihn szenisch und dialogisch erfindungsreich.

Rozewicz strichelt eine satirisch ideale Bildungswelt. Zollbeamte kennen ihren Kierkegaard. Hausfrauen zitieren Lessings »Hamburgische Dramaturgie«. Quatsch in schöner Bildungsgestalt wird verlautbart. Die gute Stube ist ebenso durchtränkt von Wissen und Idealismus wie das dürftige Coupé der Eisenbahn.

Dahineingesetzt immer wieder Pannen. Einem nach dem anderen kommt der »Glaube an die Schönheit« abhanden. Drei Generationen kabbeln hochgemut miteinander. Sie wollen, alle drei, das Beste, das Höchste, das Schönste. Aber sie mißverstehen sich ebenso ulkig wie tragisch. Unbehagen an der Kultur wird satirisch genutzt, um die Vereinsamung der Generationen zu markieren. Diese Doppelwirkung gelingt perfekt. Man lacht permanent. Und es gruselt einen dauernd. Man hat Spaß. Und man hat Einsicht. Dies kleine Schaustück hat es doppelt hinter den begabten Ohren.

Gespielt wird es in der Schillerwerkstatt (Regie: Werner W. Malzacher) vorzüglich, so daß die Doppelbedeutung des raffinierten Juxes immer wieder lustig pendelt.

Hier spielen Kurt Buecheler, Ursula Gütschow, Wolfgang Condrus, Ernst Sattler, Claus Hofer, Arno Paulsen, Wolfgang Kühne, Karin Remsing und ein paar ebenso gute andere die Figuranten einer überdrehten und tragischen Bildungswelt in der neuen, guten Stube. Der Spaß an ihrem Spiel und an Rozewicz' alertem Freimut ist gewaltig. Gruß und Dank einem polnischen Autor.

9. 4. 1963

James Saunders »Ein Eremit wird entdeckt«
Werkstatt des Schiller-Theaters

Dieser Abend mit einem für Deutschland neuen britischen Dramatiker ist das reine, wenn auch komplizierte Vergnügen. Was passiert? Es passiert wieder nichts – oder doch nichts, das auf Anhieb erzählbar wäre.

Fünf Personen leppern auf die Bühne. Sie versuchen, was sie, dem Vernehmen nach, allabendlich und immer so erfolglos wie heute versucht haben. Sie versuchen einen Mann, eine absonderliche Menschenfigur, ein extremes Schicksal der selbstgewählten

Einsamkeit zu rekonstruieren. Sie wollen, Theater spielend und aus dem Theaterspiel immer wieder grob ausbrechend, in ein Geheimnis einbrechen. Sie möchten wenigstens annäherungsweise, vermutungsweise erfahren, ob die Einsamkeit einer Menschenfigur einzureißen oder auch nur einzusehen sei.

Es gelingt nicht. Wenn James Saunders eine Moral vermittelt, so die: Unsere Verlassenheit ist total. Vom Menschen zum Menschen geht kein Weg. Wir sind wie Inseln. Von der einen zur anderen setzt kein Boot über. Die Wasser sind viel zu tief und zu weit. Saunders treibt vorsätzlich Wirrsal. Er gebärdet sich und seine Figuren »absurd«. Was hier der Faden sein könnte, wird immer wieder kunstvoll verwirrt und verknäult. Plötzlich werden Witze erzählt. Man redet auf Quizmeistermanier plump und drastisch ins Publikum hinein.

Ein Spieler (Klaus Kammer) pumpt sich mit darstellerischen Hochspannungen so auf, kommt so sinnlos in Form, daß er gar nicht anders kann, als ein Flugzeug darzustellen. Possen werden gerissen. Bildungsgefasel wird hämisch dargeboten und gleichzeitig komisch zerrissen und gekennzeichnet. Mit dem Phänomen des Spiels wird andauernd auf heikler Ebene gespielt. Theater, während man es macht, wird immer wieder desillusioniert und aufgelöst. Saunders schiebt reinen Quatsch, pure Possenreißerei, grandiosen Blödsinn ein, setzt auf eine Stimmung immer gerade ihr Gegenteil – und kommt doch ständig, während er ulkt, erschreckt und die Wirklichkeit Kobolz schießen läßt, unserer Wirklichkeit im grotesken Gewand ganz nahe. Ein hochamüsantes Menetekel. Ein äußerst brauchbares Stück Theater, das dauernd das Gegenteil eines »Theaterstückes« ist.

Hier, natürlich, grüßt Beckett von fern. Sein eherner Ernst wird, zugegeben, auch im wildesten Spaß nicht gewonnen. Aber daß seine magische Methode des Figuren- und Bilderwerfens Nachfolge finden kann, ist mit diesem Talentstück bewiesen. Man versteht, was gemeint ist, während man dauernd lacht und rätselt.

Die Berliner Erstaufführung in der Werkstatt des Schiller-Theaters war erster Klasse. Hansjörg Utzerath hat sie genau auf den Ton lässiger Beteiligung gestellt und hat dann mit konzentrierter Phantasie alle Details dieses klaren Verwirrespiels musisch und penibel geordnet.

Während der Berliner Festwochen ein kleines Sonderfestspiel großer Dastellerei: Klaus Kammer, so komisch wie erschreckend in seiner nervösen Gespanntheit, in der Ungeduld seines Humors, in dem weiten Pendelschlag seines federnden Naturells. Wunderbar Helmuth Wildt. Er bohrt nach Wahrheit. Er ordnet die Unordnung – oder versucht es doch. Auch er juxt und drallt. Aber wie er den furchtbaren Ernst dieses Rätselspiels durchblicken läßt, wie er Autorität gewinnt und sie bis zum Schluß behält, das war köstlich zu verfolgen.

Claus Hofer ist der alte Schauspieler, der den Eremiten agieren soll. Fast wird er am Ende der Eremit wirklich. Wie auch er schaltet, wie er die Sphären trennt, jetzt der beleidigte Schmierendarsteller ist – und dann wirklich das, was er darstellen soll. Wie eine Persönlichkeit, während sie gespielt wird, bricht und aufbricht –, auch das ist sehenswert. Ein furchtbarer Spaß mit vielen Böden.

Ilse Pagé geht als doofe kleine Schauspielermieze durch die Handlung, herrlich ordinär, verständnislos und rührend in ihrer verschreckten Frechheit, ein Mädchen von aufdringlicher Unerheblichkeit. Sie spielt das vorzüglich. Und ein Sonderlob gehört Stefan Wigger. Er ist der melancholische Clown in diesem Clownspiel, der Traurigkeitsträger bei ständigem Spaß. Wie er das zuwege bringt, ohne je dick aufzutragen, wie er mitmacht, während es dauernd den Anschein hat, er stünde nur immer daneben, hat auch das Element großer Schauspielerei.

Der Beifall für die verwegene Darbietung war am Ende, wie es sich gehörte, enorm. Saunders, bärtig und glücklich, konnte sich mit seinen deutschen Protagonisten immer wieder sehen lassen.

14. 10. 1963

Vlaclav Havel »Das Gartenfest«
Werkstatt des Schiller-Theaters

Dies Stück des Prager Autors Vaclav Havel (Jahrgang 1936) entlarvt die Welt mit philologischer Tücke. Hier geht eine Tragigroteske des Phrasendruschs vonstatten, ein bitterer Spaß mit dem entleerten Wort, ein kritischer Jux an Hand des Schauders vor der klischierten Rede.

Gezeigt wird ein junger Mann, dem zuerst noch Wert, Würde und Unschuld des Wortes zur Verfügung stehen. Er muß die Umgangssprache der Phraseologen erst lernen. Er staunt noch. Der

Quatsch in leerer oder schöner Gestalt scheint ihm vorerst noch wunderlich und verworren. Dann steigt er in dieser verhunzten Wortwelt der Gesellschaft auf. Er lernt die Spielregeln der ausgeleierten Begriffe, die, während sie verlautbart werden, gar nichts mehr treffen. Sprache nur noch als reine Verschleierung oder als Insignie einer toten Macht, die ideologisch verkrustet ist. Der Held wird schließlich selbst von der Phrase totgedroschen.

Havel legt die Wortwelt in Stücke und damit eine ganze Welt. Man traut seinen Ohren nicht: dies wird in Prag seit Monaten gespielt. Das allerdings ist (alle Wetter!) Tauwetter. Wo schon erlaubt ist, so scharf, so enthüllend zu Werke zu gehen, wo der Sprachleib dermaßen scharf seziert werden darf, das Ideologenchinesisch so total entlarvt – da allerdings ist Hoffnung.

Dabei wird Havels Stück schwach und bedenklich gerade immer, wenn er etwas passieren lassen will. Bis zur Pause ist die ätzende Technik seiner Sprachmassage eigentlich schon aufgebraucht. Da ließ er die leeren Worte alle platzen. Er hat das ängstliche Bürgertum gezeichnet. Er hat (wunderbar) die melancholische Trübsinnigkeit eines Betriebsgartenfestes äußerst komisch angezeigt. Er hat Pfänderspiel mit dummen, ausgeleerten Sprichworten getrieben, daß man sich scheckig lachte.

Nach der Pause wiederholt er, leider, vorher besser schon Enthülltes, er hat das Wort, das er typisieren will, schon so tüchtig totgewalkt, daß er nur noch repetieren kann und mit seiner »Handlung« behäbig kunkeln. Der Abend wird schwächer. Trotzdem bleibt das Totalvergnügen bedeutend.

August Scholtis hat dies, offenbar, höchst mitfühlend übersetzt. Der Sprachwitz der Sprachzerstörung ist getroffen. Hansjörg Utzerath läßt die Sache ganz trocken und treffend abspulen. Die Aufführung steckt voll sachgerechtem Elan, solange sie selbst Elan behält: später hilft er ihr inszenatorisch noch auf.

Stefan Wigger spielt das komische Opfer der Phrase. So wunderbar lustig, so scheinbar unbetroffen betroffen, so herrlich parcivalartig im Urwald der toten Worte geht er einher, daß dies besser nicht denkbar ist. Lothar Blumhagen, als ein penetranter Kumpel-Funktionär mit dem schulterklopfenden Wortschwall, ist kaum minder vorzüglich. Friedrich Siemers und Sibylle Gilles sind mitleiderregend komisch und verschreckt.

Diese Einfuhr aus Prag lohnte sehr. Sie ist aufschlußreich für den, der Ohren hat zu hören, ein neuer, freier Ton der Kritik. Daß

hier eine östliche Phraseologie bitter zerrissen wird, ist unge-
wohnt. Man soll sich freuen – zu Schadenfreude ist kein Anlaß.
Auch wir hier könnten uns nachgerade ähnlich an die eigene
Sprachnase fassen. 5. 10. 1964

– Die Spielzeiten 1961/62 bis 1964/65 –
AUS DEUTSCHER FEDER

Tankred Dorst »Große Schmährede an der Stadtmauer«
Werkstatt des Schiller-Theaters

Die Szene ist China. Eine Frau steht an der Großen Mauer und
schreit, klagend, hinauf: Sie will ihren Mann, den die Armee des
Kaisers raubte, wieder. Sie soll ihn haben, soll ihn aus der anony-
men Reihe der Krieger, hoch auf der Mauer, wählen. Es gibt ihn
nicht mehr. So nimmt sie einen anderen, täuscht vor, dies sei der
ihr geraubte Gatte.

Man zweifelt an ihren Worten. Beide, die Frau und der Soldat,
den sie erwählte, müssen den Nachweis ihrer Verbundenheit führen. Zwei hämische Offiziere testen ihre Gemeinsamkeit. Die beiden müssen »Theater spielen« vor den prüfenden, zweifelnden
Funktionären des Kaisers. In diesem Spiel und in der eifernden
Lüge entsteht wirkliche Gemeinsamkeit. Gespielte Intimität wird
tatsächlich intim. Dann platzt die Verstellung. Der Soldat, fast
schon frei durch die List der klageführenden Witwe, tritt wieder
ins Glied. Er verrät sich und sie.

Hier ist wirklich ein kurzer, kräftiger, dramatischer Wurf. Dorst
trifft einen Nerv des Theaters. Der Vorgang hat natürliche Gewalt. Seine Sprache ist voll, verschlagen und hat immer eine fast
erheiternde Dialektik. Dorst gewinnt mit ganz kleinen Mitteln
eine Monumentalität, die erschreckt und überredet. Diese
Schmährede an der Mauer atmet theatralische Bedeutung. Großer Beifall.

Peter Zadek hat dem Stück anwendbaren Theaters aber auch
vortrefflich gedient. Er stanzt jede Wirkung deutlich heraus. Er

führt Gisela Stein in einen hohen Gang der Leidenschaft. Das kriegt antikische Gewalt. Diese junge Schauspielerin rast, sie schmeichelt, sie wütet und klagt. Sie schreit mit allen Gefühlen triftigen Schmerzes an gegen eine falsche, barbarische Welt. Glanz und Verzweiflung, List und Kraft, Anmut und Abscheu, alles macht sie sicher und herrlich kenntlich.

Neben ihr Holger Kepich als der Soldat und ihr vorgegebener Mann. Rudi Schmitt (scharf und bitter komisch), Henning Schlüter (ölig und mit ranzigem Besserwissen) – die Funktionäre des Kaisers, die tüftelnden Handlanger der Gewalt, Beamte des Schreckens, Richter des Übels.

Mit diesem Stundenstück haben wir eine Hoffnung wieder. Dieser Tankred Dorst schreibt Theater.   18. 1. 1962

Martin Walser »Eiche und Angora«
Schiller-Theater

Der zeitkritische Spaß, den Martin Walser mit seinem ersten abendfüllenden Stück anrichten will, zehrt sich bald auf. In den ersten Bildern noch gab es manch hämisches Vergnügen, Szenenbeifall für einige Fußtritte gegen Gesinnungsmiesigkeit und Umfallfreundlichkeit im deutschen Zeitgeist.

Später dann leidet das Interesse Durst. Walser wischt die Kontraste eher zu, als daß er sie schärft und pointiert. Die Satire endet ohne die Würze der Satire. Es wird bei ihm keine Welt sichtbar, dramatisch, paradigmatisch. Er dialogisiert Anmerkungen zum Zeitgeist. Die Figuren laufen ihm weg. Er führt sie nicht. Der fatale Spaß, den er anrichten möchte, endet weder spaßig noch fatal. Das Interesse leidet. Dabei ist die Konzeption durchaus brauchbar, ist der Grundeinfall fast sternheimisch in seiner bösartigen Folgerichtigkeit. Ein Zeitgenosse, ein lieber und bemühter, kippt immer erst um, wenn es schon zu spät ist. Ein Wetterwendischer klappt nach. Er hängt die Fahne in den Wind, wenn der Wind längst anders weht.

Da die viel Behenderen ringsum, die geschmeidigen Gesinnungslosen, die Schmeißfliegen des Konformismus, ihren Anschluß längst getätigt haben, ihren Umfall vollbracht, ihren Charakterverrat vollzogen, steht er noch in der Position von gestern.

Er kommt immer einen fatalen Posttag zu spät.

Damit ließe sich arbeiten. Scharf und bitter durchgeführt, könnte das den »Schnellen« ihr volles Fett geben. Es könnte dargestellt werden, wie die schnellebige Zeit selbst die Beflissensten überfordert; so hurtig, wie es neuerdings gehen muß, kann selbst das Chamäleon seine Farbe nicht wechseln. Und es ließe sich mit dem retardiert Wetterwendischen eben die Kontrastfigur erstellen: einer, der gern möchte, aber so hurtig nicht kann. Komik und etwas wehmütige Tragik ließen sich an die Gestalt haften. Theaterhaltig und zeitgriffig ist der Einfall durchaus.

Warum wird er beides nicht? Weil Walser sich episch versäumt. Er profiliert nicht. Er strichelt. Er wird redselig in seinen Gestalten, wenn sie das Konzentrat ihres Charakters sprechen sollten. Er verspinnt sich zu lange und zu unergiebig in ein paar Klischees deutscher Spießersatire: Gesangsverein und Kaninchenzucht, Waldeslust, Eiche und Angora.

Er eilt nicht der Nutzanwendung zu, er rafft nicht. Er breitet aus. Er versäumt sich bei unergiebigen Exkursen. Er tritt so auf der Stelle, füllt die Gestalten aus mit Dialogen, ohne sie theaterhaft zu füllen. Er verliert die positive Boshaftigkeit des Satirikers. Er tritt selbst oft in Fußangeln von Klischees, wenn er das klischierte Dasein meint und treffen will im »deutschen Menschen«. Es fehlt die Arglist des Moralisten.

So suppt das Interesse auf lange Strecken weg. Dinge, Verhältnisse, Charakterzüge, die mit einem Strich erstellt und verdeutlicht sein müßten, werden ausführlich koloriert und ausgepinselt. Walser unterschätzt noch die Fähigkeit der Szene. Hier genügt der Gestus, reicht eine sicher gesetzte Andeutung aus, hier ersetzt ein triftig gesprochenes Wort den langen Exkurs. Walser hat noch die Sorge des Epikers, die hier falsche: er müsse alles recht fein deutlich machen. Dabei verwischt Überdeutlichkeit gerade die Deutlichkeit auf der Szene. Gerade beim Theater ist Auslassen die Kunst.

Da nun ein Jammer, daß Helmut Käutners Regie Walser gar keine Handreichungen und Richtigstellungen gab. Wie irrig, dieses Beispielstück in einen phantasielos naturalistischen Raum zu stellen. H. W. Lenneweit hatte das Bühnenbild gerichtet, als gelte es, einen frühen Hauptmann zu bebildern. Jedes Steinchen war gespachtelt. Jede Birke auf der Bühne war echt. Jedes Schildchen war gemalt. Jeder Grashalm war errichtet.

Was soll's? Dadurch geht die Prägnanz, geht die Beispielhaftigkeit, derer das Stück schon ermangelt, vollends perdu. Dadurch klebt der ohnehin sämig gewordene Stoff noch in einer irrigen Natürlichkeit, wird er langsam, wird er noch träger, als er ohnedies ausgefallen ist.

Fürchtete Käutner, der vorzügliche Kabarettist, wieder den Vorwurf des »Kabarettisten«? Ließ er deswegen das Stück zu übermäßig »theaterhaft« laufen, so ausführlich und unkeck?

Er zieht nicht zusammen. Er pointiert nicht den Stoff. Er rafft ihn nicht, wo er der Zusammenfassung selbst so ermangelt. Er läßt spielen in verhaltener Gangart, mit erhobenen Zeigefingern. Wo bei Walser das Element des Spielerischen im Spiel doch schon fehlt, verbannt Käutner es völlig. Er wollte Staatstheater liefern, wo doch Aufsässigkeit, schnelle Bosheit, klargestellte Klarsicht hätten walten sollen. So wälzt sich das Stück dahin. Es zündet nicht, reizt nicht, amüsiert keineswegs, wie es sollte.

Denn gespielt wird auch fast ständig mit schwerem Geschütz. Rosel Schäfers Interessantheit und Talent sind in der Rolle einer tragisch versoffenen Frau nicht zu erkennen. Sie bleibt unterprofiliert oder wird überlaut. Beides ist nicht vom Besten, dessen gerade sie fähig sein könnte.

Martin Hirthe ist das Charakterschwein, das als »Goldfasan« beginnt und als Wirtschaftwunderknülch endet. Auch diese Figur ist kaum ausgespachtelt, ist nicht auf den Nenner gebracht. Sie muß ihre Charakterzüge – oder doch die Züge fehlenden Charakters – annoncieren, ausspielen, ansagen, übermäßig dartun. Raffung, Witz und Strenge fehlen. – Helmuth Wildt, als der wildgewordene, später dann allzu schnell domestizierte Oberstudienrat, zeigt zuerst noch Lust an der haftenden Karikatur, an der sinnfälligen Prägung der Gestalt. Später verläßt ihn der Autor, wenn er in langen Dialogen, in szenisch überflüssigen, die gewonnene Schärfe und Prägnanz wieder verliert.

Lustig, versehen mit einer Aura des Theaters, ist dann Erhard Siedel, dessen liebe Paukergestalt immerhin Saft und Farbe kriegt; der siegreiche Lehrplan, auch wenn die Welt in Trümmer zu fallen scheint. Karl Hellmer wieder muß zuviel und zu ausführlich seinen tschechischen Kellnercharakter im Sturm der Zeiten spielen. Werner Stock und Arno Paulsen haben recht konventionell am Stammtisch Verblasenes verblasen zu äußern.

Diese Aufführung kommt dem an sich ungeprägten Stück kaum

zugute. Wenn nicht Horst Bollmann wäre. Er spielt den retardierten Wetterwendischen in diesem satirisch-symbolischen Aprilstück. Er zeigt schauspielerische Imagination. Er überspielt die fast kaum spielbare Peinlichkeit, daß er komisch und satirisch sein muß, während seine negative Heldengestalt um ihre Männlichkeit gebracht worden war.

Daß da kein Rest bleibt, daß das nicht peinlich wird, nicht auch unerträglich – das ist diesem wunderbaren Schauspieler herzlich zu danken. Bollmann hilft dem Autor, und er setzt sich über die irrige Konzeption dieser Inszenierung hinweg. Er zeigt hin und wieder immerhin herrlich, wie das Ganze hätte sein können, wäre es gut geworden, überzeugend und richtig.

Am Schluß gab's etwas müden Krawall. Als das Uraufführungspublikum aus der Lethargie des letzten Aktes erwachte, als es hinhaltend und recht phlegmatisch Beifall gab, setzten Proteste ein. Sie galten, schien es, weniger Walser als der Inzenierung. Bollmann wurde gefeiert.

Peter Weiss »Die Verfolgung und Ermordung Jean Paul Marats«
Schiller-Theater

Mit dieser außerordentlichen Präsentation hat das deutsche Theater einen bedeutenden Stückeschreiber gewonnen. Peter Weiss beendet mit seinem hochintelligenten Talentstreich tatsächlich das Interregnum der Mittelmäßigkeit. Die Szene wird in unserer Sprache endlich wieder bedient. Jetzt müssen die Klagerufe über die Dürrnis unserer dramatischen Produktion verstummen. Unser Theater kann wieder mitsprechen.

Peter Weiss ist, wenn man so will, ein Bildungsdichter. Sein Drama in zwei Akten mit dem horrenden Titel »Die Verfolgung und Ermordung des Jean Paul Marat, dargestellt durch die Schauspielgruppe des Hospizes zu Charenton unter Anleitung des Herrn de Sade« ist, technisch gesehen, die gescheite, komplizierte Manipulation widersprüchlichster Elemente. Peter Weiss setzt sein Stück stückweise zusammen.

Es ist Historienspiel – und zugleich die ironische Auflösung dieser Form. Es ist ekstatisches Theater – und ist im gleichen Atemzug das Gegenteil davon: Es hat Trockenheit und Skepsis;

auch wenn die Bühne bebt, bleibt sie beaufsichtigt, geistig streng reguliert. Dies ist Weltanschauungsszenerie, wenn große, triftige Auseinandersetzungen vonstatten gehen, wenn zwei Lebensprinzipien sich rhetorisch miteinander messen im hohen Wortgang.

Und es ist dann wieder »Welttheater« im Sinne Hofmannsthals, es ist durchsetzt mit Schaustücken geplanter Primitivität. Knüttelvers wird gesprochen – und daneben gleich die hohe, fertige Peroration der Grundsätzlichkeit. Peter Weiss (der das sehenswürdige Bühnenbild selbst entwarf) bietet im Theater mutig wieder die große Schau. Sein Denkstück ist immer auch Schaustück. Pantomime ist einbezogen. Aufzüge, atemberaubende, böse, schöne Schaustellungen von welttheaterhafter Kräftigkeit. Es geht vital zu. Und es begibt sich das Vitale dauernd neu und listig gebrochen. Was gezeigt wird, ist im Grunde abscheulich, es wohnt ständig nahe den Bezirken des Wahnsinns. Aber Weiss vermag es durchweg schön erscheinen zu lassen. Dies komplizierte Stück Theater hat eine deutliche Zeitbezogenheit, so emsig und bildungsfleißig es scheinbar nur immer historisiert. Es ist ein Zeitstück mit Provokation und dem gewollten, positiven Ärgernis für unsere Tage. Und ist doch, im ganzen, anzusehen wie eine Schaustellung des Übermuts. Es hat Schönheit. Es hat Bühnenspaß. Es ist Theater.

Das ist das Erstaunlichste: Weiss scheint mit Mosaikeffekten zu arbeiten. Er schichtet und fügt Widersprüchlichstes ineinander. Daß am Ende eine durchaus theatralisch funktionierende Totalität erscheint, daß die Komposition des scheinbar heillos Komplizierten ganz einfach wird, durchschaubar, daß es eine ruhige Simplizität gewinnt – das ist tatsächlich eine Art Geniestreich. Theater wird immer nur aufgelöst und in Einzelteile zerlegt. Trotzdem fügt es sich herrlich und fast wider alle dramaturgische Vernunft. Formal ist das schon hoch bewundernswert.

Was geschieht? Erster, hauptsächlicher Schauplatz: der Badesaal im Irrenhaus von Charenton, 1806. Wo sonst die fallsüchtigen, paranoischen, erotomanischen Kopfdefekten ihre Kaltwasserkuren erhalten, läßt der Marquis de Sade, selbst ein Insasse dieses Instituts, ein Schauspiel von den Irren, von unmittelbaren Nachbarn seiner Pein, aufführen: die Ermordung des Revolutionshelden Marat durch Charlotte Corday.

Ein Krätzekranker spielt den Marat. Eine schöne Schlafsüchtige gibt die Corday. Ein Geschlechtssüchtiger fingert als ihr adliger Liebhaber an ihr herum. Ein Wahnverwirrter stellt den Priester Roux vor, den lodernden Mitstreiter Marats, einen Thomas Münzer der Revolution. Patienten stellen in ihren Zwangsjacken Volk dar oder die Jakobinerversammlung oder den Aufmarsch der Sansculotten und Bourgeois, je nachdem sie gebraucht werden.

Verrückte spielen Weltgeschichte nach. Der Comte de Sade macht sich den schmerzlichen und sadistischen Spaß, einen Fehlschlag des Umsturzes und der Weltverbesserung szenisch zu rekapitulieren. Auf beiden Ebenen wird immer zugleich manipuliert: Die Szene bleibt das kalte, hohe Badehaus in seiner Irrenwelt; und sie ist ständig Tribunal der Geschichte. Die Revolution wird, Schritt für Schritt, nachgespielt. Charlotte Corday meuchelt einen Vorstreiter der Freiheit, die nie kam.

Wir wissen immer (und werden durch den Mund des Anstaltsleiters dauernd daran erinnert): Der Revolution folgt die Diktatur. Der Griff nach der Freiheit, so sehnsüchtig, fortschrittsgläubig er auch erfolgt – er geht ins Leere. Die Gewalt restauriert sich. Das Stück endet tragisch, ohne darum zynisch zu werden.

Wie das geschachtelt ist, ist schwer zu beschreiben. Szenisch kriegt es seinen Spaß und seine Überraschungseffekte dauernd aus der Verschiebung der verschiedenen Welten. Man muß auf zumindest drei Ebenen mitdenken. Der Zuschauer ist einbezogen; er ist zur Mitarbeit gezwungen. Sein Mitdenken macht das komplizierte Stück erst möglich. Wie Weiss das durchhält und mit gebieterischer Deutlichkeit erzwingt, das halte ich für ingeniös. Er hält uns ständig mit drei verschiedenen Kunstgriffen fest.

Denn er bricht aus der dargestellten Revolutionshandlung wiederum aus, wenn de Sade, der Initiator des Spiels im Spiel, selbst eingreift. Sade gerät mit Marat in den schmerzlichen Grundsatzdiskurs, wie der Mensch sich in der Weltgeschichte zu verhalten habe. Der Individualist, der Hedonist des Schmerzes steht gegen den lodernden Weltveränderer. Hier geht ein Gespräch der Entzweiung bis an den Nerv des politischen Seins. Der Autor wirft zwei Möglichkeiten der Weltsicht tragisch aneinander. Und unterbrochen das alles immer wieder von reiner, richtiger Szenenspaßigkeit. Possenreißergruppen ziehen alles popularisch in die kräftige Kasperlesphäre. Puppen, die weltliche und die geistliche Gewalt darstellend, werden hereingefahren, bejubelt oder beschimpft und geschändet. Voltaire, in der Zerrgestalt eines fast ausgelöschten Irren, tritt auf und bricht über Marat den Stab.

Pantomimen (angeleitet und einstudiert von Deryk Mendel) unterstreichen und agieren nach, was zu gleicher Zeit im Wort gesagt wird. Musikanten hocken auf der Szene und interpunktieren, witzig oder parodistisch oder unverhohlen untermalend, den geschachtelten Vorgang. (Hans-Martin Majewskis kompositorische Einfälle sind zu diesem Behufe erster Klasse.)

Es wird ein phantastischer Theaterabend. Es geht etwas vonstatten, das man, durch so viele Enttäuschungen verängstigt, nicht mehr für möglich gehalten hatte: es geht totales, sinnenhaftes, anschauliches, direktes Theater vor; und zugleich wird in dieser vollen Sphäre des unverblümt und herrlich Theatralischen ein gedanklich diffiziler Vorgang ganz klar und unvermindert evident. Das grenzt wirklich ans Wunderbare.

Peter Weiss hat aus vielen Töpfen genommen. Dies hat Angleichungen an das mittelalterliche Mysterienspiel, wie es Elemente des russischen Theaters, unserer Expressionistenbühne übernommen hat, wie es von Hofmannsthal nutzt und Brecht nicht ohne Gewinn annektiert. Was verschlägt's? Daß dabei nicht etwas Kunstgewerbliches herausgekommen ist, sondern eine szenische Eigenheit, die einen durchaus eigenen Kunstverstand mitteilt – das ist das wieder Erstaunliche an dieser kunstvoll verschroben-einfachen Arbeit.

Die Inszenierung steht über allem Zweifel. Konrad Swinarski hat ins Fleisch der Szene gebracht, was bei Peter Weiss so folgerichtig, wie eben aber auch schwierig vorgeplant ist. Endlich wieder der große, minuziöse, siegreiche Stil. Der Anblick der heikel verstrickten und immer wieder gelösten Fabel ist wohlgefällig, auch wo Schreckliches angezeigt wird oder schier das Unappetitliche dargetan werden muß.

Das Häßliche, das bei Peter Weiss nicht ausbleibt, behält bei Swinarski immer einen Aspekt trauriger Schönheit. Die Bühne ist wohlgefällig auch bei der Darbietung des platterdings Furchbaren. Der Abend, obgleich doch in einem höchst abstoßenden Milieu spielend, obgleich doch einen Ort des Geistesschreckens zum Spielplatz habend – der Abend gewinnt eine ganz eigene Ästhetik.

Alles ist in Bewegung. Alles scheint sich zu drehen. Die Bühne ist mit Doppel- oder Dreifachhandlungen oftmals simultan schier überanstrengt. Wie dieser Regisseur doch seine Schlagordnung der Durchschaubarkeit hält, ist meisterlich. Pantomime mischt sich mit Effekten des elegischen Worts. Spaß rückt ganz nah neben Schrecken. Provokation wird unverhüllt gezeigt, wenn die Revolutionsirren den Adel verzerrt zeigen oder den Klerus und seine weltliche Herrschaft beschmutzen.

Soviel Heikles und Schlimmes. Es bleibt alles schön. Der Abend hat immer einen Hauch wissender Trauer, eine Beigabe von Schmerz, auch wenn Tolldreistes dargestellt werden muß.

Der Spielzettel ist lang. Die einzelnen Spieler dieses Doppelspiels gingen in hoher Kompetenz an ihr immer wieder gebrochenes Geschäft. Man muß auslassen, will man auch nur einige der Vorzüglichkeiten nennen. Dann aber wird man vor allem Stefan Wigger nennen müssen, der den Ausrufer, den Meister dieses bösen Pläsiers, darstellt. Im Narrenhut ordnet er das scheinbar Ungefügte. Er richtet die Szene. Er kommentiert das Kommende. Er beklagt den Lauf der Welt. Er muß sich mit dem Publikum direkt anlegen. Er hat eine Art Schiedsrichter des Weltlaufes zu sein.

Die Rolle ist gefährlich, sie könnte leicht ins Simple ausschlagen. Daß Wigger sie so wichtig macht, ohne sich selbst wichtig werden zu lassen, benennt ihn als einen unserer besten Spieler. Die Besetzung ist ideal.

Peter Mosbacher, ständig in seiner historischen Wanne hockend, ist der schwärenbedeckte Marat. Er bedient mit befugter Herrlichkeit das Pathos des von Schmerzen geschlagenen Menschenfreundes. Er stilisiert dauernd seine Funktion, und er spielt sie doch schlicht und korrekt, eindeutig. Vorzüglich! Lieselotte Rau, die schöne Schlafsüchtige, agiert als Charlotte Corday in einer Art weltgeschichtlicher Trance, eine schöne Furie des kranken Traums. Wunderbar, wie Wolfgang Kühne die Selbstgefälligkeit und Restaurationsfreude des Irrenhausdirektors figuriert.

Schade, daß Ernst Schröder in der allerdings vielfach heiklen Rolle des Marquis de Sade seinen Part durch allzu heftige Künstlichkeit eigentlich mehr zersetzt als darstellt. Er hatte sich so viel Artifizielles ausgedacht, daß er damit das Bild, das er geben sollte, am Ende auflöste und zerstörte. Dabei ist er, hätte er die Gestalt ungezirkelt angefaßt, für sie ideal. Er zerfetzelte, leider, eine Zentrale des Stückes.

Der Beifall war enorm. Auch wenn man mit Einzelheiten des Stückes füglich rechten will – daß hier eine Art Geniestreich anzusehen war, in Text und Darbietung, war zweifellos. Weiss, samt seiner Frau, die die Kostüme entworfen hatte, Swinarski, Majewski und das halbe hundert Spieler konnten sich langwierig in der hellen Akklamation des Schiller-Parketts baden. Ein Ereignis für das Theater unserer Epoche.   2. 5. 1964

Leopold Ahlsen »Sterben Sie, Sire«
Schloßpark-Theater

Leopold Ahlsen hat wirklich Pech. Als er sein Stück vom ausführlichen Tod eines Königs mühsam fertig hatte, mußte er erfahren, daß Ionesco mit dem absolut gleichen Stückmotiv schon fertig war. Jetzt stirbt der König zum zweiten Male.

Wo Ionesco von einer halbabsurden Invention ausging, hält sich Ahlsen an eine historische Anregung: an die Hartnäckigkeit, mit der der elfte Ludwig von Frankreich sein sündiges Leben zu prolongieren versuchte. Ein absoluter Herrscher trachtet auch noch den Tod zu tyrannisieren. Ein Skrupelloser wird vor Todesangst zum Clown des Lebens. Also – eine Komödie von sehr schwarzer Art ist geplant, eine Gruselfarce direkt auf der Schwelle zur Gruft, ein Bühnenjux vor metaphysischer Schreckkulisse.

Ahlsen geht halbrealistisch zu Werke. Er baut die Umwelt der Königs. Drei Tyrannenmörder raunen schlimme Anschläge auf den König vor dem Zwischenvorhang. Selbst politische Drecksfiguren, sinnen sie auf Umwälzung. Selbst Unholde, trachten sie einem Unhold nach dem Leben. Der Dauphin (von Rolf Schult als eine Art kronprinzlicher Serenissimus gespielt) ist ein hinterlistiger Kretin. Recht hat der König, wenn er ihm mißtraut und ihn enterbt. Der Hofstaat ist durchweg von miserabler Charakterbeschaffenheit. Die Menschenverachtung des Herrschers ist bei solcher Minderwertigkeit des Menschlichen verständlich.

Ein Beichtiger (Herbert Grünbaum) bietet dem Tyrannen dialogisch hin und wieder Paroli. Ahlsen macht den Kuttenmann komisch und entwertet damit seine Autorität. Der seltsame Heilige hat zwei verfeindete Protokollführer ständig im Gefolge. Sie führen Buch über ihres Meisters goldene Worte. Zu Anfang hat das eine bizarre Ironie. Später hebt sich der Einfall durch Abnutzung auf.

Der König, um sich neben menschliche Wärme zu betten, holt sich in seiner Todesangst die alte Konkubine seiner einst wilden Männlichkeit ins Bett. Berta Drews kriegt sofort Sonderbeifall für ein paar prächtig ordinäre Effekte. Dann, leider, muß sie Ahlsens Worte sprechen, lyrisch verschwommenes Kauderwelsch über Fleischeslust und Lebensherrlichkeit. Man bedauert den voreiligen Szenenbeifall bei der Uraufführung im Schloßpark-Theater und versteht, daß der König sie eilends verläßt.

Er steigt zum Zwecke des Philosophierens in das Kerkergelaß, wo er seit zwanzig Jahren einen gedankenträchtigen Kanzler von einst in einen Kärfig gesperrt hält. Da sitzt Rudolf Fernau und muß nun auch wieder Grundsatzreden über die Freiheit des Gefangenseins und das Gefängnis der Freiheit perorieren, Begriffe billig umkehren und wehklagen, als der König ihn zur Strafe zur Freiheit verurteilt.

Das ist schwach und banal. Ahlsen lyrisiert weiter an seinem makabren Thema vorbei. Der König macht noch bei seinem Hofarzt (Rudi Schmitt) Station. Auch hier geht es dialogisch und erkenntnistheoretisch billig zu. Des Mediziners routinierter Matter-of-fact-Geist wird landläufig an des Königs Todesangst gerieben. Das ergibt Platitüden. Es setzt dem Thema nichts zu.

Jetzt ist man schon fast ungeduldig, den König tot und das Stück beendet zu sehen. Der König stirbt wirklich, ist schon hinüber, als seine ekelhaften Widersacher eindringen. Er enthebt sie seiner Ermordung. Sie errichten auf der Stelle eine neue scheußliche Diktatur, schänden sein Testament und lassen an seiner fetten Leiche etwas erschallen, was wie das Höllengelächter unsterblicher Gemeinheit klingen soll.

So klingt es aber nicht. Ahlsen hat sich mit dem Stoff verhoben. Ein paar Bilderbucheinfälle sind nicht ohne gute Erfindung. Hin und wieder szenische Wendungen, die durchaus wirksam sind. Er kann Figuren starten. Aber weiterführen kann er sie nicht, nicht plausibel machen in der Aktion. Die ersten Bilder sind voller Versprechungen, die in den späteren zu oft verraten werden. Wenn Ahlsen zu philosophieren beginnt, wenn er sich lyrisch zu erheben trachtet, kriegt seine Sprache Flecken, schwabbelt sie, haftet sie nicht, bleibt sie auf billige Weise allgemein.

Daß ihn ein paar Buhrufe schließlich an der Rampe empfingen, sollte ihm in diesem Sinne zu denken geben. Über Werner Düggelins Zubereitung dieser Uraufführung konnte er sich nicht beklagen. Sie machte aus der Sache schon ziemlich das Beste. Fritz Butzens Bühnenbilder und Kostüme hatten Lust und Gefährlichkeit. Ernst Schröder wirft sich mit schauspielerischer Gefräßigkeit in die Königsrolle. Er spielt das vorzüglich, wach, gerüttelt, oft komisch, dann wieder mit füglich schwarzer Tönung. Immer interessant, immer mit dem Druck der Angst, das Drama einer Vitalität, die sterben muß, fast am Ende sympathisch machend. Eine Parforceleistung, die sehenswert ist, viele natürliche Schwächen des Stücks einfach überrennend. Der Autor sollte ihm dankbar sein.

15. 6. 1964

– Die Spielzeiten 1961/62 bis 1964/65 –
PISCATORS IRRTÜMER UND ERFOLGE

Gerhard Hauptmann »Die Atriden«
Theater am Kurfürstendamm

Der gute, alte Erwin Piscator kann's nicht lassen. Er möchte immer noch das Theater zu einem Platz politischer Schulung verengen. Ein Irrtum der zwanziger Jahre ist in seiner Bühnenvorstellung noch nicht überwunden; der Irrtum: was gezeigt wird, müsse jeweils »anwendbar« sein. Es müsse eine deutliche, aktivierende Tendenz aufweisen. Es habe den Zuschauer schnell und direkt auf die Barrikade einer Nutzanwendung zu jagen.

Ein längst widerlegter Irrtum. Das »politische Theater« der zwanziger Jahre, damals bis zum Überdruß betätigt, war folgenlos. Man spielte die »linken« Stücke. Man proklamierte direkt und mit politischer Emphase soziale Gerechtigkeit, den Kreuzzug gegen den Faschismus, den Pazifismus, die Völkerfreundschaft.

Das politische Theater dieser Machart zahlte die »Moral« immer schnell und deutlich aus. Es sollte als Augenöffner dienen. Es hatte Zeitungsfunktion, Pamphletcharakter. Es hatte eine vorgefaßte, predigerhafte Parteilichkeit. Es war oft in seiner Art, seiner irrigen und idealistischen, perfekt. Aber es war folgenlos. Gespielt wurde links. Gedacht, gewählt, gehandelt wurde, Gott sei's geklagt, ganz rechts.

Theater ist politisch, natürlich. Es befaßt sich mit Zusammenhängen des Zusammenlebens, mit Schuld am Mitmenschen, mit der Tragik, der notwendigen, der fatalen Aktion. Es befaßt sich dauernd, von Aischylos bis Frisch, mit gesellschaftlichen Übeln und Kalamitäten dieser sichtbaren Welt. Es handelt fast immer von Politik, natürlich. Es trachtet im dargestellten Bild nach der Veränderung dieser Welt, die es darstellt. Gutes, großes Theater ist heimlich immer auch politisch virulent. Darüber keine Diskussion.

Aber auch keine Diskussion mehr, bitte!, über die veraltete, die oft geschlagene und längst unwirksam erwiesene Methode des primär, des eingleisig »politischen« Theaters. Der Versuch ist allzu ausgiebig gemacht, ist überholt. Es vermindert das Theater als Kunstform schlimm und hat seine Niederlagen längst erlitten.

Erwin Piscator scheint das immer noch nicht erkannt zu haben. Zum Hauptmann-Jahr entscheidet er sich für dessen schwierige »Atriden«, für die vier schweren, ungleichmäßigen, oft großartigen, dann wieder lange Strecken hin leer geschriebenen Tragödien alten Weltschicksals.

Daß Hauptmann, leidend unter der Apokalypse von Barbarei und Krieg, sein Stöhnen über diese Umwelt in das Werk geleitet hat, ist jedem hörbar. Daß er eine große Klage ins antikische Gewand hüllte, daß er sich tiefsten Schmerzes in diesem seinem letzten, fast gigantischen, überdimensionalen Dramenversuch entledigte, darüber kein Zweifel. Wer Ohren hat zu hören, hört es genau.

Aber Piscators inszenatorischer Irrtum: Dies sei nun deshalb ein striktes und klar ablesbar »antifaschistisches« Drama, übersetzbar in ziemlich allen Bezügen auf die grundfatale Gegenwart, in der es geschrieben wurde. So will es Piscator verstanden wissen.

Aber wer ist dann Hitler? Agamemnon? Oder Ägisth? Ist Hitler überhaupt, als Gestalt und Teufelserscheinung, zuzurechnen und zugute zu schreiben, daß er unter einer Zwangsläufigkeit des Schicksals stand, daß er unter einer göttlichen Notwendigkeit schuldig werden mußte, wie doch die Atriden wurden? Stellt man ihn so unter den Naturschutz der Ananke – ist er dann nicht fast entschuldigt? Ist er dann nicht falsch erhöht und fast entsühnt?

Die Parallelen, die Piscator zeigen will, stimmen ja nicht! Sie liegen im einzelnen nicht vor und stimmen nicht im ganzen. Hitlers Schuld und Fluch waren ganz von dieser Welt. Der Himmel über Nazideutschland war geschlossen. Der Griechenhimmel der Atriden stand weit offen. Er wirkte mit.

Piscator, um seine kurzschlüssigen Intentionen zu vollziehen, gibt eine Digestfassung des weit ausgebreiteten Stoffes. Aus vier Tragödien macht er einen Abend.

Er leitet ihn ein mit dem Gegenwartsbezug, auf den es ihm dauernd so irrig ankommt. Tod und Verderben dröhnen aus dem Lautsprecher. Die akustische Hölle eines Bombenangriffs donnert übers Parkett. Auf einer Pojektion erscheint die Höllenlandschaft des ruinierten Berlins von 1945. Piscator bleut dem Zuschauer ein: Du bist nicht in Hellas, wenn wir jetzt von Hellas spielen und sprechen! Du bist immer in Deutschland!

Nun ist aber die flache, die ganz unhauptmannsche Parallele ja nicht durchführbar. Bald ist der Zuschauer aus dieser Analogie, dieser oberflächlichen, entlassen, wenn wirklich die Furchtbarkeit der Atridentragödie beginnt. Piscator schneidet die weit fließenden Bezüge des Textes rigoros zusammen. Jedes der vier Einzeldramen wird auf Aktlänge reduziert.

Ob dergleichen erlaubt sei, fragt man gar nicht. Daß er auf diese Weise, bestenfalls, eine Inhaltsangabe geben kann, daß er, wenn man nachsichtig urteilt, immerhin einen Überblick gestattet über die bisher unüberschaute Landschaft dieser Hauptmannschen »Atriden«, das wäre das Entschuldigendste, das sich äußern ließe.

Das Bühnenbild (Franz Mertz) besteht aus der von unten angestrahlten Piscator-Bühnenfläche. Im Hintergrund drei verschiebbare, wie kolossale Fernsehschirme anzusehende Gebilde. Auf ihnen erscheinen Schattenfiguren der Atriden.

Die Besetzung, die Piscator für seinen Schnellkursus in irrig aktualisiertem Atridenschicksal zur Hand hat, ist erschreckend unterschiedlich. Karl John stemmt sich noch recht ehrenvoll in die Gestalt des Agamemnon. Ilse Steppart muß völlig gegen ihren Typ und ihre Tonart agieren.

Tilla Durieux gewinnt einige Erschütterung, wenn sie die seherisch großen Worte der Peitho mit der Kraft ihres Alters verlautbaren kann. Kalchas (Ernst Ronnecker) wird eine psychopathische Studie, ganz interessant, aber in den Stil, der hier gegeben wird, schwerlich passend.

Man sieht mit Inge Langen eine sehr deutsche, eine blonde Elektra. Hans Putz hat ein böses, wienerisches Phlegma als Ägisth. Edith Teichmann, eher anzusehen wie eine verwirrte Seejungfrau, muß – sehr gegen ihren Typ und ihre Möglichkeiten – den Tod der Kassandra sterben.

Größe gewinnt die Szene, wenn Anna Dammann Iphigenie in Delphi ist. Dann gewinnen auch Peter Lieck (Orest) und Malte Jaeger den Ton großer, bewegter, fast archaischer Existenz, der diesem Schnellkursus in Atridenschicksal sonst so merkbar abgeht.

Dann aber verliert die Darbietung aber auch sofort ihre schnelle »Nutzanwendung« und Vergleichbarkeit, die Piscator ihr so emsig wie irrig zusetzen wollte. Dann klingt Dichtung, klingt Hauptmann. Und in Hauptmanns Dichtung keine und jede Gegenwart.

Piscators Irrtum wird offenbar. Nicht der »Bearbeiter«, nicht der Inszenator soll uns mit der Nase auf die »Nutzanwendung« stoßen. Das Wort der Dichter laßt stehen! Dann wird euch alles übrige von selbst zufallen!

Das Publikum, eher verdutzt als einverstanden, nahm diese Digestfassung der »Atriden« gesittet und ohne Widerstand hin. Auch in dieser Telegrammfassung war Hauptmanns leidende, große, oft sehr altmodisch gewordene, überanstrengte und dann wieder ergreifend tönende Stimme doch hin und wieder zu vernehmen.

Daß hier eine Vergewaltigung stattfand, ist ohne Zweifel. Daß sie zu ertragen blieb, zeigt Piscators Fähigkeiten als Mann der Bühne, viel mehr noch Hauptmanns lebendiges Herz, der ein Dichter blieb auch noch in der Schwäche.   9. 10. 1962

Rolf Hochhuth »Der Stellvertreter«
Theater am Kurfürstendamm

Wer zu Sensation und Handgemenge im Parkett erschienen war, blieb enttäuscht. Bis zur Pause sah man in Erwin Piscators erfreulich klarer und unaufdringlicher Regie ein szenisches Protokoll jüngster Vergangenheit: wie zwei emphatische Männer des Glaubens, der eine in SS-Uniform, der andere im Jesuitenkleid, aufstehen gegen die unfaßbare Barbarei des Millionenmordes. Zwei Gewissen werden aktiv.

Rolf Hochhuths »Christliches Trauerspiel« registriert vorerst. Ein Tatbestand wird szenisch in Erinnerung gerufen. Das geschieht, in der geschickten Verkürzung Piscators, effektvoll und mit einer ruhigen, dramatischen Heftigkeit. Eine Mischung aus Dokument, aus Bühnenlogik, Überhöhung und Engagement kommt zustande, wie wir sie in dieser Spielbarkeit und Kraft lange nicht auf unserer Szene hatten.

Mit den nächsten drei Bildern, die Piscator aus der Maßlosigkeit des Textes sublimiert hat, kommt Anklage, kommt der Konflikt im überkommenen Sinne des alten Dramas. Die beiden Aktivisten des Gewissens, der Jesuit und der Protestant im SS-Kleid, drängen den Klerus zur Aktion. Rom soll aufschreien in Protest und Anklage. Der Stellvertreter Gottes auf Erden soll unüberhörbar seine Stimme erheben. In Rom selbst werden die Juden schon verschleppt. Die Kirche hilft ihnen. Sie versteckt Verfemte. Sie verschafft Pässe und Geld. Sie öffnet ihre Klöster den tödlich Verfolgten. Sie manövriert, sagt das Stück, christlich.

Aber der Bannfluch bleibt aus. Die große, die schneidende Absage wird unterlassen. Der Papst reagiert diplomatisch. Er sieht die Welt von zwei Teufeln bestürmt. Wenn er Hitler stürzen hilft, hilft er dann nicht Stalin Europa gewinnen?

Ein Gottesdiplomat im Dilemma operiert taktisch, muß kleinmütig wirken auf die, die die präsente Hölle der Vergasung und des millionenfachen, kalten Mordes schon gesehen haben. Sie verlangt es nach dem Martyrium der Kirche. Sie können die Bedenklichkeit des Klerus gar nicht verstehen. Sie dürfen es nicht. Hier rührt das emphatische Stück an große, echte Dramatik. Hier aber wird es auch brüchig, erfüllt es sich nicht in der hochgesetzten Qualität, die es bis dahin durchhält. Es wird auf undramatische Weise parteilich. Es stellt Argumente nicht gleichwertig, nicht mit höherem Verständnis gegeneinander. Der Autor entscheidet vorgefaßt und deutlich gegen den Papst.

Pius XII. wird nicht verständlich gemacht, seine Argumente des Zauderns und undeutlichen Protestierens sind nicht einzusehen, wie sie hier dargelegt werden. Er selbst wird nicht tragisch. Er wird, in der Sicht des Autors, nur im Versagen gezeichnet. Das Stück wird tendenziös. Gewiß mit Willen und Absicht.

Aber dadurch verliert es sofort an Qualität und an der echten, dramatischen Glaubwürdigkeit, die es bis dahin hatte. Bei Schiller hat der Marquis Posa recht – und König Philipp II. auch. Erst aus dieser Gleichwertigkeit und Unlösbarkeit ergibt sich die wahre Tragödie. Sie wird hier vermieden. Hochhuths Schauspiel fällt so ins einseitige Argument zurück, vermeidet die Argumentation im fatalen Gleichgewicht wirklicher Tragik. Dem Papst werden Unterlassungen angekreidet. Und seine Beweggründe hören sich kleinmütig und zum Teil skandalös an. Hochhuth geht unter das Niveau, das er bislang so erstaunlich hielt. Er will, offenbar, eine höhere Wahrheit gar nicht finden. Er will anklagen, will ein Versagen drastisch vermerken.

Die Szene wird zum Tribunal. Und nur der Ankläger hat in diesem Gerichtstag das Wort. Dann setzten Proteste des Publikums ein. Dieter Borsche, in der fast phototreuen Maske Pacellis, muß sich Zwischenrufe gefallen lassen. Wenn es dem Gläubigen schon schwer sein muß, den vorletzten Papst auf der Szene zu finden, schwerer noch muß es ihm sein, diesen Papst im dargestellten Versagen so ausführlich sich winden zu sehen. Piscator rafft den Schluß. Der junge Jesuit, mitverstanden am Stuhl Petri, seiner tiefen Herzensverwundung verwiesen und in seinem Glauben an Gottes Kirche irre geworden, geht an die Front seines mitleidenden Herzens. Er legt den Stern eines geretteten Juden an die Soutane. Er rückt ein in Auschwitz und teilt die Qual und den Tod der Millionen. Er übernimmt, für sich, die Stellvertretung des Stellvertreters Gottes dort, wo das Leid am größten und Christlichkeit am notwendigsten ist.

Diese Szene, so groß gedacht, so hochherzig entworfen, dem Entschluß und Schicksal des historischen Paters Kolbe nachgezeichnet – diese Szene bleibt hier leider theatralisch, nichts als das. Hochhuth stellt dem für die Kirche Sühnenden einen bösen und hämisch theologisierenden SS-Mörder in Auschwitz gegenüber, der großsprecherisch und mit letztem Zynismus Gott am Verbrennungsofen versucht. Das klingt »literarisch«. Es verdeutlicht die Glorie und das Grauen dieses Endes nicht mehr. Es variiert nur in seiner stilisierten Blasphemie eine längst etablierte Größe, setzt sie heimlich herab, macht das Stück am Ende und durch eine späte, böse Pointe schwächer, als es im ganzen ist.

Denn es hat eine große und seltene dramatische Emphase. Hochhuth legt Finger auf Wunden, die kaum je in Deutschland vernarben können und sollen. Wenn er seine beste dramatische

Wirkung, die er gewiß erreichen könnte, durch sein emphatisches Engagement verspielt, kann man das im Sinn des Theaters bedauern. Man muß es achten, man versteht es durchaus. Bei solch großem Stoff, wer könnte da unparteiisch bleiben oder gar »gerecht«?

Dieser Abend in der Berliner Volksbühne, endend mit großem Beifall bei nur noch gelegentlichen und schwachen Buhrufen, war der weitaus lebendigste und beste seit langem in diesem unglücklichen Hause. Das mußte Piscator liegen. Dies ist politisches Theater. Aber es hat eine szenische Fertigkeit, die gerade in dieser Sphäre sonst immer leidig fehlt. Hochhuths Sprache, poetisch hochgezogen, ist sprechbar. Sie gibt den Figuren Tönung. Sie variiert, profiliert, zeigt Theatergeschick.

Die Rollen, ob authentischen Figuren nachgebildet oder »erfunden«, werfen menschliche Schatten. Sie haben Spielbarkeit, Eigenart, Bühnengesicht, Glaubwürdigkeit. Wie selten ist das bei neuen, einheimischen Autoren zu begrüßen!

Eine kompetente Aufführung, wie sie bisher Piscator in diesem Hause nicht annähernd gelang. Günther Tabor spielt den jungen Jesuiten in der Auflehnung gegen die Trägheit der Herzen. Er spielt den Eiferer ohne sichtbaren Eifer. Er kommt aus der Stille und bleibt, auch wo er laut werden muß, leise und wie verwundert vor dem Übel der übelsten Welt. Sehr achtbar, wie Tabor das spielt.

Dagegen hat es Siegfried Wischnewski, der den historischen Widerstandsmann im SS-Kleid, der den Kurt Gerstein darzustellen hat, wesentlich schwerer. Er muß eine kompakte Körperlichkeit und eine Verkniffenheit des Ausdrucks erst dauernd überspielen. Aber auch da Takt und schauspielerische Kompetenz. Rührend ohne jede Rührseligkeit, wie Ernst Ronnecker die kurze, schreckliche, gute Szene eines versteckten Juden fast nur skizzenhaft andeutet und dadurch ganz deutlich macht. Hans Nielsen bringt als ein weltlich souveräner Kardinal sogar vorsichtig und auch wieder höchst taktvoll fast etwas Humor in das Spiel, das des Humors sonst so grundstäzlich ermangelt. Die Figur ist schon Hochhuth ausgezeichnet gelungen. Nielsen spielt sie ohne falsche Drücker großartig nach. Malte Jaeger, etwas blaß in der Gestalt des Grafen Fontana, ein Diplomat der Kurie im Dilemma zwischen Vatersorge und Gehorsam im Amt. Dieter Borsche hält sich erstaunlich gut in der äußerst diffizilen, der vorgefaßt unterbelichteten Rolle Pius XII. Die nervöse Geistigkeit dieses Diplomaten auf dem Heiligen Stuhl, seine Unlust zu Aktion und Vergeltung macht Borsche vorsichtig kenntlich. Da diese Figur vom Autor angeklagt ist – um so ehrenhafter, daß sie immerhin dingfest gespielt wurde und nicht völlig ins Negative und Unverständliche rutscht.

Der Zettel nennt viele Namen. Sie fügten sich alle in den klaren, engagierten Stil dieser Aufführung, der so viel Skandalgeraune vorangegangen war. Was hatte man am Ende erlebt? Ein Stück, dessen vorgefaßte und sympathische Einseitigkeit es von der wahren Tragik, die es erreichen könnte, fernhielt. Begabung in der dramatischen Bestätigung. Emphase und strikte Parteilichkeit für den Menschen an und in der Hölle der Zeit. Die versuchte Offenlegung eines Versagens. Ein Menetekel. Gerichtstag. Aufräufelung einer alten, verfluchten, allgemeinen deutschen Schuld. Das ist, wie die Dinge liegen, mutig.

Dies Stück anwendbaren Theaters handelt von der Glorie und dem Versagen des Christen in der Barbarei. Es wird förderlich schmerzen, es wird Diskussion und Richtigstellung herausfordern. Aber wie viele Stücke dieser Art, das Versagen und den Kleinmut in so vielen anderen Sphären betreffend, müßten nicht noch geschrieben werden? 22. 2. 1963

Herbert Asmodi »Mohrenwäsche«
Freie Volksbühne

Der Knatsch begann lange vor dem Premierenskandal. Willi Trenk-Trebitsch hatte die Regie an Herbert Asmodis »Mohrenwäsche« niedergelegt, als die Abänderung einiger besonders hanebüchener Passagen des Unglücksstückes vom Autor nicht zu erreichen war.

Erwin Piscator, der Hausherr, wollte nun, gemeinsam mit dem Autor, versuchen, die Premiere zu retten; er zog ihn zur Reparaturregie mit heran, bis der Autor wieder paßte, die Aufführung, wie sie da vor sich gehen sollte, für eine »Verfälschung« erklärte und trotzig Berlin verließ.

Piscator, neuerdings in Nöten, entschloß sich nach dem neudeutschen Bühnenprinzip, »Hauptsache, der Vorhang geht hoch und der Betrieb geht weiter!«, die Uraufführung zum geplanten Termin ablaufen zu lassen. In einer Verlautbarung der Freien Volksbühne wird der Autor gerügt. Er habe versprochene Änderungen nicht geliefert. Trenk-Trebitsch wird schulterbeklopft, ihm wird ein neuer Regievertrag versprochen. Asmodi hält die gezeigte Stückversion für rechtswidrig.

So das Satyrspiel vor der unglückseligen Komödienpremiere, bei der der Zuschauer im Programmzettel hinter der Rubrik »Regie« nur drei diskrete Punkte findet. Die von trostlosen, internen Klassenkämpfen so oft erschütterte Freie Volksbühne hat wieder ihren Knatsch.

Was man dann schließlich sieht, ist allerdings von indiskutabler Beschaffenheit. Das Stück tut am Ende weh. Es treibt, fahrlässig, mit Entsetzen Scherz. Es verbraucht einen seriösen Stoff albern.

Es ist wirklich, als wäre ein Arthur-Miller-Thema den beiden Klamottenkönigen Arnold und Bach in die dreisten Hände gefallen und als wäre zum Schluß, unglückseligerweise, eine Kitschverfasserin von Silbermärchen für die lieben Kleinen zwecks Happy-End noch eingeschaltet worden.

Das Publikum reagierte auf Asmodis Endzumutung geradezu bissig. Pfiffe kamen und Buh-Rufe, Zischer und Exklamationen des Abscheus. Aber da wurde nun wirklich Asmodis ungereinigter Unglückstext gesprochen.

Worum geht es? Um das Negerproblem im Klamottengewande. Neudeutscher Raffkehaushalt. Pappi produziert Bagger. Er hat sich, da er viele fleißige Mohren als Gastarbeiter beschäftigt und da er seine Bagger in den Schwarzen Erdteil verhökert, zum Konsul eines afrikanischen Staates ernennen lassen.

Er ist Altfaschist. Die demokratische Tünche bröckelt, wenn er den Mund auftut. Fritz Tillmann spielt den Typ nicht ohne Witz, solange er spielbar bleibt, einen Konjunkturritter, ein Rabenaas der Uraltgesinnung mit angelernt humanem Zungenschlag. Das ist noch ganz komisch, ist zuweilen mit sehr dickem Pinsel gemalt, aber ganz treffend.

Der Mann predigt Negerfreundschaft aus Kalkül. Als seine Tochter ernst macht, als sie einen farbigen Ingenieur heiraten will, bricht alles Grundsatzgerede zusammen. Die alten Vorurteile stehen nackt und böse da.

Asmodi manipuliert jetzt auf Schwankebene weiter. Er läßt den Vater des Mohrenbräutigams kommen. Erst tritt der vorsätzlich als Kannibale auf, als Buschbarbar und jaulender Menschenfresser mit Schaum vorm unzivilisierten Munde. So will er seinerseits die schwarz-weiße Hochzeit hintertreiben. Dann läßt er die Maske des Kaffernkralnegers fallen und zeigt sich im Sakko, aber weiter als schwarzer Faschist, der ebenso von Rassenvorurteilen geschüttelt ist wie sein weißer Bruder, der Bagger-König.

Es wird unangemessen und unerträglich ernst. Schwarzer Vater und Sohn stehen sich schon mit der Pistole zu Mordzwecken gegenüber. Da greift der Autor in die Märchenkiste. Der pure Weihnachtsmann (man hält's nicht für möglich!) hat seinen Auftritt. Er schlichtet den Rassenstreit, gibt in unerträglich freien Versen die unterschiedlich farbig Liebenden zusammen. Sie verschwinden in einem Zuckerhimmel, während St. Nikolaus, immer noch in langen Versen redend, die Zuschauer zu Rassenfreundschaft ermuntert.

Da brach dann rechtens Protest aus. So etwas will man sich wirklich verbitten. Asmodi hat Schwankbegabung, das steht außer Zeifel. Arnold und Bach sind seine Väter. Wenn er sie nicht verleugnet, lachen die Leute, wenn auch plump, aber sie lachen. Wenn er Höheres anstrebt, wenn er Problematik in die derbe Hand nimmt, ist er verloren, und Empfindlicheren schmerzt sofort das Zahnfleisch.

Er fügt auch noch pures Kabarett ein, wenn er zwei Bonner Geheimdiensttypen in Serenissimusmanier auf die Bühne bringt. Sie sollen den Negerfürsten beschatten und betragen sich wie gehirndefekte Trottel. Daß sie dann, ausgerechnet, auch noch über »die Mauer« Blödes äußern müssen, zynischen Unfug ohne Ernst oder wahre Ironie, das geht böse zu Lasten der Intendanz. Da hätte sie wahrlich streichen sollen. Sie tat es nicht.

Der Abend bleibt höchst ärgerlich. Ein sehr ernstes Thema wird unangemessen veralbert. Ein Autor, des alten, direkten Schwankes wohl fähig, übernimmt sich irrig und gibt Anlaß zu ernstem Ärgernis. Und daß es, ausgerechnet, die Freie Volksbühne ist, die solchem Ärgernis Vorschub leistet, daß sie es, selbst noch von Kulissenkrächen geschüttelt, so ausstellt, ist eine neue trübsinnige Erfahrung mit dieser einst doch so ehrenhaften Institution.

Eine Veranstaltung allgemeinen Verdrusses. Auch der Mitleidsbeifall für die armen Darsteller (darunter immerhin Camilla Spira, Renate Heilmeyer, Ruth Drexel und einige dunklhäutige Mimen) soll darüber nicht hinwegtäuschen.   20. 6. 1964

Hier hat das Fernsehen Pate gestanden. Heinar Kipphardts »Szenischer Bericht« von der wochenlangen Befragung des J. Robert Oppenheimer, von dieser immer komplexer und ernsthafter werdenden Inquisition über Verläßlichkeit und Loyalität der Wissenschaften im Zeitalter des Atoms – dieses »Feature« hatte den weitaus besten und zutreffendsten Aggregatzustand schon in seiner Bildschirmfassung.

Bei der Mehrverwertungspraxis literarischer Stoffe wird die »Sache J. Robert Oppenheimer« nun auch auf die Bühne genommen. Der Stoff leidet beim Transport. Dem Fernsehen nimmt man die künstliche Rekonstruktion eines zeitgenössischen Tatbestandes nachsichtiger ab als der Bühne. Der Kamera ist gegeben (bizarrerweise), Denkvorgänge deutlicher mitzuteilen, Akzente augenfälliger zu setzen, sozusagen faktischer zu überreden, als die Bühne es kann und eigentlich darf.

Trotzdem wird dies ein heikel beteiligender Theaterabend in der Freien Volksbühne. Kipphardt hat den Finger genau auf einem Dilemma des Jahrhunderts. Hier wird eine ganz neuartige, schlimme Möglichkeit der Tragik sichtbar, wie sie unsere Väter noch nicht kannten. Es beginnt wie ein lästiges Verhör. Es nimmt sich vorerst aus wie die eher unwürdige, wie die im Grunde pöbelhafte Zitierung eines halb heiligen und epochalen Gehirns vor ein Tribunal, das für die schlimmen Dinge, um die es hier geht, überhaupt nicht zuständig sein kann.

Und es stellt sich, je weiter das Rekonstruktionsstück vorrückt in seiner gescheiten Verknappung des faktischen Verhörs – es stellt sich immer bedrückender heraus, wie unfaßbar die Wahrheit ist, wie teuflisch unanwendbar althergebrachte Schuldbegriffe geworden sind.

Zuerst soll nur Oppenheimer zur Rede gestellt werden. Bald sind so viele althergebrachte Begriffe in Frage gestellt. Zum Schluß hin ist die Untersuchungskommission über die Person und den Fall ihrer Untersuchung längst weit hinaus. Es gibt eigentlich keine Gegner mehr. Ankläger und Verteidiger, Angeklagter und Verfolger sind fast eins geworden in ihrer gemeinsamen Bemühung um die Wahrheit, um die Findung zuverlässiger Verhaltensregeln in einer Welt, die ihre Dimensionen schrecklich erweitert und so viele Festpunkte der Anständigkeit gespalten und relativiert hat.

Am Ende herrscht im Zimmer 2022 der Atomenergiekommission, darin diese Denktragödie spielt, so etwas wie eine hohe, heikle Kameraderie aller Beteiligten. Kipphardt verurteilt auch die nicht, die Oppenheimer geringfügig verurteilen müssen. Die Zeit ist aus den Fugen. Es ducken sich vor ihren neuen Aspekten alle.

Die Wahrheit ist nicht konkret, wie noch der alte Brecht glauben konnte. Sie ist auf fürchterliche Weise komplex und unfaßbar geworden. Sie auch ist gespalten, seit die Spaltung des Atoms geschah. Kipphardts Denk-Feature teilt diesen Tatbestand mit. Das bringt er zur Evidenz. Daß es gelingt, daß es beteiligt, daß es nie billig oder profan wird, ist ihm hoch anzurechnen.

Zuerst schien das Publikum noch geneigt, eine billig »linke« Demonstration in dem Oppenheimer-Feature zu sehen. Es gab leichtfertigen Szenenapplaus für zitierte Fortschrittssentenzen. Später applaudierte es ebenso emphatisch die Gegenstimmen. Ein Beweis für die Überredungskraft, für des Autors Kraft, mit der er den gefährlichen Stoff aus den Niederungen der Phrase und des schnellen Denkeffektes zu heben versteht.

Die Berliner Aufführung litt unter Unterbesetzung. Auf der Bank der Kläger wie der Verteidiger Darsteller, die ihre hohe Denkfunktion kaum sinnfällig machen konnten. Beim Zeugenaufmarsch gibt Hans Putz dem Geheimdienstbullen ein paar faktisch-komische Züge. Robert Dietl spielt den Landsdale mit überredsamem Ekel. Rolf Kutschera macht aus Oppenheimers Gegentyp und Gegenspieler Teller eine nervöse Studie.

Wolfgang Neuß ist zuwenig der Typ, um einen schlampig-sympathischen Gelehrten kenntlich zu machen, wie er als der Dr. Rabi müßte. Er stoppt das Spiel. Eine Neuß-Nummer findet statt, und die hat hier eben keinen Raum. Am besten noch, wie Peter Capell die besorgte Bonhomie des Verhandlungsführers darstellt oder wie P. Walter Jacob die raffinierte Weltfremdheit seines Beisitzers Professor Evans.

Dieter Borsche ist Oppenheimer. Er sah schon einmal monatelang wie Papst Pius aus; jetzt hat er wirklich ein paar äußerliche Züge von Oppenheimer. Da staunt man. Er schlägt sich so tapfer. Aber er ist natürlich, auch wenn er Borsche mit seinen besten Mitteln ist, niemals Oppenheimer.

Piscator tut (zum Teil auf Geheiß des Autors) unrecht, wenn er die »geschlossene Gesellschaft«, die gefährliche Enge des Spielplatzes mit Filmprojektionen verläßt. Dadurch wird der Deckel immer wieder vom Topf genommen. Wenn er Kipphardts Monologe nun auch auf die haushohe Leinwand verlegt und die Gesichter, die in natura unten erkennbar sind, etagengroß gleichzeitig auf Breitwand sehen und sprechen läßt, wird der Stilbruch scheußlich.

Eine Aufführung mit deutlichen Fehlern. Aber ein Abend, der mit Betroffenheit und großem Beifall endete. Ein tiefnachdenkliches Stück vor einem Publikum, das offenbar im Theater doch viel lieber nachdenkt als viele Theaterleute gemeinhin denken. Kipphardt hat gezeigt: Zeittheater ist möglich.

13. 10. 1964

– Die Spielzeiten 1961/62 bis 1964/65 –
WACKERE SCHAUBÜHNE

Ariano Suassuna »Das Testament des Hundes«
Schaubühne am Halleschen Ufer

Kritischer Trommelwirbel für ein neues Theater in Berlin und eine auf ihre Art vortreffliche Aufführung darin!

Das Theater nennt sich »Schaubühne am Halleschen Ufer«. Es ist direkt am Bahnhof Möckernbrücke gelegen, hat rund 500 Sitze und eine erfreuliche Akustik. Die Bühne, mehr breit als tief, ist technisch sichtbar gut bestückt (wenn's mit dem Vorderlicht auch noch hapert), ist rampenlos und vom aufsteigenden Parkett vorzüglich einsehbar.

Die wagemutige Truppe, die hier einzog, war dramaturgisch glücklich beraten, zur Weihe des neuen Theaterhauses des Brasilianers Ariano Suassuna »Volksstück aus dem brasilianischen Norden«: »Das Testament des Hundes – oder die Geschichte der Barmherzigkeit« zu wählen.

Ein Eulenspiegelvorgang. Grilo, eine brasilianisch gewitzte

476

Kasperlefigur, foppt die arge Umwelt weidlich. Grilo bringt die arg weltliche Klerisei des Dorfes dazu, Hunde zu segnen und liturgisch ausführlich zu Grabe zu bringen. Grilo verkauft Katzen, die Dukaten sch . . ., Grilo erlegt die armen, bösen Räuber. Grilo stellt dem ausbeuterischen Latifundienbesitzer ein Bein. Grilo rückt, listig, die Ungerechtigkeiten der Welt zurecht.

Beim Pausenvorhang liegen nur noch Leichen auf der Bühne. Des Volksstücks zweiter Teil vollzieht sich in einem brasilianischen Bauernhimmel. Und jetzt wird's auf raffiniert naivische Weise metaphysisch und überlustig. Der Teufel und ein Christo negro, der schwarzhäutige Heiland, rechten um die Seelen der verschiedenen Verschiedenen. Die Gottesmutter, die »Jungfrau von Guadalupe«, tritt in den Himmelskreis und bringt Gnade und Gerechtigkeit in das Himmelsgericht. Alle finden Strafe oder Erlösung. Nur Grilo darf zurück auf die Erde. Seine Eulenspiegelerscheinung erwirbt die Aura einer hiesigen Unsterblichkeit. Er ist der fromme Sünder, der Tunichtgut Gottes. Narr und Weiser dieser Erde.

Ein gutes Stück, weil ebenso naivisch echt wie intelligent, fest gebaut und realistisch kräftig.

Und eine so gute Aufführung von Konrad Swinarski (vom Warschauer Dramatischen Theater), weil da der Ton der Kindlichkeit, die strikte Kasperle-Komponente, so strikt eingehalten wurden – wie gleichermaßen auch alle Handreichungen der Phantasie. Eine Mischung aus Jux und Tiefsinn, Kindlichkeit und sorgendem Ernst ist da erreicht, die wohltut und das Brasilianerstück in eine spielerisch ganz feste Form setzt.

Exorbitante Schauspielerleistungen finden nicht statt. Aber alles fügt sich so richtig in den von Swinarski gesetzten Stil: Grilo – die Eulenspiegelfigur, gestisch und geistig behende gespielt von Ingo Osterloh; Chico – der phlegmatische Gegenspieler aus der lustigen Gosse, Jochen Sehrndt; der geistig angefettete Geistliche von Valentin Claus; der komisch verrottete Bischof von Hans Mahlau. Daneben viele Handlanger des belangvoll Volkstümlichen.

Im bunten Bauernhimmel dann Heinz Kammer, als der elegant angeekelte Teifi, Alfred Cogho in der gefährlichen Rolle des Christo negro. Und wunderbar gewandet, eine Engelspuppe mit Heiligkeit, Uta Radecke als die Madonna von Guadalupe.

So ein angenehmes neues Theater! So ein lustig-listiges Stück!

So eine zutreffende, überraschend schlagfertige Aufführung! Diese Truppe und ihr Theater sollten lange leben!   23. 9. 1962

Arnold Wesker »Tag für Tag«
Schaubühne am Halleschen Ufer

Diese Aufführung ist sehenswert. Sie bringt einen Autor nach Berlin, den man, kleinmütig, bisher ausgelassen hat. Sie erreicht (Regie: Hagen Mueller-Stahl) eine schöne demonstrative Gelassenheit; sie ist natürlich, ohne in falsche Naturalismen zu verfallen. Man sieht einige ausgezeichnete Darstellungen. Man findet Anlaß, oft und mit gutem Gewissen zu lachen. Und man trägt eine beträchtliche Nachdenklichkeit von hinnen. Der Abend lohnt sehr.

Was sieht man? Zustandszeichnung eines englischen Standes. Landarbeiter im Alltag. Man blickt in Wohnküchen. Es wird gewaschen, gekocht, gebadet, Radio gehört, achtlos gegessen, palavert, geflucht, unlustig gefeiert, geklönt. Es wird lustlos existiert.

Arnold Wesker, der Autor, steht nicht eifernd neben der Szene. Er ist kein Lehrstückschneider nach der alten Schule. Er findet vieles im tristen Gleichmaß des Landarbeiterlebens schlecht, unwürdig und verdrießlich. Das läßt er merken. Aber er predigt nicht. Er zeigt vorerst nur vor.

Er zeigt die Komik und den Stumpfsinn eines modernen Landarbeiterlebens in fragwürdiger Wohlfahrt. Fein sind die Leute nicht 'raus; schlecht geht es ihnen, andererseits, auch nicht. Aber sie verbringen ihre Arbeitstage in grauem Konformismus. Sie existieren banal. Sie leben vielleicht nicht schlecht. Aber ist das ein Leben?

Ein junges Mädchen brach aus. Es ging in die Stadt. Dort traf sie einen jungen Angestellten, einen flatterhaften Fortschrittsintellektuellen. Der nahm sie in die Arme und in die Lehre, wie der progressive Mensch besser und bewußter zu existieren habe. Das Mädchen nahm dem kleinen Nachredner des leichten Fortschritts die Worte papageienhaft vom Munde. Jetzt kehrt sie heim. Sie predigt zu Haus, was ihr Kerl ihr ständig gepredigt hat.

Der Effekt ist in der alten, eingemuffelten Umgebung erst komisch, dann befremdend. Ihre Leute wollen keine »gute« Musik.

Sie wollen gar nicht mit der »modernen« Kunst konfrontiert sein. Der Elfenreigen im Druck überm Sofa – was wäre daran schlecht? Sie wollen nicht durch Nachdenken oder Grübeln im Trott ihrer falschen Bequemlichkeit gestört sein. Sie bedanken sich für guten Ratschlag aus zweiter Hand. Sie sind stur und gesund.

Wesker zieht eine etwas tragische Komik aus diesem Mißverständnis. Weltverbesserertum in einer Welt, die durchaus besser sein sollte – die aber nicht verbessert sein will. Halbverstandene Klischees tröpfeln aus dem Munde der heimgekehrten Eiferin des Fortschritts. Sie möchte ihre Familie zu eigenem Denken befreien. Aber sie selbst ist noch unfrei, sie selbst lebt aus zweiter Hand.

Der Verlobte wird erwartet. Er kommt nicht. Er läßt, ein feiger Higgins, seine Eliza, seine halbfertige Pygmalionfigur, sitzen. Der Bursche handelt übel an ihr. Schadenfreude, Mitleid und besserwisserischer Trost in der familiären Runde.

Aber nun geschieht das Wunder. In ihrem Schmerz, ihrer Scham, in ihrem Leid über das Sitzengelassensein, in ihrer Erniedrigung und Verwundung wird sie zum ersten Male auf ihre Einsamkeit, ihr wirkliches Ich verwiesen. Sie findet die eigene Wirklichkeit. Sie kommt in den Zustand des Bewußtseins ihrer selbst. Sie wird endlich ein Mensch. Jetzt kann sie beginnen . . .

Das ist fast altmodisch gefügt. Wesker schreibt Klarschrift. Er bedient sich eines durchsichtigen Naturalismus. Für England holt er damit eine dort übersprungene Methode der Sozialdramatik nach – Gerhart Hauptmann, undämonisch. Wenn er Milieu kennzeichnet, geschieht es durch die Sprache. Die aber kann hier (Übersetzung Willy H. Thiem) den Humor, die Trägheit, den akuten Witz oder die alltägliche Penetranz des Redens in Pantinen nicht wiedergeben. Dadurch fällt fast das reizvollste Zeichnungs- und Bezeichnungsmittel Weskers fort. Das Stück ist auf englisch viel belangvoller, als es hier wirkt.

Trotzdem wirkt es in der löblichen Aufführung der »Schaubühne« noch erstaunlich dicht. Ein Ensemble wächst hier am Rande, unsubventioniert und mit genauer Zielrichtung, langsam zusammen. Wie gut zeichnet Renate Grosser, beispielsweise, die vertrocknete Existenz einer jungen Mutter am Waschtrog. Das ist echt, unsentimental, traurig und immer etwas komisch.

Wie sicher wütet Annemarie Hase, eine alte Salzbiene, in ihrer mütterlichen Küche, klaftig, heiter-verdrossen, stumpf, agil, eine engstirnige Niobe am schmutzigen Herd. Man lacht dauernd über sie, während man die Figur bedauert. Oder wie genau zeichnet Peter Schiff den fidelen Mißmut einer ländlichen Proletarierexistenz. Auch das stimmt ohne alle falschen Drücker.

Regine Lutz spielt die diffizile Rolle der Weltbeglückerin aus zweiter Hand. Ganz echt sitzt jede Bewegung, jede Geste der falschen Sicherheit. Auch ihre Komik kommt ohne falsche Trommelwirbel, geschieht ganz realistisch. Die Unsicherheit, mit der sie ein Stück lang Klischees predigen muß, macht sie vorzüglich kenntlich. Sie muß mit doppelter Betonung spielen, die Gestalt doppelt konturieren. Das gelingt fast vollkommen. Bis zum allerletzten Schluß. Wenn da die Wandlung verlangt wird, der Durchbruch zum Ich, die Erlösung vom Leben in der Abhängigkeit zum eigenen Leben, Herzschlag und Wort erfolgen sollte – da verläßt sie die Inszenierung. Die Pointe spült dann leider, unterbetont, hinweg.

Sonst aber – was für eine erfreuliche Schaustellung! Welch ein Fortschritt an diesem wagemutigen Theater! Wenn unsere Freie Volksbühne nun dieses Stück und diese Aufführung nicht dankbar frequentiert und übernimmt – dann dürfte sie nicht mehr Volksbühne heißen. Beifall und Jubel am Halleschen Ufer waren groß. 27. 5. 1963

Ödön von Horvath »Kasimir und Karoline«
Schaubühne am Halleschen Ufer

Am Halleschen Ufer eine späte Neuentdeckung. Ödön von Horvath und seine zauberischen Volksstücke waren lange in Vergessenheit geblieben. Zu Lebzeiten hatte sein Talent schon nicht die angemessene Gefolgschaft. Er gehörte keiner »Richtung« an. Er agitierte, als das Theater zur Agitation vernutzt wurde, nicht. Er wollte die Welt nicht »verändern«. Er stand für keine These. Er hat auf seine begabte, etwas versponnene Weise dem »Volksstück« gedient.

Damit war, wenn man nicht in »Blut-und-Boden« mischte, auch Ansehen und Ruhm kaum zu gewinnen. Horvath war das Gegenteil eines Simpelpoeten, eines dummen Verherrlichers der Dummheit. Er idealisierte »das Volk« nicht. Er klopfte ihm auch nicht in falscher Volkstümlichkeit auf die Schulter, erniedrigte es also nicht, indem er ihm schmeichelte. Er hat, wie sonst keiner, die Volkswelt der Großstadt zum Sprechen gebracht in seinen Stücken.

Er machte die alten Volksliedmotive wieder hörbar in zeitgenössischer Massengesellschaft. Er ließ vernehmen, daß Grundmelodien von Traurigkeit, Liebe, tragischer Trennung, komischer Verirrung und schlimmem Herzeleid klingen wie je. Nur muß man sie aus ihrer großstädtischen Verschüttung wieder lösen. Man muß sie in den Worten und Gesten von heute dingfest machen. Das konnte er in seinen besten Stunden. Ein komplizierter Volksdramatiker, ein radikaler Entkitscher des »Volksstückes«, ein Szenenlyriker mit ganz alten, unverwüsteten, immer wieder modernen Motiven.

»Kasimir und Karoline« ist nichts anderes als eine lustig-wehmütige Abwandlung des Volksliedes von den beiden Königskindern, die zusammen konnten nicht kommen ... Hier nur sind zwei kräftige Proletarierkinder, denen das Herz bricht, während sie auf der Wies'n ihr Oktoberfest feiern. Sie waren sich nie so nah. Und verlieren sich sinnlos und tragisch. Zwei kreuzbrave Herzen »verlaufen« sich, während sie sich scheinbar dauernd suchen.

Mehr geschieht nicht. Bierdunst. Achterbahn. Drehorgelgedröhn. Raritätenzelt. Zigarrendunst. Sehnsucht. Verirrung und Abschied. Horvath protzt mit Volkstümlichkeit nicht. Er zeigt immer die Tristesse des brünstigen Volksfestes mit an. Er hebt Komik sicher und behutsam an. Er mischt Zeitkolorit, Arbeitslosigkeit, Stahlhelmtypen, Sozialmißstand durchaus ein. Aber er macht daraus nicht die Hauptsache.

Die Hauptsache bleibt, wie zwei einfache Gestalten dadurch tragisch werden, daß sie sich selbst nicht erkennen, nicht artikulieren können. Kasimir geht am Arm einer blöden, herrlich verzickten, schönen Räuberbraut davon. Karoline, auch wider bessere Einsicht, schiebt mit einem Halbbourgeois von Schneidergesellen ab. Sie konnten zusammen nicht kommen ...

Ein so kräftiges wie am Ende heikel zartes Stück Theater. Auf der »Schaubühne« wird es (Regie Hagen Mueller-Stahl) nach den gegebenen Möglichkeiten kräftig und delikat ausgestellt. Hübsche Andeutungskulissen von Susanne Raschig. Sparsamkeit im Rankenwerk der Oktoberwies'nwelt. Immer nur ein paar Farbwischer. Die Grundfarbe bleibt grau. Auf Grau die »Verlaufenheit« zweier reicher, armer, einfacher Herzen.

Dies bedarf des Dialektes, ohne daß es dadurch Dialekttheater werden dürfte. Axel Bauer (Kasimir) hat ihn. Er ist bayerisch-knorrig, ist proletarisch-wehleidig, ist schwach, obgleich bei allen sichtbaren Kräften. Vielleicht ist er für die Rolle ein paar Jahre zu alt. Aber wie er ihren lyrischen Gehalt männlich artikuliert, das hört und sieht man gern. Karoline: Veronika Fritz. Sie ist eine deutliche Lustspielbegabung, hat einen offenen, etwas zögernden Charme, kann heiter und traurig in ein und derselben Gangart sein. Wenn ihr für die Rolle etwas fehlt, ist es nur eine kleine proletarische Derbheit. Ihr Typ ist ein paar Drehungen zu fein gemahlen – nicht ihre Schuld.

Absolut rollendeckend: Ilse Stöckl, als des Strizzi und Autoräubers (Nikolaus Dutsch) doofe, holde Braut. Sie hat Töne einer herrlich dusseligen Direktheit, spricht wie durch holde Doofheit gebremst und bringt die schlimmen, arglos teuflischen Sentenzen, die ihr aufgegeben sind, ganz vortrefflich. In zwei Alte-Genießer-Rollen gehen Werner Pledath (der 1928 schon in der Uraufführung des gleichen Stückes tätig war) und Arnold Voß gemäßigt in die Karikatur. Ein paar farbbringende Seitenrollen. Der Abend wird erquicklich. Horvath endlich wieder auf einer Berliner Bühne. Und die Schaubühnenleute am Halleschen Ufer haben, ohne ihren guten Prinzipien untreu werden zu müssen, einen breiten, rechtschaffenen, wichtigen Erfolg. Gute Arbeit an einer sehr guten Sache.   9. 3. 1964

– Die Spielzeiten 1961/62 bis 1964/65 –
PAPAS THEATER?

Carl Zuckmayer »Der Hauptmann von Köpenick«
Schiller-Theater

Daß auch Stücke so schnell altern! – Zuckmayer selbst rüstig im Parkett. Er wird vom Intendanten im kleinen Triumph an seinen Platz geleitet. Das Publikum gibt ihm getreulich vollen Vorschußbeifall. Dies, möchte man meinen, kann nicht schiefgehen. Der Bilderbogen, das »deutsche Märchen« von dem unbehausten Schuster Voigt, der das wilhelmische Uniform-Deutschland so pfiffig wie logisch reinlegte – dieses deutsche Eulenspiegelspiel hielt man für unverwüstlich.

Der a-Konto-Applaus verläuft. Der Vorhang, geschmückt mit dem ironisch behelmten Kaiser-Wilhelm-Adler, hebt sich. Das alte Spiel (aber so alt ist es ja gar nicht, es hatte erst 1931 Uraufführung) beginnt. Und nun bröckelt es. Seine Bilderbogenmethode mit dem unverklausulierten Direktablauf wirkt plötzlich so altertümlich, so betulich. Es ruckt dahin. Dramatik, Spannung, Gefahr wohnten dem Ablauf nicht mehr inne.

Böse wurde dies Spiel, auch wenn es streckenweise böse tut, ja nie. Es tat denen, die es entlarvte, nicht weh. In die Nähe der Satire wollte es gar nicht geraten.

Als der Schuster Voigt ertappt und gefaßt ist, lacht also auch S. M., na bitte! War ja gar nicht so schlimm. Die Entlarvten fallen in das allgemeine Gaudium ein. Schulterklopfen ringsum. Kleiner Webfehler im System. Wird sich beheben lassen. Kinder, sind wir gemütlich und tolerant!

Waren sie aber doch nicht! Sie wechselten die Uniformen. Sie wurden total humorlos. Der Dienstweg führte nach Auschwitz. Dieselbe Gesinnung, im Grunde die gleichen Figuren. Bloß, daß sie gar nicht mehr zum Lachen waren. Zuckmayers freundlicher Bilderbogen wirkt, heute gesehen, ahnungslos, fast beschönigend. Das macht das Stück so altertümlich, macht es (tragischerweise, möchte man sagen) fast ärgerlich.

Dabei ist seine Machart auch so schnell überaltert. Was sich dichterisch dran tut, wirkt bestenfalls heute gefühlvoll. Volksstückelemente gemischt mit reinen Possenszenen.

Leider tut Boleslaw Barlogs grobe Inszenierung ziemlich alles, um diese traurige Entdeckung noch zu verdeutlichen. Er spielt aus. Er durchsetzt die 17 Bilder mit Altberliner Weißbiergemütlichkeit. Er gewinnt nie den rettenden Boden, von dem aus dies noch spielbar oder vertretbar wäre. Er geht schrecklich ausgetretene Pfade und verweilt auf ihnen mit irrigem Behagen.

Das Bühnenbild (Eva Schwarz) schon so lust- und kunstlos. Unappetitliche Karyatiden säumen die Szene. Wechselnde Hintergrundprojektionen preußisch-Berliner Motive. Davor in recht erfindungslosen Dekorationsandeutungen das Spiel.

Es gewinnt nie richtig seinen menschlichen Mittelpunkt. Carl Raddatz, der den Schuster spielt, blieb ungenügend. Er ist ein prächtiger Darsteller handfester Typen oder seelenvoller Rabauken. Diese passive Rolle gerade aus ihrer Passivität aktiv zu machen, ist ihm nicht gegeben.

Man wird natürlich ungerecht, denkt an Krauss, denkt an Max Adalbert, wie sie, ohne schauspielerisch aufwendig zu werden, diesen Part auffüllten und mit Menschlichkeit versahen. Raddatz ist das nicht gegeben. Er ist von anderer Art. Aber wenn man schon keinen zwingenden Schuster Voigt hat – warum spielt man dann das Stück?

So vieles, das für ganz todsicher gehalten werden mußte, kommt gar nicht zur Wirkung. Sonderbar, wie unkomisch, wie derb, wie konventionell die Krawallszene im Café National ausgeht. Selbst die große Maria Becker, als Pleureusenmieze, bleibt weit unter ihrer Form.

Die Märchenszene am Bett des sterbenden Mädchens findet die simple Rührung, findet die bezeichnende Trauer nicht, die man von ihr erwartet. Der morgendliche Aufbruch des rasenden Bürgermeisters von Köpenick wird, obgleich Friedel Bauschulte eine schön dämliche Schärfe vorlegt, total verschusselt, wird in die pure Klamotte hinuntergespielt.

Manchmal horcht man auf, so wenn Erich Schellow den schneidigen Militär in der Bredouille vorführt, oder wenn Erhard Siedel den Trödler kurz und komisch bezeichnet. Sonst in der Fülle der Gesichter wenig Profile. Diese Aufführung vulgarisiert ein Stück, das ohnehin alt geworden ist und bröckelt.

Ausgerechnet das aber wird in einigen Wochen nach New York exportiert, um dort für das Berliner und das deutsche Theater von heute zu werben. Dies ist nicht vorzeigbar. Auch der unbedachte Schlußbeifall sollte darüber nicht täuschen. Papas Theater, im toten Zustand an den Broadway gebracht. Man soll sich's, bitte, noch überlegen! 30.9.1964

Ibsens Halt- und Spielbarkeit neu zu untersuchen, ist an der Zeit. In schweigender Übereinkunft schienen unsere Theater gesonnen, ihn vorerst auf dem toten Gleis der Halbklassiker, deren Verwendbarkeit gelitten hat, vorsichtig abzustellen. Seine Größe ist unbestritten, genutzt wird sie wenig.

Dabei ist zu fragen, ob nicht nur die deutsche Sprachgestalt seiner Dramen gealtert war. Übersetzungen, sind sie nicht kongeniale Übertragungen, kränkeln nach wenigstens drei Generationen. Shaw, Strindberg, Oscar Wilde haben die gleiche Unbill erleiden müssen. Weil sie in ihrer alten deutschen Fassung nicht mehr spielbar waren, wurde ihre Spielbarkeit überhaupt angezweifelt, irrigerweise. So zieht man Konsequenzen. Shaw und Strindberg sind zum Teil schon in neuer Behandlung. Ibsens »Hedda Gabler« wurde im Berliner Renaissance-Theater wohl auch deshalb ein so erstaunlicher Erfolg, weil nun die neue Übertragung von Hans Egon Gerlach gespielt wurde.

Gerlach datiert den Vorgang sprachlich. Er läßt die Personen durchaus ein Jahrhundertwenden-Deutsch sprechen. Er bedient sich Floskeln, die eine deutlich intendierte Altertümlichkeit haben – genau in dem Sinne, wie Hauptmanns »Einsame Menschen« auch das Deutsch ihrer spezifischen Epoche sprechen.

Aber Gerlach hat so viele Unerträglichkeiten der alten, dürren und dann wieder halbjugendstiligen Ibsen-Übersetzungen gekappt. So glaubt man jetzt, muß es ungefähr auf norwegisch klingen, so kraftvoll, so realistisch – und zugleich sprachlich so verlockend angehoben, mit dieser trockenen Prosa-Poesie, die nie auf falsche Weise »poetisch« wirken will.

Die neue Ibsen-Sprache (auf deutsch) war die erste Überraschung dieses Abends. Die zweite: Ullrich Haupts taktvoll-dringliche Inszenierung.

Er kommt, merkbar, aus Gründgens' Schule. Dies hat durchweg eine vorsichtige Theatralik, hat szenische Glasur. Es bleibt, auch wo es Schlimmes verlautbart, diskret und gefällig. Haupt wuchtet das quälerisch Antikische nicht heraus, die schreckliche Unangemessenheit der nervösen Bacchantin Hedda im wohlanständigen, norwegischen Bürgersalon dieser murkeligen Kleinstadt.

Haupt überanstrengt die Tragödie nicht. Er läßt sie nie schnauben. Sie hat sich durchweg gesittet abzuspielen, wo auch diese Hedda die Grenzen bürgerlicher Gesittung nur immer verletzt oder sichtbar zerreißt. Der Kammerspiel-Charakter wird nicht beschädigt. Es bleibt alles im szenisch genau begrenzten Gehäuse. Diese Art zu spielen ist vielleicht nicht die »modernste«. Aber sie erweist sich durchaus als praktikabel an diesem Stoff.

Ita Maximownas Dekor ist auf diese intime Kühle gestimmt: nordisch zurückhaltende Makart-Welt, Rüschen, Stores, bürgerliches Jahrhundertwenden-Barock. Aber auch das in Maßen, wohlgefällig gedämpft, keinen Augenblick zeitsatirisch aufgeputzt.

Hierin bewegt sich mit bestechend nervöser Grazie Gisela Peltzers Hedda. Dies war die Rolle der Duse. Es gibt so dringliche Beschreibungen, wie sie diese Gestalt tragischer Frustration zu der ihren machte, wie sie die Last der Verhaltung vorzeigte und die schlimme Lust an der Zerstörung, daß man, auch wenn man sie nie sah, sie doch gesehen zu haben glaubt. Dieser ferne Schatten der Vollendung ist immer noch wegzuspielen. Die Peltzer setzt ihren sämig-lockenden Sprachton zuerst ganz hoch und girrend ein. Eine Studie in Ennui. Sie macht kenntlich, wie wenig Hedda hierhergehört; sie ist zu groß, zu gefährdet, zu böse für diese rührend kleinkarierte Bürgerwelt. Wie die Peltzer diesen Hochmut, diese Lust an der Gefahr sofort faßt und vorzeigt, ist schon erstaunlich.

Später gerät sie, streckenweise, in Manier, spricht sie, sozusagen, ihren eigenen Lockmitteln der Sprache nach, verliebt sie sich selbst in ihre schlanke Grazie. Das aber verfliegt sofort, wenn der tragische Bereich erreicht ist, wenn das Drama läuft und die Ketten bürgerlicher Wohlanständigkeit klirren, wenn sie (sich nach Schicksal sehnend, Schicksal furchtsam vermeidend) das am Ende feige Spiel mit Liebe und Tod beginnt. Dann ist sie wieder ganz in der Rolle. Man wüßte nicht, wer das heute sonst so kunstvoll, ernst und mit so zutreffender Künstlichkeit spielen dürfte.

Unter den Männern ganz erstaunlich: Heinz Bennent. Zuerst sieht er tatsächlich aus wie der junge Stefan George. Er kann ein gezähmtes Genie präsentieren, kann domestizierte Außerordentlichkeit glaubhaft machen; das schon ist bedeutend. Später, wenn Hedda ihn die Bande sprengen läßt, wenn die schwer spielbare, große, die genialische Leidenschaft ihn ergreift, schafft er das auch, ohne je den Ausbruch zu strapazieren. Er hält die Figur ganz fest, während sie tragisch bebt und ausschweift. Sehenswert.

Eckart Dux, mit ein paar (manchmal zu deutlichen) Kümmerer-humoren – der Dr. Tesman. Lis Verhoeven – das verschreckte Heimchen am norwegischen Bürgerherd. Hans Quest – mit zuträglich schmieriger Gentleman-Attitüde der Assessor Brack.

Ibsen unter der Sordine. So ist er doch spielbar!

November 1964

Wladimir Majakowski »Die Wanze«
Schiller-Theater

Hier kriegt die Bühne aber Futter! Der schöne Aufwand, der getrieben wird, um Wladimir Majakowskis »Zauberkomödie« in Szene zu bringen, ist enorm. Der Aufwand an Geschmack und inszenatorischem Ingenium auch.

Schon der Programmzettel muß erweitert und buchstäblich verlängert werden. Das Schiller-Theater-übliche Format reicht nicht hin. Am Ende kommt auf je zehn Zuschauer im Parkett mindestens ein Spieler auf der Bühne.

Drei Kapellen sind in lautstarke Aktion gebracht und marschieren kräftig über die Bühne, eingeplant in den schönen optischen Tumult. Die Szene gleicht einer enormen Baustelle in ihrer dauernden Verwandlung. Autos sind über die Bühne gefahren. Solenne Russenchöre haben gesungen, gesummt und ihren Krakowiak ins Publikum geschüttet. Veritable Seiltänze waren zu bestaunen.

Vorhangsballetts haben zwischen den Szenen stattgefunden, satirische Auffüllungen saftiger oder lyrischer Art. Die Drehbühne ist am Ende schier erschöpft, so hat sie sich gedreht. Um alle Mitwirkenden dem Schlußbeifall auszuliefern, muß sie wieder in Rotation gebracht werden; sonst könnte das Publikum der Mitspielermassen gar nicht ansichtig werden.

Der Aufwand ist stupend. Konrad Swinarski hat zum Zwecke der satirischen Märchenwirkung, weiß der Theaterhimmel, nichts Technisches gespart. Endlich weiß man, wozu in unsere heutigen Theater ganze Bühnenfabriken eingebaut werden. Dieser Regisseur läßt alle Hebel bedienen und sämtliche Puppen tanzen. Die Aufführung ist, von anderem abgesehen, erst mal ein technisch-strategisches Meisterstück. Man staunt dauernd, sofern man nicht profan genug ist, mitzurechnen, was dies gekostet haben muß an Geld, Regie-Mühe, Ingenieurs-Planung, an Einzel-Arrangement, Proben-Intensität, Ausdauer, – was es gekostet haben muß, um die diversen Effekte zu synchronisieren und unter einen Geschmackshut zu bringen. Es klappt so perfekt, daß einem vor Staunen dauernd die Kinnlade herunterklappt.

Dies ist enorm. Es ist, bei aller seiner Kompliziertheit, im guten alten Kinder- und Theater-Sinne spannend: »Was kann nun noch kommen?« – und dann kommt wieder etwas, worauf man, eingeschüchtert und zugleich animiert, nur mit »Donnerwetter!« reagieren kann. Theaterübung im ganz großen Stil. Daß es nicht überschwappt, daß es bei seiner, sozusagen, multilateralen Kunstbestätigung künstlerisch einheitlich, geradezu durchsichtig und von klarer Nüchternheit bleibt, darin besteht das Bewundernswerte. Swinarski, dem schon bei Peter Weissens »Marat« gelang, Theater, während er es total entfesselte, ganz streng zu zügeln, wiederholt das komplizierte Kunststück. Enorm!

Der Anlaß ist diesmal dünner und weitaus historischer. Majakowskis satirische Invention von dem aufgeblähten Rülpsproleten, der Ende der Zwanziger zum Hedonisten und fetten Einzelgänger des Genusses wird, zur Sozialwanze – und den eine utopische Welt im Jahre 1979, den eine aseptische und durchsozialisierte Welt mit Staunen aus seiner Vereisung löst, dies Stück treibt pädagogisches Kabarett mit großer Hand. Da denn sieht man in dieser Monstredarbietung immer wieder Erstaunliches. Zuerst die proletarische Schieberwelt, die Etablierung des sozialistischen Raffketyps von 1929, Einzug des negativen Helden in die Verkaufswelt auf den Straßen von Moskau.

Der asoziale Lümmel zieht auf mit großem Pelzgefolge. Er soll einheiraten ins florierende Friseurgewerbe. Er richtet seine Hochzeit mit großzügiger Hand. Die Schwiegermama (Berta Drews, kann vor teuren Pelzen nicht laufen) läßt die Rubel fürstlich rollen. Ein schnieker Wimmler des Schwarzmarktes (großartig: Helmuth Wild) macht den Maître de plaisir in teurer Lederjacke.

Der abtrünnige Mann des Volkes, der in die Raffkewelt entlaufene Prolet wütet wie ein clownischer Cäsar unter den Schwarzhändlern vor dem Tempel des Sozialismus. Eine Made bohrt sich in den Speck der Korruption und gesellschaftlichen Verfettung. Ernst Schröder, unter einer blödsinnig rotblonden Perücke, anzusehen wie eine altrussische Wilhelm-Busch-Figur, gibt der

»Wanze« jetzt schon ein paar sehr komisch verdutzte Züge. Die Figur des lieben Unholds zeichnet er vorsichtig, aber sehr dezidiert an.

Rückkehr ins Arbeiterheim, in die überfüllte Stube der Proleten. Schröder bricht aus dieser Welt auf. Er verläßt, verrät die Wohnstätte der Redlichkeit, wird konkret abtrünnig. Grandiose Einlage: wie er Foxtrott und Shimmy lernt, die Gangarten der »feinen« Gesellschaft. Schröder exzelliert in Groteskpantomimik. Die Figur festigt sich, wird negativ verschärft.

Folgt das Hochzeitsmahl im Friseurladen. Diese Szene ist das Meisterstück dieser Inszenierung, vergleichbar nur der Hochzeitsszene, wie Brecht und Neher sie einst im »Puntila« fügten. Das ist vollendet in seiner abstoßenden Wohlgefälligkeit. Jugendstilüppigkeit bei dargestellter und belegter geistiger Unterernährung. Wie Swinarski das in allen bedachten Teilen, wie er es im ganzen komisch, schneidend und theatralisch herrlich macht, bleibt der Höhepunkt des Abends. Daran denkt man zurück – und daran, wie jetzt Ernst Schröder die Spottfigur des fetten Bräutigams bis hoch ins Absurde zwirbeln läßt, ohne ihre Realität oder Glaubwürdigkeit je zu vermindern. Das ist herrlich.

Folgt der Sprung in die sozialistische Utopie. Folgt die Welt des aseptischen Himmels, die kalte Welt der Technokratie und einer leidenschaftslosen, einer klassenlosen Weltgesellschaft, wie Majakowski sie (nicht ohne satirische Fußnoten) für 1979 erfindet.

Die Gesellschaftswanze war über fünfzig Jahre hin durch ein märchenhaftes Wunder vereist. Jetzt wird sie aufgetaut. Die entindividualisierten Menschen von 1979 sehen die Kröte, den Abschaum von 1929. Das Ausstellungsstück früher Verhunzung wird in den Zoo gesteckt und als Menetekel zur Besichtigung freigegeben. Majakowski wühlt im ungenau Utopischen. Der Endpunkt seiner Utopie ist uns heute fast zum Greifen nahe. Jetzt ist sie mit der Wirklichkeit fast vergleichbar. Sie hat dadurch an Spaß und Kühnheit sehr verloren.

Swinarski pulvert die dünnen Stellen inszenatorisch wieder üppig auf. Immer neue darstellerische Heerscharen schwemmen heran. Schröder spielt den Caliban von vorgestern mit einer jetzt hinreißenden, halbtragischen Clowns-Attitüde aus. Das Stück, so saftig beginnend, läuft gläsern-didaktisch mit der Apothese einer vollsozialisierten Weltgesellschaft aus. Und der Mensch von gestern hockt als Buh-Gestalt, als Abschreckungsfigur im Käfig, halbtragisch, halbkomisch, halbirr.

Diese Darbietung ist eine große Sehenswürdigkeit. Was sie darbietet, was sie beinhaltet, macht selbst nicht mehr recht satt. Hier ist eine inszenatorische Tour de force zu besichtigen. Bühnenbilder (von Swinarski selbst und Ewa Starowieyska), die eine helle und krause Herrlichkeit darstellen. Pantomimische Einlagen (Jacques Lecoq), die fast revuehaft überschwappen. Eine Musik (Hans-Martin Majewski), die in vielen Ton- und Taktarten die didaktische Groteske fest und lustig begleitet. Eine Heerschar schauspielerischer Schnellbezeugungen von immer wieder bestechender Qualität. Aufzuzählen sind sie nicht.   21.12.1964

Sternheim »Der Snob«
Renaissance-Theater

Fast hat es den Anschein, als begännen die Sternheim-Deuter und Sternheim-Schriftgelehrten nachgerade das gewohnte, schöne, kalte, klare Vergnügen aus dem »deutschen Molière« hinauszuphilosophieren.

Rudolf Noeltes wunderbar dichte, nachdenkliche, diese ästhetisch zauberhaft ausgewogene Inszenierung des »Snob« will nicht auf alten Wogen böser Vergnüglichkeit dahinsegeln. Satire herkömmlichen Sternheim-Stils ist gekappt. Jetzt geht's viel weniger turbulent zu.

Selbst des Dichters furios gebellte Sprache soll offenbar nicht mehr knacken; sie tönt wie gebremst. Sie peitscht nicht, zuckt nicht im Stakkato durch das Stück; Noelte läßt sie ganze Strecken hin legato klingen. Die sonst geübte Angrifflichkeit wird nicht mehr gesucht. Man distanziert sich vom puren, billigen Hohn.

Man will mitspielen, wie Sternheim die Figuren seines scheinbaren Hasses heimlich liebte. Er adorierte, was er scheinbar immer nur höhnte. Er war, soll bewiesen werden, nicht der sozialkritische Berserker, der Maskenherunterreißer, für den er gilt. Er betete heimlich an, was er verbrannte. Er war, Preußen höhnend, extrem »preußisch« selbst.

Seine »Heldenfiguren«, während sie sich ruchlos in die Gesellschaft, die sie scheinbar verachten, einbohren, drängen in Richtung einer absoluten Freiheit. Sie suchen mit amoralischer Unbedingtheit, in heilig-unheiligem Egoismus, ihre höchste Macht und Selbstverkörperung zu etablieren. Sternheim fand sie im Lauf zur kalten Höhe komisch. Aber er verachtete sie nicht. Sie waren, lehrt man jetzt, nicht Hohngestalten. Sie waren heimlich Idealfiguren, Idole für Carl Sternheim, der somit um soviel komplexer, gespaltener, ja viel gefährlicher und am Ende irriger und tragischer erscheint, als er bisher gemeinhin galt.

Noelte will das mitspielen lassen. Diese Aufführung versucht die neue Interpretation. Die Figuren haben nicht mehr das Niemandsland höhnischer Einsamkeit um sich herum. Noelte füllt sie auf, nimmt ihnen die Karikatur, sie werden »menschlich«. Der Episodenfigur der ersten mütterlichen Geliebten des Snob kommen nun ehrliche Leidenstöne zu, und Friedel Schuster verbreitet elegische Schönheit, Mitgefühl, wo einst nur bittere Schadenfreude herrschte. Sie macht das vorzüglich.

Alfred Schieske, ebenfalls, spielt nicht nur den kleinbürgerlichen Vater, den leicht bestechlichen Nieselpriem und schamlosen Nutznießer am rasenden Aufstieg des Sohnes. Schieske spielt eine neue Dimension der Beteiligung mit. Die Figur wird viel dichter, als man sie für möglich hielt, kriegt neues Eigenleben.

Genauso läßt Noelte Käthe Haack in der Mutterrolle viel weniger komisch sein, als man sie bisher sah. Keine Karikatur äffischer Liebe mehr, muttergluckender Dummheit. Die Haack darf anwendbare, darf echte Gefühle andeuten und deuten. Sie tut es, und es gelingt. Das Stück bekommt eine Wärme, die man sonst nur immer vermied.

Auch Hubert von Meyerinck als der Graf von Pahlen bleibt, so komisch er mit seinem sprachlichen Nasendrücker ist, der nur höhnenden Komik beflissen fern. Noelte sucht auch diese Spottfigur aufzufüllen, ihren Adel nicht nur zu vernichten, sondern vielleicht so etwas wie eine tragische Nobilität, die Wehmut eines überholten Lebensstils mitspielen zu lassen. Meyerinck an der Kandare. Auch diese Figur ist, während ihr Schärfe und herkömmliche Wirksamkeit genommen wurde, reicher.

Immy Schell spielt die gräfliche Tochter, des Snob gesellschaftliches Faustpfand und letztes Opfer. Sie auch spielt viel mehr mit, als man an dieser Figur sonst sah, ist viel weniger »dumm«, darf so etwas wie eigenes Schicksal ausbreiten. Und auch das gelingt mit etwas elegisch beschlagenem Charme.

Am schwersten hat es bei solcher Stückauffassung natürlich der

Snob selbst. Boy Gobert muß auf viele Wirkungen, die als todsicher galten, verzichten. Die kalte Schadenfreude, die motorische Amoralität, die Effekte böse belustigender Schnelligkeit sind diesem Snob weitgehend genommen. Gobert hat wunderbare Momente. Er ist preziös, ist von einer komischen Affigkeit – spielt dabei aber den Proleten, die Kleinleutegeste immer deutlich erkennbar mit.

Gobert bleibt genau am Ball der neuen Auffassung. Er läßt die Figur, deren Theaterglück sonst gerade in ihrer resolut unmenschlichen Kälte bestand, philosophischer werden, möchte man sprechen. Dieser Snob tritt auf der Gesellschaft, in die er schamlos einbrach, nicht herum. Er bricht auf zu weiteren Horizonten. Er ist auf dem Weg zum Absoluten. Und Komödienschwierigkeiten auf diesem Weg verlieren oft dermaßen ihre pure Komik, werden jetzt problematisch. Gobert verzichtet auf vieles, während er eine neue Dimension zu erspielen versucht.

Das Bühnenbild ist von schöner Prächtigkeit (Jürgen Rose). Es verzichtet in dieser neuen, ernsteren Konzeption auf satirische Aspekte, ist oft wollüstig, wirklich Augenweide, nicht mehr nur Karikatur oder optischer Hohn.

Noelte hat mit dieser neuen Fassung Sternheims eine ebenso kluge wie nach wie vor theaterhafte Darstellung angeboten. Es wird weniger, es wird leiser gelacht, als beim gleichen Text gemeinhin gewohnt. Aber es wird wichtiger. Das Stück wird viel belangvoller, als man es je zuvor empfand. Ob diese Sternheim-Deutung, wenn es so weitergeht, nicht doch Sternheims beste, kalte Wirkung eher mindert, bleibt abzuwarten.

Das Publikum mußte sich in diese neue, ungewöhnte Sternheim-Welt erst einwohnen. Dann war der Beifall, war das Vergnügen, war die Freude an der Rückkehr eines der wichtigsten Regisseure Berlins nach Berlin immens.   10.12.1964

SCHWELGEREIEN

»My Fair Lady«
Theater des Westens

Nun sage noch einer, die Theater-Berliner hätten keinen Fiduz und keinen Mumm! Sie eröffnen in einer Woche zwei frische, hoffnungsvolle, wohnliche und prima Bühnenhäuser. Erst das kleine »Forum«, ein reizendes, gemütliches Etagentheater direkt neben der »Komödie«, ein Juwel für das Kammerspiel am Boulevard, eine entzückende Neugründung aus privater Hand mit direktem Ausblick auf das »Café Bristol«.

Und zwei Tage später folgt der zweite Streich. Das alte »Theater des Westens« wird mit großem Smoking-Pomp und höchstem Amüsieranspruch neu eröffnet. Hier hospitierte die Städtische Oper, bis sie in ihr neues, herrliches Domizil in der Bismarckstraße unter Sellner umzog. Der alte, gewaltige Musenkasten, direkt am Bahnhof Zoo, war vakant. Direktor Wölffer, bisher nur Herr der »Komödie«, griff zu.

Er hat die Innenansicht des etwas vergammelten Logen- und Rangtheaters ansehnlich und wieder ehrlich machen lassen. Hübsch sieht's jetzt aus. Patina ist da, gemäßigt durch gemäßigte Moderne. Er hat sich durch die Kümmernisse, die Berlin betroffen haben, nicht ins Bockshorn jagen lassen. Hier sollte endlich das große, repräsentative Haus für die gepflegte Unterhaltung mit Musik, für das Musical, für die gehobene Operette, für das holde Vergnügen mit Pfiff entstehen, das Berlin so lange gefehlt hat. Und da ist es nun. So viele Daumen wurden selten gedrückt wie vorgestern, als der Einzug der Gäste begann. Hier wird keine Subvention verjubelt. Man lehnt sich an keine stabile Besucherorganisation. Hier hält pure Privatinitiative ihren Kopf hin. Hier wird wahrhaft Mut bewiesen, wenn in trüber Zeit dem Vergnügen der Einwohner eine Bresche geschlagen werden soll. Dies darf nur sehr gut sein – oder gar nicht.

Eröffnet wurde mit »My Fair Lady«, dem Show-Musical, das nachgerade mythischen Ruhm gewonnen hat. Am Broadway läuft es im fünften Jahr, in London im vierten, in Stockholm im zweiten. Die Langspielplatte mit Alan Lerners sophistiziertem Text, mit der schlagfertig gemäßigten Musik von Frederick Loewe läuft in jedem Haus, das etwas auf sich hält. Der Ruhm dieser Darbietung ist ohnegleichen. Im raunenden Smoking-Parkett hatte jeder dritte oder vierte die berühmte Schaustellung anderenorts schon gesehen. Man verglich. Und man ließ laut und deutlich durchblicken, daß man vergleichen konnte. Gesunder Snobismus gehört auch zum Theater.

Wie verglich sich die deutsche Erstaufführung dieses Monster-Musicals nun mit den hochgerühmten, ausverkauften Vorbildern? Äußerlich gar nicht. Man hat das teure New Yorker Modell, wie es da war, übernommen. Die zauberischen Bühnenbilder sind die gleichen (Oliver Smith). Die ganz und gar hinreißenden Kostüme von Cecil Beaton auch, Preziosen einer kostbar überkandidelten Gewandung, frühe Tangoepoche mit ein paar komisch-schön gesetzten, ironischen Übertreibungen. Das Auge schwelgt. Der Beifall geht immer wieder ins ansehnliche Bild.

Die Tänze (Erik Bidsted) sind die gleichen. Die farbige Vulgarität des Blumenmarktes von Convent Garden. Die robuste Lebenslust aus der Sphäre des Trink- und Redeboldes Vater Higgins. Die weitausholende Eleganz des Balls in der Botschaft. Und vor allem die gezierte Herrlichkeit der Bewegung, wenn in Ascot die große Welt sich snobistisch tummelt. Das ist so perfid schön, das überdreht das optische Wohlgefallen so perfekt, daß da die volle Wonne des Musicals aufschlägt. Eine gezielte Orgie des eleganten Schönen, hergestellt aus Bild, Kostüm, Bewegung, Tanz, Lied und Dialog. Ähnliches hat man in dieser Sphäre hier nie gesehen.

Was so direkt übernehmbar war, hat man direkt übernommen. Der Berliner Besucher sieht, was das betrifft, tatsächlich das Original. Und er genießt es in vollen, hörbaren Zügen.

An der Besetzung nun ist lange getüftelt worden. Leute, die einen Gesangstext verkaufen, die sich tänzerisch bewegen und die zugleich ernsthaft schauspielern können, wachsen hier bisher nicht. Solche multiplen Begabungen sind erst zu erziehen. Um so erstaunlicher, daß eine große Begabung sich sofort durchsetzt. Karin Huebner spielt die Eliza.

Wir kennen sie aus Wickis »Wunder des Malachias«. Im Fernsehen fiel sie einige Male auf. Aber hier nun schnellt sie auf Anhieb in den Musical-Ruhm. Sie kann die große Bühne füllen. Sie hat schauspielerische Qualität. Sie liefert ihren Text ohne Einbuße ab. Sie hat tänzerische Zierlichkeit und Ausdruckskraft.

Und sie kann wirklich singen, setzt ihre kleine Stimme sicher auf das Orchester. In London gehörte »My Fair Lady« Rex Harrison und damit dem lieben, eleganten Stinkstiebel Higgins. Mit Karin Huebner heißt der weitschweifig holde Unfug wieder mit Recht »My Fair Lady«. Die Huebner spielt vor, wie man diese Art von neuem, altem Spiel spielen muß. Sie hat eine musikalische Motorik. Sie ist vorzüglich. Alfred Schieske macht den Doolittle. Er geht mit Verve an die kompakte Sache. Er drückt seinen Robust-Schlager von dem »Kleenen Stückchen Glück« mit Effekt ins Parkett. Er strampelt seinen Tanz mit lustigem Karacho hin. Er nutzt alle schauspielerischen Öffnungen, die ihm die Rolle anbietet. Er ist schon sehr lustig. Aber man merkt etwas zu deutlich, wie große Mühe er sich geben muß, um so lustig zu werden. Das macht es doch mühsamer, als es wirken dürfte. Doch das wird sich abschleifen. Den Spaß der Sache trifft Schieske schon völlig richtig.

Ganz reizend, wie Agnes Windeck die skeptisch komische Mütterlichkeit der Mrs. Higgins kundtut. Sehr glücklich, wie sich Friedrich Schoenfelder mit der Echorolle des Obersten Pickering abfindet. Rex Gildo, direkt aus dem Schlagergeschäft kommend, gibt seine Gesangstexte ganz wacker kund. Schauspielerische Erheblichkeit erreicht er kaum.

Der kleine Kummer dieser deutschen Erstaufführung liegt bei Paul Hubschmid. Er gibt sich so viel Mühe. Er will elegant und bärbeißig sein. Er springt so wacker in die schwierigen Lieder und versucht die genaue Wirkung des genauen Obenhin. Seine Erscheinung ist so ansehnlich, grundnett und sympathisch. Aber den Reiz der Rolle kriegt er nicht in den Griff. Die Präzision der Leichtigkeit geht ihm ab. Er trägt den Vorgang nicht. Er wird mitgetragen. Man hat den Eindruck, er weiß selber, was da zum reinen Wohlgefallen noch alles fehlt. Das mag intelligent sein, klug ist es nicht. Die eigentlich treibende Rolle bleibt ohne den fröhlichen Antrieb, dessen das Ganze bedarf.

Rundherum an die zwei Dutzend Textrollen im emsigen Einsatz. Hübsch, wie Erich Fiedler einen Bartträger im Frack an die Rampe rückte. So viel buntes Handwerk, das in dieser vollen Schwemme des optisch-akustischen Überflusses oft nur für Sekunden merkbar wird.

Robert Gilbert hat die hochgestochenen Gesangstexte verdeutscht. Das war gewiß nicht leicht. Die Verpflanzung aus dem

Cockneyjargon in ein gemäßigtes Weddingdeutsch ist immer heikel und bringt Verluste. Aber im ganzen hat er ziemlich alle Pointen gerettet. Und Wolfgang Spier, der hier Textregie führte, hat gesorgt, daß sie einigermaßen unbeschädigt über die Rampe kamen.

Der Versuch mit diesem intelligenten Mischmedium der leichten Unterhaltung war ein Wagnis. Ist es gelungen? Ich finde, ja! Shaw ist präsent und seine kitzelnde Intelligenz. Musik erklingt, die jetzt prickelt und dann schmeichelt (am Pult: Franz Allers). Mit Cecil Beatons Wundergewandungen schwelgt und schlürft man eine Augenweide nach der anderen. Es sind tänzerische Ansehnlichkeiten hier geboten, wie sie das Operettentheater alten Stils kaum je kannte.

Und wie auf unserer musical-ungewohnten Bühne der richtige Ton und der Schislaweng einer holden Unterhaltsamkeit, die in sich nicht doof ist, sondern in ihrer Sphäre intelligent und wirklich witzig – wie das auf den ersten Anhieb getroffen ist, das ist aller Ehren wert. Hoppla, plötzlich ist das große Musical da! Lange genug haben wir gewartet. 27. 10. 1961

Peter Ustinov »Endspurt«
Schloßpark-Theater

Dieser bärtige Brite mit dem russischen Namen und der Versatilität eines ungarischen Wunderkindes ist ein liebenswerter Hans-Dampf-in-manchen-Gassen. Er kann auf viele Arten lustig sein und ist immer am besten, ist er schlankweg albern.

Am erstaunlichsten ist er als Menschenimitator und Kabarettist. Und er schreibt Stücke und spielt sie dann selber, der Tausendsassa, diese sympathische Talentbestie, dieses abgefeimte, große Kind mit dem Strubbelbart. Auch wo er Theater schreibt und macht, bleibt er der intensive Kabarettist bester Schule, der er ist. Seine Stücke leben nicht von der Fabel, nicht vom Ablauf, nicht von der Entwicklung. Sie leben vom Einfall, von der sinnfällig komischen Permutation einer Wirklichkeit. Nicht das Dargestellte ist wichtig. Wie er das Dargestellte kommentiert, wie er es veralbert und in seiner Albernheit sichtbar macht, das ist bei ihm der Spaß und die Stärke.

In seiner »Liebe der vier Obersten« nahm er die nachkriegsdeutsche Situation und die fünf beteiligten Völker erheblich und gelungen auf den Arm. Das amüsierte immens, mit Heiklem und Schmerzhaftem jonglierend. Der Sieg eines Szenenjongleurs über das Schwere. Sein bestes Stück. Was dann kam, war ähnlich gelungen nicht.

Jetzt sieht man im Berliner Schloßpark-Theater, kaum sechs Wochen nach der Londoner Uraufführung, seinen neuesten Szenenjux aus Schmerz, Drall, Ironie und (leider auch) tieferer Bedeutung. »Endspurt«, »ein biographisches Abenteuer in drei Akten«.

Der Einfall, die Ausgangsposition ist der ganze Witz des Stükkes. Ustinov bricht eine banale Person auf. Er konfrontiert eine Persönlichkeit, die ein Leben lang an Mangel an Persönlichkeit leidet, mit sich selber. Er treibt Hokuspokus mit der Zeit und den Lebensaltern.

Wie wäre es, fragt er, wenn sich ein und derselbe Mensch aus vier verschiedenen Stadien des gleichen Lebens treffen könnte? Muß doch komisch sein und vielleicht auch ein bißchen aufschlußreich, wenn ein Achtzigjähriger sich plötzlich mit sich selbst konfrontiert sähe – als Sechzigjähriger, als Vierzigjähriger, als Zwanzigjähriger. Aus eins mach vier!

Jedesmal derselbe – aber ganz und gar nicht der gleiche. Mit Zwanzig hat er rührende Faxen im Kopf, liebt er dumm und selig, schreibt er Gedichte. Mit Vierzig hat er sich künstlerisch ins Experiment und die Unverständlichkeit verrannt. Die ehemals Geliebte hängt ihm zum Hals heraus. Aber er bleibt bei ihr, da sie ihm – List der Frauen – ein Kind ans Bein bindet.

Mit Sechzig ist er der pure Genießer und Konformist. Er heckt Erfolgsromane, pflegt anhand eines Flittchens einen ziemlich ekelhaften Johannistrieb und zieht sich den ersten Herzkollaps zu.

Und der Achtzigjährige, der all diese Figurationen seines Lebens und Vorlebens ans Siechenbett zitiert und verhört, der ist zynisch und fast etwas weise geworden. Fein ist auch er nicht, ein Heiliger gewiß nicht. Wenn er einen Vorteil hat über die drei anderen Aggregatzustände seiner selbst, mit denen er so überlegen und oft hämisch Dialoge tauscht, so nur deshalb, weil er mehr erlebt hat, mehr weiß. Besser ist er nicht. Der Mensch verdirbt, sagt Ustinov, mit zunehmendem Alter. Und das zeigt er hier mit aller

Zynik der Schadenfreude.

Der Autor bleibt, auch wenn er den Hokuspokus der Zeitverschiebung treibt, immer auf dem Teppich des Realen. Er bietet das Absurde an, als sei es selbstverständlich. »Absurdes« Theater macht er nicht. Er kennt seine Pappenheimer im Parkett. Er versendet seine Wirkungen raffiniert und unverpackt. Man lacht viel und genießt lauter Späße der Entlarvung. Wenn Ustinov hin und wieder Ernst machen will, rutscht er gleich einen Rang tiefer. Dann wird's, wie bei Kabarettisten oft, gleich etwas sentimental und, besonders im letzten Akt, ein Spaziergang auf Allgemeinplätzen; da stoppt der Spaß, die Banalität erhebt, gemäßigt langweilend, ihr Haupt.

Bis zur Pause aber ist es eine alberne Wonne. Die Schauspieler sielen sich sichtbar in ihren wirksamen Rollen. Martin Held spielt Sam, den Tattergreis, keinen Zahn im Mund, Bosheiten heraushustend, Gift verspritzend, Höllengelächter versendend. Ein komisch böses Endprodukt des Menschlichen. Wie er in die Rolle einsteigt und sie Zug um Zug fördert, ist ein Genuß, zu beobachten. Der Spaß, den er dabei hat, teilt sich mit. Die Artistik mundet.

Fritz Tillmann ist sein Vater. Ein englischer Spießer, wie aus Gips gegossen. Tillmann karikiert genau und zieht seinerseits das Vergnügen erheblich in die Höhe. Otto Graf macht geschickt und leer den sechzigjährigen Sam kenntlich. Unter Smoking, Erfolg und Brieftasche schon kein Herz mehr. Hübsch macht er das. Rolf Henniger, als der Vierzigjährige, brummelt schon überholten Sturm und Drang mit gezielter Albernheit heraus. Ein Charakter, auf den Rückzugsgefechten in die konforme Charakterlosigkeit. Auch das stimmt und amüsiert ungemein.

Der junge Joachim Ansorge hält sich ehrenhaft als das Frühprodukt der immer gleichen Person neben so potenten Könnern des Komischen. Er hat wirklich eine Aura der Unschuld und trägt sie tapfer. Eva-Katharina Schulz geht vom Frühlingsleid der Jungfrau bis zur Greisinnenschürze durch die Handlung, eine schöne Nervtöterin und Enttäuschte. Sie zeichnet das hübsch und selbstlos. Die Randfiguren stimmen und amüsieren auch.

Das Publikum schmolz hin und her bei so viel Spaß am leichten Vergnügen und ließ es den Autor nicht vergelten, wenn er den puren Jux durch fälschlichen Tiefsinn selbst hinderte. Harry Meyen, der das Ganze so ansehnlich arrangiert hatte, und seine kompetente Truppe konnten sich endlos zeigen.

Die Leute lachen ja so gern! Und Schauspieler spielen so gern hocheffektvolle Rollen! Beiden wird hier Genüge. Das Stück verbrämten Kabaretts wird über viele deutsche Bühnen rollen.

12. 6. 1962

Neil Simon »Barfuß im Park«
Komödie

Kleine Stücke, die so gut gelaunt wirken, wie sie gemeint sind, Stücke, die reinweg amüsieren, durch Tiefgang nicht stören, verschämt das Glöckchen der Gefühle klingeln lassen und unverhohlenes Plaisir bereiten – also Bühnenanlässe für den lieben gehobenen Boulevard sind äußerst rar.

Auch der Broadway schmachtete nach dergleichen. »Barfuß im Park« ist in den zwei Jahren, die das Stück in New York läuft, der einzige wirkliche Erfolg in dieser Leichtgewichtsklasse.

Was will man denn? Man will Alltag sehen. Aber ganz wie Alltag darf dieser Alltag auf der Bühne nicht aussehen. Ein bißchen Silberstaub muß darüber. Und reden müssen die Bühnenleute des Alltags, daß das Banale intelligent, das Gewohnte plötzlich lustig wird.

Man will eine kleine Komplikation, aber bitte, keinen ernsthaft dramatischen Konflikt. Man will mit dem Alltag versöhnt werden, während man ihn in einer leichten Gloriole intelligenter Verklärung erblickt. »Sieh mal«, muß man im Parkett sagen können, »genau wie bei uns!« Und man muß dabei irren: genauso eben nicht. Es findet fröhliche Selbstverklärung statt. Die tut so wohl, die kleine lustige Lüge.

Genau in diese leichte, schwierige Kerbe haut dies siegreiche Komödchen von Neil Simon. Passieren tut weiter nichts, als daß ein blutjunges Paar eben geheiratet hat. Sie ziehen in ihrer Liebe und Wohnungsnot in eine idiotisch unmögliche Kleinwohnung unters Dach, juchhei. Sie sieht nur die »Romantik« der noch nicht einmal regenfesten Bleibe. Er, langmütig, murrt leicht und leidet. Sie kommen ob der bedrängten Wohnverhältnisse in komische Nachbarschaft und schnell in Bedrängnis.

Sie kabbeln sich, wollen sich schon wieder trennen, bis der Autor mit dem etwas leichtfertigen, dramaturgisch klapprigen dritten Akt schon ins beständige Happy-End einbiegt. Da knirschen die Gleise. Aber man merkt's schon nicht mehr. Man hat sich zu gut amüsiert.

Harry Meyen, der bei uns weit und breit die beste, leichte Hand für dergleichen Seifenblasendramatik mit Geschmack hat, läßt einen die Dünne des Gegenstandes gar nicht wahrnehmen. Er inszeniert ihn entzückend. Die oft blödsinnig komischen Dialoge läßt er ganz trocken und jeweils ganz präzis pointiert sprechen.

Ihm ist zu der belanglosen Materie wieder soviel unaufdringlich Belangvolles eingefallen, der Ablauf flutscht so souverän, der Spaß bleibt so perfekt auf dem Teppich des Geschmacks, das Vergnügen zieht so possierlich-natürlich dahin, daß der Erfolg unbestritten war. Das Parkett lachte und schmolz.

Chariklia Baxevanos ist ganz entzückend in der aktiven Dummerchenrolle der kindlich-kindischen Ehefrau. Peer Schmidt brummelt prima leichthin. Käthe Braun, eine unserer zartesten Komikerinnen, macht total Verrücktes möglich und komisch, Wolfgang Spier trimmt sich die Rolle eines Don Juan mit Hexenschuß so ergiebig albern und gut beobachtet hin, daß auch da kein intelligentes Auge trocken blieb. Der Ku'damm hat für Monate seinen berechtigten Boulevard-Erfolg. Danke schön!

26.9.1964

– Die Spielzeiten 1961/62 bis 1964/65 –
GROSSE SCHAUSPIELEREI

»Bericht für eine Akademie« und »Strafkolonie« nach Kafka
Akademie der Künste

Die Unternehmung ist brillant. Willi Schmidt, der zuerst in Deutschland Kafkas »Prozeß« mit dem unvergessenen Horst Caspar inszenierte, hat nicht locker gelassen. Er hat die beiden Prosastücke »Bericht für eine Akademie« und »In der Strafkolonie« bühnenfertig gemacht. Er hat die amerikanischen Urheberrechts-Notare mühsam überredet, ihr Einverständnis zu geben,

Sie erlaubten schließlich ein halbes Dutzend (!) Aufführungen des Projekts.

Er hat die Deutsche Oper, das Schiller-Theater, die Akademie der Künste und die Festwochenleitung unter einen Hut gebracht, daß sie zusammen seinen neuen Kafka-Traum auf der Bühne unterstützten. Er ließ Erwin Hartung eine überredende, modern hilfreiche Musik schreiben. Tatjana Gsovky trat für die Leitung der diffizilen Tanz- und Pantomimeneinlagen an das Regiepult. Er selber entwarf Bühnenbild und Kostüme und inszenierte die von ihm szenisch präparierten Texte.

Es wird ein verblüffender Abend. Er beginnt sensationell. Klaus Kammer kriecht ans Pult. Er expektoriert die komischen, bösen, verächtlichen und mit tragischer Hoffnungslosigkeit geladenen zwölf Seiten Text, die Kafka ein vermenschlichtes Affentier vor einer »Akademie« sprechen läßt. Der Erfahrungsbericht eines domestizierten Gorilla. Eine »Entwicklung der Arten«, ernst genommen und ad absurdum geführt. Ein komischer Schreckenstext, voller Wehmut, Satire, Entlarvung und tiefsinnigem Grausen.

Wie Kammer das, Affe im Gehrock, verleiblicht und darstellt, ist atembenehmend. Er kriecht, hangelt, springt an das Pult, geführt vom befrackten Akademie-Diener Willi Schmidt. Er entfaltet sein Manuskript. Er röchelt erst versuchsweise und äffisch. Dann beginnt er mit gehemmter Tierstimme zu sprechen.

Er pegelt seine Stimme wahrnehmbar erst einmal »auf menschlich« ein. Und dann hält er jene ebenso komische wie furchtbare Rede, ohne je den Beiton einer Affenverfremdung aus der Stimme zu verlieren. Er spielt den Urwald mit und dessen dauernde Überwindung, wenn er plötzlich ins komisch Kreatürliche zurückfällt.

Er hält die Affenmaske über seinem Gesicht inne. Und er durchbricht sie dauernd durch die Ungeduld, durch den Ehrgeiz, durch die unbändige Lust an der Evolution, die er in Richtung des Menschlichen kenntlich macht. Das ist erst einmal eine Clownsleistung von höchsten Graden. Unversehens wird es immer mehr: eine Ehrung des Menschlichen durch die sinnfällig dargestellte Sehnsucht nach der Menschengestalt.

Ähnliches sah ich nie. Kammer geht hier resolut und sicher an die äußersten Grenzen der Verstellung überhaupt. Er übertritt sie nie. Kein Moment dieser Lachen und Gänsehaut verbreitenden Alleindarbietung läßt nach, gibt sich Nebeneffekten hin oder poussiert mit dem Einverständnis der Zuschauer. Alles ist mit Präzision »gearbeitet«. Trotzdem (oder gerade deswegen) verläßt ein Hauch unverständlich genialer Schauspielerei die Szene nie.

Vergleichbares ist diesem Kritiker bisher nicht untergekommen. Kammers Darbietung ist ein extremner Schauspielerakt ohnegleichen.

Folgt nach einer Pause des notwendigen Atemholens – »Die Strafkolonie«. Schmidt nennt das Szenarium, das er aus der beklemmenden Erzählung bereitet, »eine Demonstration« und will das Wort verstanden wissen im Doppelsinn von Klarlegung und Protest.

Den furchtbaren und prophetischen Tatbestand dieser Prosa (geschrieben 1913!) will er szenisch durch pantomimisch-tänzerische Einlagen dingfest machen. Die Ausstattung wird üppig. In die grausame Unterhaltung zwischem dem »Reisenden« (Ernst Deutsch) und dem auf seine Hinrichtungsmaschine versessenen Offizier (Klaus Kammer) blenden fünfmal schweigende Darstellungen pantomimisch ein.

Das hat hohen optischen Reiz. Es hat vor allem eine bizarre und scheußliche Schönheit, wenn schwärmerisch von den splendiden Hinrichtungsfesten des früheren Kommandanten die Rede geht und Tatjana Gsovky dazu den Pomp des schönen Schreckens, des attraktiven Horrors mimen und tanzen läßt.

Es zeigt Geschick, wenn die Hinrichtungsmaschine, diese greuliche KZ-Prophetie, wieder mit pantomimischen Mitteln augenfällig gemacht wird. Das Tötungsinstrument tötet Leiber durch maschinell tanzende Leiber. Und eine starre Komik bekommt's, wenn die diktatorische Geste der Machthaber am Verhandlungstisch auf dem Markt durch Masken dargestellt wird, deren Übermaße weit übers Menschliche hinausgewachsen sind.

Klaus Kammer, jetzt von einer perfiden Eleganz, mit einem bösen, hinterkietigen Charme der Vernichtung, widerwärtig und zauberhaft, ist, faszinierend, der von der Grausamkeit Faszinierte. Ernst Deutsch spricht die Texte des »Reisenden«, das stille Pathos seiner Menschlichkeit gegen die so unheimlich funktionierende Unmenschlichkeit stemmend. Auch da Größe.

Ein Versuch das Ganze, an jeder Stelle durchdacht und von Willi Schmidt mit der ihm eigenen Konsequenz hoher Perfektion dargeboten. Man konnte finden, daß der furchtbare, der auf einer Bühne kaum aussprechbare Stoff in dieser Form allzu ansehnlich, fast zu »schön«, zu eingängig und fast amüsant geworden sein. Zugegeben.

Aber auch wo diese Einwände beim verdutzten Publikum im schönen Studio-Theater der Akademie der Künste merkbar bestanden (denn der Beifall kam erst langsam und wie aus hinhaltender Verwirrung) – auch wo man Vorbehalte hatte, dies war dicht, klug, faszinierend wieder und von einer dunklen Zauberkraft der beherrschten Szene.

In Berlins Festwochen bisher das Erregendste weitaus.

28.9.1962

Tennessee Williams »Die Nacht des Leguan«
Renaissance-Theater

Der Abend gehört der Mosheim. Tennessee Williams' Stück kann man sehen. Es ist ein Schritt aus der Schlangengrube der Komplexe, in die sich dieser hochbegabte Schreiber ein Dutzend Jahre hindurch verheddert hatte. Die Aufführung Willy Maertens' hat Sicherheit in der Menschenführung und Atmosphäre.

Es wird gut, oft sehr ansehnlich gespielt von Peter Mosbacher in der Rolle eines Schnapspriesters im Widerstreit mit seiner eigenen Verkommenheit –, von Tilly Lauenstein, nabelfrei, als vitale und hemmungslose Hotelbesitzerin im mexikanischen Dschungel –, von Walter Janssen als gelegenheitsdichtendem Methusalem –, von einer Reihe angemessen besetzter Chargen.

Denkwürdig bleibt der Abend durch die Mosheim. Sie spielt ein spätes Mädchen, eine verkrünkelte, sonderbar naivische Heilige in der verderbten Welt. Sie führt ihren steinalten, fast ausgelöschten Großvater durch die mittleren Hotels. Er dichtet, der fast schon Erstorbene, und rezitiert für ein paar Cents. Sie stellt Schnellporträts am Abendbrottisch her, hökert Kunst unter Touristen.

Sie spielt eine Gestalt der äußersten Kläglichkeit. Die Mosheim gibt der Figur erst eine Basis von Verstörtheit, Nervtöterei, Weltfremdheit und rührender Erbärmlichkeit. Eine komische kleine Heilige in der Absteige, die sich »Hotel Costa Verde« nennt, wo teils Radau-Touristen logieren, meist aber die bare Verkommenheit dämmert.

Die Mosheim holt eine zarte Komik erst aus der Figur dieser

Hannah Jelkes. So viel guter, dummer Wille. So wenig Arg und Ahnung des halbverkommenen Lebens, das in dieser mexikanischen Absteige modert. Die Figur wird erst komisch, überzogen von einer nervösen, kleinen Heiterkeit.

Dann macht die Mosheim die solchermaßen zärtlich etablierte Gestalt mit ein paar sehr genau gesetzten Handgriffen schauspielerischer Meisterschaft tragisch. Sie löst den Humor, mit dem sie begann, nicht auf. Sie verändert die helle Grundfarbe der Figur nicht. Sie beläßt ihr alle Schusseligkeit und geknickte Komik. Aber nun füllt sie sie menschlich auf. Sie wird bedeutend, ohne den Charakter der Bedeutungslosigkeit aufzugeben. Unter einer Karikatur schlägt plötzlich das Herz. Man hört es schlagen. Hier zaubert die Mosheim zum ersten Male.

Beim zweiten Male zaubert sie, wenn es ihr gelingt, einen kleinen, rührenden Heiligenschein um das Haupt dieses späten, scheinbar nur vermickerten Mädchens zu legen. Die, die so triste, die scheinbar so töricht, so weltverloren und hilflos in diese vermodderte Welt eintrat, sie trocknet die Tränen. Sie reinigt diese schmutzige Umgebung. Sie erlöst sie und gibt ihr einen heimlichen Adel.

Sie macht eine bis dahin tiefdegoutante, sinnlose Welt rein und optimistisch. Sie überwindet den Schwefelgeruch der Hölle. Sie tröstet sogar den Tod. Sie vermag es, einen puren Engel aus der Komik, aus der Verdammnis eines ungenutzten Lebens, aus der Reinheit eines naivischen Herzens darzustellen. Das gelingt ihr. Man wohnt einem Zauber bei.

Diese Leistung ist reifer als alles, was wir schon von dieser raren Schauspielerin sahen. Hier ist eine unaufdringliche Meisterschaft gewonnen, eine Größe des Spiels, eine Vielfalt der Mittel, eine Überlegenheit des Handwerks, die man sonst in unserer Sprache nur bei der Bergner suchen konnte. Die Mosheim erspielt sich mit diesem Stück von Williams einen einsamen Rang. Und sie spielt das Stück selbst unversehens in eine höhere Kategorie hinauf. Wie sie das zustande bringt, hat genialische Züge, ohne je mit der Attitüde des Genialischen zu protzen. Im Gegenteil, sie scheint dauernd zu unterspielen.

Großes Theater, ohne daß der Anspruch der Größe vorerst überhaupt sichtbar würde. Dieses Gastspiel der Mosheim bereitet Herzklopfen und Staunen auch bei denen, die im Parkett grau und oft müde wurden. Wessen eine große Schauspielerin mächtig sein kann, hier ist es zu studieren. Der Beifall war ergriffen, jubelnd und endlos   4.3.1963

Samuel Beckett »Glückliche Tage«
Renaissance-Theater

Für einige Tage begibt sich im Renaissance-Theater ein schauspielerisches Wunder. Grete Mosheim evoziert, spielt, schaufelt, quasselt, brabbelt, knetet, formt und schwingt den Monolog der fröhlichen Trostlosigkeit. Sie ist die redselige Winnie, ist das gespenstisch defekte Plappermaul in Samuel Becketts »Glücklichen Tagen«.

Der fatale, vorsätzlich hoffnungslose Tatbestand der Szene ist aus früheren Aufführungen bekannt. Winnie steckt bis zur Pause bis zur Hüfte im Sande, ein Restbestand des Menschlichen, eine schon halb ausgelöschte Figur. Nach der Pause geht ihr der Flugsand der Zeit bis zum Halse. Nur noch ein Kopf ist sichtbar. Aber er funktioniert nicht mehr. Er repetiert längst abgedroschene Assoziationen. Ein Mund redet weiter, ohne eigentlich etwas zu sagen. Ein Plappermaul spendet Frohsinn, der ranzig ist, redet eine leere Welt noch leerer, schaufelt sich selbst in einer furchtbaren Automatik des Wortes ein. Ein Endspiel.

Als Berta Drews das in Berlin zum ersten Male zeigte, ging sie mit kräftiger Insistenz zu Werke. Ihre Winnie war von praller Nonexistenz, könnte man sagen. Die Drews sprach in immerhin kräftigen Farben. Sie ging das totale Unheil, um das es sich hier handelt, couragiert an. Eine Klafte, eine positive Nervtöterin bei der robusten Vollstreckung des Untergangs.

Die Mosheim arbeitet wie in Pastell. Sie geht zierlicher zu Werke. Sie spielt nicht Groteske. Sie spielt eigentlich Komödie. Damit deckt sie die fürchterliche Zielstrebigkeit des Textes nicht zu. Sie verschiebt den Vorgang auch nicht ins falsch Erträgliche. Sie macht ihn auf diese indirekte Weise nur noch augenfälliger. Sie schusselt. Sie hat Momente reiner Liebenswertigkeit, wenn sie den kleinen Kramladen abgenutzter Werte aus ihrer Reisetasche kramt.

Sie holt die Klischees irriger Hoffnung, die Beckett ihr so hämisch in den Mund legt, mit einer zarten Dümmlichkeit nach vorn. Sie macht den Verfall zierlich. Sie macht das böse, argvolle, schneidende Stück Theater fast schön, ohne dabei das Schlimme, das Beckett indiziert, je zu beschönigen. Es ist atemberaubend zu sehen, wie das finsterste Mollthema so sicher in Dur variiert werden kann.

Ihr Winnie-Wesen ist, wenn man das bei Beckett sagen darf, menschlicher als andere Darstellungen der gleichen Rolle, die man sehen konnte. Daß sie es gerade durch die Unmenschlichkeit des Vorganges um so deutlicher macht, ist eine fast geniale List der Mosheim. Beckett selbst fand ihre Gestaltung vollendet. Er muß es wissen.

Auch wer die Endspielereien des Autors nicht lieben kann, wird diese Darstellung bewundern müssen. Die Poesie einer ausgehöhlten Sprache, die Musikalität eines scheinbaren Brabbeltextes, die Logik unkluger Rede, der Spaß am Trostlosen, die Fugentechnik Becketts im sabbernden Tonfall – all das erklingt hier mit einer Präzision und sozusagen mit einer aus dem Schrecklichen gewonnenen Schönheit, daß man einer singulären Veranstaltung beiwohnt. Die Mosheim ist auf großartig zierliche Weise furchtbar.

Tilo von Berlepsch kriecht als Willie umher. Regie führt Hans-Karl Zeiser.   27. 4. 1964

– Die Spielzeiten 1961/62 bis 1964/65 –
KLASSIKER LEUCHTEN

Kleist »Amphitryon«
Schiller-Theater

Ende sehr gut, alles gut. Kleists »Amphitryon« war ein heller, ein strahlender Schlußpunkt hinter den festlichen Wochen von Berlin. Diese Inszenierung von Walter Henn halte ich für vollendet; sie könnte Modellcharakter gewinnen für dieses heikle Stück von dem ausgetauschten Individuum.

Das ist, sieht man genau hin, ja auch schon »absurdes«, ist surrealistisches Theater. Es ist »modern« im modernsten Sinne der Moderne. Zwei stehen auf der Bühne und sind identisch. Ihr Ich wurde gedoppelt. Sie existieren identisch doppelt – also gar nicht.

Und wie sich der Mensch mit der geraubten Identität abfindet, wie er langsam wieder in sein Ich zurückfindet, wie er am Ende wieder in seine ihm allein zustehende Haut schlüpft, das ist der dramatische, wahrhaft absurde Verwirrspaß daran. Das Stück, wenn man's so betrachtet, ist so weit von Ionesco, von Audiberti, von Pinter oder Kafka gar nicht entfernt. Unser guter, alter, böser, wunderbarer Kleist!

Er siegte an diesem Abend herrlich. Seine geschachtelte Kunstsprache glänzte und fiel in all ihren mühelosen Falten. Seine heimliche Tücke, sein preußisch trockener Humor einer verkürzenden Umständlichkeit klang selten so deutlich, so klar und komisch wie in der ausgepichten Diktion dieser Inszenierung.

Das Spielfeld (nur fürstliche Hausandeutung in Schinkel-Schlichtheit, weit abfallende Schräge, hinten ein schwarzes Götterbild, vorn eine weiße Bank), H. W. Lenneweits optisch einfache und völlig bühnenlogische Bereitung des Spielplatzes war schon ein Glück für das Auge. Hellenische Helle und romantisches Dämmern, beides liegt auf dem gelungenen Szenarium sofort.

Darin nun Kleists romantisch-antikisch-moderne Figuren dieser heiteren Verwechslungsscharade. Erich Schellow und Lothar Blumhagen gaben sich in der Amphitryongestalt nichts nach. Wie Schellow aber die Göttlichkeit des Zeus, dieses Liebesschmarotzers, am Ende voll intoniert, und wie er bei allem Glanz seines sprachlichen Belkanto einen Tropfen Ironie einfließen läßt, das ist dem Ohr herrlich und teuer.

Eva Katharina Schultz ist eine sanfte, leuchtende Alkmene. Sie hat eine schön verschüchterte Strahlkraft. Für einen Augenblick, gefangen in plötzlicher Unsicherheit ihrer Liebe, trifft sie eine silberne Tragik, hat sie eine heimliche Anwandlung von Schuld, die sie herrlich, ganz unaufdringlich zur Kenntnis bringt.

Die Entdeckung und Lust dieses Abends aber ist Horst Bollmann, der um seine Identität betrogene Sosias. Daß wir einen großen, echten Komiker im Ensemble haben, wissen wir seit jenem Abend. Er sammelt genau alle Späße ein, zu denen Kleist Anlaß gibt. Er zeigt eine unverfrorene Schüchternheit, die die Sphären allein schon wunderlich mischt. Er verfährt mit den Gelächteranlässen so exakt, so tapfer im Heiteren, so taktvoll in der Wirkung, daß dies wirklich der Durchbruch eines komischen Talents wird. Bei Kleist. Das Wunder des Sosias.

Alle anderen stehen genau auf ihrem Platz, treulich geführt. Kleist leuchtet. Ich weiß, was ich sage, wenn ich sage, daß Kleists »Amphitryon«, solange ich im Parkett lebe, nie schöner, nie reiner, nie klüger, nie heiterer gespielt wurde als an diesem denkwürdigen, letzten Abend der elften Festwochen von Berlin.

Der Beifall hatte einen Anflug von schöner Raserei. Henn und seine Truppe kamen immer wieder herfür.   13. 10. 1961

Shakespeare »Was ihr wollt«
Schiller-Theater

Am Schluß der Festwochen von Berlin zog Shakespeares Himmel leuchtend, heiter und mit zielstrebiger Poesie über dem Schiller-Theater auf. Fritz Kortner läßt die Sterne tanzen. Seine schwere, intelligente Hand ordnet den kleinen Kosmos dieser Wunderkomödie, daß ihre Wunder fast alle sichtbar werden. Ein Abend, der ebensoviel Größe hat wie Spaß, Ingenium wie Handwerk, Übermut wie Anmut. Beifall bei fast jeder Verwandlung. Fröhliche Raserei der Dankbarkeit am Ende.

Kortner fußt auf der Inszenierung des gleichen Stückes, die er vor Jahren in München erprobte. Aber wieviel ansehnlicher ist geworden, was jetzt sich darbietet! Wie hat er den Anlaß noch einmal durchgeknetet, daß sich nun eine neue Mühelosigkeit ergibt.

Zuerst hapert's damit noch. Die ersten Bilder haben den leichten Anflug des Getüftelten. Sie sind überinszeniert oder richtiger: noch nicht fertig inszeniert. Die typischen Kortner-Gesten, die er den Schauspielern aufgibt, wirken noch angelernt. Sie liegen vorerst wie ein leicht fremder Ausdruck den Spielern auf. Sie sind noch nicht in den gestischen Besitz der Schauspieler übergegangen. Da knarrt's zuweilen in den Scharnieren. Da ist die Regie (wie bei Kortner oft, wenn ihm nicht die Zeit gegeben wird, die er nun eben braucht) noch als Regie kenntlich. Es fehlt die letzte Ölung. Die Shakespearische Komödie läuft nicht frei. Sie hakt noch.

Je weiter der Abend fortschreitet, um so glücklicher geht dieses kleine Handikap verloren. Kortner läßt Illyrien schwarz sein. Jörg Zimmermann baut ihm eine optisch gemäßigte Türkenwelt hin. Die Komödie begibt sich vor dem Kontrapunkt einer gestaffelten Düsternis.

Das ist ungewöhnlich, ist kühn. Aber was der Regisseur damit bezweckte, schlägt durch. Eine rosa Tandaradei-Stimmung, so schrecklich naheliegend, kommt nicht auf. Wenn hier Süße gewonnen wird und Poesie, muß sie sich abheben, muß sie triftig sein. Falsche Shakespeare-Gemütlichkeit ist hier verboten. Schon der Hintergrund schließt sie gründlich aus.

Kortner läßt den klaren Liebreiz der Liebe erklingen vor allem durch Heidemarie Theobald. Was er mit dieser begabten Darstellerin an neuem Ausdruck zustande bringt, grenzt an ein kleines Wunder der Schauspielerformung. Sie hat ihre störrische Anmut behalten. Aber sie hat jetzt dazu eine fröhliche Wehmut, hat den Liebreiz der Hilflosen, hat eine Aura erotischen Zaubers, die sie sonst nie beherrschte. Und komisch aus voller leichter Hand ist sie auch. Ein Talent, endlich ist es gelöst und vollends sichtbar.

Polgar hat einmal anhand dieser Shakespeare-Komödie angemerkt, wie schier unmöglich es sei, wenn auf der Bühne lange Strecken einer überkandidelten Bumsfidelität herrschen müßten. Wenn oben so übermäßig gelacht werden muß, verschrecke das das Lachen im Parkett. So komisch, wie die dort oben tun müssen, könne gar nichts sein.

Eine absolut richtige Beobachtung. Kortner straft sie in diesem Falle Lügen. So komisch waren die Malvolio-Szenen nie, wie sie hier gelangen. Reine Slapstick-Elemente mit Anmut. Possengags, überdreht bis in die letzte Konsequenz, und doch durchgeformt und vor dem Überschlag schnell gebremst. Die Heiterkeit wurde, eben auch im Parkett, gesundheitsschädigend. Sie ließ nicht nach.

Curt Bois, Malvolio, ist unbeschreiblich. Eine Spitzmaus mit der Attitüde des Gentleman, ein Menubbel mit Größenwahn, ein sozial verrutschter Knirps, der zurechtgerückt wird. Bois treibt Clownerie ständig in Gipfelhöhe. Er wendet viele alte, gute Ausgangsübungen des absurd Komischen an – und er scheint immer neue Improvisationen des beherrschten Ulks dazu zu erfinden. Das Dach des Schiller-Theaters bebt. Kortner setzt sein komisches Genie direkt auf das richtige Gleis. Bois dampft los. Und der Komik ist kein Halten.

Wunderbar als fetter Kontrapunkt tonnenhaften Herabgekommenseins: Rudolf Rhomberg, ein gargantuesker Don Quichotte, ein Faß von einem Kerl, ein so zielstrebiger, taktvoller Komiker auch er. Carla Hagen, als die reizvoll angegackerte Maria, hat das Schwerste zu liefern: sie muß sich minutenlang nur ausschütten vor Lachen, nur sterben vor Heiterkeit, nur quietschen, ersticken, stöhnen und sich wälzen in körperlichem Lachkrampf – wie das seine Ansteckung auf die armen Lachmuskeln im Parkett immer aufs neue bewahrt, bis der Bazillus hilflosen Kicherns selig das ganze Haus infiziert hat, das kannte das Schiller-Theater bisher nicht. Es schmerzten den Zuschauer wirklich die Seiten.

Carl Raddatz ist der Clown, lässig, mit einer Hemingway-Attitüde, überlegen, auch wo er sich bückt, wehmütig ohne Wehleidigkeit. Stefan Wigger hat's als Bleichenwang bei dieser Gipfelkonferenz der Komik etwas schwer. Aber er gibt das Seine an verschreckter Komik zart und sicher. Lothar Blumhagen, Orsino, Anneliese Römer, Olivia, führen die edlen Gesten aus der Nobelsphäre vor. Sie tun's mit Anstand und Ansehnlichkeit. Aber die Melodie kommt von der Viola der Theobald. Und der fröhliche Druck aus dem prallen Souterrain dieser fidelen Clowns. An diese Aufführung wird man denken. Shakespeare-Sterne tanzen über dem Schiller-Theater.   11. 10. 1962

Goethe »Clavigo«
Schloßpark-Theater

Was macht das Glück dieser Aufführung eines Klassikerstückes aus der zweiten Reihe? Die Aufführung selbst hat das Gleichmaß und den bewegten Gleichmut einer modernen Klassik. Sie ruht, während sie sich in schöner, schlimmer Zwangsläufigkeit bewegt. Sie hat Adel durchweg. Sie ist so nobel musiziert.

Ein edles Adagio wird gehalten. Keine Stimme wackelt. Das Tempo wird nie verzogen. Dies ist, im wahren Wortverstande, eine der taktvollsten Klassikerdarstellungen, die ich sah. Auf jeden Atemzug ist Verlaß. Auch wo eine Rolle nicht nach höchstem Anspruch besetzt ist – wer sie besetzt, hält die Melodie, hält den noblen Rhythmus dieser Kammermusik.

Das Bühnenbild schon – von einer erlesenen Wohlgefälligkeit. Spanien ist darin, und nicht zuviel davon. Die Bühne hat mit ihren drei Verwandlungen (Clavigos Schreibsalon; die Bürgerstube Beaumarchais'; Straßenzug) soviel klare Hoheit. Wohnlich ist der Raum, aber zugleich auch nur bewohnbar von Figuren hohen Schicksals. Geschmack waltet, ohne je den Beigeschmack des Geschmäcklerischen einzulassen. Alles schön und vernünftig: eine praktische Augenweide.

In dies sein Bühnenbild stellt Professor Schmidt den Ablauf, der tändelnd heiter in bewegtem Parlando beginnt und in ruhiger Gesetzmäßigkeit der Katastrophe zuläuft.

Der »Clavigo« gilt landläufig als ein Produkt von Goethes linker Hand. Humor ist darin unbekannt. Es geht kein heißer Atem. Dies ist wie aus weichem Stein gehauen. Die Figurinen des Schicksals bewegen sich, auch in der Unruhe, ruhig. Goethe läßt die eigentliche Erregung seiner Gefühle wie in spanischen Stiefeln gehen, im Zeremoniell einer gegenwärtigen Klassik. Er besänftigt formal den Aufruhr beständig. Er facht ihn nicht. Ein Bühnenfeuer wird dargeboten. Keine Flamme.

Wie klug und ästhetisch richtig, daß Willi Schmidt nicht versucht hat, die Glut des Stückes anzufachen. Er läßt sie glühen. Es gelingt ihm das Schwere, nämlich von vornherein das Debakel, das schlimme Ende mitspielen zu lassen. Diese Welt, so edel, so wohlgestalt, so grandseigneurhaft in sich ruhend, ist vernichtet, schon wenn die ersten Worte fallen.

Wie sie gesprochen werden, ist ein Glück. Klaus Kammer – Clavigo – ist anzusehen wie ein etwas halbstarker Apoll von den Kanarischen Inseln. Er hat Genie. Er hat Eitelkeit. Er hat die edle Geste des Auserwählten. Aber er hat zugleich auch das Flackern des Dämons und eine heimliche Unterkietigkeit. Mit der ersten Sekunde bereitet er das unausbleibliche Dilemma vor, gestrafft, selbstsicher, federnd und zugleich unsicher, auf der Hut – und aus Vorsicht schwankend.

Er ist wunderbar zu sehen in dieser gehetzten Ruhe, in solcher schwelenden, verdrückten Leidenschaftlichkeit. Er setzt jeden Satz wie einen Pfeil. Der Gestus des nervösen Adels, den er für den begabten Emporkömmling gefunden hat, ist anwendbar für die Momente des Glückes, der Hoffart und der Freundschaftskabbelei, wie er völlig brauchbar ist in der Vernichtung, im Doppelverrat, beim Verlust des moralischen Gesichtes. Es stimmt eins zum anderen (fast hätte ich geschrieben: mehr noch als bei Goethe selbst).

Nicht weniger ansehnlich und treffend: Erich Schellow. Sein Carlos holt ihn endlich fort von einer Schönsprecherei, die die Gefahr dieses Schauspielers lange war. Jede Geste ist geladen von Adel und männlicher Anmut. Aber zugleich stellt er einen mephistophelischen Zug her, läßt er eine Spottlust, einen flatternden Charakterdefekt dauernd sehen. Dieser Carlos ist gespalten. Man merkt's an jedem Flackern der Augen. Aber Schellow faßt die zwei widersprechenden Partien eines Charakters mühelos zusammen. So gut war dieser außerordentliche Spieler selten.

Kammer und Schellow sind die Protagonisten. Das Stück verlangt es. Aber wie Professor Schmidt auch die anderen alle in der gleichen, hohen Stimmlage hält, sie differenziert, ohne daß das Adagio darunter je leidet, das macht das Stück dieses Abends vollendet.

Dieter Ranspach gewinnt hier eine Sicherheit und Güte, die man ihm nicht zugetraut hatte. Die hinhaltende Redlichkeit des Beaumarchais ist verdammt schwer zu spielen, ohne daß sie einem auf die Nerven ginge. Er schafft es. Er bleibt beherrscht und setzt keine falschen Krusten des Edelmutes an. Ausgezeichnet!

Jürgen Thormann, Kurt Buecheler, Sybille Gilles halten in der Gangart dieses edlen und ruhigen Pathos mit. Sogar die doch bei Goethe schon unspielbare Marie (anstatt eines Mädchens schrieb er ein Loch in das Stück) läßt Karin Remsing, obgleich sie für diese Art Frauen gewiß nicht geschaffen, so erscheinen, daß sie nicht stört, daß ihre dramaturgische Abwesenheit nicht auffällt wie sonst.

Der Abend klingt durchweg nobel und sicher. Man wohnt einer hochgestimmten Kammermusik bei. »Clavigo«, sonst doch ein Schauspiel, das selbst der Goethe-Verehrer auf der Bühne eher fürchtet und lieber meidet –, mit dieser fast klassischen Inszenierung wird er neu eingemeindet in den Dramenfundus unserer Theater. Das Glück des Parketts schien grenzenlos.   19. 11. 1963

Register

Autoren

Regisseure

Darsteller

519

521

Bühnenbildner

Komponisten

Theater